古庄 浩明

三恵社

目　次

ごあいさつ

ご好評につき初版が完売しましたので、平成31年4月1日より施行された文化財保護法の一部改正にあわせて、本書も改訂版を出版することとなりました。時代にあわせて文化財も、調査研究・保存保護はもとより、ワイズユース(wise use)を基本とした利用・活用にも重点が置かれるようになってきました。

さて、初版においてご意見を頂いた二つの点について、私の考え方をご説明させていただきます。

まず、本書ではウィキペディアを活用しています。ウィキペディアの問題点は大きく二点です。一つは著者が分からないこと。もう一つは間違いもあることです。もちろんウィキペディアの性質上、安易な利用には注意をはらうべきですが、間違いを精査した上で利用することは、私は問題ないと考えています。むしろ、ウィキペディアを参考にしてはならないというのは、資料収集の機会を減らし、学問の幅を狭め、新しい地平を開く窓を一つ閉ざしてしまうのではないかと恐れています。また、写真や図版は特にコピーライトが複雑で、他の本の図版や他の方が撮影した写真などを引用したり利用することはたいへん難しいのが現状です。ウィキペディアに載せられている写真や図版は、コピーライトが明確で、だれでも一定のルールを守れば引用・利用することができます。したがってウィキペディアの写真や図版を利用することは懸命な方法だと私は考えています。

次に、本書は大学の教科書です。残念ですが一般書や雑誌のように何万部も出版することはできません。出版部数が少なければ、どうしても単価が上がってしまいます。そこで、学生の方が求めやすいように、表紙以外で(表紙はプロの方にお任せしています)私にできることは私自身で行って印刷費をできるだけ抑えようとしています。したがって、プロのレイアウターのような美しいレイアウトやプロカメラマンの美しい写真など、「本としての美しさ」には欠けてしまっております。

いろいろとご不満なところもあるでしょうが、ご理解いただけますよう、お願い申し上げます。

筆者敬白

例　言

本書は大学の教科書として出版したものである。

参考文献として次の書籍を利用した。

　中村賢二郎　1999　『文化財保護制度概説』　ぎょうせい

　石川進監修・野呂肖生執筆　2001　文化財探訪クラブ1『探訪ハンドブック』山川出版社

　小口和美　2017　「文化遺産と文化財～文化遺産を学ぶための基礎知識～」

そのほか、文化庁を始め各行政機関や関係機関のホームページ、パンフレット、ウィキペディアなどを、参考引用した。図版も一部は各関係機関のホームページ、パンフレット、ウィキペディアなどをから引用した。

参考引用文献は各章の最後に記した。

図版の出典は各章の最後に記した。

法令など、文章の引用部分は一段下げで記して引用部分を明確にし、引用文献は引用文章の最初または最後に記した。

ウィキペディアの利用に当たっては「ウィキペディアを二次利用する」に従った。

ウィキペディアの写真・図版を利用するに当たっては、ウィキペディアコモンズのガイドライン「ウィキメディア内のコンテンツを外部で再利用する」に従った。

　本書を作成するに当たり、青木繁夫氏、井上洋一氏、犬竹和氏、竹田宏司氏のご協力、写真提供を頂きました。石巻市教育委員会には写真掲載許可を頂きました。また、三恵社木全俊輔氏には出版の労をお願いしました。感謝の意を表します。

参考文献

「ウィキペディアを二次利用する」『フリー百科事典　ウィキペディア日本語版』2020．10．09https://ja.wikipedia.org/wiki/Wikipedia:%E3%82%A6%E3%82%A3%E3%82%AD%E3%83%9A%E3%83%87%E3%82%A3%E3%82%A2%E3%82%92%E4%BA%8C%E6%AC%A1%E5%88%A9%E7%94%A8%E3%81%99%E3%82%8B

「ウィキメディア内のコンテンツを外部で再利用する」『フリー百科事典　ウィキペディア日本語版ウィキメディアコモンズ』2020．10．09https://commons.wikimedia.org/wiki/Commons:%E3%82%A6%E3%82%A3%E3%82%AD%E3%83%A1%E3%83%87%E3%82%A3%E3%82%A2%E5%86%85%E3%81%AE%E3%82%B3%E3%83%B3%E3%83%86%E3%83%B3%E3%83%84%E3%82%92%E5%A4%96%E9%83%A8%E3%81%A7%E5%86%8D%E5%88%A9%E7%94%A8%E3%81%99%E3%82%8B

はじめに

私は、縁あって中央アジア・ウズベキスタン共和国のタシュケントで20年ほど考古学と保存科学、博物館学を教えるワークショップを主催してきました。ワークショップには日本から多くの先生をお迎えして授業を行っていただいたのですが、今回は東京国立博物館の井上洋一先生のワークショップのお話を、私の考えを交えて、させていただきます。

井上先生は生徒に「自分の宝物を一つ持ってきてください」という授業をしてくださいました。これを読んでいらっしゃるみなさんも「自分の思い出の品・宝物」をお持ちのことと思います。ではなぜ、それはみなさんにとって「思い出の品・宝物」なのでしょうか。

他の大型・中型の動物に比べて、人類は身体能力が高いとはいえません。その人類が今日のように発展したのは、二つの生存戦略があったためです。一つは「集団で行動する」ことで、もう一つは「過去の事象や経験を後世に伝達し、これをもとに未来を決定する」ことです。「集団で行動する」ためにはみんなが同じ考え方や、同じ価値観をもっていることが重要です。これを「文化」と呼びます。そして、もう一つの生存戦略の一部「過去の事象や経験を後世に伝達」すること、これを「歴史」と呼びます。人類は「文化」を「歴史」として何世代にもわたって「伝統」として継承し、「これをもとに未来を決定すること」によって生存し発展を遂げて来たのです。

みなさんの「宝物」が産まれた「思い出の出来事があった時」の一つには、誕生日や、お祭り、お葬式、新しい生活の始まり、大切な人との出会い、先祖代々受け継いで来たものなど、人と人・人とご先祖様・人と社会との「つながり」や「別れ」を感じた日、新しい世界への旅立ちの日などであったかもしれません。それはあなたが人間として持つ「集団で生きている」こと、そして、その集団や社会の人々との絆を感じていることの証なのです。特に、お祭りは人と人・人とご先祖様との絆を深め、自らが集団や社会の一員であることを認識する一つのイベントです。

さらに、みなさんが、引き出しの奥や箱の中にしまってある「思い出の品・宝物」を取り出して眺めたとき、それが「宝物」となった時の思い出が、感情とともに蘇ってくるのではないでしょうか。そして、それが「宝物」となった経験があったおかげで、「現在の私がある」と思えるのではないでしょうか。「思い出」は「過去の経験の記憶」であり、いわば「歴史」です。そしてそれに伴う「感情」は「あなたが育った家族や社会など、集団における共通の価値観」から生まれた、あなたの持つ広意義の「文化」です。そして「宝物となった経験」はあなたの自我（アイデンティティー）の形成にたいへん大きな役目を果たしています。私たちは引き出しの奥の「宝物」を眺めることによって自分

井上洋一先生

の価値観を形成した「文化」を感じ、自己のアイデンティティーを見つめ、その原点を思い出しているのです。このように私たち人類は、モノに感情や思い出、文化、アイデンティティーの原点を記憶することができるのです。私たちがモノを「思い出の品・宝物」として大切にするのは、人間としての私たちに埋め込まれた生存戦略のせいなのです。

さらに、モノを継承していくことは、モノの持つ「思い出」と「感情」「アイデンティティーの原点」の記憶、つまり「歴史」と「文化」「自我の原点」を継承していくことで、「伝統を受け継ぐ」ということです。この「伝統」を伝えるモノを「文化財」と呼びます。有形であれ無形であれ、私たちが文化財を継承していくことは、私たちが祖先から受け継ぎ、私たち自身の自我（アイデンティティー）を形成している、「伝統」を継承していくことです。したがって、現在残っている文化財を次世代へ継承することは、「自分が何者であるかを子孫たちに伝え示す」ことであり、私たちが行うべき責務だといえます。

私たちの「思い出の品・宝物」は私たちにとっての「文化財」であり、今の私たち自身を築いてきた「過去の経験の記憶」を担った、とても大切なものです。日本人に限らず、「歴史」と「文化」をもった人々にとって、「文化財」はその人々のアイデンティティーの原点を担ったとても大切な「思い出の品・宝物」なのです。したがって、私たちは「私たち自身の宝物」を大切にするように、私たちとは違う文化を持った人々の文化財を大切にしなければなりません。また、私たちは人類として、人類の文化・人類のアイデンティティーを担った文化財を大切にしなければならないのです。

2012ワークショップ（ウズベキスタン）

第 1 回　文化財とは何か

文化財とは

まずはじめに、各文献を参照し、文化財とは何かについて検討する。

文化財探訪クラブ1　『探訪ハンドブック』2001

「文化財とは人間の様々な生産活動の中で生み出された有形、無形の文化遺産であり、いわば国民の財産」　p9

（石川進監修・野呂肖生執筆　2001　文化財探訪クラブ1『探訪ハンドブック』山川出版社）

文化庁ホームページから

「文化財は、我が国の長い歴史の中で生まれ、はぐくまれ、今日まで守り伝えられてきた貴重な国民的財産です。このため国は、文化財保護法に基づき重要なものを国宝、重要文化財、史跡、名勝、天然記念物等として指定、選定、登録し、現状変更や輸出などについて一定の制限を課す一方、保存修理や防災施設の設置、史跡等の公有化等に対し補助を行うことにより、文化財の保存を図っています。また、文化財の公開施設の整備に対し補助を行ったり、展覧会などによる文化財の鑑賞機会の拡大を図ったりするなど文化財の活用のための措置（そち）も講じています。

さらに、我が国を代表する文化遺産の中から顕著（けんちょ）な普遍的価値を有するものをユネスコに推薦し、世界文化遺産への登録を推進しています。」

（文化庁2020『文化庁ホームページ』「文化財」）

文化庁文化財部2020「未来に伝えよう文化財」

「文化財は、我が国の長い歴史のなかで生まれ、育まれ、今日まで守り伝えられてきた貴重な国民の財産です。社寺や民家などの建造物、仏像、絵画、書画、そのほか芸能や工芸技術のような「技（わざ）」、伝統的行事や祭り、あるいは長い歴史を経て今に残る自然の景観、歴史的な集落、町並みなども文化財に含まれます。」

（文化庁文化財部2020「未来に伝えよう文化財」）

ウィキペディア「文化財」

文化財（ぶんかざい）は、

1，広義では、人類の文化的活動によって生み出された有形・無形の文化的所産のこと。「文化遺産」とほぼ同義である。

2，武力紛争の際の文化財の保護に関する条約、文化財不法輸出入等禁止条約、文化財の不法な輸出入等の規制等に関する法律などの条約および法令において規定されている「文化財」のこと。

3，日本の文化財保護法第2条および日本の地方公共団体の文化財保護条例において規定されている「文化財」のこと。

（文化財『フリー百科事典　ウィキペディア日本語版』2020．09．27）

1992年ユネスコの「世界遺産条約」に日本が批准したことによって日本でも「文化遺産」という言葉が使われるようになった。ただし、日本の文化財保護関係の法律上は文化財であり、文化遺産の文字はない。文化財と文化遺産は若干(じゃっかん)の違いがあるが、広意義ではほぼ同じと考えて良い。

UNESCO　World Heritage

Heritage is our legacy from the past, what we live with today, and what we pass on to future generations. Our cultural and natural heritage are both irreplaceable sources of life and inspiration.

(UNESCO2020「World Heritage」https://whc.unesco.org/en/about/)

ウィキペディア「文化遺産」

文化遺産(cultural heritage)は、人類の文化的活動によって生み出された有形・無形の所産である。文化財(cultural property)ともいう。文化的所産の中でも特に、価値が高く、後世に残すべきと考えられているものを指していうことも多い。

文化遺産は、広義では人類の文化的活動によって生み出された建造物、遺跡、美術品、音楽、演劇などの有形(不動産・可動文化財)・無形の文化的所産のことをいう。各国政府および国際機関は、文化的所産の中でも学術上、歴史上、芸術上等の価値が高く、後世に残すために保存等の措置が取られるべきものを、特に「文化遺産」あるいは「文化財」と位置づけ、条約、法律、条例等による文化遺産保護制度の対象としている。保護の対象となる文化遺産は、それぞれの制度の制定目的に応じてそれぞれであるが、制度によっては純粋な文化的所産のみならず、天然記念物のような自然の産物が含まれることもある。保護の対象となる文化遺産に対しては指定・登録等の手続きが取られるが、未指定・未登録の文化遺産の中にも貴重なものは多数存在する。

(文化遺産『フリー百科事典　ウィキペディア日本語版』2020.09.27)

ウィキペディア「世界遺産条約」

世界の文化遺産及び自然遺産の保護に関する条約(Convention Concerning the Protection of the World Cultural and Natural Heritage)は、顕著(けんちょ)な普遍的価値を有する文化遺産及び自然遺産の保護を目的とし、1972年10月17日から11月21日にパリで開かれた第17回会期国際連合教育科学文化機関(UNESCO)総会において、1972年11月16日に採択された国際条約である。1975年12月17日に発効した。略称は世界遺産条約。

(世界遺産条約『フリー百科事典　ウィキペディア日本語版』2020.09.27)

以上のように、「文化財とは、人類が活動して作り出した有形・無形の文化的所産で、後世に伝えるべきものである」ということができる。ではなぜ文化財を後世に伝えなければならないのであろうか。

人類が現在のように繁栄できた理由の一つは、集団で行動する動物であったことによる。そしてもう一つは、過去を記録・記憶として保存し、そこから現在の自己の存在や自己の所属する集団の立脚点を認識し、さらに保存されてきた過去と現在との関係から未来を決定する能力があったからである。したがって、人々は「有形のものや無形の所作(しょさ)」に、自己や自己の所属する集団の文化を記憶として保存し、これを活用して自己の認識と集団の結束力を高め、さらに未来へと伝達しようとするのである。文化財は自己や自己の所属する集団の存続にかかわる大切な記録・記憶の「伝達役」であり、自己認識と集団の結束力を高める「装置」なのである。したがって、それを意識するかしないかに関わらず、文化財を伝承していくことは人類の生存戦略の中の重要な要素なのである。

文化財の種類

日本では文化財について文化財保護法で定義されている。

文化財保護法

（昭和二十五年法律第二百十四号）

施行日：　令和二年五月一日

最終更新：　令和二年六月十日公布（令和二年法律第四十一号）改正

第一章　総則

（この法律の目的）

第一条　この法律は、文化財を保存し、且(か)つ、その活用を図り、もつて国民の文化的向上に資するとともに、世界文化の進歩に貢献することを目的とする。

（文化財の定義）

第二条　この法律で「文化財」とは、次に掲げるものをいう。

一　建造物、絵画、彫刻、工芸品、書跡、典籍、古文書その他の有形の文化的所産(しよさん)で我が国にとつて歴史上又は芸術上価値の高いもの（これらのものと一体をなしてその価値を形成している土地その他の物件を含む。）並びに考古資料及びその他の学術上価値の高い歴史資料（以下「有形文化財」という。）

二　演劇、音楽、工芸技術その他の無形の文化的所産で我が国にとつて歴史上又は芸術上価値の高いもの（以下「無形文化財」という。）

三　衣食住、生業、信仰、年中行事等に関する風俗慣習、民俗芸能、民俗技術及びこれらに用いられる衣服、器具、家屋(かおく)その他の物件で我が国民の生活の推移の理解のため欠くことのできないもの（以下「民俗文化財」という。）

四　貝づか、古墳、都城跡(とじようあと)、城跡(じようせき)、旧宅その他の遺跡で我が国にとつて歴史上又は学術上価値の高いもの、庭園、橋梁(きようりよう)、峡谷(きようこく)、海浜、山岳その他の名勝地で我が国にとつて芸術上又は観賞上価値の高いもの並びに動物（生息地、繁殖地及び渡来地を含む。）、植物（自生地を含む。）及び地質鉱物（特異な自然の現象の生じている土地を含む。）で我が国にとつて学術上価値の高いもの（以下「記念物」という。）

五　地域における人々の生活又は生業及び当該地域の風土により形成された景観地で我が国民の生活又は生業の理解のため欠くことのできないもの（以下「文化的景観」という。）

六　周囲の環境と一体をなして歴史的風致(ふうち)を形成している伝統的な建造物群で価値の高いもの（以下「伝統的建造物群」という。）

2　この法律の規定（第二十七条から第二十九条まで、第三十七条、第五十五条第一項第四号、第百五十三条第一項第一号、第百六十五条、第百七十一条及び附則第三条の規定を除く。）中「重要文化財」には、国宝を含むものとする。

3　この法律の規定（第百九条、第百十条、第百十二条、第百二十二条、第百三十一条第一項第四号、第百五十三条第一項第七号及び第八号、第百六十五条並びに第百七十一条の規定を除く。）中「史跡名勝天然記念物」には、特別史跡名勝天然記念物を含むものとする。

（政府及び地方公共団体の任務）

第三条　政府及び地方公共団体は、文化財がわが国の歴史、文化等の正しい理解のため欠くことのできないものであり、且つ、将来の文化の向上発展の基礎をなすものであることを認識し、その保存が適切に行われるように、周到(しゆうとう)の注意をもつてこの法律の趣旨(しゆし)の徹底に努めなければならない。

（国民、所有者等の心構）

第四条　一般国民は、政府及び地方公共団体がこの法律の目的を達成するために行う措置に誠実に協力しなければならない。

2　文化財の所有者その他の関係者は、文化財が貴重な国民的財産であることを自覚し、これを公共のために大切に保存するとともに、できるだけこれを公開する等その文化的活用に努めなければならない。

3　政府及び地方公共団体は、この法律の執行に当つて関係者の所有権その他の財産権を尊重しなければならない。

（https://elaws.e-gov.go.jp/search/elawsSearch/elaws_search/lsg0500/detail?lawId=325AC1000000214_20200501_502AC0000000018&openerCode=1#A）

文化庁の「未来に伝えよう文化財～文化財行政のあらまし～」には文化財について次のように記載されている。

□有形文化財 建造物、絵画、彫刻、工芸品、書跡、典籍（てんせき）、古文書などで歴史上又は芸術上価値の高いものや、考古資料及びその他の学術上価値の高い歴史資料を有形文化財と呼びます。このうち、「建造物」以外のものを総称して「美術工芸品」と呼んでいます。

□無形文化財 演劇、音楽、工芸技術その他の無形の文化的所産で歴史上又は芸術上価値の高いものを無形文化財と呼んでいます。「わざ」を体得した個人又は団体によって体現されるものです。

□民俗文化財 衣食住、生業、信仰、年中行事等に関する風俗慣習、民俗芸能、民俗技術やこれらに用いられる衣服、器具、家屋などで生活の推移の理解のため欠くことのできないものを民俗文化財と呼んでいます。

□記念物 貝塚、古墳、都城跡、城跡、旧宅などの遺跡で歴史上又は学術上価値の高いものや、庭園、橋梁、峡谷、海浜、山岳などの名勝地で芸術上又は観賞上価値が高いもの、さらには、動物、植物、地質 鉱物で学術上価値が高いものを記念物と呼んでいます。

□文化的景観　地域における人々の生活や生業、地域の風土により形成された景観地で我が国民の生活や生業の理解のため欠くことのできないものを文化的景観と呼んでいます。

□伝統的建造物群　周囲の環境と一体となっている伝統的な建造物群で価値の高いものを、伝統的建造物群と呼んでいます。

これらの文化財のうち、重要なものを重要文化財、重要無形文化財、重要有形・無形民俗文化財、史跡、名勝、天然記念物等として国が指定・選定・登録し、重点的に保護しています。また、重要文化財のうち特に価値の高いものを国宝に、史跡、名勝、天然記念物のうち特に重要なものを特別史跡、特別名勝、特別天然記念物に指定しています。そのほかに、土地に埋蔵されている文化財を埋蔵文化財、文化財の保存・修理に必要な伝統的な技術・技能を文化財の保存技術と呼び、保護の対象としています。

（文化庁文化財部2018「未来に伝えよう文化財～文化財行政のあらまし～」）

国指定等文化財の件数

平成28年8月1日→令和2年9月1日

指定 国宝·重要文化財

美術工芸品	国 宝	重要文化財
絵画	159件→162件	2,002件→ 2,031件
彫刻	138件→136件	2,692件→ 2,715件
工芸品	252件→253件	2,447件→ 2,469件
書跡·典籍	224件→228件	1,903件→ 1,916件
古文書	60件→ 62件	759件→ 774件
考古資料	46件→ 47件	618件→ 647件
歴史資料	3件→ 3件	191件→ 220件
計	874件→893件	10,612件→10,772件
建造物	282棟 223件→290棟 227件	4,825棟 2,456件→5,122棟 2,509件
合 計	1,097件→1,120件	13,068件→13,281件

注 重要文化財の件数は国宝の件数を含む

指定 史跡名勝天然記念物

特別史跡	61件→63件	史跡	1,760件→1,847件
特別名勝	36件→36件	名勝	398件→ 422件
特別天然記念物	75件→75件	天然記念物	1,021件→1,031件
	計172(162)件→174(164)件		計3,179(3,067)件→3,300(3,185)件

注 史跡名勝天然記念物の件数は特別史跡名勝天然記念物の件数を含む 史跡名勝天然記念物には重複指定があり、( )内は実指定件数を示す

登録 登録記念物 98件→117件

選択 記録作成等の措置を講ずべき無形文化財 91件→132件(国指定文化財等データベース)

選択 記録作成等の措置を講ずべき無形の民俗文化財 623件→647件(国指定文化財等データベース)

指定 重要無形文化財

	各個認定		保持団体等認定	
	指定件数	保持者数	指定件数	保持団体等数
芸能	36件→37件	54人(54)→57人(57)	13件→14件	13団体→14団体
工芸技術	40件→39件	58人(57)→58人(57)	14件→16件	14団体→16団体
計	77件 112人 (111)→76件 115人(114)		27件→30件	27団体→30団体

注 保持者には重複認定があり、( )内は実人員数を示す

(文化庁2020『文化庁ホームページ』「文化財指定等の件数)

指定 重要有形民俗文化財 217件→223件

指定 重要無形民俗文化財 296件→318件

選定 重要文化的景観 50件→65件

選定 重要伝統的建造物群保存地区 112地区→120地区

選定 選定保存技術 保持者　　　　　　　　　保存団体
48件 56人→47件 53人　31件 33団体(31団体)→37件　39団体(34団体)
注 保存団体には重複認定があり、( )内は実団体数を示す
登録 登録有形文化財(建造物) 10,516件→12,685件
登録 登録有形文化財(美術工芸品) 14件→16件
登録 登録有形民俗文化財 42件→45件

文化財の体系(1-1)

文化財　有形文化財(建築物·美術工芸)
　　指定　重要文化財　指定　国宝
　　登録　登録有形文化財(保存と活用が特に必要)
　無形文化財(演劇·音楽·工芸技術等)
　　指定　重要無形文化財
　　選択　記録作成等の措置を講ずべき無形文化財
　　　(特に必要があるもの)
　民俗文化財(有形の民俗文化財)(無形の民俗文化財)
　　指定　重要有形民俗文化財
　　　重要無形民俗文化財
　　登録　登録有形文化財
　　　(保存と活用が特に必要なもの)
　　選択　記録作成等の措置を講ずべき民俗文化財
　記念物　(遺跡·名勝地·動物·植物·地質鉱物)
　　指定　史跡　指定　特別史跡
　　　名勝　指定　特別名勝
　　　天然記念物　指定　特別天然記念物
　　登録　登録記念物　(保存と活用が特に必要なもの)
　文化的景観(地域における人々の生活または生業および当該地域の風土により形成された景観地)
　　都道府県または市町村の申し出に基づき選定　重要文化的景観
　伝統的建造物群(宿場町·城下町·農漁村など)
　　市町村が決定　伝統的建造物群保存地区　選定　重要伝統的建造物群
　文化財の保存技術(文化財補保存に必要な材料や用具の生産·製作、修理·修復の技術等)
　　選定　選定保存技術
　埋蔵文化財　(土地に埋蔵されている文化財)

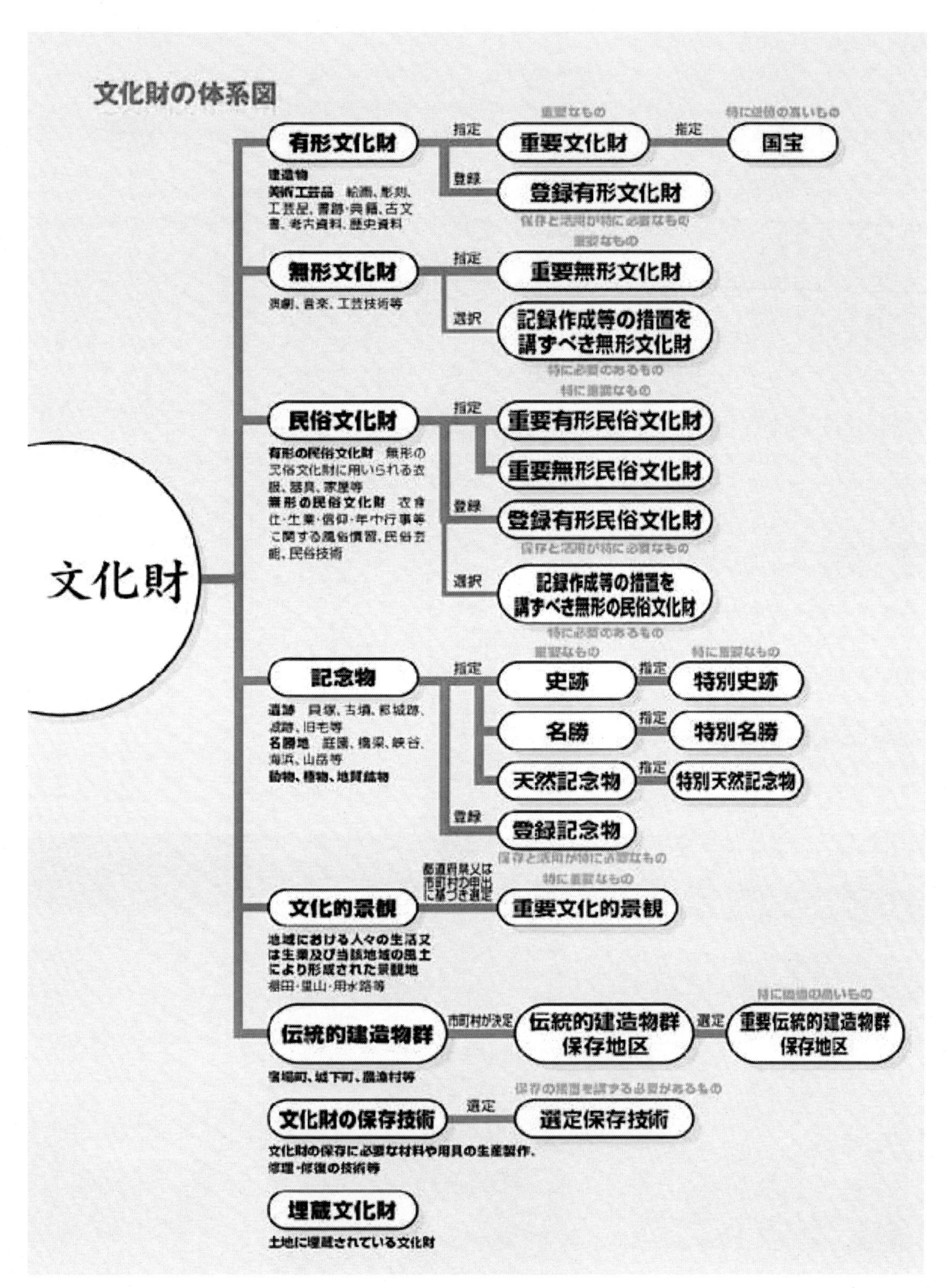

1-1文化財の体系

（文化庁文化財部2018「未来に伝えよう文化財～文化財行政のあらまし～」）

参考引用文献

石川進監修·野呂肖生執筆　2001　文化財探訪クラブ1『探訪ハンドブック』山川出版社

文化庁2020『文化庁ホームページ』「文化財」https://www.bunka.go.jp/seisaku/bunkazai/index.html

文化庁文化財部2020「未来に伝えよう文化財」https://www.bunka.go.jp/tokei_hakusho_shuppan/shuppanbutsu/bunkazai_pamphlet/pdf/pamphlet_ja_01.pdf

文化庁文化財部2018「未来に伝えよう文化財」http://www.bunka.go.jp/tokei_hakusho_shuppan/shuppanbutsu/bunkazai_pamphlet/pdf/pamphlet_ja_01.pdf#search=%27%E6%9C%AA%E6%9D%A5%E3%81%AB%E4%BC%9D%E3%81%88%E3%82%88%E3%81%86%E6%96%87%E5%8C%96%E8%B2%A1%27

文化財『フリー百科事典　ウィキペディア日本語版』2020.09.27https://ja.wikipedia.org/wiki/文化財

UNESCO2020「World Heritage」https://whc.unesco.org/en/about/

文化遺産『フリー百科事典　ウィキペディア日本語版』2020.09.27https://ja.wikipedia.org/wiki/文化遺産

世界遺産条約『フリー百科事典　ウィキペディア日本語版』2020.09.27「世界遺産条約」https://ja.wikipedia.org/wiki/世界遺産条

文化庁文化財部2018「未来に伝えよう文化財〜文化財行政のあらまし〜」http://www.bunka.go.jp/seisaku/bunkazai/shokai/gaiyo/taikeizu_l.html

文化庁2020『文化庁ホームページ』「文化財指定等の件数https://www.bunka.go.jp/seisaku/bunkazai/shokai/shitei.html

文化庁文化財部2018「未来に伝えよう文化財〜文化財行政のあらまし〜」http://www.bunka.go.jp/seisaku/bunkazai/shokai/gaiyo/taikeizu_l.html

図版の出典

1-1文化財の体系　文化庁文化財部 2018「未来に伝えよう文化財〜文化財行政のあらまし〜」「文化財の体系」http://www.bunka.go.jp/seisaku/bunkazai/shokai/gaiyo/taikeizu_l.html

1-2首里城正殿『フリー百科事典　ウィキペディア日本語版』2020.10.09https://ja.wikipedia.org/wiki/%E6%97%A5%E6%9C%AC100%E5%90%8D%E5%9F%8E#/media/File:Naha_Shuri_Castle16s5s3200.jpg

1-3 2019年消失した首里城『フリー百科事典　ウィキペディア日本語版』2020.10.09 https://upload.wikimedia.org/wikipedia/commons/4/4d/Shuri_Castle_after_fire_seen_from_Ryutan_201911.JPG?uselang=ja

1-3 2019年消失した首里城　　1-2首里城正殿（史跡·文化遺産·日本100名城）

第 2 回　文化財保護制度の歴史

近代以前には、文化という概念がなく、文化財という言葉さえ存在しなかった。したがって文化財の保護のための制度はなかった。今日で言う文化財は、天皇家・公家・武家・社寺・富裕層などの財宝として伝承されていた。また、芸能は流派として相伝され、町衆文化・地方文化として伝承されていた。一般への公開は寺院の財宝の開帳などの形をとっておこなわれた。元禄7年(1694年)・天保13年(1842年)本所回向院の法隆寺宝物江戸出開帳などは、信仰の拡大と伽藍修理を目的としたものであった。

近代以降、近代国家の成立と発展の中で初めて国の宝としての文化財が意識され、その保護制度が確立していくことになる。しかしその保護制度は文化財にとって下記のような危機的状況の中で確立してきたのである。

・明治維新後　西欧化と廃仏毀釈による社寺の疲弊・伝世文化財の危機
・明治末から大正　国土開発と工業化による記念物文化財の破壊
・昭和初年　経済不況による大名旧家所蔵文化財の散逸・流出
・第二次世界大戦　社会経済混乱による文化財の散逸・流出
・昭和40年代　経済成長・開発の進行による文化財の破壊
・開発の進行と文化財保護の拡充

明治維新後　西欧化と廃仏毀釈による社寺の疲弊・伝世文化財の危機

古器旧物保存方の布告

明治政府は、1868(明治元)年、神道国教化をめざし、神仏習合を禁止する神仏分離令を発布した。これをきっかけに廃仏毀釈運動が起こり、仏像・経巻など破壊消却され、数多くの文化財が失われた。さらに西欧化は社寺の疲弊、財宝・建造物など文化財の散逸・破壊を招く結果となった。こうした中、大学(後の文部省)の「天下の宝器類が失われているので、集古館(博物館)建設して 至急に文化財を保護すべき」との献言をもとに、1871(明治4)年、政府は太政官「古器旧物保存方」の布告を発した。

この布告では、古器旧物を以下の31部門に分類した。

「祭器、古玉宝石、石弩雷斧、古鏡古鈴、銅器、古瓦、武器、古書画、古書籍並経文、扁額、楽器、鐘銘碑銘墨本、印章、文具諸具、農具、工匠機器、車輿、屋内諸具、布帛、衣服装飾、皮革、貨幣、諸金製造器、陶磁器、漆器、度量権衡、茶器香具花器、遊戯具、雛幟等偶人并児玩、古仏像并仏具、化石など」

これらは地域や時期を限らずに保存すべきものとして集められ、集古館に保存することとなった。この布告が所蔵者への啓蒙と文化財保存思想の普及のための日本における初めての政策であり、日本における博物館資料やその分類の始まりである。

社寺の荒廃と古社寺保存金

法隆寺は江戸時代より荒廃した伽藍の修理のため、江戸出開帳をおこなってその費用を捻出していた。明治9年に法隆寺は、寺物の散逸防止・伽藍修理費用の確保のため、奈良博覧会に出品した宝物を献納すべく「古器物献備御願」を政府に提出した。宮内省はこれを受理して帝室御物として正倉院に収納し、法隆寺に対し報酬金1万円が下賜された。明治15年、東京上野公園に開館した博物館にこの御物を移送した。これが現在、東京国立博物館法隆寺館の資料である。このことから分かるように、明治時代には多くの寺院が疲弊し、宝物類が流失・散逸したのである。そこで内務省は1880(明治13)年に古社寺保存金交付制度をつくり、明治13年頃から明治27年頃までに総額12万1000円を全国539の社寺に交付して、その積立金の利子で社寺建造物の維持修理に充てさせた。

臨時全国宝物取調局と帝国博物館

明治11年、東京大学外国人教師フェノロサは日本古美術の調査と収集を行って日本古美術の価値の再発見と啓蒙的役割を果たした。明治17年、フェノロサと、彼に師事して日本美術保存の必要性を説いた岡倉天心は、文部省から京阪地方の古社寺踏査を命じられる。さらに、明治21年に臨時全国宝物取調局が設置され、岡倉天心らを中心として10年にわたり全国の社寺の調査が行われた。結果、古文書1万7000点余、絵画7万4000点余、彫刻4万6000点余、工芸品5万7000点余、書籍1万8000点余、合計21万5000点が調査された。その内、1万5000点が優品として監査状が発行され、参考簿に登録されたのである。

この調査で京都・奈良に宝物が多く、保存のための施設が必要なことが分かり、明治25年東京の図書寮附属博物館を帝国博物館と改め、さらに京都と奈良にあらたに帝国博物館を設置することが決定された。この決定に基づき、明治28年、帝国奈良博物館が、明治30年に帝国京都博物館が開館した。

「古社寺保存法」

明治27・28年の日清戦争による民族意識の高まりを背景として、明治30年「古社寺保存法」が制定された。「古社寺保存法」は、建造物および宝物類の維持修理が不可能な古社寺に対して、古社寺とその所有の宝物の保存保護のため保存金を、下付することを法で定めたものである。またその修理に対し、地方長官に指揮監督権をあたえた。さらに社寺の建造物および宝物類で、特に歴史的に重要で「歴史の證徴または美術の模範となるべきもの」を内務大臣が「特別保護建造物」と「国宝」とし、国費で保存すべき宝物とした。これら特別保護建造物と国宝は、処分・差し押さえを禁止し、神職・住職に監守義務を課した。さらに、国宝の官立・公立博物館への陳列義務、毀釈、隠匿、処分等に対する刑罰などが定められた。この法律は対象が社寺に関わるものに限定されていが、文化財保護制度の原形となり、1929(昭和4)年の「国宝保存法」へ引き継がれた。このとき選定された特別保護建造物は845件、国宝は3705件であった。

明治末から大正　国土開発と工業化による記念物文化財の破壊

史蹟名勝天然記念物保護法

明治7年、太政官達「古墳発見の節届出方」が定められ、さらに、明治13年には宮内省達「人民私有地内古墳等発見の節届出方」が発布されて古墳の保存が進められた。

明治10(1877)年にはエドワード・S・モースにより大森貝塚が調査され、明治13年に「大森介墟古物編」が刊行された。これが我が国における近代考古学の始まりとなる。

明治32年に制定された遺失物法は埋蔵物にも適用された。しかし、内務省訓令「学術技芸若ハ考古ノ資料トナルヘキ埋蔵物取扱ニ関スル件」において、埋蔵物として警察に差し出されたもので、石器時代の遺物は東京帝国大学へ、古墳関係品その他は宮内省に通知することが定められた。

日清・日露戦争後、近代化は急速に発展し、国勢の発展に伴って土地の開拓、道路の新設など人為的な原因によって史跡や天然記念物は破壊されていることが問題視されるようになり、明治44年貴族院から「史蹟及天然記念物保存ニ関スル建議」が提出され、我が国古来の美術工芸品等が「古社寺保存法」によって保護されているのに対し、史跡・天然記念物は放置されているため、国による保存の方策を講じる必要があるとの提言があった。政府はこの提言によって、大正8年「史蹟名勝天然記念物保存法」を制定した。

「史蹟名勝天然記念物保存法」によって、史跡名勝天然記念物は内務大臣が指定すること、それ以前に必要があるときは地方長官が仮指定できること、現状変更またはその保存に影響を及ぼす行為は地方長官の許可が必要なことが定められた。また、内務大臣は保存に関し地域を定めて、一定の行為を禁止・制限・必要な施設の建築を命ずることができるようになり、地方公共団体にその管理をおわせた。また、この法律では現状変更等の制限および環境保全命令の規定違反に対する罰則ももうけられた。

「史蹟名勝天然記念物保存法」は、大正9年の「文化財保護法」に継承され、さらに、昭和3年に文部省に事務が移管され、主務大臣は文部大臣となった。

昭和初年　経済不況による大名旧家所蔵文化財の散逸・流出

「国宝保存法」

昭和初年からの経済不況により、旧大名家が経済的に困窮することとなり、所蔵していた宝物を手放さざるを得なくなった。また、長年放置されてきた城郭も修理が必要となった。このように社寺以外の文化財の保護が必要となったのである。このような事態に対応して昭和4(1929)年、旧来の「古社寺保存法」を廃止し、「国宝保存法」を制定した。

「国宝保存法」では対象を国有・公有・私有の区別なく保存するように拡大し、「特定保存建造物」と「国宝」に区別されていたものを「国宝」に一括した。これによって姫路城や名古屋城などの国宝指定が進められるとともに、社寺所有以外の絵画・書籍の指定も進められた。さらに国宝の輸出・移動の原則禁止も定められた。

重要美術品等ノ保存ニ関スル法律

「国宝保存法」の制定で国宝の輸出・移動は原則禁止されたが、未指定の物件の海外流失は続いた。そんな中、昭和7年に「吉備大臣入唐絵巻」がボストン美術館へ流失する事態となった。これを契機に、国家意識の高揚もあって、未指定の重要物件の流出を防止する必要性が強く訴えられた。

1933(昭和8)年「重要美術品等ノ保存ニ関スル法律」が制定され、国宝としては未指定の重要物件の海外流出を防ぎ適正な保存を図ることとなった。これによって、「現存する者の製作したもの、製作後50年を経過しないもの、輸入後1年を経過しないもの」以外で、「国宝としては未指定だが、主務大臣が重要物件として認定したの」を輸入輸出移動する場合は許可が必要となった。さらに、輸入輸出または移動する許可申請があって、この申請を許可をしないときは、主務大臣は一年以内にこれを国宝に指定するか、認定を取り消すことが定められた。以後、昭和25年「文化財保護法」の制定までに美術工芸品7983件、建造物299件、合計8282件が認定された。

第二次世界大戦　社会経済混乱による文化財の散逸・流出

「文化財保護法」

第二次世界大戦によって、昭和18年に美術工芸品・建造物の認定、名勝天然記念物の指定の事務が停止し、文化財行政は停滞した。戦後、昭和20年に指定・認定事務は再開されたが、戦後の社会の混乱と経済の疲弊によって文化財の散逸・海外流失の危険性は増した。そのような中、昭和24年1月法隆寺金堂の火災が発生し、これを契機として、翌昭和25年5月に「文化財保護法」が制定された。

「文化財保護法」では「文化財を保存し、且つその活用を図り、もつて国民の文化的向上に資するとともに、世界文化の進歩に貢献すること」がうたわれた。この法律によって「国宝保存法」の建造物や宝物等と、「史蹟名勝天然記念物保存法」の史跡名勝天然記念物は、「文化財」の概念に包摂され、統一的な保護法制の下に置かれた。また、無形の文化的所産で歴史上または芸術上価値が高いものも(無形文化財)、土地に埋蔵されているもの(埋蔵文化財)も、文化財として保護の対象とされたのである。

・二段階制定制度

「文化財保護法」では、有形文化財のうち重要なものを重要文化財、記念物のうち重要なものを史跡、名勝または天然記念物として国が指定する。さらに、そのうち特に重要なものを国宝並びに特別史跡、特別名勝及び特別天然記念物に指定するという二段階制定制度をとっている。

指定は文部省の外局として、行政委員会の文化財保護委員会が指定事務をおこない、文化財の管理、指揮監督、命令は、都道府県教育委員会へ権限委任が行われた。また、国への各種届け出は都道府県教育委員会を経由機関として行うこととなった。

昭和43年に文化省文化局と文化財保護委員会が統合されて文化庁が設置された。これにより、国の指定及び指定解除の権限は文部大臣が、その他の権限は文化庁長官が引き継ぎ、新たに文部省の諮問機関(しもんきかん)として文化財保護審議会が設置された。

旧法(「重要美術品等ノ保存ニ関スル法律」)に引き続き、重要文化財の現状変更は許可制をとり、新たに所有者以外の公開に国の許可が必要なことを定めた。また、国指定の史跡名勝天然記念物の現状変更及び保護に影響を及ぼす行為は、地方長官の許可であったものを国の許可に改めた。そのほか、管理団体の指定は、地方公共団体のほか法人に拡大した。また、重要文化財及び史跡名勝天然記念物の管理に関する国の命令または勧告、国宝及び特別史跡名勝天然記念物の修理または復旧に関する国の命令または勧告、重要文化財に関する国の先買権を定めるなど、国指定文化財に対する規制の強化と保護に関する規定の整備が行われた。

・埋蔵文化財

埋蔵文化財は明治32年、遺失物法の施行に伴う内務省訓令でその取扱が定められていたが、これを法律で制定した。さらに埋蔵文化財の学術調査のための発掘の国への事前届出制を定め、文化財保護委員会は、発掘に対しての禁止・中止命令や、必要な指示を与えることができることが明記された。

昭和29年の改正

昭和29年に「文化財保護法」は以下のような改正が行われている。

・管理団体制度

重要文化財の管理団体の制度を設け、必要がある場合に限り、地方公共団体その他の法人を指定して保存のための必要な管理のほか、修理・公開の義務と権限を有するもとのした。

・無形文化財の指定制度

重要無形文化財の指定制度を設け、助成措置(そち)を講じた。技を体現化している自然人である保持者を認定し、いわゆる「人間国宝」とした。「文化財保護法」には「人間国宝」という文言はないが、重要無形文化財の各個認定の保持者を指して人間国宝と呼ぶ通称が広く用いられている。また、重要無形文化財以外の無形文化財の記録選択制度をもうけた。

・民俗資料の制度化

従来民俗資料は有形文化財に含められていたが、民俗資料を無形のものも含めて独立した文化財としてとらえた。重要民俗資料制度を新設し、記録選択制度をとった。重要文化財に準ずる保護規定をもうけた。ただし、現状変更及び輸出は事前届出制とした。

・埋蔵文化財の保護強化

埋蔵文化財を有形文化財から独立させた。民俗資料、貝塚、住居跡、寺跡などの記念物で土地に埋蔵されているものを埋蔵文化財とし、土木工事、開墾その他、埋蔵文化財の調査以外の目的で行われる発掘調査は事前届出を義務づけ、国は必要な指示を行うことができるとした。

・記念物の保護制度

史跡名勝天然記念物の内容を明らかにした。また、指定、仮指定、現状変更等の許可にあたって財産権及びほかの公益との調整に留意すべき旨の訓示規定を新設し、さらに異議申し立ての制度を新設した。

・地方公共団体の事務の明確化

地方公共団体は国指定以外の文化財の指定を行い、保護の措置を講ずることができることとした。

昭和40年代　経済成長・開発の進行による文化財の破壊

昭和50年の改正

日本は、昭和20年代末から復興期に、昭和30年代末～40年代には高度成長期に入り、それに伴って環境破壊や社会構造の変化が進んだ。都市化、地方の過疎化、核家族化、生活様式の変化は地域社会を崩壊させ、民俗行事を衰退させて文化財保護基盤も失われていった。さらに、国土開発の進行は埋蔵文化財の保存と利害関係が相反し、開発と文化財保護の対立を生み出した。このような事態に対応すべく、昭和50年、「文化財保護法」の改正がおこなわれた。また、このとき新たに伝統的建造物群と文化財保存技術の制度が「文化財保護法」に加えられた。

・建造物その他の有形の文化的所産と「一体をなしてその価値を形成している土地、その他の物件」を有形文化財の定義の中に含めたことにより、社寺の境内、武家の屋敷、民家の敷地などを対象とすることができるようになった。さらに、伝統的建造物群保存地区の保護制度をもうけ、伝統的建造物群を文化財とした。

・重要無形文化財保持者は自然人に限られていたが、社団法人や任意団体を保持団体として認定することができるようにした。

・民俗資料を民俗文化財と改め、重要有形民俗文化財として指定制度を設けた。また、無形民俗文化財について国の指定制度をもうけた。

・埋蔵文化財に関し、土木工事に伴う発掘は届け出制のままとされた。国、地方公共団体、その他の公的機関が行う発掘は、文化庁長官に対する通知と協議が制度化された。また、国及び地方公共団体に対し、埋蔵文化財包蔵地の周知徹底が努力義務規定とされた。さらに、遺跡が重要かつ調査の必要がある場合、文化庁長官が現状変更の停止、禁止命令を発することができるとした。また、地方公共団体の発掘調査に関する規定をもうけ、地方公共団体の事務を明確化した。

・伝統的建造物群保存地区制度が新設された。

社会の変化は古来の町並みや集落の景観を急激に変容させた。この状況に対し、伝統的建造物群や景観の保存活動が起こり、昭和43年金沢市や倉敷市では条例が制定され、景観の保存が行われることになった。さらに昭和47・48年には萩市・南木曽町など9市町でも同様の条例が制定された。こうした中でヨーロッパ歴史的街区のファサード保存を参考に、伝統的建造物群保存地区制度を新設した。この制度によって有形文化財の単体保護から、文化財的価値を有する集合体を環境を含めて保護する広域保護へとなった。また、本制度は、住民の意思を反映して、市町村が都市計画や条例で保護地区を決定し、国は市町村の申し出に基づいて特に価値が高いものを重要伝統建造物群保存地区として選定するという、市町村が主体となって行う保護制度となっている。

> ファサード保存
>
> 歴史的建築物の保存方法として、ファサード保存が選択されることがある。これは、建築物の正面部分(時には正面の一部)だけを保存する方法で、都市における再開発と歴史的建造物の保存を両立させるための苦肉の策である。つまり、このファサード保存には、正面構造物以外の多くの構造物や内部空間などが全て失われてしまうことになるため保存方法として甚だ不十分であるという欠点がある。しかしながら、既に建て替えが不可避であり、かつ、ファサードが街全体に与えるイメージに特に価値が見出されているような場合はやむを得ず、このファサードだけを保存するという方法が選択されることがある。日本国内では主として土地の高度利用のため、ファザード部分を保存しつつ背面を高層建築とする手段が近年の再開発において、しばしば採用されている。
>
> ファサード保存の例: 損保ジャパン日本興亜横浜馬車道ビル(旧川崎銀行横浜支店)、中京郵便局、JPタワー(旧東京中央郵便局)、DNタワー21(旧第一生命館)、大阪松竹座、大阪取引所ビルなど。
>
> (「ファサード」フリー百科事典『ウィキペディア(Wikipedia)』2020.09.27)

・文化財保存技術の保護制度がもうけられた。

これは有形文化財、無形文化財の用具の製作・修理などの、伝統的技術・技能の後継者不足や資材不足に対し、「文化財保存のために欠くことのできない伝統的な技術・技能で、保存の措置を講ずる必要があるもの」を、国が選定し、原材料や資材の確保などの措置を講ずるとともに、継承者育成事業などに援助するものである。

・都道府県は従前の文化財専門委員の制度にくわえて文化財保護審議会を置くことができるとした。

開発の進行と文化財保護の拡充

平成8年の改正

・登録文化財制度

さらなる開発の進展は、文化財の破壊・消滅を加速させた。それまで指定が遅れていた近代化に関わった文化財など、国及び地方公共団体が指定したもの以外の文化財の保護が必要となった。そこで、建造物のうち国及び地方公共団体が指定したもの以外のもので、保存及び活用の措置が特に必要なものを、文部大臣が文化財登録原簿に登録する登録文化財制度が新設された。この制度は所有者の協力を得ながら文化財の保護を図るもので、登録された文化財は、その所有者に各種の届出の義務が課され、文化庁長官は必要な指導・助言・勧告を行うことができるとされている。

・指定都市などへの権限委任

重要文化財の現状変更の許可など、都道府県教育委員会にくわえ、指定都市及び中核市の教育委員会にも委任できるようにした。

・都道府県教育委員会と同様に市町村教育委員会にも条例をさだめて文化財保護審議会をおくことができるとした。

・重要文化財の公開について、公開承認施設の設置者が主催する場合、許可を要しないこととし、公開を促進した。

平成11年の改正

文化財保護事務の多様化・多量化もあり、都道府県・指定都市等への権限委譲などがおこなわれた。

法関係

1　埋蔵物が文化財であるかどうかの鑑査等の事務を都道府県又は指定都市若しくは中核市の教育委員会が行うこととしたこと(法第60条から第62条まで)。

2　所有者不明の出土文化財の所有権の帰属先を原則として都道府県としたこと(法第63条の2)。

3　文化庁長官の権限に属する事務(土地の発掘及び遺跡の発見に関する事務を含む。)を、政令で定めるところにより、都道府県又は市の教育委員会が行うこととすることができることとしたこと(法第99条第1項)。

4　文化庁長官の勧告又は命令により出品された重要文化財等の管理の事務を、政令で定めるところにより、都道府県又は指定都市若しくは中核市の教育委員会が行うこととすることができることとしたこと(法第100条第1項)。

5　機関委任事務に関する文化庁長官の指揮監督及び当該事務の処理に要する経費の国庫負担を廃止したこと(旧法第104条)。

6　聴聞(ちょうもん)、不服申立て等に関する規定を整理したこと(法第85条から第85条の8まで)。

令関係

1　法第99条第1項の規定により委譲(いじょう)する事務の範囲及びその委譲先を定めたこと(令第5条)。

2　法第100条の規定により管理の事務を都道府県又は指定都市若しくは中核市の教育委員会が行うこととする場合の要件等を定めたこと(令第6条)。

平成16年の改正

人と自然の関わりの中で作り出されてきた文化的景観や、生活や生産に関する用具、用品等の製作技術など、地域において伝承されてきた民俗技術を新たに保護の対象とした。また、近代の文化財等を保護するため、建造物以外の有形の文化財にも登録制度を拡充した。

文化的景観の保護制度創設　選定制度の創設

民俗文化財の保護範囲の拡大　民俗技術を保護

文化財登録制度の拡充　建造物以外の有形文化財、有形の民俗文化財及び記念物にも登録制度を拡充

「文化財保護法」の一部を改正する法律の概要

1．保護対象の拡大

文化的景観

（1）地域における人々の生活又は生業及び当該地域の風土により形成された文化的景 観を文化財として位置付けることとする（第2条関係）。

（2）文部科学大臣は、都道府県又は市町村の申出に基づき、景観法で定める景観計画 区域又は景観地区内にある文化的景観のうち、特に重要なものを重要文化的景観として選定することとする（第134条関係）。

（3）重要文化的景観について、滅失、き損した場合や現状変更等をしようとする場合に所有者等が届出を行うとともに、文化庁長官が必要な指導、助言又は勧告をすることができるなど、必要な保護措置を講ずることとする（第136条から第141条関係）。

（4）重要文化的景観の選定に当たっては、関係者の所有権等を尊重するとともに、国土の開発等公益との調整や農林水産業その他の地域における産業との調和に留意しなければならないものとし、文化庁長官が勧告等をしようとするときは、関係各省各庁の長と協議しなければならないものとする（第141条関係）。

民俗技術

民俗文化財に、風俗慣習及び民俗芸能に加え、地域において伝承されてきた生活や生産に関する鉄・木材等を用いた用具、用品等の製作技術である民俗技術を追加することとする（第2条関係）。

2．保護手法の多様化

登録制度の拡充

（1）登録有形文化財制度を、建造物以外の有形文化財にも拡充し、現行の保護措置と同様、届出制と指導・助言・勧告を基本とする緩やかな保護措置を講ずることとする（第57条から第69条関係）。

（2）登録有形民俗文化財制度及び登録記念物制度を創設し、登録有形文化財制度と同様の保護措置を講ずることとする（第90条、第132条及び第133条関係）。

3．その他

（1）この法律案は、平成17年4月1日から施行するものとする。（附則第1条関係）

（2）条文整理に伴う関係法律の改正を行うものとする。（附則第2条から第15条関係）

地方文化財行政の推進と文化財の保存・活用

平成31年の改正

過疎化・少子高齢化などを背景に、文化財の滅失や散逸等の防止が緊急の課題となり、未指定を含めた文化財をまちづくりに活かしつつ、地域社会総がかりで、その継承に取組んでいくことが必要となった。このため、地域での文化財の計画的な保存・活用の促進や、地方文化財保護行政の推進力の強化が図られた。

（1）地域における文化財の総合的な保存・活用

① 都道府県は、文化財の保存・活用に関する総合的な施策の大綱を策定できる(第183条の2第1項)

② 市町村は、都道府県の大綱を勘案し、文化財の保存・活用に関する総合的な計画(文化財保存活用地域計画)を作成し、国の認定を申請できる。計画作成等に当たっては、住民の意見の反映に努めるとともに、協議会を組織できる(協議会は市町村、都道府県、文化財の所有者、文化財保存活用支援団体のほか、学識経験者、商工会、観光関係団体などの必要な者で構成)(第183条の3第1項、同条第3項、第183条の9)

(計画の認定を受けることによる効果)

・国の登録文化財とすべき物件を提案できることとし、未指定文化財の確実な継承を推進

・現状変更の許可など文化庁長官の権限に属する事務の一部について、都道府県・市のみならず認定町村でも行うことを可能とし、認定計画の円滑な実施を促進(第183条の5、第184条の2)

③ 市町村は、地域において、文化財所有者の相談に応じたり調査研究を行ったりする民間団体等を文化財保存活用支援団体として指定できる(第192条の2、第192条の3)

(計画の認定を受けることによる効果)

・国指定等文化財の現状変更等にはその都度国の許可等が必要であるが、認定保存活用計画に記載された行為は、許可を届出とするなど手続きを弾力化

・美術工芸品に係る相続税の納税猶予(ゆうよ)(計画の認定を受け美術館等に寄託・公開した場合の特例)(第53条の4等(税制優遇は税法で措置))

(2) 個々の文化財の確実な継承に向けた保存活用制度の見直し

① 国指定等文化財の所有者又は管理団体(主に地方公共団体)は、保存活用計画を作成し、国の認定を申請できる(第53条の2第1項等)

② 所有者に代わり文化財を保存・活用する管理責任者について、選任できる要件を拡大し、高齢化等により所有者だけでは十分な保護が難しい場合への対応を図る(第31条第2項等)

(3) 地方における文化財保護行政に係る制度の見直し

① 下記2.により地方公共団体の長が文化財保護を担当する場合、当該地方公共団体には地方文化財保護審議会を必置とする(第190条第2項)

② 文化財の巡視や所有者への助言等を行う文化財保護指導委員について、都道府県だけでなく市町村にも置くことができることとする(第191条第1項)

(4) 罰則の見直し

① 重要文化財等の損壊(そんかい)や毀棄(きき)等に係る罰金刑の引き上げ等(第195条第1項等)

2. 地方教育行政の組織及び運営に関する法律の一部改正

地方公共団体における文化財保護の事務は教育委員会の所管とされているが、条例により地方公共団体の長が担当できるようにする(地教行法第23条第1項)

2-1法隆寺金堂火災

参考引用文献

中村賢二郎　1999　『文化財保護制度概説』　ぎょうせい

「ファサード」フリー百科事典『ウィキペディア(Wikipedia)』2020.09.27https://ja.wikipedia.org/wiki/ファサード

図版の出典

2-1法隆寺金堂火災　『フリー百科事典　ウィキペディア日本語版』2020. 10. 09 https://upload.wikimedia.org/wikipedia/commons/9/99/Horyuji_Kondo_1949-01-26.jpg

第 3 回　我が国の文化財保護

国の行政組織の変化と施策

我が国の文化財保護行政は文化庁によって行われている。ここでは平成29年の組織図と令和2年の組織を比較することによって、その変化を見る。行政が時代の変化にあわせて組織の体制を変化させることは当然のことである。したがって、逆に組織の変化から、社会のニーズの変化を読み説くことも可能である。
以下は文化庁のホームページを参考にしている。

平成29年の組織図(3-1)

文化庁の組織

◆組織図　(平成 29 年 4 月現在)

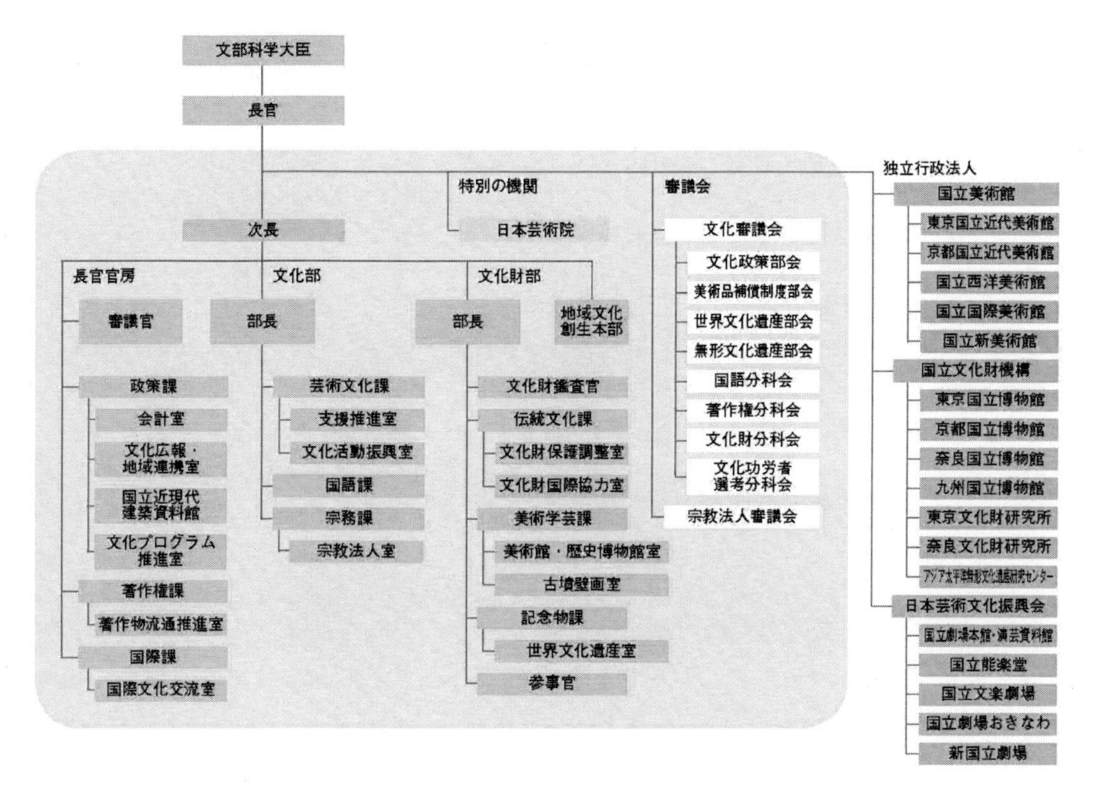

3-1文化庁の組織

令和2年度の組織

組織について文化庁のホームページ「文化庁の組織」から引用する
長官
次長
審議官･･･文化庁の所掌(しょしょう)事務に関する重要事項についての企画及び立案に参画し、関係事務を総　　　括整理する。
監査官･･･文化庁の所掌事務のうち文化財に関する専門的、技術的な重要事項に係るものを総括整理する。

政策課・・・文化庁全体の総合調整、職員の人事、機構・定員、会計、広報、情報発信、文化政策調査研究
（会計室・文化政策調査研究室）
企画調整課・・・文化に関する基本政策の企画立案、劇場等の文化施設、アイヌ文化振興、所管独法等
文化経済・国際課・・・経済振興の見地からの文化振興、税制、国際文化交流、国際協力等
（国際文化交流室）
国語課・・・国語の改善・普及、外国人に対する日本語教育、アイヌ語の知識の普及・啓発等
（地域日本語教育推進室）
著作権課・・・著作者の権利、出版権・諸作隣接権ほ保護及び権利等
（国際著作権室・著作物流通推進室）
文化資源活用課・・・文化に係る資源の活用、文化財の保存及び活用に関する総合政策等
（文化遺産国際協力室）
文化財第一課・・・建造物以外の有形文化財・無形文化財・民俗文化財・文化財の保存技術の保存等
文化財第二課・・・建造物である有形文化財・記念物・文化的景観・伝統的建造物群保存地区・埋蔵文化財の保存等
宗務課・・・宗教法人の規則、宗教団体との連絡、宗教に係る専門的、技術的な指導助言等
参事官（文化創造担当）・・・無形・動産である文化資源の活用、生活文化振興、文化創造支援、文化による地方創造・共生社会推進等
参事官（芸術文化担当）・・・実演芸術、映画、メディア芸術など東京窓口、学校における芸術教育の基準設定、人災育成等
参事官（食文化担当）・・・我が国の食文化振興、情報発信、顕彰（けんしょう）、食によるインバウンド施策の推進等
参事官（文化観光担当）・・・観光の振興に資する見地からの文化振興、文化観光拠点支援等
（文化庁2020『文化庁ホームページ』「文化庁の組織」）

文化庁は京都移転にむけてその組織の再編途中である。

平成29年との比較において、まず、部長職が廃止されていることが分かる。また、再編によって組織全体の整理が行われている。さらに、文化資源の活用、文化観光担当参事の設置、経済振興の見地からの文化振興など、文化の保存・保護・振興のみならず、文化の積極的な活用に我が国の文化財行政が乗りだしたことが分かる。また、文化財国際協力室を文化遺産国際協力室とし、国際著作権室や食文化担当参事の新設など、日本文化の国際化への対応と、新しい日本文化の創造を行おうとしていることが分かる。また、後述する独立行政法人国立文化財機構文化財防災センターの設置は、災害の多い我が国において、文化財の防災、減災、レスキューの必要性に応えるものである。

文化庁は京都への移転を控え、現在その組織は流動的ではあるが、文化の保存・保護・振興に加えて、国の施策として、指揮伝達経路の簡素化（組織のコンパクト化）、文化の積極的活用、国際化への対応、新しい日本文化の創造などを行おうとしていることが見て取れる。

このことは、文化庁のホームページ「文化庁の機能強化・京都移転」にも見える。

> 文化庁は，芸術文化の振興，文化財の保存・活用，国際文化交流の振興等を使命としています。
> 今後，時代の変化に応じた取組を進めていくためには，文化行政を大胆に転換し，観光，まちづくり，福祉，教育，産業などの様々な関連分野との連携を強化し，総合的に施策を推進することが不可欠です。また，文化芸術資源を核とする地方創生の推進，生活文化や近

現代文化遺産等の複合領域などの新分野に対応できる体制も求められています。さらに，戦略的な国際文化交流･海外発信や文化政策の調査研究の強化も必要です。
2017年6月には文化芸術振興基本法が改正され，新たに「文化芸術基本法」が施行されました。創設50周年の節目に当たる2018年10月1日，文化庁は，改正基本法等を踏まえ，文化による地方創生や文化財の活用等新たな政策ニーズへの対応などを進めるための機能強化や抜本的な組織改編を行いました。
文化庁の京都移転については，外交や国会対応，関係省庁との調整や政策企画立案などの業務についても現在と同等以上の機能とすることを前提としています。
本格移転時期については，庁舎の工事の発注状況等を考慮しつつ，改めて文化庁移転協議会で検討を行う予定です。
2017年4月に設置した地域文化創生本部は，こうした本格移転の準備を進めつつ，新たな政策ニーズに対応した事務･事業を先行的に実施するものです。
（文化庁2020『文化庁ホームページ』「文化庁の機能強化･京都移転」）

所管事務と組織

所管事務などは、文部科学省設置法、文科省組織令、文科省組織細則によって定められている。

文部科学省設置法

（平成十一年法律第九十六号）
施行日：　平成二十九年六月二十三日
最終更新：　平成三十年十二月十四日公布（平成三十年法律第百三号）改正
第三節　文化庁
第一款　任務及び所掌事務
（長官）
第十七条　文化庁の長は、文化庁長官とする。
（任務）
第十八条　文化庁は、文化の振興及び国際文化交流の振興を図るとともに、宗教に関する行政事務を適切に行うことを任務とする。
（所掌事務）
第十九条　文化庁は、前条の任務を達成するため、第四条第一項第三号、第五号、第三十六号、第三十八号、第三十九号、第七十七号から第八十五号まで、第八十六号（学術及びスポーツの振興に係るものを除く。）、第八十七号及び第八十九号から第九十三号までに掲げる事務をつかさどる。

文部科学省組織令

（平成十二年政令第二百五十一号）
施行日：　令和二年五月一日
最終更新：　令和二年四月三十日公布（令和二年政令第百五十七号）改正
第二節　文化庁
第一款　特別な職
（次長）
第九十三条　文化庁に、次長二人を置く。
（文化財鑑査官及び審議官）
第九十四条　文化庁に、文化財鑑査官一人及び審議官二人を置く。

2　文化財鑑査官は、命を受けて、文化庁の所掌事務のうち文化財（文化財保護法（昭和二十五年法律第二百十四号）第二条第一項に規定する文化財をいう。以下同じ。）に関する専門的、技術的な重要事項に係るものを総括整理する。
3　審議官は、命を受けて、文化庁の所掌事務に関する重要事項についての企画及び立案に参画し、関係事務を総括整理する。
第二款　内部部局
（課及び参事官の設置）
第九十五条　文化庁に、次の九課及び参事官四人を置く。
政策課
企画調整課
文化経済・国際課
国語課
著作権課
文化資源活用課
文化財第一課
文化財第二課
宗務課
（政策課の所掌事務）
第九十六条　政策課は、次に掲げる事務をつかさどる。
一　文化庁の職員の任免、給与、懲戒、服務その他の人事並びに教養及び訓練に関すること。
二　文化庁の職員の衛生、医療その他の福利厚生に関すること。
三　表彰及び儀式に関すること。
四　恩給に関する連絡事務に関すること。
五　機密に関すること。
六　長官の官印及び庁印の保管に関すること。
七　公文書類の接受、発送、編集及び保存に関すること。
八　法令案その他の公文書類の審査及び進達に関すること。
九　文化庁の保有する情報の公開に関すること。
十　文化庁の保有する個人情報の保護に関すること。
十一　文化庁の所掌事務に関する総合調整に関すること。
十二　広報に関すること。
十三　文化庁の機構及び定員に関すること。
十四　文化庁の事務能率の増進に関すること。
十五　文化庁の所掌事務に関する官報掲載に関すること。
十六　文化庁の所掌に係る経費及び収入の予算、決算及び会計並びに会計の監査に関すること。
十七　文化庁所属の行政財産及び物品の管理に関すること。
十八　東日本大震災復興特別会計の経理のうち文化庁の所掌に係るものに関すること。
十九　東日本大震災復興特別会計に属する行政財産及び物品の管理のうち文化庁の所掌に係るものに関すること。
二十　文化庁の職員に貸与する宿舎に関すること。
二十一　庁内の管理に関すること。
二十二　文化庁の行政の考査に関すること。

二十三　文化の振興に関する基本的な政策の企画及び立案に関すること。
二十四　文化庁の情報システムの整備及び管理に関すること。
二十五　前各号に掲げるもののほか、文化庁の所掌事務で他の所掌に属しないものに関すること。
（企画調整課の所掌事務）
第九十七条　企画調整課は、次に掲げる事務をつかさどる。
一　文化に関する基本的な政策の企画及び立案並びに推進に関すること。
二　文化に関する関係行政機関の事務の調整に関すること。
三　劇場、音楽堂、美術館その他の文化施設に関すること。
四　博物館による社会教育の振興に関すること。
五　学芸員となる資格の認定に関すること。
六　アイヌ文化の振興に関すること（国語課の所掌に属するものを除く。）。
七　文化審議会の庶務（国語分科会、著作権分科会、文化財分科会及び文化功労者選考分科会に係るものを除く。）に関すること。
八　独立行政法人国立科学博物館、独立行政法人国立美術館、独立行政法人国立文化財機構及び独立行政法人日本芸術文化振興会の組織及び運営一般に関すること。
（文化経済・国際課の所掌事務）
第九十八条　文化経済・国際課は、次に掲げる事務をつかさどる。
一　経済の振興に資する見地からの文化の振興に関する基本的な施策の企画及び立案並びに調整に関すること。
二　文化庁の所掌事務に関する税制に関する調整に関すること。
三　興行入場券（特定興行入場券の不正転売の禁止等による興行入場券の適正な流通の確保に関する法律（平成三十年法律第百三号）第二条第二項に規定する興行入場券をいう。）の適正な流通の確保に関する関係行政機関の事務の調整に関すること。
四　文化庁の所掌に係る国際文化交流の振興に関すること（他課及び参事官の所掌に属するものを除く。）。
五　文化庁の所掌事務に係る国際協力に関すること（他課及び参事官の所掌に属するものを除く。）。
（国語課の所掌事務）
第九十九条　国語課は、次に掲げる事務をつかさどる。
一　国語の改善及びその普及に関すること。
二　外国人に対する日本語教育に関すること（外交政策に係るもの並びに総合教育政策局及び高等教育局の所掌に属するものを除く。）。
三　アイヌ文化の振興に関すること（アイヌ語の継承並びにアイヌ語に関する知識の普及及び啓発に関することに限る。）。
（著作権課の所掌事務）
第百条　著作権課は、次に掲げる事務をつかさどる。
一　著作者の権利、出版権及び著作隣接権（次条第一号及び第百五条第一号において「著作権等」という。）の保護及び利用に関すること。
二　文化審議会著作権分科会の庶務に関すること。
（文化資源活用課の所掌事務）
第百一条　文化資源活用課は、次に掲げる事務をつかさどる。
一　文化（著作権等に係る事項を除く。以下この号において同じ。）に係る資源の活用（第百五条第五号から第八号までに規定するものを除く。)による文化の振興に関すること。
二　文化財の保存及び活用に関する総合的な政策の企画及び立案に関すること。
三　文化財についての補助及び損失補償に関すること。
(文化財第一課の所掌事務)
第百二条　文化財第一課は、次に掲げる事務(第一号から第四号までに掲げる事務にあっては、文化財についての補助及び損失補償に係るものを除く。)をつかさどる。
一　建造物以外の有形文化財の保存に関すること。
二　無形文化財の保存に関すること。
三　民俗文化財の保存に関すること。
四　文化財の保存技術の保存に関すること。
五　文化審議会文化財分科会の庶務に関すること。
(文化財第二課の所掌事務)
第百三条　文化財第二課は、次に掲げる事務(文化財についての補助及び損失補償に係るものを除く。)をつかさどる。
一　建造物である有形文化財の保存に関すること。
二　記念物の保存に関すること。
三　文化的景観の保存に関すること。
四　伝統的建造物群保存地区の保存に関すること。
五　埋蔵文化財の保存に関すること。
(宗務課の所掌事務)
第百四条　宗務課は、次に掲げる事務をつかさどる。
一　宗教法人の規則、規則の変更、合併及び任意解散の認証並びに宗教に関する情報資料の収集及び宗教団体との連絡に関すること。
二　都道府県知事に対し、宗教に係る専門的、技術的な指導及び助言を行うこと。
(参事官の職務)
第百五条　参事官は、命を受けて、次に掲げる事務(第五号から第八号までに掲げる事務にあっては、文化財についての補助及び損失補償に係るものを除く。)を分掌する。
一　文化(文化財に係る事項及び著作権等に係る事項を除く。以下この号から第四号までにおいて同じ。)の振興(文化に係る資源の活用によるものを除く。次号及び第四号において同じ。)に関する企画及び立案並びに援助及び助言に関すること。
二　文化の振興のための助成に関すること。
三　文化に関する展示会、講習会その他の催しを主催すること。
四　文化の振興に係る国際文化交流の振興に関すること(外交政策に係るものを除く。)。
五　建造物以外の有形文化財の活用に関すること。
六　無形文化財の活用に関すること。
七　民俗文化財の活用に関すること。
八　文化財の保存技術の活用に関すること。
九　観光の振興に資する見地からの文化の振興に関する基本的な施策の企画及び立案並びに調整に関すること。
十　文化観光拠点施設を中核とした地域における文化観光の推進に関する法律(令和二年法律第十八号)の施行に関すること。
十一　学校における芸術に関する教育の基準の設定に関すること。
十二　私立学校教育の振興のための学校法人(放送大学学園を除く。)その他の私立学校の設置者、地方公共団体及び関係団体に対する助成(学校における芸術に関する教

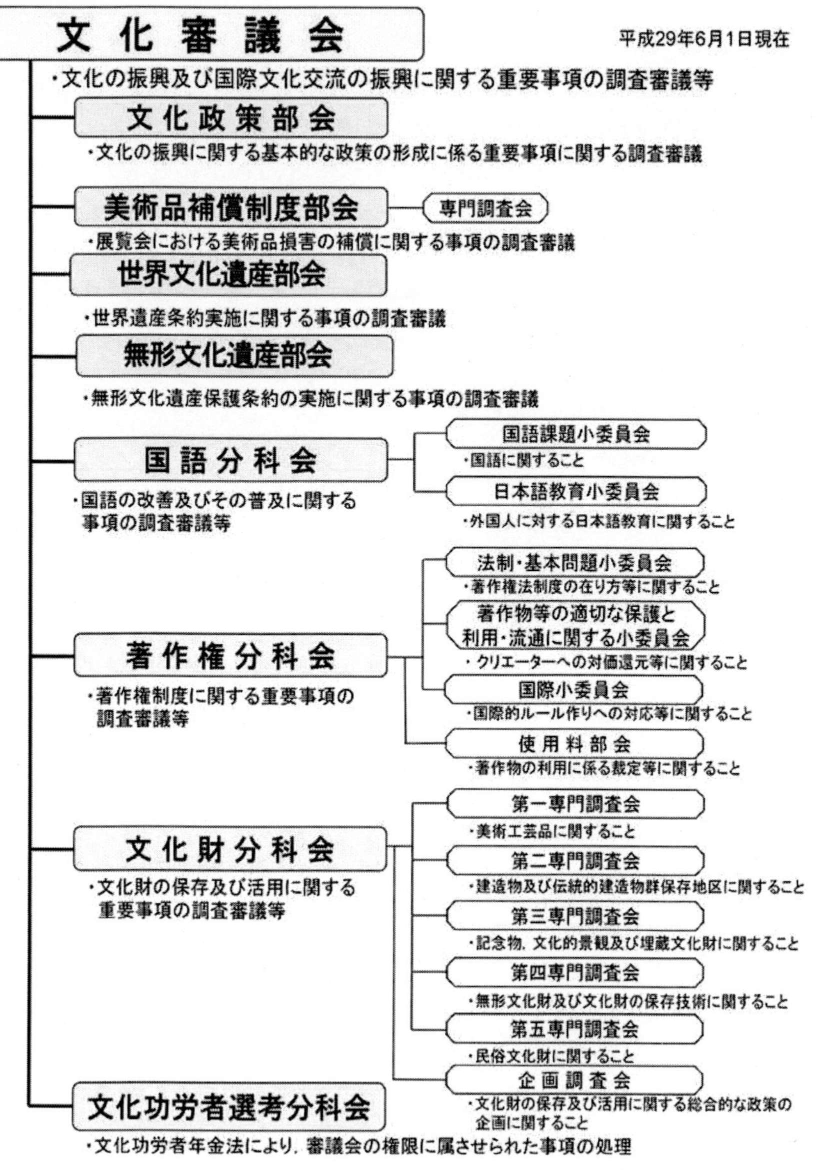

3-2文化審議会

育に係るものに限る。)に関すること。

十三　地方公共団体の機関その他の関係機関に対し、学校における芸術に関する教育に係る専門的、技術的な指導及び助言を行うこと。

十四　教育関係職員その他の関係者に対し、学校における芸術に関する教育に係る専門的、技術的な指導及び助言を行うこと。

文化審議会(3-2)

文化庁には特別な機関として文化審議会が設置されている。ここでは本書に関係する文化審議会について文化庁のホームページによって記す。

文化審議会

中央省庁等の改革の中で、国語審議会、著作権審議会、文化財保護審議会、文化功労者選考審査会の機能を整理・統合して、平成13年1月6日付けで文部科学省に設置。

主な所掌事務

(1)文部科学大臣又は文化庁長官の諮問(しもん)に応じて、文化の振興及び国際文化交流の振興に関する重要事項を調査審議し、文部科学大臣又は文化庁長官に意見を述べること。
(2)文部科学大臣又は文化庁長官の諮問に応じて、国語の改善及びその普及に関する事項を調査審議し、文部科学大臣、関係各大臣又は文化庁長官に意見を述べること。
(3)文化芸術振興基本法、展覧会における美術品損害の補償に関する法律、著作権法、文化財保護法、文化功労者年金法等の規定に基づき、審議会の権限に属させられた事項を処理すること。

構成

(1)委員30人以内，任期1年(再任可)
(2)次の分科会を設置する。

国語分科会
・国語の改善及びその普及に関する事項を調査審議すること
著作権分科会
・著作権制度に関する重要事項を調査審議すること
文化財分科会
・文化財の保存及び活用に関する重要事項を調査審議すること
文化功労者選考分科会
・文化功労者年金法により審議会の権限に属させられた事項を処理すること

(文化庁2020『文化庁ホームページ』「文化審議会について」)

文化財保護法

第十一章　文化審議会への諮問

第百五十三条　文部科学大臣は、次に掲げる事項については、あらかじめ、文化審議会に諮問しなければならない。
一　国宝又は重要文化財の指定及びその指定の解除
二　登録有形文化財の登録及びその登録の抹消(第五十九条第一項又は第二項の規定による登録の抹消を除く。)
三　重要無形文化財の指定及びその指定の解除
四　重要無形文化財の保持者又は保持団体の認定及びその認定の解除
五　重要有形民俗文化財又は重要無形民俗文化財の指定及びその指定の解除
六　登録有形民俗文化財の登録及びその登録の抹消(第九十条第三項で準用する第五十九条第一項又は第二項の規定による登録の抹消を除く。)
七　特別史跡名勝天然記念物又は史跡名勝天然記念物の指定及びその指定の解除
八　史跡名勝天然記念物の仮指定の解除
九　登録記念物の登録及びその登録の抹消(第百三十三条で準用する第五十九条第一項又は第二項の規定による登録の抹消を除く。)
十　重要文化的景観の選定及びその選定の解除
十一　重要伝統的建造物群保存地区の選定及びその選定の解除
十二　選定保存技術の選定及びその選定の解除
十三　選定保存技術の保持者又は保存団体の認定及びその認定の解除

2　文化庁長官は、次に掲げる事項については、あらかじめ、文化審議会に諮問しなければならない。

一　重要文化財の管理又は国宝の修理に関する命令
二　文化庁長官による国宝の修理又は滅失、毀損若しくは盗難の防止の措置の施行
三　重要文化財の現状変更又は保存に影響を及ぼす行為の許可
四　重要文化財の環境保全のための制限若しくは禁止又は必要な施設の命令
五　国による重要文化財の買取り
六　重要文化財保存活用計画の第五十三条の二第四項の認定
七　登録有形文化財保存活用計画の第六十七条の二第四項の認定
八　重要無形文化財保存活用計画の第七十六条の二第三項の認定
九　重要無形文化財以外の無形文化財のうち文化庁長官が記録を作成すべきもの又は記録の作成等につき補助すべきものの選択
十　重要有形民俗文化財の管理に関する命令
十一　重要有形民俗文化財の買取り
十二　重要有形民俗文化財保存活用計画の第八十五条の二第四項の認定
十三　重要無形民俗文化財保存活用計画の第八十九条の二第三項の認定（第八十九条の三において準用する第七十六条の三第一項の変更の認定を含む。）
十四　登録有形民俗文化財保存活用計画の第九十条の二第四項の認定
十五　重要無形民俗文化財以外の無形の民俗文化財のうち文化庁長官が記録を作成すべきもの又は記録の作成等につき補助すべきものの選択
十六　遺跡の現状変更となる行為についての停止命令又は禁止命令の期間の延長
十七　文化庁長官による埋蔵文化財の調査のための発掘の施行
十八　史跡名勝天然記念物の管理又は特別史跡名勝天然記念物の復旧に関する命令
十九　文化庁長官による特別史跡名勝天然記念物の復旧又は滅失、毀損、衰亡若しくは盗難の防止の措置の施行
二十　史跡名勝天然記念物の現状変更又は保存に影響を及ぼす行為の許可
二十一　史跡名勝天然記念物の環境保全のための制限若しくは禁止又は必要な施設の命令
二十二　史跡名勝天然記念物の現状変更若しくは保存に影響を及ぼす行為の許可を受けず、若しくはその許可の条件に従わない場合又は史跡名勝天然記念物の環境保全のための制限若しくは禁止に違反した場合の原状回復の命令
二十三　史跡名勝天然記念物保存活用計画の第百二十九条の二第四項の認定
二十四　登録記念物保存活用計画の第百三十三条の二第四項の認定
二十五　重要文化的景観の管理に関する命令
二十六　第百八十三条の三第一項に規定する文化財保存活用地域計画の同条第五項の認定（第百八十三条の四第一項の変更の認定を含む。）
二十七　第百八十四条第一項の政令（同項第二号に掲げる事務に係るものに限る。）又は第百八十四条の二第一項の政令（第百八十四条第一項第二号に掲げる事務に係るものに限る。）の制定又は改廃の立案

独立行政法人

文化庁所管の法人として、独立行政法人国立文化財機構･独立行政法人国立美術館･独立法

人日本芸術振興会・独立法人国立科学博物館がある。
総務省ホームページ「独立行政法人とは」(3-3)

独立行政法人制度とは、各府省の行政活動から政策の実施部門のうち一定の事務・事業を分離し、これを担当する機関に独立の法人格を与えて、業務の質の向上や活性化、効率性の向上、自律的な運営、透明性の向上を図ることを目的とする制度です。

独立行政法人の業務運営は、主務大臣が与える目標に基づき各法人の自主性・自律性の下に行われるとともに、事後に主務大臣がその業務実績について評価を行い、業務・組織の見直しを図ることとされています。

（総務省2020『総務省ホームページ』「独立行政法人」）

独立行政法人通則法

（平成十一年法律第百三号）
施行日： 平成三十一年四月一日
最終更新： 平成三十年七月六日公布（平成三十年法律第七十一号）改正
（定義）
第二条　この法律において「独立行政法人」とは、国民生活及び社会経済の安定等の公共上の見地から確実に実施されることが必要な事務及び事業であって、国が自ら主体となって直接に実施する必要のないもののうち、民間の主体に委ねた場合には必ずしも実施されないおそれがあるもの又は一の主体に独占して行わせることが必要であるもの（以下この条において「公共上の事務等」という。）を効果的かつ効率的に行わせるため、中期目標管理法人、国立研究開発法人又は行政執行法人として、この法律及び個別法の定めるところにより設立される法人をいう。
2　この法律において「中期目標管理法人」とは、公共上の事務等のうち、その特性に照らし、一定の自主性及び自律性を発揮しつつ、中期的な視点に立って執行することが求められるもの（国立研究開発法人が行うものを除く。）を国が中期的な期間について定める業務運営に関する目標を達成するための計画に基づき行うことにより、国民の需要に的確に対応した多様で良質なサービスの提供を通じた公共の利益の増進を推進することを目的とする独立行政法人として、個別法で定めるものをいう。
3　この法律において「国立研究開発法人」とは、公共上の事務等のうち、その特性に照らし、一定の自主性及び自律性を発揮しつつ、中長期的な視点に立って執行することが求められる科学技術に関する試験、研究又は開発（以下「研究開発」という。）に係るものを主要な業務として国が中長期的な期間について定める業務運営に関する目標を達成するための計画に基づき行うことにより、我が国における科学技術の水準の向上を通じた国民経済の健全な発展その他の公益に資するため研究開発の最大限の成果を確保することを目的とする独立行政法人として、個別法で定めるものをいう。
4　この法律において「行政執行法人」とは、公共上の事務等のうち、その特性に照らし、国の行政事務と密接に関連して行われる国の指示その他の国の相当な関与の下に確実に執行することが求められるものを国が事業年度ご

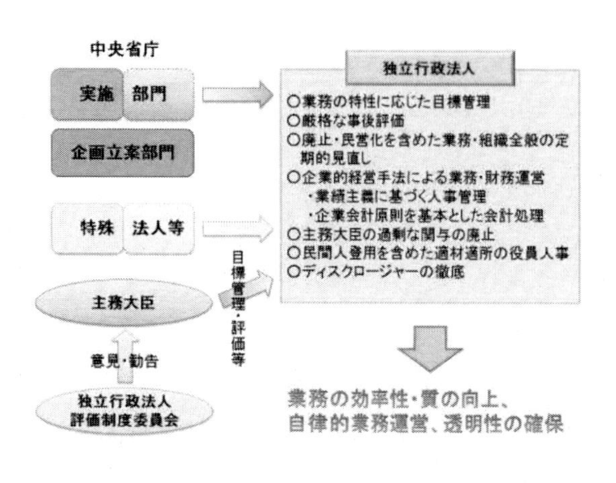

3-3独立行政法人

とに定める業務運営に関する目標を達成するための計画に基づき行うことにより、その公共上の事務等を正確かつ確実に執行することを目的とする独立行政法人として、個別法で定めるものをいう。

国立美術館

国立の美術館の運営・管理を行うために2001年4月に発足した独立行政法人

【国立美術館の目的】

独立行政法人国立美術館は、美術館を設置して、美術(映画を含む。)に関する作品その他の資料を収集し、保管して公衆の観覧に供するとともに、これに関連する調査及び研究並びに教育及び普及の事業等を行うことにより、芸術その他の文化の振興を図ることを目的とします(独立行政法人国立美術館法(平成11年法律第177号。以下「国立美術館法」といいます。)第3条)。

【業務の概要】

国立美術館は国立美術館法第3条の目的を達成するため、次の業務を行います(国立美術館法第11条)。

ア. 美術館を設置すること。

イ. 美術に関する作品その他の資料を収集し、保管して公衆の観覧に供すること。

ウ. 前号の業務に関連する調査及び研究を行うこと。

エ. 第2号の業務に関連する情報及び資料を収集し、整理し、及び提供すること。

オ. 第2号の業務に関連する講演会の開催、出版物の刊行その他の教育及び普及の事業を行うこと。

カ. 第1号の美術館を芸術その他の文化の振興を目的とする事業の利用に供すること。

キ. 第2号から第5号までの業務に関し、美術館その他これに類する施設の職員に対する研修を行うこと。

ク. 第2号から第5号までの業務に関し、美術館その他これに類する施設の求めに応じて援助及び助言を行うこと。

ケ. 前各号の業務に附帯する業務を行うこと。

【運営方針】

独立行政法人国立美術館の運営方針を以下のとおり定める。

国立美術館は、我が国における芸術文化の創造と発展、国民の美的感性の育成を使命とする我が国の唯一の国立の美術館であり、美術振興の中心的拠点として、多様で秀逸な美術作品の鑑賞機会をより多く提供するため、多様化するニーズを踏まえ、現代の美術を取り巻く状況の変化に対応した多彩な活動を展開していきます。

このため、美術館を設置し、それぞれ各館の役割・任務に基づいた展示事業や教育普及・研修事業、美術(映画を含む。)に関する作品その他の資料の収集・保管・修理等の事業を有機的・体系的に行うとともに、生涯学習の推進や国際文化交流の振興に積極的に取り組みます。

また、国立美術館は、中期目標に基づき、中期計画及び年度計画を定め、これらの計画に沿って業務を適正に運営します。

国立文化財機構

「文化財の保存と活用を目指して」

　独立行政法人は国が提供していた行政サービスをより柔軟に実施するために国から独立した組織です。「独立行政法人国立文化財機構」は、東京国立博物館、京都国立博物館、奈良国立博物館、九州国立博物館の4博物館を設置し、有形文化財を収集し、保管して国民の皆様の観覧に供するとともに、4博物館と東京文化財研究所、奈良文化財研究所、アジア太平洋無形文化遺産研究センター、そして2020年10月1日から文化財防災センターの計8施設にて文化財に関する調査及び研究等を行うことにより、貴重な国民的財産である文化財の保存と活用を図ることを目的としています。

これにより文化財の保存と活用をより一層効率的かつ効果的に推進し、文化財保護行政を支えてまいります。

（独立行政法人国立文化財機構法第3条「機構の目的」より）

国立文化財機構は、上記の目標を達成するために、次の業務を行います。

1，博物館を設置すること。

2，有形文化財を収集し、保管して公衆の観覧に供すること。

3，「2.」の業務に関連する講演会の開催、出版物の刊行その他の教育及び普及の事業を行うこと。

4，「1.」の博物館を文化財の保存又は活用を目的とする事業の利用に供すること。

5，文化財に関する調査及び研究を行うこと。

6，「5.」に掲げる業務にかかる成果を普及し、及びその活用を促進すること。

7，文化財に関する情報及び資料を収集し、整理し、及び提供すること。

8，「2.」、「3.」及び「5.」から「7.」の業務に関し、地方公共団体並びに博物館、文化財に関する調査及び研究を行う研究所その他これらに類する施設（「9.」において「地方公共団体等」という。）の職員に対する研修を行うこと。

9，「2.」、「3.」及び「5.」から「7.」までの業務に関し、地方公共団体等の求めに応じて援助及び助言を行うこと。

10，「1.」から「9.」の業務に附帯する業務を行うこと。

さらに、機構は上記業務のほかに上記業務に支障のない範囲内で、国際文化交流の振興を目的とする展覧会その他の催しを主催し、又は「1.」の博物館をこれらの利用に供することができます。

（独立行政法人国立文化財機構法第12条「業務の範囲」より）

使命

国立文化財機構は、我が国の博物館並びに文化財研究に関するナショナルセンターとして、有形文化財（美術工芸品）の保護並びに文化財に関する専門的又は技術的事項に関する調査研究等において、中核的な役割を担っております。この役割に応えるため、平成28年度から始まる中期目標期間において、以下の4つのミッションを遂行いたします。

1．国民共有の貴重な財産である有形文化財（美術工芸品）を収集・保管・展示等する国立の博物館として、これらの保護に貢献するため、国宝・重要文化財のほか、散逸、海外流出、滅失毀損等の損失を防ぐべき価値の高いものに着目し、その収集活動を行います。

2．購入や受寄した有形文化財（美術工芸品）を適切に管理し、これに関する調査研究を行い、展覧事業等において、蓄積した幅広い研究成果を示します。

3．文化財に関する専門的、技術的事項に関する唯一の国立研究機関として、文化財に係る新たな知見の開拓につながる基礎的・探求的な調査研究を継続的に行うとともに、科学技術を応用した研究開発の進展等に向けた基盤的な研究を行い、その成果をもって官公庁、博物館等の専門機関、文化財の所有者・管理者・修理技術者等が行う業務の質的向上に寄与します。

4．有形・無形の文化遺産に係る国際協働・協力に貢献する専門的機関として、国際条約等に基づく活動を積極的に推進します。

日本芸術文化振興会

独立行政法人日本芸術文化振興会は、広く我が国の文化芸術の振興又は普及を図るための活動に対する援助を行い、あわせて、我が国古来の伝統的な芸能の保存及び振興を図るとともに、我が国における現代の舞台芸術の振興及び普及を図り、もって芸術その他の文化の向上に寄与することを目的としています。

独立行政法人日本芸術文化振興会では、文部科学大臣が定める中期目標、中期目標を達成するために策定する中期計画、及び事業年度毎に作成する年度計画に基づき、次の3つの事業を行っています。

1．文化芸術活動に対する援助

(1)芸術文化振興基金による助成金の交付

(2)文化芸術振興費補助金による助成金の交付

2．伝統芸能の保存及び振興

(1)伝統芸能の公開

(2)伝統芸能の伝承者の養成

(3)伝統芸能に関する調査研究並びに資料の収集及び活用

(4)劇場施設の貸与

3．現代舞台芸術の振興及び普及

(1)現代舞台芸術の公演

(2)現代舞台芸術の実演家その他の関係者の研修

(3)現代舞台芸術に関する調査研究並びに資料の収集及び活用

(4)劇場施設の貸与

1．文化芸術活動に対する援助

すべての国民が文化芸術に親しみ、自らの手で新しい文化を創造するための環境の醸成とその基盤の強化を図る観点から、平成2年3月に芸術文化振興基金が創設され、平成2年度から助成事業を開始しました。また、平成21年度より、文化庁の助成事業（文化芸術振興費補助金）のうち芸術団体を対象とするものが当振興会に移管され、芸術文化振興基金による助成と一体的に運用を行っています。（詳細については、芸術文化振興基金をご覧ください）

芸術文化振興基金及び文化芸術振興費補助金による助成金の交付対象活動は、毎年度公募を行い、審査の上で決定します。助成金の交付を適正に行うため、理事長の諮問機関として芸術文化振興基金運営委員会を設置しています。同運営委員会には、「舞台芸術等」「映像芸術」「地域文化・文化団体活動」及び「文化財」の4部会を置き、さらにその下に13の専門委員会を設置して、各分野の実情及び特性等を踏まえた審査を行っています。

ほかにも、文化芸術活動に対する援助事業の中核的拠点として、文化芸術活動へ助成を行う民間助成団体に関する情報を収集し、データベース化やホームページ等による情報提供を行っています。

(1) 芸術文化振興基金による助成金の交付

芸術文化振興基金は、政府からの出資金541億円及び民間からの出えん金112億円の合計653億円で成っており、その運用益により助成を行っています。対象となる活動は、以下の3つです。

- 芸術家及び芸術に関する団体が行う芸術の創造又は普及を図るための活動
- 地域の文化の振興を目的とする活動

・文化に関する団体が行う文化の振興又は普及を図るための活動
(2) 文化芸術振興費補助金による助成金の交付
文化庁から文化芸術振興費補助金の交付を受け、それを財源として以下の活動に対し、助成を行っています。このうち、舞台芸術の創造活動への支援については、平成23年度から、芸術団体の経営努力のインセンティブがより働くよう助成対象経費を見直すとともに、芸術団体が継続的に活動を続けられるよう、年間の創造活動を総合的に支援する制度を導入しました。
・我が国の舞台芸術水準を向上させる牽引力となっているトップレベルの芸術団体が国内で行う舞台芸術の創造活動
・優れた日本映画の製作活動
2. 伝統芸能の保存及び振興
伝統芸能の保存及び振興は、国立劇場設立時から実施している中核的な事業であり、国立劇場、国立演芸資料館(国立演芸場)、国立能楽堂、国立文楽劇場及び国立劇場おきなわの各劇場を拠点として、以下の4つの事業を総合的、一体的に実施しています。
なお、これらの事業のうち、国立劇場おきなわの運営業務については、公益財団法人国立劇場おきなわ運営財団に委託しています。
(1) 伝統芸能の公開
各劇場において、歌舞伎、文楽、舞踊、邦楽、雅楽、声明、民俗芸能、大衆芸能、能楽、沖縄伝統芸能等多岐にわたる伝統芸能の公開を行っています。
公開については、周到な調査と準備を重ね、多種多様な演出や技法を尊重しながら、古典伝承のままの姿で、正しく維持、保存されるように努めています。例えば、歌舞伎や文楽は、物語の展開を理解しやすいよう、筋を通した通し狂言の上演に努めています。また、その他のジャンルの伝統芸能についても、廃絶演目や古典様式の復活など現代社会では商業的に興行することが困難な作品を取り上げるほか、様々な流派の作品を一堂に上演するなど、一般的にはあまり試みられることのないような公演を積極的に行っています。
伝統芸能の鑑賞者を増やすため、様々な工夫も行っています。例えば、能楽では、能一番、狂言一番による番組を原則とし、初めての人にも鑑賞しやすい形態をとっています。また、青少年や社会人等が低廉な価格で伝統芸能の魅力に触れることができるよう、歌舞伎、文楽、能楽及び組踊を中心に鑑賞教室を実施するほか、歌舞伎については、地方における鑑賞機会の充実にも努めています。
(2) 伝統芸能の伝承者の養成
伝統芸能は、無形の技であり、人から人へと伝承されるものです。そのため、当振興会では、国立劇場設立当初から、伝統芸能を長期的な視点に立って保存振興し、伝承者を安定的に確保及び養成するため、伝統芸能伝承者の養成事業に取り組んできました。
歌舞伎については歌舞伎俳優及び歌舞伎音楽(竹本、鳴物、長唄)の4課程、文楽については大夫、三味線及び人形の3課程、大衆芸能については寄席囃子及び太神楽の2課程、能楽についてはワキ方、囃子方及び狂言方の3課程、沖縄伝統芸能については組踊の立方及び地方の2課程を設け、各分野の実情を踏まえて伝承者を養成しています。
養成研修は、伝統芸能の実演家が講師として実技指導するほか、講義や発表会等のカリキュラムを組み、数年間をかけて行われます。研修修了者は、舞台出演の経験を重ね、伝統芸能の保存及び振興に大きな役割を果たしています。
(3) 伝統芸能に関する調査研究並びに資料の収集及び活用
古典伝承を踏まえた伝統芸能の公開のため、演出及び演技の向上に資する各種調査研究を進めています。上演資料集を刊行し、各種古文献や演劇書等を調査して復刻、翻刻するなど、広く普及啓発に努めています。
また、主催公演等の記録の作成、各種芸能資料の収集を行い、各劇場及び国立劇場敷地内の伝統芸能情報館に設置した展示室、視聴室及び図書閲覧室等で公開するほか、公演記録鑑賞会や公開講座等の普及活動を行っています。文化デジタルライブラリーでは、インターネットを通じて、教育用コンテンツ(舞台芸術教材)や主催公演の公演記録情報、錦絵等の収蔵資料の画像などを一般に公開しています。
(4) 劇場施設の貸与
劇場施設の利用については、主催公演や舞台整備等で必要な日を除き、各劇場の劇場及び稽古室を、伝統芸能の保存及び振興を目的とする事業等の利用に供しています。その際には、劇場業務及び舞台機構操作等スタッフ、舞台備品等の提供を行うとともに、舞台進行、照明デザイン、音響デザイン等について職員の技術協力を行っています。
3. 現代舞台芸術の振興及び普及
オペラ、舞踊(バレエ、現代舞踊)、演劇等の現代舞台芸術に関しては、その拠点として新国立劇場を設置しています。新国立劇場の運営業務は、公益財団法人新国立劇場運営財団に委託しています。
(1) 現代舞台芸術の公演
(2) 現代舞台芸術の実演家その他の関係者の研修
(3) 現代舞台芸術に関する調査研究並びに資料の収集及び活用
(4) 劇場施設の貸与

大学共同利用機関法人人間文化研究機構 (3-4)

大学共同利用機関法人人間文化研究機構のホームページから　機構案内

大学共同利用機関とは、各研究分野における我が国の中核的研究拠点(COE)として、個別の大学では維持が困難な大規模な施設設備や膨大な資料・情報などを国内外の大学や研究機関などの研究者に提供し、それを通じて効果的な共同研究を実施する研究機関です。

大学共同利用機関法人　人間文化研究機構は、平成16年(2004)4月1日に設立され、当初は、人間文化にかかわる大学共同利用機関である、国立歴史民俗博物館、国文学研究資料館、国際日本文化研究センター、総合地球環境学研究所および国立民族学博物館の5つの機関で構成されていました。

平成21年(2009)10月1日には、新たに国立国語研究所が加わり、現在は6つの機関によって構成されています。機構は、これら6つの研究機関が、それぞれの設立目的を果たしながら基盤研究を進めるとともに、学問的伝統の枠を越えて相補的に結びつき、自然環境をも視野にいれた人間文化の研究組織として、大学共同利用の総合的研究拠点を形成するものです。

また、膨大な文化資料に基づく実証的研究、人文・社会科学の総合化をめざす理論的研究など、時間・空間の広がりを視野にいれた文化にかかわる基礎的研究はもとより、自然科学との連携も含めた新しい研究領域の開拓に努め、人間文化にかかわる総合的学術研究の世界的拠点となることをめざしています。

機構は、6つの研究機関が全国的な研究交流の拠点として研究者コミュニティに開かれた運営を確保するとともに、関連する大学や研究機関との連携・協力を促進し、研究者の共同利用および多面的な共同研究を積極的に推進しています。

機構には、国立歴史民俗博物館や国立民族学博物館および国文学研究資料館など、博物館機能や展示施設を有した機関が参画しています。その特徴ある機能を利用して、機関間で連携して研究情報および研究成果を展示したり、さらには刊行物やあらゆる情報機能を活用したりして、広く国内外に発信し、学術文化の進展に寄与しています。

（大学共同利用機関法人人間文化研究機構2020『人間文化研究機構ホームページ』「組織」）

歴史民俗博物館

「歴博」の愛称で親しまれている国立歴史民俗博物館は、昭和58年3月に開館しました。本館は日本の歴史と文化について総合的に研究・展示する歴史民俗博物館で、千葉県佐倉市 にある佐倉城址の一角、約13万平方メートルの敷地に延べ床面積約3万5千平方メートルの壮大な規模を有する歴史の殿堂です。 原始・古代から現代に至るまでの歴史と日本人の民俗世界をテーマに、実物資料に加えて精密な複製品や学問的に裏付けられた復元模型などを積極的に取り入れ日本の歴史と文化についてだれもが容易に理解を深められるよう展示されています。

設置目的

国立歴史民俗博物館は、大学における学術研究の発展及び資料の公開等一般公衆に対する教育活動の推進に資するための大学共同利用機関として、昭和56年4月14日に設置されたものであり、我が国の歴史資料、考古資料及び民俗資料の収集、保管及び公衆への供覧並びに歴史学、考古学及び民俗学に関する調査研究を行うことを目的としています。

主要事業

研究活動

日本の歴史及び文化を実証的に解明することを目標とし、歴史・考古・民俗資料を系統的に収集・整備し、これらの資料に基づき、歴史・考古・民俗及び情報資料の各研究系が相互に連携、協力しつつ、関係分野の研究を推進すると共に、全国の大学等の研究者の参画を得て、専門を異にする複数の研究者が共通研究課題のもとにプロジェクトを組織して、共同研究を行います。

情報提供

歴史、考古及び民俗に関する資料の系統的整備と情報ネットワークの充実により、関係研究者等に対して情報提供サービスを行います。

一般公衆に対する教育活動

日本の歴史の流れの中で、各時代の学問上有益である興味ある問題についての課題研究を基礎とした展示を行うと共に、日本の歴史や文化について講演会等の普及活動や、各種の解説書や資料目録、調査報告書等の刊行を行います。

資料の収集・制作・保管

歴史、考古及び民俗についての実物資料を可能な限り収集すると共に、必要な資料の模写模造や復元模造等の資料制作を行います。また、資料の保存・管理に関して研究し、適切な保存、活用及び管理を行うと共に、資料の修復も行います。

大学院教育

総合研究大学院大学文化科学研究科日本歴史研究専攻がおかれ、創造性豊かな研究者の養成を目指しています。また、大学等の要請に応じ、大学院における教育、その他当該大学等における教育に協力します。

国際交流

日本の歴史及び文化に関する諸外国の関係機関と交流協定を締結し、研究者の受入れ及び研究情報の提供等の国際的な学術交流を行います。

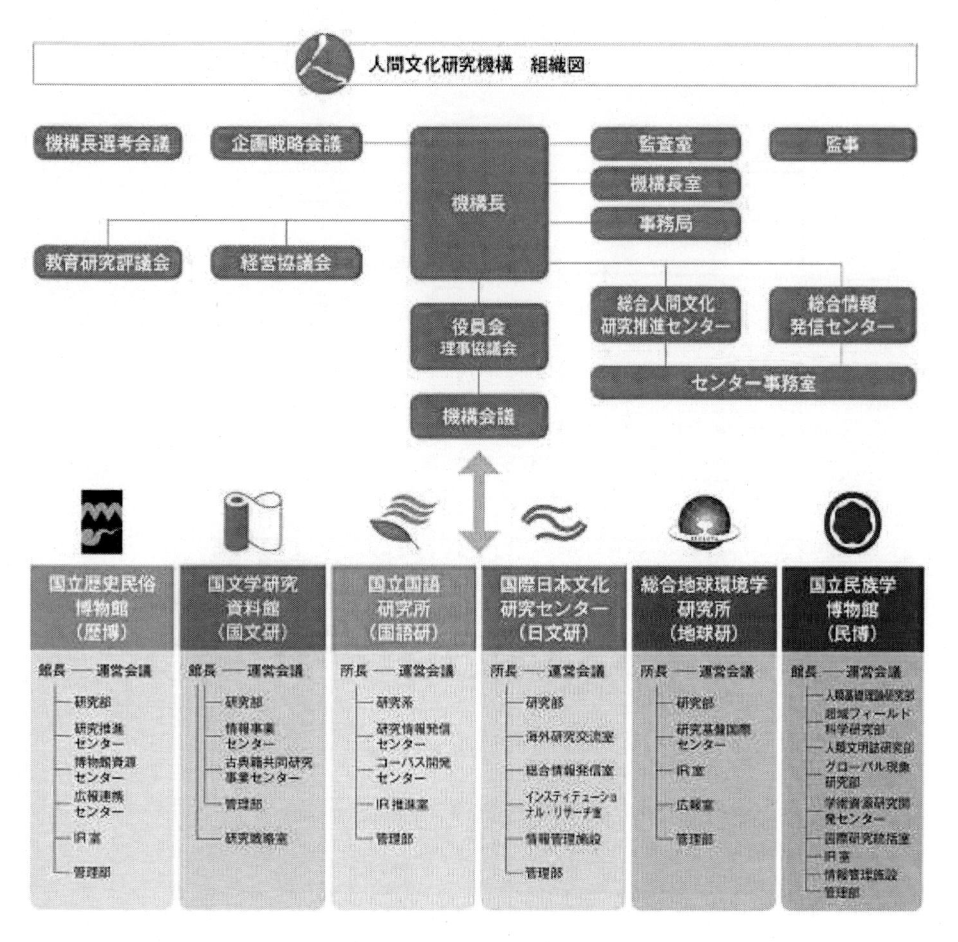

3-4人間文化研究機構

公益財団法人　アイヌ民族文化財団(3-5)

公益財団法人　アイヌ民族文化財団は次の事業を行っている。

アイヌ文化の中核をなすアイヌ語やアイヌの伝統文化の保存振興及びアイヌの人々やアイヌの伝統等に関する知識の普及を通じ、アイヌの人々の民族としての誇りが尊重される社会の実現と国民文化の一層の発展に資することを基本理念に、平成24年度は次の5つの柱に基づく事業を実施しています。

アイヌに関する総合的かつ実践的な研究の推進

アイヌ語の振興

アイヌ文化の振興

アイヌの伝統等に関する普及啓発

伝統的生活空間の再生

（公益財団法人アイヌ民族文化財団2020『アイヌ民族文化財団』「事業紹介」）

その事業一つとして、ウポポイ民族共生象徴空間が創設され、その中核施設の一つとして国立アイヌ民族博物館が令和2年7月12日に開館した。（国立アイヌ民族博物館2020「国立アイヌ民族博物館ホームページ」https:/ /nam.go.jp/ ）

関係機関との連帯

天然記念物は環境省の「自然環境保全法」の保全対象地域や「自然公園法」の国立公園・国定

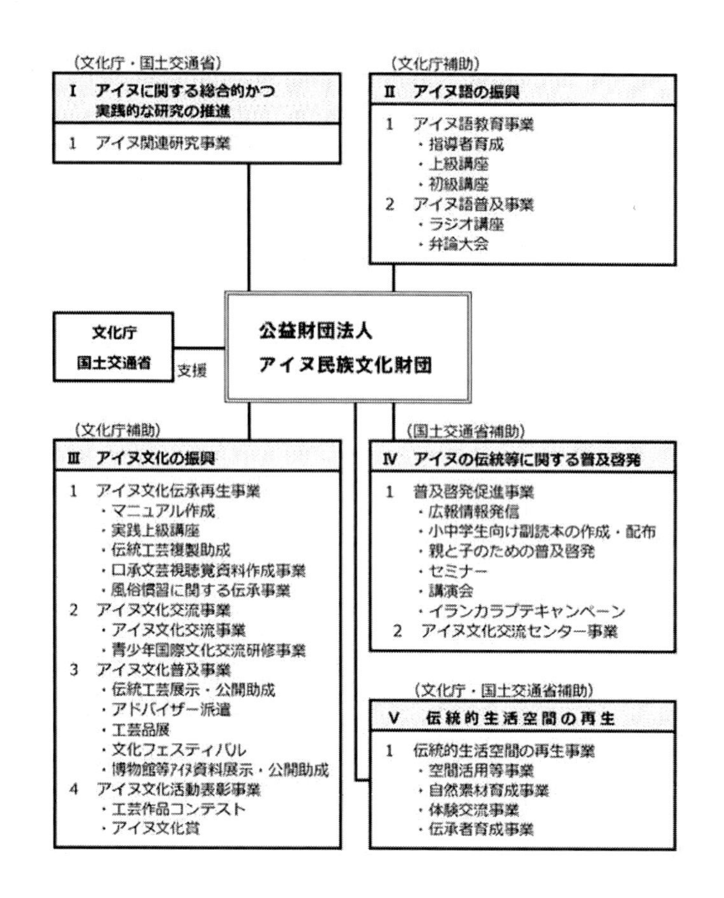

3-5公益財団法人アイヌ民族文化財団

公園と関係・重複し、「鳥獣保護及狩猟に関する法律」や「絶滅の恐れのある野生動植物の種の保存に関する法律」と関係する場合がある。そのため、環境省・農林水産省など関係官庁と連携を図る必要がある。また、埋蔵文化財は建設省や関係公団等などと協議が必要な場合がある。

平成4年の「地域伝統芸能等を活用した行事の実施による観光及び特定地域商工業の振興に関する法律」は国土交通大臣、経済産業大臣、農林水産大臣、文部科学大臣及び総務大臣が主務大臣となっており、文化財の保存活用が広範囲の省庁に関係していることを物語っている。

地方公共団体の文化財保護

文化財保護法第182条第2項は次のとおり規定している。

> 地方公共団体は、条例の定めるところにより、重要文化財、重要無形文化財、重要有形民俗文化財、重要無形民俗文化財及び史跡名勝天然記念物以外の文化財で当該地方公共団体の区域内に存するもののうち重要なものを指定して、その保存及び活用のため必要な措置を講ずることができる。

この規定に基づき、地方公共団体（都道府県、区市町村）の多くがそれぞれ「文化財保護条例」等の名称の条例を制定し、国指定等の文化財以外の重要な文化財について、教育委員会が指定等を行い保護を図っている。ただし、地方公共団体指定等の文化財が国の指定等を受けた場合は、当該地方公共団体による指定等は解除される。地方公共団体の制度はおおむね国の制度に準じたものであるが、それぞれの実情に応じて下記の例のように個々の特色を持った制度が定められている。

東京都文化財保護条例(抄)(http://www.reiki.metro.tokyo.jp/reiki/reiki_honbun/g101RG00002142.html?id=j4_k1)

(目的)

第一条　この条例は、文化財保護法(昭和二十五年法律第二百十四号。以下「法」という。)第百八十二条第二項の規定に基づき、法の規定による指定を受けた文化財以外の文化財で東京都(以下「都」という。)の区域内に存するもののうち、都にとつて重要なものについて、その保存及び活用のため必要な措置を講じ、もつて都民の文化的向上に資するとともに、我が国文化の進歩に貢献することを目的とする。

(平一七条例三九・一部改正)

(定義)

第二条　この条例で「文化財」とは、次に掲げるものをいう。

一　建造物、絵画、彫刻、工芸品、書跡、典籍、古文書その他の有形の文化的所産で我が国にとつて歴史上又は芸術上価値の高いもの(これらのものと一体をなしてその価値を形成している土地その他の物件を含む。)並びに考古資料及びその他の学術上価値の高い歴史資料(以下「有形文化財」という。)

二　演劇、音楽、工芸技術その他の無形の文化的所産で我が国にとつて歴史上又は芸術上価値の高いもの(以下「無形文化財」という。)

三　衣食住、生業、信仰、年中行事等に関する風俗慣習、民俗芸能、民俗技術及びこれらに用いられる衣服、器具、家屋その他の物件で我が国民の生活の推移の理解のため欠くことのできないもの(以下「民俗文化財」という。)

四　貝づか、古墳、城跡、旧宅その他の遺跡で我が国にとつて歴史上又は学術上価値の高いもの、庭園、橋　梁りよう　、峡谷、海浜、山岳その他の名勝地で我が国にとつて芸術上又は観賞上価値の高いもの並びに動物(生息地、繁殖地及び渡来地を含む。)、植物(自生地を含む。)及び地質鉱物(特異な自然の現象の生じている土地を含む。)で我が国にとつて学術上価値の高いもの(以下「記念物」という。)

(平一八条例四〇・一部改正)

(指定)

第四条　教育委員会は、都の区域内に存する有形文化財(法第二十七条第一項の規定により重要文化財に指定されたものを除く。以下同じ。)のうち、都にとつて重要なものを東京都指定有形文化財(以下「都指定有形文化財」という。)に指定することができる。

第二十条　教育委員会は、都の区域内に存する無形文化財(法第七十一条第一項の規定により重要無形文化財に指定されたものを除く。)のうち都にとつて重要なものを東京都指定無形文化財(以下「都指定無形文化財」という。)に指定することができる。

第二十六条　教育委員会は、都の区域内に存する有形の民俗文化財(法第七十八条第一項の規定により重要有形民俗文化財に指定されたものを除く。)のうち、都にとつて重要なものを東京都指定有形民俗文化財(以下「都指定有形民俗文化財」という。)に、無形の民俗文化財(同項の規定により重要無形民俗文化財に指定されたものを除く。)のうち、都にとつて重要なものを東京都指定無形民俗文化財(以下「都指定無形民俗文化財」という。)に指定することができる。

第三十三条　教育委員会は、都の区域内に存する記念物(法第百九条第一項の規定により、史跡、名勝又は天然記念物に指定されたものを除く。)のうち、都にとつて重要なものを、東京都指定史跡(以下「都指定史跡」という。)、東京都指定旧跡(以下「都指定旧跡」という。)、東京都指定名勝又は東京都指定天然記念物(以下「都指定天然記念物」という。)(以下これらを「都指定史跡旧跡名勝天然記念物」と総称する。)に指定することができる。

第三十七条　教育委員会は、都の区域内に存する伝統的な技術又は技能で文化財の保存のため欠くことのできないもの(法第百四十七条第一項の規定により、選定保存技術に選定されたものを除く。)のうち、都として保存の措置を講ずる必要があるものを東京都選定保存技術(以下「都選定保存技術」という。)として選定することができる。

山梨県文化財保護条例(抄)(https://www.pref.yamanashi.jp/somu/shigaku/reiki/reiki_honbun/a500RG00000999.html)

有形文化財のうち重要なものを山梨県指定有形文化財に指定することができる。

無形文化財のうち重要なものを山梨県指定無形文化財に指定することができる。

有形の民俗文化財のうち重要なものを山梨県指定有形民俗文化財に、無形の民俗文化財のうち重要なものを山梨県指定無形民俗文化財に指定することができる。

記念物のうち重要なものを山梨県指定史跡、山梨県指定名勝又は山梨県指定天然記念物に指定することができる。

文化的景観のうち重要なものを山梨県選定文化的景観として選定することができる。

伝統的建造物群保存地区で価値が特に高いものを山梨県選定伝統的建造物群保存地区として選定することができる。

横浜市文化財保護条例(抄)(https://cgi.city.yokohama.lg.jp/somu/reiki/reiki_honbun/g202RG00001174.html)

文化財のうち、地域住民が守ってきたもの及び地域を知る上で必要な文化財を横浜市地域文化財として登録することができる。

金沢市における美しい景観のまちづくりに関する条例(抄)(https://www.city.kanazawa.ishikawa.jp/reiki/reiki_honbun/a400RG00001436.html)

私たちのまち金沢は、四季の移ろいを際立たせる恵まれた自然や地形を背景に、歴史や文化に培われた個性豊かで美しい景観を形づくってきた。

この金沢固有の魅力ある景観は、まさに、先人の努力の成果を受け継いだかけがえのない市民共通の財産であり、これを大切にしつつ、潤いのある豊かな生活環境を創造し、人間性あふれる都市として健全に発展していくことが私たちの願いである。

ここに、私たちは、さまざまな主体の参画のもとに英知を結集し、共に美しい景観のまちづくりを積極的に推進することにより、金沢をさらに美しく魅力あふれる快適なまちに育て、これを後代に継承するため、この条例を制定する。

(目的)

第1条　この条例は、本市における美しい景観のまちづくりについて、基本理念を定め、並びに市、市民及び事業者の責務を明らかにするとともに、景観法(平成16年法律第110号。以下「法」という。)の規定に基づく施策その他の美しい景観のまちづくりに関する施策の基本となる事項等を定めて美しい景観のまちづくりを総合的に推進することにより、本市の個性と魅力を磨き高め、後代に継承することを目的とする。

(用語の意義)

第2条　この条例において、次の各号に掲げる用語の意義は、当該各号に定めるところによる。

(1)　美しい景観のまちづくり　樹木の緑、河川の清流、新鮮なる大気に包まれた自然景観とこれらに包蔵された歴史的建造物、遺跡等及びこれらと一体をなして形成される環境(以下「伝統環境」という。)を保存育成するとともに、伝統環境との調和を保った景観を創出するまちづくりをいう。

(2)　建築物　建築基準法(昭和25年法律第201号)第2条第1号に規定する建築物をいう。

(3)　工作物　門、塀その他の規則で定める工作物をいう。

(4)　景観地区　法第61条第1項の規定による景観地区をいう。

伝統環境を保存育成するために必要な土地の区域(以下「伝統環境保存区域」という。)または近代的都市景観を創出するために必要な土地の区域(以下「近代的都市景観創出区域」という。)を指定することができる。

都市景観の形成のため、建築物等および木竹を保存対象物として指定することができる。

(中村賢二郎　1999『文化財保護制度概説』ぎょうせい)

地方公共団体の文化財の保存・活用の促進

過疎化・少子高齢化などを背景に、文化財の滅失や散逸等の防止が緊急の課題となり、文化財保護法の平成31年の改正によって、未指定を含めた文化財をまちづくりに活かしつつ、その継承に取組んでいくことになった。このため、地域での文化財の計画的な保存・活用の促進や、地方文化財保護行政の推進力の強化が図られた。

(1) 地域における文化財の総合的な保存・活用

① 都道府県は、文化財の保存・活用に関する総合的な施策の大綱を策定できる(第183条の2第1項)

② 市町村は、都道府県の大綱を勘案し、文化財の保存・活用に関する総合的な計画(文化財保存活用地域計画)を作成し、国の認定を申請できる。計画作成等に当たっては、住民の意見の反映に努めるとともに、協議会を組織できる(協議会は市町村、都道府県、文化財の所有者、文化財保存活用支援団体のほか、学識経験者、商工会、観光関係団体などの必要な者で構成)(第183条の3第1項、同条第3項、第183条の9)

(計画の認定を受けることによる効果)

・国の登録文化財とすべき物件を提案できることとし、未指定文化財の確実な継承を推進

・現状変更の許可など文化庁長官の権限に属する事務の一部について、都道府県・市のみならず認定町村でも行うことを可能とし、認定計画の円滑な実施を促進(第183条の5、第184条の2)

③ 市町村は、地域において、文化財所有者の相談に応じたり調査研究を行ったりする民間団体等を文化財保存活用支援団体として指定できる(第192条の2、第192条の3)

(計画の認定を受けることによる効果)

・国指定等文化財の現状変更等にはその都度国の許可等が必要であるが、認定保存活用計画に記載された行為は、許可を届出とするなど手続きを弾力化

・美術工芸品に係る相続税の納税猶予(ゆうよ)(計画の認定を受け美術館等に寄託・公開した場合の特例)(第53条の4等(税制優遇は税法で措置))

(2) 個々の文化財の確実な継承に向けた保存活用制度の見直し

① 国指定等文化財の所有者又は管理団体(主に地方公共団体)は、保存活用計画を作成し、国の認定を申請できる(第53条の2第1項等)

② 所有者に代わり文化財を保存・活用する管理責任者について、選任できる要件を拡大し、高齢化等により所有者だけでは十分な保護が難しい場合への対応を図る(第31条第2項等)

(3) 地方における文化財保護行政に係る制度の見直し

① 下記2.により地方公共団体の長が文化財保護を担当する場合、当該地方公共団体には地方文化財保護審議会を必置とする(第190条第2項)

② 文化財の巡視や所有者への助言等を行う文化財保護指導委員について、都道府県

だけでなく市町村にも置くことができることとする（第191条第1項）
(4) 罰則の見直し
① 重要文化財等の損壊や毀棄等に係る罰金刑の引き上げ等（第195条第1項等）
2. 地方教育行政の組織及び運営に関する法律の一部改正
地方公共団体における文化財保護の事務は教育委員会の所管とされているが、条例により地方公共団体の長が担当できるようにする（地教行法第23条第1項）
（文化庁2019「文化財保護及び地方教育行政の組織及び運営に関する法律の一部を改正する法律の概要」）

文化財保護法

文化財保護法では地方公共団体及び教育委員会の文化財の扱いについて下記のように規定している。
第十二章　補則
第三節　地方公共団体及び教育委員会
（地方公共団体の事務）
第百八十二条　地方公共団体は、文化財の管理、修理、復旧、公開その他その保存及び活用に要する経費につき補助することができる。
2　地方公共団体は、条例の定めるところにより、重要文化財、重要無形文化財、重要有形民俗文化財、重要無形民俗文化財及び史跡名勝天然記念物以外の文化財で当該地方公共団体の区域内に存するもののうち重要なものを指定して、その保存及び活用のため必要な措置を講ずることができる。
3　前項に規定する条例の制定若しくはその改廃又は同項に規定する文化財の指定若しくはその解除を行つた場合には、教育委員会は、文部科学省令の定めるところにより、文化庁長官にその旨を報告しなければならない。
（地方債についての配慮）
第百八十三条　地方公共団体が文化財の保存及び活用を図るために行う事業に要する経費に充てるために起こす地方債については、法令の範囲内において、資金事情及び当該地方公共団体の財政状況が許す限り、適切な配慮をするものとする。
（文化財保存活用大綱）
第百八十三条の二　都道府県の教育委員会は、当該都道府県の区域における文化財の保存及び活用に関する総合的な施策の大綱（次項及び次条において「文化財保存活用大綱」という。）を定めることができる。
2　都道府県の教育委員会は、文化財保存活用大綱を定め、又は変更したときは、遅滞なく、これを公表するよう努めるとともに、文化庁長官及び関係市町村に送付しなければならない。
（文化財保存活用地域計画の認定）
第百八十三条の三　市町村の教育委員会（地方文化財保護審議会を置くものに限る。）は、文部科学省令で定めるところにより、単独で又は共同して、文化財保存活用大綱が定められているときは当該文化財保存活用大綱を勘案して、当該市町村の区域における文化財の保存及び活用に関する総合的な計画（以下この節及び第百九十二条の六第一項において「文化財保存活用地域計画」という。）を作成し、文化庁長官の認定を申請することができる。
2　文化財保存活用地域計画には、次に掲げる事項を記載するものとする。
一　当該市町村の区域における文化財の保存及び活用に関する基本的な方針
二　当該市町村の区域における文化財の保存及び活用を図るために当該市町村が講ず

る措置の内容
三　当該市町村の区域における文化財を把握するための調査に関する事項
四　計画期間
五　その他文部科学省令で定める事項
3　市町村の教育委員会は、文化財保存活用地域計画を作成しようとするときは、あらかじめ、公聴会の開催その他の住民の意見を反映させるために必要な措置を講ずるよう努めるとともに、地方文化財保護審議会（第百八十三条の九第一項に規定する協議会が組織されている場合にあつては、地方文化財保護審議会及び当該協議会。第百八十三条の五第二項において同じ。）の意見を聴かなければならない。
4　文化財保存活用地域計画は、地域における歴史的風致の維持及び向上に関する法律（平成二十年法律第四十号）第五条第一項に規定する歴史的風致維持向上計画が定められているときは、当該歴史的風致維持向上計画との調和が保たれたものでなければならない。
5　文化庁長官は、第一項の規定による認定の申請があつた場合において、その文化財保存活用地域計画が次の各号のいずれにも適合するものであると認めるときは、その認定をするものとする。
一　当該文化財保存活用地域計画の実施が当該市町村の区域における文化財の保存及び活用に寄与するものであると認められること。
二　円滑かつ確実に実施されると見込まれるものであること。
三　文化財保存活用大綱が定められているときは、当該文化財保存活用大綱に照らし適切なものであること。
6　文化庁長官は、前項の認定をしようとするときは、あらかじめ、文部科学大臣を通じ関係行政機関の長に協議しなければならない。
7　文化庁長官は、第五項の認定をしたときは、遅滞なく、その旨を当該認定を申請した市町村の教育委員会に通知しなければならない。
8　市町村の教育委員会は、前項の通知を受けたときは、遅滞なく、当該通知に係る文化財保存活用地域計画を公表するよう努めなければならない。
（認定を受けた文化財保存活用地域計画の変更）
第百八十三条の四　前条第五項の認定を受けた市町村（以下この節及び第百九十二条の六第二項において「認定市町村」という。）の教育委員会は、当該認定を受けた文化財保存活用地域計画の変更（文部科学省令で定める軽微な変更を除く。）をしようとするときは、文化庁長官の認定を受けなければならない。
2　前条第三項から第八項までの規定は、前項の認定について準用する。
（文化財の登録の提案）
第百八十三条の五　認定市町村の教育委員会は、第百八十三条の三第五項の認定（前条第一項の変更の認定を含む。第百八十三条の七第一項及び第二項において同じ。）を受けた文化財保存活用地域計画（変更があつたときは、その変更後のもの。以下この節及び第百九十二条の六において「認定文化財保存活用地域計画」という。）の計画期間内に限り、当該認定市町村の区域内に存する文化財であつて第五十七条第一項、第九十条第一項又は第百三十二条第一項の規定により登録されることが適当であると思料するものがあるときは、文部科学省令で定めるところにより、文部科学大臣に対し、当該文化財を文化財登録原簿に登録することを提案することができる。
2　認定市町村の教育委員会は、前項の規定による提案をしようとするときは、あらかじめ、地方文化財保護審議会の意見を聴かなければならない。

3　文部科学大臣は、第一項の規定による提案が行われた場合において、当該提案に係る文化財について第五十七条第一項、第九十条第一項又は第百三十二条第一項の規定による登録をしないこととしたときは、遅滞なく、その旨及びその理由を当該提案をした認定市町村の教育委員会に通知しなければならない。
（認定文化財保存活用地域計画の実施状況に関する報告の徴収）
第百八十三条の六　文化庁長官は、認定市町村の教育委員会に対し、認定文化財保存活用地域計画の実施の状況について報告を求めることができる。
（認定の取消し）
第百八十三条の七　文化庁長官は、認定文化財保存活用地域計画が第百八十三条の三第五項各号のいずれかに適合しなくなつたと認めるときは、その認定を取り消すことができる。
2　文化庁長官は、前項の規定により認定を取り消したときは、遅滞なく、その旨を当該認定を受けていた市町村の教育委員会に通知しなければならない。
3　市町村の教育委員会は、前項の通知を受けたときは、遅滞なく、その旨を公表するよう努めなければならない。
（市町村への助言等）
第百八十三条の八　都道府県の教育委員会は、市町村に対し、文化財保存活用地域計画の作成及び認定文化財保存活用地域計画の円滑かつ確実な実施に関し必要な助言をすることができる。
2　国は、市町村に対し、文化財保存活用地域計画の作成及び認定文化財保存活用地域計画の円滑かつ確実な実施に関し必要な情報の提供又は指導若しくは助言をするように努めなければならない。
3　前二項に定めるもののほか、国、都道府県及び市町村は、文化財保存活用地域計画の作成及び認定文化財保存活用地域計画の円滑かつ確実な実施が促進されるよう、相互に連携を図りながら協力しなければならない。
4　市町村の長及び教育委員会は、文化財保存活用地域計画の作成及び認定文化財保存活用地域計画の円滑かつ確実な実施が促進されるよう、相互に緊密な連携を図りながら協力しなければならない。
（協議会）
第百八十三条の九　市町村の教育委員会は、単独で又は共同して、文化財保存活用地域計画の作成及び変更に関する協議並びに認定文化財保存活用地域計画の実施に係る連絡調整を行うための協議会（以下この条において「協議会」という。）を組織することができる。
2　協議会は、次に掲げる者をもつて構成する。
一　当該市町村
二　当該市町村の区域をその区域に含む都道府県
三　第百九十二条の二第一項の規定により当該市町村の教育委員会が指定した文化財保存活用支援団体
四　文化財の所有者、学識経験者、商工関係団体、観光関係団体その他の市町村の教育委員会が必要と認める者
3　協議会は、必要があると認めるときは、関係行政機関に対して、資料の提供、意見の表明、説明その他必要な協力を求めることができる。
4　協議会において協議が調つた事項については、協議会の構成員は、その協議の結果を尊重しなければならない。

5　前各項に定めるもののほか、協議会の運営に関し必要な事項は、協議会が定める。
（都道府県又は市の教育委員会が処理する事務）
第百八十四条　次に掲げる文化庁長官の権限に属する事務の全部又は一部は、政令で定めるところにより、都道府県又は市の教育委員会が行うこととすることができる。
一　第三十五条第三項（第三十六条第三項（第八十三条、第百二十一条第二項（第百七十二条第五項で準用する場合を含む。）及び第百七十二条第五項で準用する場合を含む。）、第三十七条第四項（第八十三条及び第百二十二条第三項で準用する場合を含む。）、第四十六条の二第二項、第七十四条第二項、第七十七条第二項（第九十一条で準用する場合を含む。）、第八十三条、第八十七条第二項、第百十八条、第百二十条、第百二十九条第二項、第百七十二条第五項及び第百七十四条第三項で準用する場合を含む。）の規定による指揮監督
二　第四十三条又は第百二十五条の規定による現状変更又は保存に影響を及ぼす行為の許可及びその取消し並びにその停止命令（重大な現状変更又は保存に重大な影響を及ぼす行為の許可及びその取消しを除く。）
三　第五十一条第五項（第五十一条の二（第八十五条で準用する場合を含む。）、第八十四条第二項及び第八十五条で準用する場合を含む。）の規定による公開の停止命令
四　第五十三条第一項、第三項及び第四項の規定による公開の許可及びその取消し並びに公開の停止命令
五　第五十四条（第八十六条及び第百七十二条第五項で準用する場合を含む。）、第五十五条、第百三十条（第百七十二条第五項で準用する場合を含む。）又は第百三十一条の規定による調査又は調査のため必要な措置の施行
六　第九十二条第一項（第九十三条第一項において準用する場合を含む。）の規定による届出の受理、第九十二条第二項の規定による指示及び命令、第九十三条第二項の規定による指示、第九十四条第一項の規定による通知の受理、同条第二項の規定による通知、同条第三項の規定による協議、同条第四項の規定による勧告、第九十六条第一項の規定による届出の受理、同条第二項又は第七項の規定による命令、同条第三項の規定による意見の聴取、同条第五項又は第七項の規定による期間の延長、同条第八項の規定による指示、第九十七条第一項の規定による通知の受理、同条第二項の規定による通知、同条第三項の規定による協議並びに同条第四項の規定による勧告
2　都道府県又は市の教育委員会が前項の規定によつてした同項第五号に掲げる第五十五条又は第百三十一条の規定による立入調査又は調査のための必要な措置の施行については、審査請求をすることができない。
3　都道府県又は市の教育委員会が、第一項の規定により、同項第六号に掲げる事務のうち第九十四条第一項から第四項まで又は第九十七条第一項から第四項までの規定によるものを行う場合には、第九十四条第五項又は第九十七条第五項の規定は適用しない。
4　都道府県又は市の教育委員会が第一項の規定によつてした次の各号に掲げる事務（当該事務が地方自治法第二条第八項に規定する自治事務である場合に限る。）により損失を受けた者に対しては、当該各号に定める規定にかかわらず、当該都道府県又は市が、その通常生ずべき損失を補償する。
一　第一項第二号に掲げる第四十三条又は第百二十五条の規定による現状変更又は保存に影響を及ぼす行為の許可　第四十三条第五項又は第百二十五条第五項
二　第一項第五号に掲げる第五十五条又は第百三十一条の規定による調査又は調査のため必要な措置の施行　第五十五条第三項又は第百三十一条第二項

三　第一項第六号に掲げる第九十六条第二項の規定による命令　同条第九項
5　前項の補償の額は、当該都道府県又は市の教育委員会が決定する。
6　前項の規定による補償額については、第四十一条第三項の規定を準用する。
7　前項において準用する第四十一条第三項の規定による訴えにおいては、都道府県又は市を被告とする。
8　都道府県又は市の教育委員会が第一項の規定によつてした処分その他公権力の行使に当たる行為のうち地方自治法第二条第九項第一号に規定する第一号法定受託事務に係るものについての審査請求は、文化庁長官に対してするものとする。
（認定市町村の教育委員会が処理する事務）
第百八十四条の二　前条第一項第二号、第四号又は第五号に掲げる文化庁長官の権限に属する事務であつて認定市町村の区域内に係るものの全部又は一部は、認定文化財保存活用地域計画の計画期間内に限り、政令で定めるところにより、当該認定文化財保存活用地域計画の実施に必要な範囲内において、当該認定市町村の教育委員会が行うこととすることができる。
2　前項の規定により認定市町村の教育委員会が同項に規定する事務を行う場合には、前条第二項、第四項（第三号に係る部分を除く。）及び第五項から第八項までの規定を準用する。
3　第一項の規定により認定市町村の教育委員会が同項に規定する事務を開始する日前になされた当該事務に係る許可等の処分その他の行為（以下この条において「処分等の行為」という。）又は許可の申請その他の行為（以下この条において「申請等の行為」という。）は、同日以後においては、当該認定市町村の教育委員会のした処分等の行為又は当該認定市町村の教育委員会に対して行つた申請等の行為とみなす。
4　認定文化財保存活用地域計画の計画期間の終了その他の事情により認定市町村の教育委員会が第一項に規定する事務を終了する日以前になされた当該事務に係る処分等の行為又は申請等の行為は、同日の翌日以後においては、その終了後に当該事務を行うこととなる者のした処分等の行為又は当該者に対して行つた申請等の行為とみなす。
（出品された重要文化財等の管理）
第百八十五条　文化庁長官は、政令で定めるところにより、第四十八条（第八十五条で準用する場合を含む。）の規定により出品された重要文化財又は重要有形民俗文化財の管理の事務の全部又は一部を、都道府県又は指定都市等の教育委員会が行うこととすることができる。
2　前項の規定により、都道府県又は指定都市等の教育委員会が同項の管理の事務を行う場合には、都道府県又は指定都市等の教育委員会は、その職員のうちから、当該重要文化財又は重要有形民俗文化財の管理の責めに任ずべき者を定めなければならない。
（修理等の施行の委託）
第百八十六条　文化庁長官は、必要があると認めるときは、第三十八条第一項又は第百七十条の規定による国宝の修理又は滅失、き損若しくは盗難の防止の措置の施行、第九十八条第一項の規定による発掘の施行及び第百二十三条第一項又は第百七十条の規定による特別史跡名勝天然記念物の復旧又は滅失、き損、衰亡若しくは盗難の防止の措置の施行につき、都道府県の教育委員会に対し、その全部又は一部を委託することができる。
2　都道府県の教育委員会が前項の規定による委託に基づき、第三十八条第一項の規定による修理又は措置の施行の全部又は一部を行う場合には、第三十九条の規定を、第九十八条第一項の規定による発掘の施行の全部又は一部を行う場合には、同条第三項で準用する第三十九条の規定を、第百二十三条第一項の規定による復旧又は措置の施行の全部又は一部を行う場合には、同条第二項で準用する第三十九条の規定を準用する。

（重要文化財等の管理等の受託又は技術的指導）

第百八十七条　都道府県又は指定都市の教育委員会は、次の各号に掲げる者の求めに応じ、当該各号に定める管理、修理又は復旧につき委託を受け、又は技術的指導をすることができる。

一　重要文化財の所有者（管理団体がある場合は、その者）又は管理責任者　当該重要文化財の管理（管理団体がある場合を除く。）又は修理

二　重要有形民俗文化財の所有者（管理団体がある場合は、その者）又は管理責任者（第八十条において準用する第三十一条第二項の規定により選任された管理の責めに任ずべき者をいう。）　当該重要有形民俗文化財の管理（管理団体がある場合を除く。）又は修理

三　史跡名勝天然記念物の所有者（管理団体がある場合は、その者）又は管理責任者　当該史跡名勝天然記念物の管理（管理団体がある場合を除く。）又は復旧

2　都道府県又は指定都市の教育委員会が前項の規定により管理、修理又は復旧の委託を受ける場合には、第三十九条第一項及び第二項の規定を準用する。

（書類等の経由）

第百八十八条　この法律の規定により文化財に関し文部科学大臣又は文化庁長官に提出すべき届書その他の書類及び物件の提出は、都道府県の教育委員会（当該文化財が指定都市の区域内に存する場合にあつては、当該指定都市の教育委員会。以下この条において同じ。）を経由すべきものとする。

2　都道府県の教育委員会は、前項に規定する書類及び物件を受理したときは、意見を具してこれを文部科学大臣又は文化庁長官に送付しなければならない。

3　この法律の規定により文化財に関し文部科学大臣又は文化庁長官が発する命令、勧告、指示その他の処分の告知は、都道府県の教育委員会を経由すべきものとする。ただし、特に緊急な場合は、この限りでない。

（文部科学大臣又は文化庁長官に対する意見具申）

第百八十九条　都道府県及び市町村の教育委員会は、当該都道府県又は市町村の区域内に存する文化財の保存及び活用に関し、文部科学大臣又は文化庁長官に対して意見を具申することができる。

（地方文化財保護審議会）

第百九十条　都道府県及び市町村（いずれも特定地方公共団体であるものを除く。）の教育委員会に、条例の定めるところにより、文化財に関して優れた識見を有する者により構成される地方文化財保護審議会を置くことができる。

2　特定地方公共団体に、条例の定めるところにより、地方文化財保護審議会を置くものとする。

3　地方文化財保護審議会は、都道府県又は市町村の教育委員会の諮問に応じて、文化財の保存及び活用に関する重要事項について調査審議し、並びにこれらの事項に関して当該都道府県又は市町村の教育委員会に建議する。

4　地方文化財保護審議会の組織及び運営に関し必要な事項は、条例で定める。

（文化財保護指導委員）

第百九十一条　都道府県及び市町村の教育委員会（当該都道府県及び市町村が特定地方公共団体である場合には、当該特定地方公共団体）に、文化財保護指導委員を

置くことができる。
2　文化財保護指導委員は、文化財について、随時、巡視を行い、並びに所有者その他の関係者に対し、文化財の保護に関する指導及び助言をするとともに、地域住民に対し、文化財保護思想について普及活動を行うものとする。
3　文化財保護指導委員は、非常勤とする。
（事務の区分）
第百九十二条　第百十条第一項及び第二項、第百十二条第一項並びに第百十条第三項及び第百十二条第四項において準用する第百九条第三項及び第四項の規定により都道府県又は指定都市が処理することとされている事務は、地方自治法第二条第九項第一号に規定する第一号法定受託事務とする。
第四節　文化財保存活用支援団体
（文化財保存活用支援団体の指定）
第百九十二条の二　市町村の教育委員会は、法人その他これに準ずるものとして文部科学省令で定める団体であつて、次条に規定する業務を適正かつ確実に行うことができると認められるものを、その申請により、文化財保存活用支援団体（以下この節において「支援団体」という。）として指定することができる。
2　市町村の教育委員会は、前項の規定による指定をしたときは、当該支援団体の名称、住所及び事務所の所在地を公示しなければならない。
3　支援団体は、その名称、住所又は事務所の所在地を変更しようとするときは、あらかじめ、その旨を市町村の教育委員会に届け出なければならない。
4　市町村の教育委員会は、前項の規定による届出があつたときは、当該届出に係る事項を公示しなければならない。
（支援団体の業務）
第百九十二条の三　支援団体は、次に掲げる業務を行うものとする。
一　当該市町村の区域内に存する文化財の保存及び活用を行うこと。
二　当該市町村の区域内に存する文化財の保存及び活用を図るための事業を行う者に対し、情報の提供、相談その他の援助を行うこと。
三　文化財の所有者の求めに応じ、当該文化財の管理、修理又は復旧その他その保存及び活用のため必要な措置につき委託を受けること。
四　文化財の保存及び活用に関する調査研究を行うこと。
五　前各号に掲げるもののほか、当該市町村の区域における文化財の保存及び活用を図るために必要な業務を行うこと。
（監督等）
第百九十二条の四　市町村の教育委員会は、前条各号に掲げる業務の適正かつ確実な実施を確保するため必要があると認めるときは、支援団体に対し、その業務に関し報告をさせることができる。
2　市町村の教育委員会は、支援団体が前条各号に掲げる業務を適正かつ確実に実施していないと認めるときは、支援団体に対し、その業務の運営の改善に関し必要な措置を講ずべきことを命ずることができる。
3　市町村の教育委員会は、支援団体が前項の規定による命令に違反したときは、第百九十二条の二第一項の規定による指定を取り消すことができる。
4　市町村の教育委員会は、前項の規定により指定を取り消したときは、その旨を公示しなければならない。
（情報の提供等）

第百九十二条の五　国及び関係地方公共団体は、支援団体に対し、その業務の実施に関し必要な情報の提供又は指導若しくは助言をするものとする。
（文化財保存活用地域計画の作成の提案等）
第百九十二条の六　支援団体は、市町村の教育委員会に対し、文化財保存活用地域計画の作成又は認定文化財保存活用地域計画の変更をすることを提案することができる。
2　支援団体は、認定市町村の教育委員会に対し、認定文化財保存活用地域計画の計画期間内に限り、当該認定市町村の区域内に存する文化財であつて第五十七条第一項、第九十条第一項又は第百三十二条第一項の規定により登録されることが適当であると思料するものがあるときは、文部科学省令で定めるところにより、当該文化財について第百八十三条の五第一項の規定による提案をするよう要請することができる。

地方教育行政の組織及び運営に関する法律
（昭和三十一年法律第百六十二号）
施行日：　令和二年四月一日
最終更新：　令和元年六月十四日公布（令和元年法律第三十七号）改正
（職務権限の特例）
第二十三条　前二条の規定にかかわらず、地方公共団体は、前条各号に掲げるもののほか、条例の定めるところにより、当該地方公共団体の長が、次の各号に掲げる教育に関する事務のいずれか又は全てを管理し、及び執行することとすることができる。
一　図書館、博物館、公民館その他の社会教育に関する教育機関のうち当該条例で定めるもの（以下「特定社会教育機関」という。）の設置、管理及び廃止に関すること（第二十一条第七号から第九号まで及び第十二号に掲げる事務のうち、特定社会教育機関のみに係るものを含む。）。
二　スポーツに関すること（学校における体育に関することを除く。）。
三　文化に関すること（次号に掲げるものを除く。）。
四　文化財の保護に関すること。
2　地方公共団体の議会は、前項の条例の制定又は改廃の議決をする前に、当該地方公共団体の教育委員会の意見を聴かなければならない。

参考引用文献

文化庁2018『文化庁ホームページ』「文化庁の組織」http://www.bunka.go.jp/bunkacho/soshiki/index.html
文化庁2020『文化庁ホームページ』「文化庁の機能強化・京都移転」https://www.bunka.go.jp/seisaku/bunka_gyosei/kino_kyoka/index.html
文化庁2020『文化庁ホームページ』「文化審議会について」https://www.bunka.go.jp/seisaku/bunkashingikai/about/index.html
総務省2020『総務省ホームページ』「独立行政法人」http://www.soumu.go.jp/main_sosiki/gyoukan/kanri/satei2_01.html
大学共同利用機関法人人間文化研究機構2020『人間文化研究機構ホームページ』「組織」http://www.nihu.jp/about/organization
公益財団法人アイヌ民族文化財団2020『アイヌ民族文化財団ホームページ』「事業紹介」https://www.ff-ainu.or.jp/web/overview/business/index.html
国立アイヌ民族博物館2020「国立アイヌ民族博物館ホームページ」https://nam.go.jp/
東京都文化財保護条例http://www.reiki.metro.tokyo.jp/reiki/reiki_honbun/g101RG00002142.html?id=j4_k1
山梨県文化財保護条例https://www.pref.yamanashi.jp/somu/shigaku/reiki/reiki_honbun/a500RG00000999.html
横浜市文化財保護条例https://cgi.city.yokohama.lg.jp/somu/reiki/reiki_honbun/g202RG00001174.html
金沢市における美しい景観のまちづくりに関する条例https://www.city.kanazawa.ishikawa.jp/reiki/reiki_honbun/a400RG00001436.html
中村賢二郎　1999　『文化財保護制度概説』　ぎょうせい
文化庁2019「文化財保護及び地方教育行政の組織及び運営に関する法律の一部を改正する法律の概要」https://www.bunka.go.jp/seisaku/bunkazai/pdf/r1402097_01.pdf

独立行政法人国立文化財機構文化財防災センター2020 パンフレットhttps://ch-drm.nich.go.jp/wp-content/uploads/2020/10/201001_center-pamphlet.pdf

図版の出典

3-1文化庁の組織　文化庁2018『文化庁ホームページ』「文化庁の組織」http://www.bunka.go.jp/bunkacho/soshiki/index.html

3-2文化審議会　文化庁2020『文化庁ホームページ』「文化庁文化審議会組織図」https://www.bunka.go.jp/seisaku/bunkashingikai/about/soshikizu.html

3-3独立行政法人　総務省2020『総務省ホームページ』「独立行政法人」独立行政法人　https://www.soumu.go.jp/main_sosiki/gyoukan/kanri/satei2_01.html

3-4人間文化研究機構　大学共同利用機関法人人間文化研究機構2020『人間文化研究機構ホームページ』「組織」http://www.nihu.jp/about/organization

3-5公益財団法人アイヌ民族文化財団　文化庁2020『文化庁ホームページ』「アイヌ文化の振興等」https://www.bunka.go.jp/seisaku/bunkazai/ainu/img/zaidanjigyo.jpg

3-6消失後の金閣寺『フリー百科事典　ウィキペディア日本語版』2020．10．09https://upload.wikimedia.org/wikipedia/commons/4/49/Burned_Kinkaku.jpg

3-7鹿苑寺（金閣寺）（重要文化財・特別史跡・特別名勝・文化遺産）『フリー百科事典　ウィキペディア日本語版』2020．10．09https://upload.wikimedia.org/wikipedia/commons/thumb/c/ce/雪の金閣寺_Kinkakuji_temple_in_snow_%285360756490%29.jpg/1024px-雪の金閣寺_Kinkakuji_temple_in_snow_%285360756490%29.jpg?uselang=ja

焼失後の金閣寺　昭和25年7月2日

3-6消失後の金閣寺

3-7鹿苑寺（金閣寺）（重要文化財・特別史跡・特別名勝・文化遺産）

第 4 回　有形文化財－建造物－

日本の文化財は、文化財保護法第二条で定義されている。その中で、有形文化財は次のように定義されている。
（文化財の定義）
第二条　この法律で「文化財」とは、次に掲(かか)げるものをいう。
一　建造物、絵画、彫刻、工芸品、書跡、典籍(てんせき)、古文書その他の有形の文化的所産で我が国にとつて歴史上又は芸術上価値の高いもの（これらのものと一体をなしてその価値を形成している土地その他の物件を含む。）並びに考古資料及びその他の学術上価値の高い歴史資料（以下「有形文化財」という。）

このように有形文化財は、主に不動産の歴史的・文化的価値が高い建造物と、主に動産で芸術的・文化的価値が高い美術工芸品、主に動産で歴史的・文化的価値が高い考古資料に分けられる。

建造物

明治30年古社寺保存法による社寺建築の指定に始まって、城郭(じょうかく)、書院、民家、洋風建築、近代化遺産へと広がっていった。建造物は、日本の歴史・文化の理解に欠くことができない資料で、文化の向上発展の基礎とするため、将来に向け保存活用を図っていかなくてはならない。

調査

建築史や土木史上の学術的な知見をもとに様々な調査研究が行われる。

明治30年の古社寺保存法の制定によって中世以前の社寺建造物について調査が行われ、昭和4年の国宝保存法では城郭建築や霊廟(れいびょう)建築の調査が行われた。さらに、昭和25年の文化財保護法では民家建築・洋風建築も調査の対象となった。昭和29年から41年にかけて民家建築の予備調査が都道府県を通して行われ、その中から岐阜県白川郷、富山県上平村、宮崎県椎葉村などで集中調査が行われた。洋風建築の調査は昭和41年から行われ、昭和52年から「近代建築保存対策研究調査」が実施された。昭和52年以降は、都道府県が主体となって近世社寺緊急調査が行われて、これを基に指定が行われるようになった。平成2年からは近代化遺産（建造物等）総合調査が行われ、幕末から第二次世界大戦期までの近代化に貢献した遺産が保存継承されている。平成8年以降は、近代遺跡の調査が行われ、鉱業、エネルギー産業（鉱業を除く）、重工業、軽工業、交通、運輸、通信業、商業、金融業、農林水産業、社会（生活様式・都市計画・保健・衛生・福祉・社会運動等）、政治（立法・行政・司法・外交・軍事・政治運動等）、文化（学術・芸術・教育・情報伝達等）、その他など

4-1法隆寺（国宝）

4-2姫路城（国宝）

4-3日本銀行本店（重要文化財）

4-4白川郷（重要伝統的建造物群保存地区）

4-5富岡製糸場(国宝·重要文化財)

4-6平等院鳳凰堂(国宝)

の分野の調査も行われている。平成27年度からは「近現代建造物緊急重点調査事業」として主に20世紀に造られた建築物や土木構造物について調査し、優れた建築物及び土木構造物の所在地、建設年、規模、構造、現況などを集約する事業で、総合的な価値付けと保存措置のための事前調査である。

指定

重要文化財は一定の価値を保持しているだけではなく、同種の建造物の中で、典型性を有するものの中から指定する。国宝は重要文化財のうち、特に価値の高いものを指定する。建造物と一体となって、その価値を形成している土地や、建物の建立年代を示す資料などが併せて指定される。

＜重要文化財＞

建築物、土木構造物、及びその他工作物のうち、次の各号の一に該当し、かつ、各時代又は累計の典型となるもの

(一)意匠的に優秀なもの

(二)技術的に優秀なもの

(三)歴史的価値が高いもの

(四)学術的価値が高いもの

(五)流派的又は地方的特色において顕著なもの

＜国宝＞

重要文化財のうち極めて優秀で、かつ、文化史的意義の特に深いもの

＜指定の流れ＞
指定候補の選定
↓
文部科学大臣より文化審議会に諮問
↓
文化審議会（文化財分科会）での審議
↓
文化審議会より文部科学大臣への答申
↓
官報に告示
↓
所有者に対し指定書を交付

4-7青井阿蘇神社（国宝）

＜社寺建築＞
・飛鳥・奈良時代
法隆寺金堂・五重塔（国宝）（4-1）、唐招提寺金堂（国宝）、薬師寺東塔（国宝）など

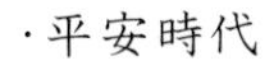

・平安時代
中尊寺金色堂（国宝）、三仏寺奥院（国宝）、一乗寺三重塔（国宝）など

・鎌倉・室町時代
東大寺南大門（国宝）、厳島神社社殿（国宝）、 円覚寺舎利殿（国宝）

・桃山・江戸時代
日吉大社拝殿・本殿（国宝）、瑞巌寺本殿（国宝）、大崎八幡宮（国宝）

4-8函館ハリストス正教会復活聖堂（重要文化財）

・明治・大正・昭和
函館ハリストス正教会復活聖堂（重要文化財）（4-8）、平安神宮大極殿（重要文化財）、築地本願寺本堂（重要文化財）、今村天主堂（重要文化財）

＜城郭建築＞
・江戸時代以前
姫路城天守（国宝）（4-2）、松江城天守（国宝）、など
彦根城天守（国宝）（4-9・19）

・江戸時代
松本城天守（国宝）

4-9彦根城天守(国宝)

4-10慈照寺銀閣(国宝)

4-11古井家住宅(重要文化財)

4-12二条城 二の丸御殿大広間など(国宝)

4-13閑谷学校講堂(国宝)

4-14本願寺北能舞台(国宝)

＜住居建築＞

明治時代以前の残存例は少ない。はじめ、指定は農家が中心であったが、次第に豪農、町屋など各層の特色ある建物が指定された。伝統的建造物群として町並みなどの保存も行われている。

・江戸時代以前

慈照寺銀閣(国宝)(4-10)、古井家住宅(重要文化財)(4-11)

・江戸時代

二条城　二の丸御殿大広間など(国宝)(4-12)

<その他の建造物>

橋、塔、塀、櫓、水路、門、堂、能舞台、廟奥院、塔婆(とうば)など

閑谷学校講堂(国宝)(4-13)、本願寺北能舞台(国宝)(4-14)、通潤橋(重要文化財)(4-15)

4-15通潤橋(重要文化財)

管理(4-16・17)

文化財建造物の保存・活用は、これまで所有者と行政機関が主体となって行っていた。近年は、国民の関心が高まり、その保護と活用を図り地域に寄与する団体に管理活用を委託するようになった。平成23年度には「NPO等による文化財建造物の管理活用事業(以下、管理活用事業)」として、特定非営利活動法人や市民団体等に委託し、文化財建造物の適切な維持管理と積極的な活用を図るようになった。

4-16旧下関英国領事館(重要文化財)

また、平成15年、地方自治法の改正によって、地方公共団体が管理する施設については管理委託制度から指定管理者制度へと移行した。これによって民間事業者やNPO法人などにも管理を委ねることが可能となった。指定管理者制度には博物館、資料館などの文化関連施設も含まれ、文化財の管理も含まれている。

指定管理者制度は、それまで地方公共団体やその外郭団体に限定していた公の施設の管理・運営を、営利企業、財団法人、NPO法人、市民グループなど法人その他の団体に包括的に代行させることができる(行政処分であり委託ではない)制度である。(指定管理者制度『フリー百科事典　ウィキペディア日本語版』2020.09.29)

「指定管理者制度と管理委託制度の違い」

(1) 管理委託制度

従来の地方自治法 244 条による管

平成26年度 指定管理者モニタリングレポート

4-17平成26年度指定管理者モニタリングレポート

理委託制度は、管理受託者が公の施設の設置者たる自治体との契約に基づき、具体的な管理の事務又は、業務の執行を行うもの。当該施設の管理権限及び責任は自治体が有し、施設の利用承認等処分に該当する使用許可等は委託できない。また、管理受託者も公共団体や公共的団体及び自治体の出資法人等に限定されていた。

(2) 指定管理者制度

今回の地方自治法 244 条改正による指定管理者制度は、指定により公の施設の管理権限を当該指定を受けた者に委任するもの。指定管理者は処分に該当する使用許可を行うことができることとされ、自治体は、設置者としての責任を果たす立場から指定管理者を監督することとなる。このため、私法上の契約によって外部委託するいわゆる業務委託や、条例を根拠として締結される具体的な委託契約に基づき管理が委託される従来の管理委託制度とは異なり、次のようなことが可能となる。

①利用者からの料金を自らの収入として収受すること。(従来の管理委託制度でも可能)

②条例により定められた枠組みの中で、地方公共団体の承認を得て自ら料金を設定すること。

③個々の使用許可を行うこと。

(公務労協2020「指定管理制度」)

修理と技術

文化財建造物としての価値を長く維持するためには、適切な日常管理と周期的な保存修理を行う必要がある。文化財保護法上、基本的に修理は所有者が行うことになっている。だたし、修理には補助金などが交付されている。保存修理では、文化財建造物それぞれの価値を見極め、それらの価値を後世に伝えるための深い知識や技術、技能が必要である。

文化財保護法では下記のように定められている。

文化財保護法

第三十四条の二　重要文化財の修理は、所有者が行うものとする。但し、管理団体がある場合は、管理団体が行うものとする。

(管理団体による修理)

第三十四条の三　管理団体が修理を行う場合は、管理団体は、あらかじめ、その修理の方法及び時期について当該重要文化財の所有者(所有者が判明しない場合を除く。)及び権原に基く占有者の意見を聞かなければならない。

2　管理団体が修理を行う場合には、第三十二条の二第五項及び第三十二条の四の規定を準用する。

(管理又は修理の補助)

第三十五条　重要文化財の管理又は修理につき多額の経費を要し、重要文化財の所有者又は管理団体がその負担に堪えない場合その他特別の事情がある場合には、政府は、その経費の一部に充てさせるため、重要文化財の所有者又は管理団体に対し補助金を交付することができる。

2　前項の補助金を交付する場合には、文化庁長官は、その補助の条件として管理又は修理に関し必要な事項を指示することができる。

3　文化庁長官は、必要があると認めるときは、第一項の補助金を交付する重要文化財の管理又は修理について指揮監督することができる。

（管理に関する命令又は勧告）

第三十六条　重要文化財を管理する者が不適任なため又は管理が適当でないため重要文化財が滅失し、き損し、又は盗み取られる虞があると認めるときは、文化庁長官は、所有者、管理責任者又は管理団体に対し、重要文化財の管理をする者の選任又は変更、管理方法の改善、防火施設その他の保存施設の設置その他管理に関し必要な措置を命じ、又は勧告することができる。

2　前項の規定による命令又は勧告に基いてする措置のために要する費用は、文部科学省令の定めるところにより、その全部又は一部を国庫の負担とすることができる。

3　前項の規定により国庫が費用の全部又は一部を負担する場合には、前条第三項の規定を準用する。

（修理に関する命令又は勧告）

第三十七条　文化庁長官は、国宝がき損している場合において、その保存のため必要があると認めるときは、所有者又は管理団体に対し、その修理について必要な命令又は勧告をすることができる。

2　文化庁長官は、国宝以外の重要文化財がき損している場合において、その保存のため必要があると認めるときは、所有者又は管理団体に対し、その修理について必要な勧告をすることができる。

3　前二項の規定による命令又は勧告に基いてする修理のために要する費用は、文部科学省令の定めるところにより、その全部又は一部を国庫の負担とすることができる。

4　前項の規定により国庫が費用の全部又は一部を負担する場合には、第三十五条第三項の規定を準用する。

（文化庁長官による国宝の修理等の施行）

第三十八条　文化庁長官は、左の各号の一に該当する場合においては、国宝につき自ら修理を行い、又は滅失、き損若しくは盗難の防止の措置をすることができる。

一　所有者、管理責任者又は管理団体が前二条の規定による命令に従わないとき。

二　国宝がき損している場合又は滅失し、き損し、若しくは盗み取られる虞がある場合において、所有者、管理責任者又は管理団体に修理又は滅失、き損若しくは盗難の防止の措置をさせることが適当でないと認められるとき。

2　前項の規定による修理又は措置をしようとするときは、文化庁長官は、あらかじめ、所有者、管理責任者又は管理団体に対し、当該国宝の名称、修理又は措置の内容、着手の時期その他必要と認める事項を記載した令書を交付するとともに、権原に基く占有者にこれらの事項を通知しなければならない。

第三十九条　文化庁長官は、前条第一項の規定による修理又は措置をするときは、文化庁の職員のうちから、当該修理又は措置の施行及び当該国宝の管理の責に任ずべき者を定めなければならない。

2　前項の規定により責に任ずべき者と定められた者は、当該修理又は措置の施行に当るときは、その身分を証明する証票を携帯し、関係者の請求があつたときは、これを示し、且つ、その正当な意見を十分に尊重しなければならない。

3　前条第一項の規定による修理又は措置の施行には、第三十二条の二第五項の規定を準用する。

第四十条　第三十八条第一項の規定による修理又は措置のために要する費用は、国庫の負担とする。

2　文化庁長官は、文部科学省令の定めるところにより、第三十八条第一項の規定による修理又は措置のために要した費用の一部を所有者（管理団体がある場合は、その者）から徴収することができる。但し、同条第一項第二号の場合には、修理又は措置を要するに至つた事由が所有者、管理責任者若しくは管理団体の責に帰すべきとき、又は所有者若しくは管理団体がその費用の一部を負担する能力があるときに限る。

3　前項の規定による徴収については、行政代執行法（昭和二十三年法律第四十三号）第五条及び第六条の規定を準用する。

第四十一条　第三十八条第一項の規定による修理又は措置によつて損失を受けた者に対しては、国は、その通常生ずべき損失を補償する。

2　前項の補償の額は、文化庁長官が決定する。

3　前項の規定による補償額に不服のある者は、訴えをもつてその増額を請求することができる。ただし、前項の補償の決定の通知を受けた日から六箇月を経過したときは、この限りでない。

4　前項の訴えにおいては、国を被告とする。

保存修理の種類

文化財建造物は、破損状況に応じて、次のような保存修理が行われる。

小修理：日常管理における破損部分の補修で、日常的に傷みやすい屋根や壁の部分補修、床板の張り替えなど。

維持修理：経年による破損を補修し、建造物としての機能を維持するため、周期的に行う修理「屋根葺替（ふきかえ）」や「塗装修理」などで、屋根の葺き替えは約35年ごと、塗装修理は約40年ごとに行う必要があると言われている。

根本修理：柱や梁など主要構造部にまで破損が及んだ場合に建造物を解体して各部材の補修を行い、建造物を健全な状態に回復させる修理。全ての部材を解体して組み直す「解体修理」や、軸部の一部を解体せずに行う「半解体修理」がある。約100年ごとに行う必要があると言われている。

4-18姫路城平成の修理

その他、平成7年の阪神淡路大震災、平成23年東日本大震災、平成28年熊本地震などの地震や、台風、火災、豪雨などの災害に伴い、復旧工事も行われる。

建造物の修理には、多額の費用と長期の工事期間が必要な場合がある。この場合は特殊事業として執り行われる。

姫路城

＜昭和の大修理＞

1934(昭和9)年6月20日、西の丸の「タの渡櫓」から「ヲの櫓」が豪雨のため石垣もろとも崩壊したことに端を発する。1935(昭和10)年2月から修復工事が始まったが同年8月の雨で「ルの櫓」の石垣が崩落する。これを受けて修理計画を見直し西の丸全域の修理を国直轄事業で進め、全ての建物を一度解体してから部材を修復し再度組み立て直すという方法が採られることとなった。昭和39年度終了

＜平成の修理＞　平成9年から平成15年(4-18)

大修理から45年が経過した時点で予想以上に漆喰や木材の劣化が進んでいたため、大天守の白漆喰の塗り替え、瓦の葺き替え、耐震補強を重点とした補修工事が進められた。

選定保存技術制度

文化財建造物の保存修理は、文化財としての価値を損ねないよう、慎重に調査し修理方針を検討しなければならない。したがって、あらかじめ文化庁の承認を受けた主任技術者が設計監理を行う。主任技術者は、実測調査、資料調査など各種調査を行い、実測図、調書、写真などの記録を作成し、解体範囲や部材の取り替え、部材の捕修方法など、判断し指示を行う。

文化庁では、文化財の保存に欠くことができない伝統的な技術や技能で、保存すべきものを選定し、その保持者や保存団体を認定する選定保存技術制度を設けている。文化財建造物では、これまでに以下の技術や技能について行っている。

建造物修理　屋根瓦製作(鬼師)(4-19)
建造物木工　檜皮採取
規矩術(古式規矩)　屋根板製作
規矩術(近世規矩)　竹釘製作
屋根瓦本(瓦葺)　左官(漆喰塗)
檜皮葺・・葺　左官(古式京壁)
茅葺　左官(日本壁)
建具製作　石盤葺
建造物装飾
建造物彩色
錺金具(かざりかなぐ)製作
鋳物製作
金具製作
畳製作
金唐紙製作
建造物模型製作
など

4-19法隆寺鬼瓦レプリカ

防災と整備

防災(4-20)

日本の文化財建造物のほとんどは、木造建築で、その素材は木や紙である。ひとたび火災に遭うと、その文化財的価値を著しく損ねる。従って自動火災報知器、消火設備、避雷設備など 防災施設の設置を推進している。また周辺の樹木が倒れて文化財を傷めないようにする対策や崖崩れ防止の対策など、環境保全事業も進めている。

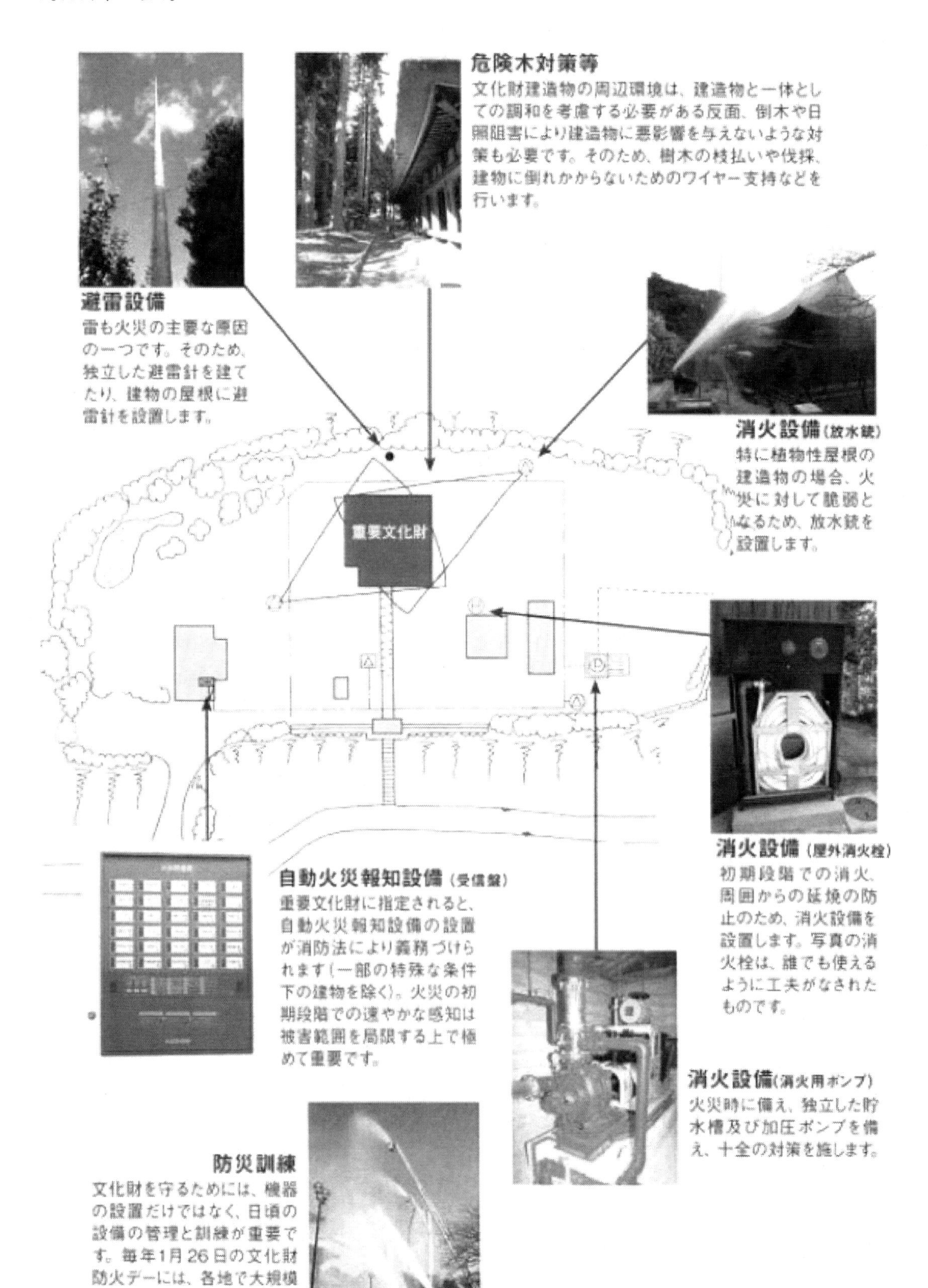

4-20建造物の防災対策

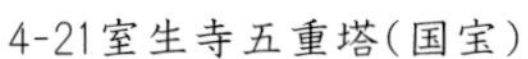

4-21室生寺五重塔(国宝)

4-22室生寺五重塔の被害

室生寺　災害(4-21・22)

平成10年、台風第7号が関西地方を直撃したため、文化財建造物の損壊、損傷被害が大きかった。奈良県で52件(細かい事象を含めると90件近くに上る)、滋賀県で18件、京都府で二条城など5件の被害が報告されている。奈良室生寺では高さ50mの杉の古木が吹き倒され、国宝の五重塔の屋根が損壊する被害を受けた。塔の修復のため、秘仏などの寺宝を博物館で特別展示するなどして、修復費用を集めることとなった。

活用

文化財建造物を有効に使い続けることは、保存の意欲を高め、継続的な維持管理の前提となる。しかし、文化財建造物は多様であり、その望ましい活用方法も一様ではない。本来の機能や用途を維持すれば、文化財に対する理解を深めることができる。また、新しい機能や用途を付加すれば、文化財を身近に親しむ機会を提供することになる。それぞれの建造物の特徴、条件、問題点を捉えて活用する必要がある。

博物館・資料館などとして展示活用する

民家など公有化されたものを博物館・資料館として展示活用する。近年では伝統的建造物群保存地区の中核的建物を公有化して活用している場合もある。

旧開智学校校舎(国宝)(4-23)
明治時代初期の擬洋風学校建築。昭和40年、教育博物館として公開。

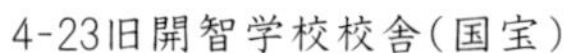

4-23旧開智学校校舎(国宝)

4-24旧日本生命保険会社九州支店(重要文化財)

旧日本生命保険会社九州支店(重要文化財)(4-24)

1909(明治42)年、旧日本生命保険株式会社九州支店として竣工。設計は東京駅舎などで知られる辰野片岡建築事務所(辰野金吾・片岡安)が担当。2002(平成14)年、福岡市文学館として開館。

移築活用

現地保存が困難な場合、建造物を移築して民家園などとして公開し活用する。

川崎市立日本民家園(4-25)

神奈川県川崎市多摩区の生田緑地にある野外博物館で1967(昭和42)年に開園した。東日本一帯の古民家や水車小屋などの建築物、民具の保存と伝承、活用を目的に整備された。

飛騨民俗村(4-26)

岐阜県高山市にある野外博物館。飛騨地方の伝統産業の伝承保存、民具の展示、合掌造りなどの民家の移築保存が行われている。御母衣ダム建設により合掌造りの矢篦原家(やのはらけ)住宅が水没する際、三渓園(横浜市)に移築されるなど、貴重な民家が地元外に移築されていくことに対して、地元で保存していくことを目指した施設である。

・財団法人明治村(4-27)

公益財団法人明治村が運営する愛知県犬山市にある野外博物館で、明治時代をコンセプトとしたテーマパークである。 明治時代の建造物等を移築して公開し、明治時代の歴史的資料をも収集して、社会文化の向上に寄与することを目的としている。

模造・模型

建造物の模造や模型を作って活用する場合がある。構造を観察したり、造られた当時の状況に復元して現状と比較することが行われる。さらに、耐震実験など、各種の実験を行ったり、体験学習などに利用するなど、実物資料では不可能なことを行うことができる特徴がある。また、縮尺模型は展示スペースが節約でき、取扱も容易になるという利点がある。

4-25日本民家園

4-26飛騨民俗村

4-27明治村

4-28高島屋東京店

4-29和田家住宅

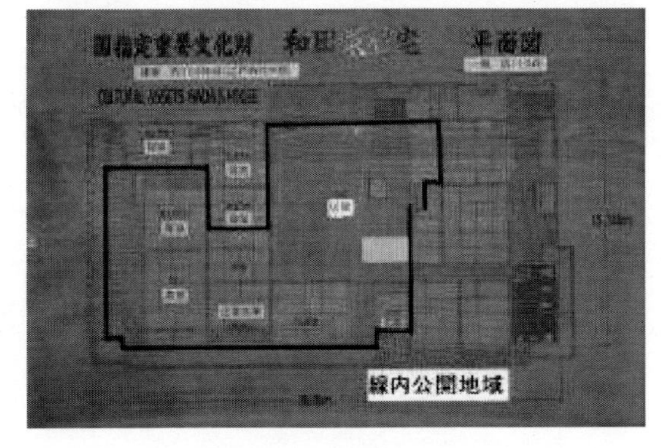

4-30和田家住宅平面図

国宝・重要文化財のうち、特に優秀で歴史的に価値が高いものは昭和35年以降、文化庁が縮尺模型を制作している。これらは国立歴史民俗博物館に展示されている。

使用活用

現代の要求を満たしつつ、使用し続けることによって活用・保存を行う。

<本来の使用目的通りに使用し続ける>

高島屋東京店(重要文化財)(4-28)

百貨店として使い続けるため、駐車場、事務所等を別棟にし、意匠的な統一を図りながら、耐震改修を実施。

4-31旧福岡県公会堂貴賓館(重要文化財)

4-32JR門司港駅(重要文化財)

4-33門司港

4-34旧三井倶楽部(重要文化財)

和田家住宅(重要文化財)(4-29·30)

住み続けながら公開活用を図るため、個人利用部分と公開部分を分離し、プライバシーに配慮して整備を行った。

<建築時の目的とは目的を変更して使用し活用保存を図る>

旧福岡県公会堂貴賓館(4-31)

第13回九州沖縄八県連合共進会の宿所だったが、都市公園の一部として整備した。福岡県西方沖地震からの復旧後は飲食スペースを加え、商業施設として活用。

<地域的複合的に活用する>

門司レトロ(4-32〜35)

·JR門司港駅周辺地域に残る外国貿易で栄えた時代の建造物を中心に、ホテル·商業施設などを大正レトロ調に整備した観光スポットで、国土交通省の都市景観100選を受賞している。

·JR門司港駅 - 1914(大正3)年築。国の重要文化財。

·九州鉄道記念館 - 1891(明治24)年築の旧九州鉄道本社を本館として使用。登録有形文化財

·北九州市旧大阪商船 - 1917(大正6)年築。旧大阪商船門司支店。国の登録有形文化財。北九州市が取得。わたせせいぞうと海のギャラリー(2階)

·北九州市旧門司三井倶楽部 - 1921(大正10)年築。1991年(平成3年)門司区谷町より駅前へ移築。国の重要文化財。北九州市が取得。アインシュタインメモリアルルーム(2階) - 1922(大正11)年にアインシュタインが宿泊した部屋を当時の状態で展示。林芙美子資料室(2階)

·門司区役所 - 1930(昭和5)年築。国の登録有形文化財。

·北九州市旧門司税関 - 1912(明治45)年築。現地にて修復·再建。北九州市が取得。

·旧三井物産門司支店 - 1937(昭和12)年築。旧JR九州北九州本社。北九州市が取得。

·門司電気通信レトロ館 - 1924(大正13)年築、山田守設計。NTT西日本門司ビル内。

4-35旧門司税関(近代化産業遺産)

・門司郵船ビル - 1927(昭和2)年築。旧日本郵船門司支店。1階にファミリーマート、GOLDEN RAY(ゴールデン レイ)が入居している。
・旧岩田屋酒店 - 1922(大正11)年5月築。木造2階建店舗兼家屋。北九州市指定文化財(2006(平成18)年7月20日指定)。
・門司港美術工芸研究所(旧門司港アート村) - 廃校になった小学校(庄司小学校)を芸術家の創作活動の拠点として有効利用。「北九州市文化振興計画」にもとづき、平成23年4月より研究員・研修生制度を整備し、講師・顧問を迎え「門司港美術工芸研究所」として再出発した。
・カボチャドキヤ国立美術館 - 1918(大正7)年築の洋館を利用した個人による美術館。

建築基準法特例

文化財建造物も原則として建築基準法が適用される。しかし、建築基準法第三条において適用の除外規定により、個別の事例ごとに審査が行われる。

建築基準法

(適用の除外)

第三条　この法律並びにこれに基づく命令及び条例の規定は、次の各号のいずれかに該当する建築物については、適用しない。

一　文化財保護法(昭和二十五年法律第二百十四号)の規定によつて国宝、重要文化財、重要有形民俗文化財、特別史跡名勝天然記念物又は史跡名勝天然記念物として指定され、又は仮指定された建築物

二　旧重要美術品等の保存に関する法律(昭和八年法律第四十三号)の規定によつて重要美術品等として認定された建築物

三　文化財保護法第百八十二条第二項の条例その他の条例の定めるところにより現状変更の規制及び保存のための措置が講じられている建築物(次号において「保存建築物」という。)であつて、特定行政庁が建築審査会の同意を得て指定したもの

四　第一号若しくは第二号に掲げる建築物又は保存建築物であつたものの原形を再現する建築物で、特定行政庁が建築審査会の同意を得てその原形の再現がやむを得ないと認めたもの

2　この法律又はこれに基づく命令若しくは条例の規定の施行又は適用の際現に存する建築物若しくはその敷地又は現に建築、修繕若しくは模様替の工事中の建築物若しくはその敷地がこれらの規定に適合せず、又はこれらの規定に適合しない部分を有する場合においては、当該建築物、建築物の敷地又は建築物若しくはその敷地の部分に対しては、当該規定は、適用しない。

3　前項の規定は、次の各号のいずれかに該当する建築物、建築物の敷地又は建築物若しくはその敷地の部分に対しては、適用しない。

一　この法律又はこれに基づく命令若しくは条例を改正する法令による改正(この法律に基づく命令又は条例を廃止すると同時に新たにこれに相当する命令又は条例を制定することを

含む。）後のこの法律又はこれに基づく命令若しくは条例の規定の適用の際当該規定に相当する従前の規定に違反している建築物、建築物の敷地又は建築物若しくはその敷地の部分

二　都市計画区域若しくは準都市計画区域の指定若しくは変更、第一種低層住居専用地域、第二種低層住居専用地域、第一種中高層住居専用地域、第二種中高層住居専用地域、第一種住居地域、第二種住居地域、準住居地域、田園住居地域、近隣商業地域、商業地域、準工業地域、工業地域若しくは工業専用地域若しくは防火地域若しくは準防火地域に関する都市計画の決定若しくは変更、第四十二条第一項、第五十二条第二項第二号若しくは第三号若しくは第八項、第五十六条第一項第二号イ若しくは別表第三備考三の号の区域の指定若しくはその取消し又は第五十二条第一項第八号、第二項第三号若しくは第八項、第五十三条第一項第六号、第五十六条第一項第二号ニ若しくは別表第三(に)欄の五の項に掲げる数値の決定若しくは変更により、第四十三条第一項、第四十八条第一項から第十四項まで、第五十二条第一項、第二項、第七項若しくは第八項、第五十三条第一項から第三項まで、第五十四条第一項、第五十五条第一項、第五十六条第一項、第五十六条の二第一項若しくは第六十一条に規定する建築物、建築物の敷地若しくは建築物若しくはその敷地の部分に関する制限又は第四十三条第三項、第四十三条の二、第四十九条から第五十条まで若しくは第六十八条の九の規定に基づく条例に規定する建築物、建築物の敷地若しくは建築物若しくはその敷地の部分に関する制限に変更があつた場合における当該変更後の制限に相当する従前の制限に違反している建築物、建築物の敷地又は建築物若しくはその敷地の部分

三　工事の着手がこの法律又はこれに基づく命令若しくは条例の規定の施行又は適用の後である増築、改築、移転、大規模の修繕又は大規模の模様替に係る建築物又はその敷地

四　前号に該当する建築物又はその敷地の部分

五　この法律又はこれに基づく命令若しくは条例の規定に適合するに至った建築物、建築物の敷地又は建築物若しくはその敷地の部分

「現状変更」と「保存に影響を及ぼす行為」

文化財保護法第43条により、重要文化財の所有者等は、重要文化財の現状を変更したり、建造物の保存に影響を及ぼす行為をしようとする際は、文化庁長官の許可を受けなければならない。

（現状変更等の制限）

第四十三条　重要文化財に関しその現状を変更し、又はその保存に影響を及ぼす行為をしようとするときは、文化庁長官の許可を受けなければならない。ただし、現状変更については維持の措置又は非常災害のために必要な応急措置を執る場合、保存に影響を及ぼす行為については影響の軽微である場合は、この限りでない。

2　前項但書に規定する維持の措置の範囲は、文部科学省令で定める。

3　文化庁長官は、第一項の許可を与える場合において、その許可の条件として同項の現状変更又は保存に影響を及ぼす行為に関し必要な指示をすることができる。

4　第一項の許可を受けた者が前項の許可の条件に従わなかつたときは、文化庁長官は、許可に係る現状変更若しくは保存に影響を及ぼす行為の停止を命じ、又は許可を取り

消すことができる。

5　第一項の許可を受けることができなかつたことにより、又は第三項の許可の条件を付せられたことによつて損失を受けた者に対しては、国は、その通常生ずべき損失を補償する。

6　前項の場合には、第四十一条第二項から第四項までの規定を準用する。

（修理の届出等）

第四十三条の二　重要文化財を修理しようとするときは、所有者又は管理団体は、修理に着手しようとする日の三十日前までに、文部科学省令の定めるところにより、文化庁長官にその旨を届け出なければならない。但し、前条第一項の規定により許可を受けなければならない場合その他文部科学省令の定める場合は、この限りでない。

2　重要文化財の保護上必要があると認めるときは、文化庁長官は、前項の届出に係る重要文化財の修理に関し技術的な指導と助言を与えることができる。

現状変更　（文化庁「国宝・重要文化財建造物保存・活用の進展をめざして」）

許可が必要な現状変更は

1，保存修理に伴う復原的行為

保存修理にともない、建立当初の姿、あるいは、ある時期の姿に復原する。

2，保存管理上の行為

保存管理上の措置には、地上げや移築、構造補強などが挙げられる。

3，活用のための行為

活用のために必要な現状変更をどこまで許容するかは、建造物の特性や、文化財的な価値などを考慮し判断される。

維持の措置の範囲は許可申請の必要はない

①維持修理　文化財がき損しているときに、同材種、同技法による原状への回復。たとえば、屋根の葺替、障子の張替、床板、壁材の取り替えなど。

②応急修理　き損や災害などに伴う応急的な修理。たとえば壁が脱落した際の板張り養生など。

保存に影響を及ぼす行為　（文化庁「国宝・重要文化財建造物保存・活用の進展をめざして」）

物件の形状に直接的物理的変化を生ずるものではないが、材質などに化学変化を起こし、又は経年変化を促進させるなど保存上何らかの影響を与える行為を指す。許可を受ける必要がある行為としては、以下のような例がある。

建造物隣接地又は直下における大規模な掘削

その建造物が本来想定していない重量物の搬入

保存に影響を及ぼす行為のうち、文化財を損ねるおそれがなく、その影響が軽微なものについては許可を受ける必要はない。以下のような例がある。

居住施設である文化財の内部で日常的に火気を使用する場合

イベント等の一時的な催しのため文化財の内部や隣接地に仮設物を設ける場合

避雷針や火災報知設備などの設置

仮設的な建具などの設置

建造物の内部に、警備員の詰所や売店等のブースを仮設する場合

電気、給排水、衛生、空調などの設備を更新したり、設置する場合

手摺りやスロープなどを設する場合

参考引用文献

文化庁2018「国宝・重要文化財建造物保存・活用の進展をめざして」http://www.bunka.go.jp/tokei_hakusho_shuppan/shuppanbutsu/bunkazai_pamphlet/pdf/pamphlet_ja_04.pdf
指定管理制度『フリー百科事典　ウィキペディア日本語版』「指定管理者制度」2020. 09. 29https://ja.wikipedia.org/wiki/指定管理者制度
公務労協2020「指定管理制度」https://www.komu-rokyo.jp/campaign/img/siryo/law/04_1.pdf#search='%E6%8C%87%E5%AE%9A%E7%AE%A1%E7%90%86%E8%80%85%E5%88%B6%E5%BA%A6'
中村賢二郎　1999　『文化財保護制度概説』　ぎょうせい

図版の出典

4-1法隆寺(国宝)『フリー百科事典　ウィキペディア日本語版』2020. 09. 29　https://upload.wikimedia.org/wikipedia/commons/5/59/Horyu-ji03s3200.jpg
4-2姫路城(国宝)『フリー百科事典　ウィキペディア日本語版』2020. 09. 29　https://upload.wikimedia.org/wikipedia/commons/0/01/Himeji_Castle_M4690.jpg?uselang=ja
4-3日本銀行本店(重要文化財)『フリー百科事典　ウィキペディア日本語版』2020. 09. 29 https://upload.wikimedia.org/wikipedia/commons/3/37/Bank_of_Japan_2010.jpg?uselang=ja
4-4白川郷(重要伝統的建造物群保存地区)　筆者撮影
4-5富岡製糸場(国宝・重要文化財)『フリー百科事典　ウィキペディア日本語版』2020. 09. 29 https://upload.wikimedia.org/wikipedia/commons/3/31/%E5%AF%8C%E5%B2%A1%E8%A3%BD%E7%B3%B8%E5%A0%B4%E3%83%BB%E7%B9%B0%E7%B3%B8%E5%A0%B4.jpg?uselang=ja
4-6平等院鳳凰堂(国宝)『フリー百科事典　ウィキペディア日本語版』2020. 09. 29https://upload.wikimedia.org/wikipedia/commons/6/69/Phoenix_Hall%2C_Byodo-in%2C_November_2016_-01.jpg
4-7青井阿蘇神社(国宝)『フリー百科事典　ウィキペディア日本語版』2020. 09. 29https://commons.wikimedia.org/wiki/Category:Aoi_Aso-jinja?uselang=ja#/media/File:Aoi-Aso-Shrine_holy_place_1.jpg
4-8函館ハリストス正教会復活聖堂(重要文化財)『フリー百科事典　ウィキペディア日本語版』2020. 09. 29https://upload.wikimedia.org/wikipedia/commons/thumb/8/85/Hakodate_Russian_Orthodox_Church%2C_May_2006.jpg/768px-Hakodate_Russian_Orthodox_Church%2C_May_2006.jpg
4-9彦根城天守(国宝)筆者撮影
4-10慈照寺銀閣(国宝)『フリー百科事典　ウィキペディア日本語版』2020. 09. 29https://upload.wikimedia.org/wikipedia/commons/d/da/Ginkaku-ji_after_being_restored_in_2008.jpg
4-11古井家住宅(重要文化財)『フリー百科事典　ウィキペディア日本語版』2020. 09. 29https://upload.wikimedia.org/wikipedia/ja/c/cf/Sany0079.jpg
4-12二条城二の丸御殿大広間など(国宝)『フリー百科事典　ウィキペディア日本語版』2020. 09. 29https://upload.wikimedia.org/wikipedia/commons/e/e1/Nijo_Castle_Ninomaru_02.JPG
4-13閑谷学校講堂(国宝)『フリー百科事典　ウィキペディア日本語版』2020. 09. 29https://upload.wikimedia.org/wikipedia/commons/d/d0/Shizutani_school_the_hall_and_shosai.JPG
4-14本願寺北能舞台(国宝)『フリー百科事典　ウィキペディア日本語版』2020. 09. 29https://upload.wikimedia.org/wikipedia/commons/2/28/Northern_Noh_Stage.jpg
4-15通潤橋(重要文化財)『フリー百科事典　ウィキペディア日本語版』2020. 09. 29https://upload.wikimedia.org/wikipedia/commons/0/08/Tsujunkyo1.jpg?uselang=ja
4-16旧下関英国領事館(重要文化財)『フリー百科事典　ウィキペディア日本語版』2020. 09. 29https://upload.wikimedia.org/wikipedia/commons/9/96/141122_Former_British_Consulate_Shimonoseki_Yamaguchi_pref_Japan01bs5.jpg?uselang=ja
4-17平成26年度指定管理者モニタリングレポート　下関市　http://www.city.shimonoseki.yamaguchi.jp/datafile/soumu/mr26/mr26_4_7.pdf#search=%27%E6%97%A7%E8%8B%B1%E5%9B%BD%E9%A0%98%E4%BA%8B%E9%A4%A8+%E3%83%A2%E3%83%8B%E3%82%BF%E3%83%AA%E3%83%B3%E3%82%B0%E3%83%AC%E3%83%9D%E3%83%BC%E3%83%88%27
4-18姫路城平成の修理『フリー百科事典　ウィキペディア日本語版』2020. 09. 29https://upload.wikimedia.org/wikipedia/commons/f/ff/Himeji_Castle_%E5%A7%AB%E8%B7%AF%E5%9F%8E%E5%B9%B3%E6%88%90%E3%81%AE%E4%BF%AE%E7%90%86_7040009.JPG
4-19法隆寺鬼瓦レプリカ『フリー百科事典　ウィキペディア日本語版』2020. 09. 29https://commons.wikimedia.org/wiki/Category:Onigawara?uselang=ja#/media/File:Horyu-ji_onigawara.JPG
4-20建造物の防災対策　文化庁2018「国宝・重要文化財建造物保存・活用の進展をめざして」http://www.bunka.go.jp/tokei_hakusho_s

huppan/shuppanbutsu/bunkazai_pamphlet/pdf/pamphlet_ja_04.pdf
4-21室生寺五重塔(国宝)『フリー百科事典　ウィキペディア日本語版』2020．09．29https://upload.wikimedia.org/wikipedia/commons/0/03/Murouji_gojyunoto2.jpg
4-22室生寺五重塔の被害　国土交通省近畿地方整備局木津川上流河川事務所http://www.kkr.mlit.go.jp/kizujyo/about/erosion/intro.html
4-23旧開智学校校舎(国宝)『フリー百科事典　ウィキペディア日本語版』2020．09．29https://upload.wikimedia.org/wikipedia/commons/d/d4/Former_Kaichi_School_2009.jpg
4-24旧日本生命保険会社九州支店(重要文化財)『フリー百科事典　ウィキペディア日本語版』2020．09．29https://ja.wikipedia.org/wiki/福岡市文学館#/media/File:Fukuoka_City_Museum_of_Literature_20160405-2.JPG
4-25日本民家園『フリー百科事典　ウィキペディア日本語版』2020．09．29https://upload.wikimedia.org/wikipedia/commons/9/95/Kawasaki_Nihon_Minkaen-3.jpg
4-26飛騨民俗村筆者撮影
4-27明治村『フリー百科事典　ウィキペディア日本語版』2020．10．01https://upload.wikimedia.org/wikipedia/commons/6/62/Meijimurabunkazai15.JPG
4-28高島屋東京店『フリー百科事典　ウィキペディア日本語版』2020．10．0https://upload.wikimedia.org/wikipedia/commons/c/c1/Takashimaya_Nihonbashi_Store_2010.jpg
4-29和田家住宅筆者撮影
4-30和田家住宅平面図 筆者撮影・加筆
4-31旧福岡県公会堂貴賓館(重要文化財)『フリー百科事典　ウィキペディア日本語版』2020．10．01https://upload.wikimedia.org/wikipedia/commons/3/35/Kihinkan_Hall_of_Former_Fukuoka_Prefecture_Public_Hall_3.jpg?uselang=ja
4-32JR門司港駅(重要文化財)『フリー百科事典　ウィキペディア日本語版』2020．10．01https://ja.wikipedia.org/wiki/%E9%96%80%E5%8F%B8%E6%B8%AF%E3%83%AC%E3%83%88%E3%83%AD#/media/File:Mojiko_Station_01.JPG

4-33門司港『フリー百科事典　ウィキペディア日本語版』2020．10．01https://commons.wikimedia.org/wiki/File:140721_Mojiko_Retro_Kitakyushu_Japan01s3.jpg4-33門司港『フリー百科事典　ウィキペディア日本語版』2020．10．01https://commons.wikimedia.org/wiki/File:140721_Mojiko_Retro_Kitakyushu_Japan01s3.jpg
4-34旧三井倶楽部(重要文化財)『フリー百科事典　ウィキペディア日本語版』2020．10．01https://ja.wikipedia.org/wiki/%E9%96%80%E5%8F%B8%E6%B8%AF%E3%83%AC%E3%83%88%E3%83%AD#/media/File:140721_Former_Moji_Mitsui_Club_Kitakyushu_Japan01bs.jpg
4-35旧門司税関(近代化産業遺産)『フリー百科事典　ウィキペディア日本語版』2020．10．01https://ja.wikipedia.org/wiki/%E9%96%80%E5%8F%B8%E6%B8%AF%E3%83%AC%E3%83%88%E3%83%AD#/media/File:140721_Former_Moji_Customs_Kitakyushu_Japan02n.jpg
4-36白川郷 筆者撮影

4-36白川郷

第 5 回　有形文化財－美術工芸品－

有形文化財のうち、建造物以外のものを総称して美術工芸品と呼ぶ。美術工芸品は一般に動産だが、磨崖仏(まがいぶつ)・古墳壁画など不動産のものもある。

調査と状況の把握

美術工芸品は明治21年「臨時全国宝物取調局」以来、調査が行われてきた。文化財保護法制定後も、国宝重要文化財(美術工芸品)指定調査及び指定文化財の実態調査が継続して行われている。その他に文化財集中地区の調査や歴史資料保存調査、重要寺社歴史資料特別調査、近世歴史資料緊急調査など、対象資料を限定した調査を行っている。また、平成9年度以降は、古文書や陶磁器などに関して国庫補助事業としての「史料調査」も行っている。

文化財保護法では、重要文化財について文化庁長官の調査権を認めている。これによって文化財の所在・保管状況などを把握する。

第54条　文化庁長官は、必要があると認めるときは、重要文化財の所有者、管理責任者又は管理団体に対し、重要文化財の現状又は管理、修理若しくは環境保全の状況につき報告を求めることができる。

第55条　文化庁長官は、次の各号の一に該当する場合において、前条の報告によつてもなお重要文化財に関する状況を確認することができず、かつ、その確認のため他に方法がないと認めるときは、調査に当たる者を定め、その所在する場所に立ち入つてその現状又は管理、修理若しくは環境保全の状況につき実地調査をさせることができる。

一　重要文化財に関し現状の変更又は保存に影響を及ぼす行為につき許可の申請があつたとき。

二　重要文化財がき損しているとき又はその現状若しくは所在の場所につき変更があつたとき。

三　重要文化財が滅失し、き損し、又は盗み取られる虞のあるとき。

四　特別の事情によりあらためて国宝又は重要文化財としての価値を鑑査する必要があるとき。

2　前項の規定により立ち入り、調査する場合においては、当該調査に当る者は、その身分を証明する証票を携帯し、関係者の請求があつたときは、これを示し、且つ、その正当な意見を十分に尊重しなければならない。

3　第一項の規定による調査によつて損失を受けた者に対しては、国は、その通常生ずべき損失を補償する。

4　前項の場合には、第四十一条第二項から第四項までの規定を準用する。

指定

現在、国宝・重要文化財は1万件を超える。その他都道府県指定・市町村指定の文化財がある。

5-1紙本著色伴大納言絵詞 出光美術館蔵

5-2紙本著色病草紙 京都国立博物館蔵

5-3紙本著色源氏物語絵巻(東屋) 徳川美術館蔵

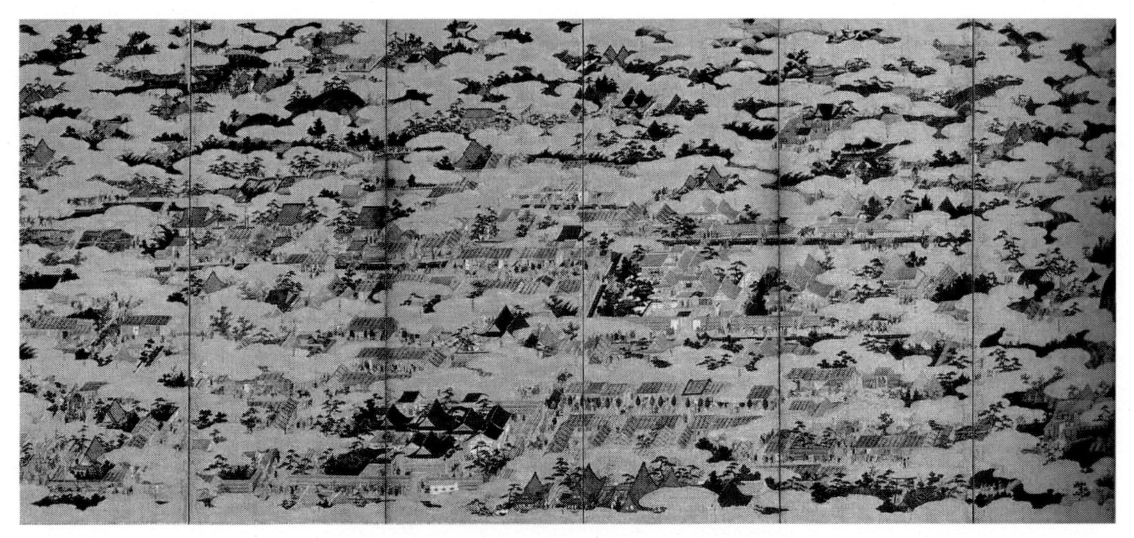

5-4紙本金地著色洛中洛外図 上杉本 左隻

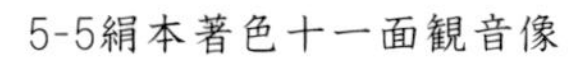

5-5絹本著色十一面観音像

5-6紙本墨画蓮池水禽図

5-7絹本著色黒き猫

美術工芸品の種類

美術工芸品は、絵画、彫刻、工芸品、書跡典籍、古文書、考古資料、歴史資料がある。

絵画 日本画(仏画・大和絵・中世障壁画・近世絵画・近代絵画)、油彩画、水彩、素描、東洋画、その他に大別される。紙本著色病草紙(国宝・重文)(5-2)紙本金地著色洛中洛外図上杉本左隻(国宝)(5-4) 紙本墨画蓮池水禽図(5-6)(国宝)絹本著色黒き猫(5-7)

＜仏画＞ 仏教絵画全般を指し、仏教説話画、祖師絵伝、絵巻、祖師図、禅宗僧、一般僧の肖像画などがある。絹本著色十一面観音像(国宝)(5-5)

＜大和絵＞平安時代の国風文化の時期に発達した日本的な絵画のこと。中国風の絵画「唐絵(からえ)」に対する呼称である。紙本著色伴大納言絵詞(国宝)(5-1) 紙本著色源氏物語絵巻(東屋)(国宝)(5-3)

彫刻 木像、金属像、石像、石膏像、その他に分類される。種類別では仏像、神像、肖像、仮面などに分類される。法隆寺釈迦三尊像(国宝)(5-8) 能面小面「増女(ぞうおんな)」(重要文化財)(5-9)

版画 木版画、銅版画、リトグラフ(石版画)、シルクスクリーンなどがある。

新訂万国全図 文化7年(1810年)亜欧堂 田善(5-10)

工芸品 金工、漆工、染織、陶磁、ガラス、石造品、甲冑(かっちゅう)、刀剣、その他、など多くの種類がある。法隆寺献納御物金銅五鈷鈴(重要文化財)(5-11) 法隆寺献納御物龍首水瓶(国宝)(5-12) 染分沙綾地雪輪山吹文様小袖(5-13) 赤糸威大鎧(あかいとおどしおおよろい)(竹虎雀飾)(国宝)(5-14)八橋蒔絵螺鈿硯箱(国宝)(5-15)太刀:備前長船住景光(国宝)(5-16)

5-8法隆寺釈迦三尊像

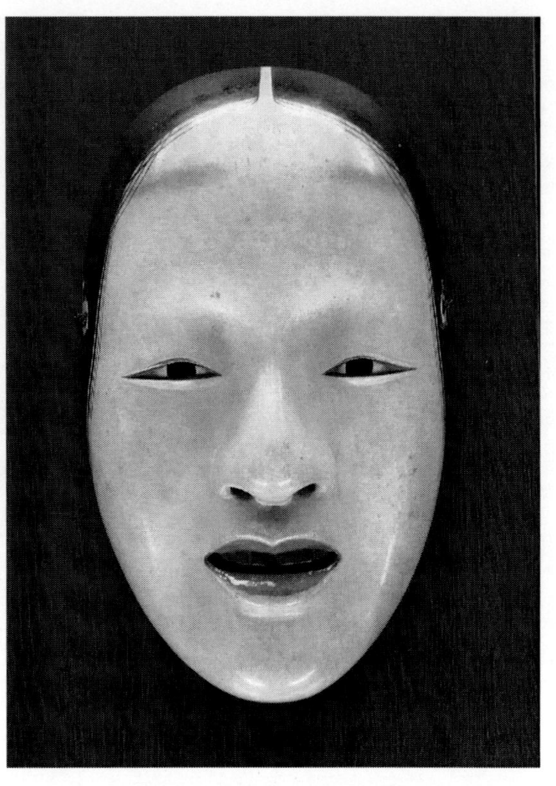

5-9能面小面「増女(ぞうおんな)」

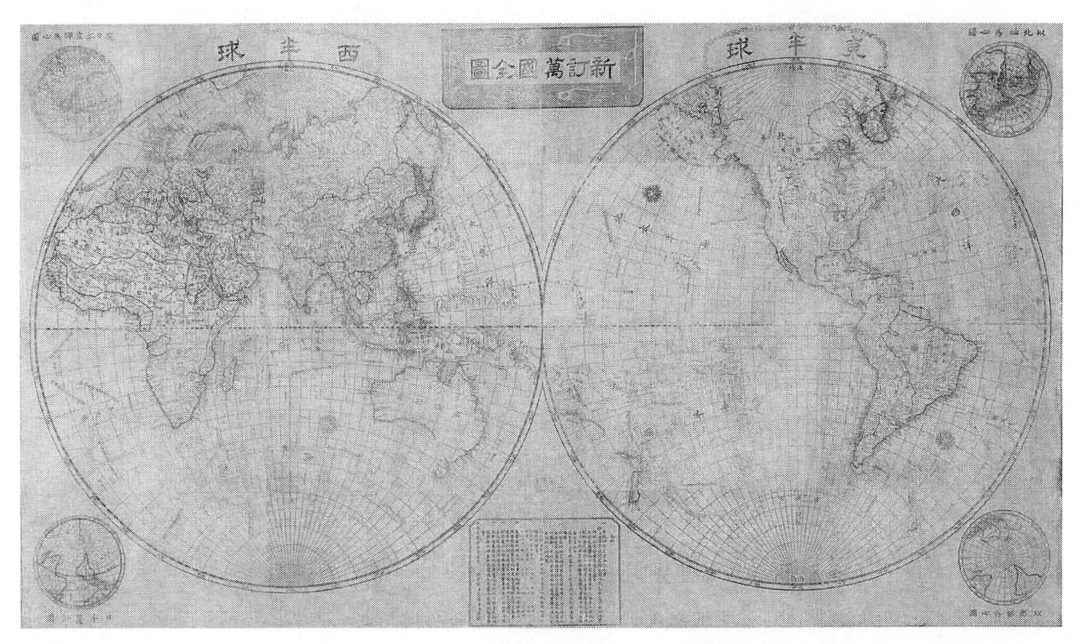

5-10新訂万国全図 文化7年(1810年)亜欧堂 田善

5-11金銅五鈷鈴

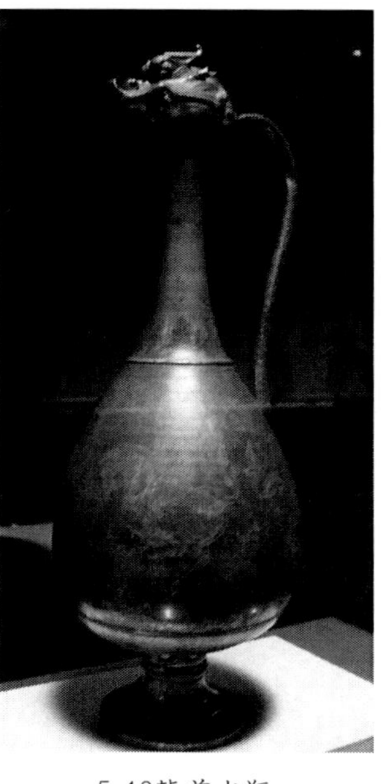

5-12龍首水瓶

5-13染分沙綾地雪輪山吹文様小袖

5-15八橋蒔絵螺鈿硯箱

5-14赤糸威大鎧

5-16太刀:備前長船住景光

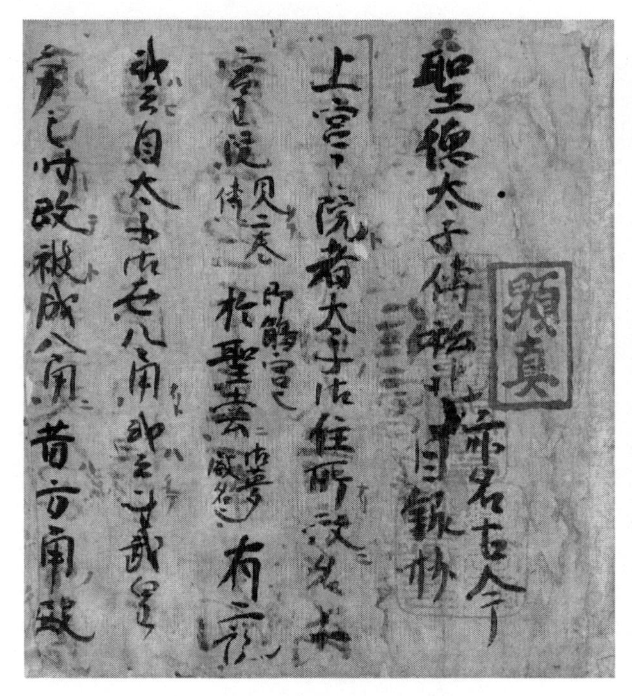

5-17古今目録抄（聖徳太子伝私記）

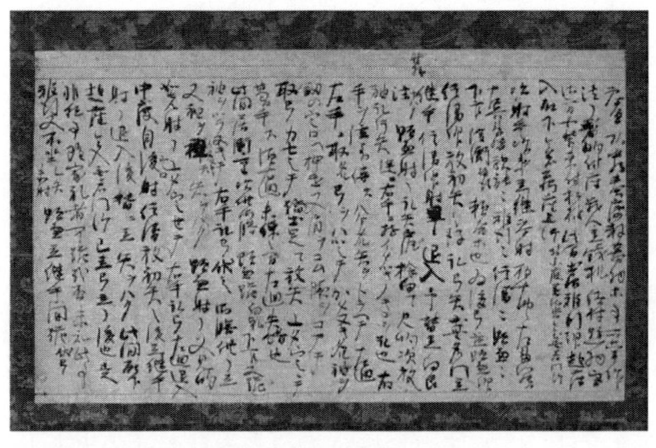

5-18明月記（藤原定家日記）

5-19埴輪武装男子立像（群馬県太田市）

5-20源氏物語絵巻 横笛 詞書（ことばがき）

書跡・典籍　典籍は漢籍、図書、仏典、洋本に大別される。

法隆寺献納御物古今目録抄（聖徳太子伝私記）顕真筆（重要文化財）(5-17)

古文書　古文書、古記録、制札、棟札類、系図、絵図など。

明月記（藤原定家日記）（国宝）(5-18)

考古資料　石器、石製品、土器、土製品、金属製品類、木簡、木製品、骨角器、貝類、その他に分類される。

埴輪武装男子立像（群馬県太田市出土）（国宝）(5-19)

歴史資料　文書、書籍、絵図、地図などに分類される。

源氏物語絵巻 横笛 詞書（国宝）(5-20)

その他の美術品　写真、デザイン、書などがある。

指定・解除

重要文化財や国宝の指定や解除は文化財保護法によって次のように決められている。

（指定）

第二十七条　文部科学大臣は、有形文化財のうち重要なものを重要文化財に指定することができる。

2　文部科学大臣は、重要文化財のうち世界文化の見地から価値の高いもので、たぐいない国民の宝たるものを国宝に指定することができる。

（解除）

第二十九条　国宝又は重要文化財が国宝又は重要文化財としての価値を失つた場合その他特殊の事由があるときは、文部科学大臣は、国宝又は重要文化財の指定を解除することができる。

2　前項の規定による指定の解除は、その旨を官報で告示するとともに、当該国宝又は重要文化財の所有者に通知してする。

3　第一項の規定による指定の解除には、前条第二項の規定を準用する。

4　第二項の通知を受けたときは、所有者は、三十日以内に指定書を文部科学大臣に返付しなければならない。

5　第一項の規定により国宝の指定を解除した場合において当該有形文化財につき重要文化財の指定を解除しないときは、文部科学大臣は、直ちに重要文化財の指定書を所有者に交付しなければならない。

管理

管理は基本的に所有者が行い、文化庁長官は必要な指示を行う。特別の事情がある場合、所有者は管理責任者を選任して管理を任せることができる。もし管理が適当でない場合は、文化庁長官は所有者・管理者に対して必要な措置を命じ、又は勧告することができる。

（管理方法の指示）

第三十条　文化庁長官は、重要文化財の所有者に対し、重要文化財の管理に関し必要な指示をすることができる。

（所有者の管理義務及び管理責任者）

第三十一条　重要文化財の所有者は、この法律並びにこれに基いて発する文部科学省令及び文化庁長官の指示に従い、重要文化財を管理しなければならない。
2　重要文化財の所有者は、当該重要文化財の適切な管理のため必要があるときは、第百九十二条の二第一項に規定する文化財保存活用支援団体その他の適当な者を専ら自己に代わり当該重要文化財の管理の責めに任ずべき者(以下この節及び第百八十七条第一項第一号において「管理責任者」という。)に選任することができる。
3　前項の規定により管理責任者を選任したときは、重要文化財の所有者は、文部科学省令の定める事項を記載した書面をもつて、当該管理責任者と連署の上二十日以内に文化庁長官に届け出なければならない。管理責任者を解任した場合も同様とする。
4　管理責任者には、前条及び第一項の規定を準用する。
(所有者又は管理責任者の変更)
第三十二条　重要文化財の所有者が変更したときは、新所有者は、文部科学省令の定める事項を記載した書面をもつて、且つ、旧所有者に対し交付された指定書を添えて、二十日以内に文化庁長官に届け出なければならない。
2　重要文化財の所有者は、管理責任者を変更したときは、文部科学省令の定める事項を記載した書面をもつて、新管理責任者と連署の上二十日以内に文化庁長官に届け出なければならない。この場合には、前条第三項の規定は、適用しない。
3　重要文化財の所有者又は管理責任者は、その氏名若しくは名称又は住所を変更したときは、文部科学省令の定める事項を記載した書面をもつて、二十日以内に文化庁長官に届け出なければならない。氏名若しくは名称又は住所の変更が重要文化財の所有者に係るときは、届出の際指定書を添えなければならない。
(管理団体による管理)
第三十二条の二　重要文化財につき、所有者が判明しない場合又は所有者若しくは管理責任者による管理が著しく困難若しくは不適当であると明らかに認められる場合には、文化庁長官は、適当な地方公共団体その他の法人を指定して、当該重要文化財の保存のため必要な管理(当該重要文化財の保存のため必要な施設、設備その他の物件で当該重要文化財の所有者の所有又は管理に属するものの管理を含む。)を行わせることができる。
2　前項の規定による指定をするには、文化庁長官は、あらかじめ、当該重要文化財の所有者(所有者が判明しない場合を除く。)及び権原に基く占有者並びに指定しようとする地方公共団体その他の法人の同意を得なければならない。
3　第一項の規定による指定は、その旨を官報で告示するとともに、前項に規定する所有者、占有者及び地方公共団体その他の法人に通知してする。
4　第一項の規定による指定には、第二十八条第二項の規定を準用する。
5　重要文化財の所有者又は占有者は、正当な理由がなくて、第一項の規定による指定を受けた地方公共団体その他の法人(以下この節及び第百八十七条第一項第一号において「管理団体」という。)が行う管理又はその管理のため必要な措置を拒み、妨げ、又は忌避してはならない。
6　管理団体には、第三十条及び第三十一条第一項の規定を準用する。
第三十二条の三　前条第一項に規定する事由が消滅した場合その他特殊の事由があるときは、文化庁長官は、管理団体の指定を解除することができる。
2　前項の規定による解除には、前条第三項及び第二十八条第二項の規定を準用する。

第三十二条の四　管理団体が行う管理に要する費用は、この法律に特別の定のある場合を除いて、管理団体の負担とする。

2　前項の規定は、管理団体と所有者との協議により、管理団体が行う管理により所有者の受ける利益の限度において、管理に要する費用の一部を所有者の負担とすることを妨げるものではない。

（管理に関する命令又は勧告）

第三十六条　重要文化財を管理する者が不適任なため又は管理が適当でないため重要文化財が滅失し、き損し、又は盗み取られる虞があると認めるときは、文化庁長官は、所有者、管理責任者又は管理団体に対し、重要文化財の管理をする者の選任又は変更、管理方法の改善、防火施設その他の保存施設の設置その他管理に関し必要な措置を命じ、又は勧告することができる。

2　前項の規定による命令又は勧告に基いてする措置のために要する費用は、文部科学省令の定めるところにより、その全部又は一部を国庫の負担とすることができる。

3　前項の規定により国庫が費用の全部又は一部を負担する場合には、前条第三項の規定を準用する。

所在の変更

所在を変更する場合は届出をする。

（所在の変更）

第三十四条　重要文化財の所在の場所を変更しようとするときは、重要文化財の所有者（管理責任者又は管理団体がある場合は、その者）は、文部科学省令の定める事項を記載した書面をもつて、且つ、指定書を添えて、所在の場所を変更しようとする日の二十日前までに文化庁長官に届け出なければならない。但し、文部科学省令の定める場合には、届出を要せず、若しくは届出の際指定書の添附を要せず、又は文部科学省令の定めるところにより所在の場所を変更した後届け出ることをもつて足りる。

滅失・き損・修理

滅失・き損した場合は、10日以内に届けなければならない。修理は原則、所有者や管理団体が文化庁長官に届出を出して行う。政府は補助金を出すことができる。文化庁長官は修理について必要な命令又は勧告をすることができる。また、場合によって文化庁長官は、自ら修理を行い、滅失やき損、盗難の防止の措置をすることができ、その費用は、国庫が負担する。しかし、費用の一部を所有者から徴収することができる。徴収方法は行政代執行法（昭和二十三年法律第四十三号）第五条及び第六条の規定を準用している。

（滅失、き損等）

第三十三条　重要文化財の全部又は一部が滅失し、若しくはき損し、又はこれを亡失し、若しくは盗み取られたときは、所有者（管理責任者又は管理団体がある場合は、その者）は、文部科学省令の定める事項を記載した書面をもつて、その事実を知つた日から十日以内に文化庁長官に届け出なければならない。

（修理）

第三十四条の二　重要文化財の修理は、所有者が行うものとする。但し、管理団体がある場合は、管理団体が行うものとする。

（管理団体による修理）

第三十四条の三　管理団体が修理を行う場合は、管理団体は、あらかじめ、その修理の方法及び時期について当該重要文化財の所有者（所有者が判明しない場合を除く。）及び権原に基く占有者の意見を聞かなければならない。

2　管理団体が修理を行う場合には、第三十二条の二第五項及び第三十二条の四の規定を準用する。

（管理又は修理の補助）

第三十五条　重要文化財の管理又は修理につき多額の経費を要し、重要文化財の所有者又は管理団体がその負担に堪えない場合その他特別の事情がある場合には、政府は、その経費の一部に充てさせるため、重要文化財の所有者又は管理団体に対し補助金を交付することができる。

2　前項の補助金を交付する場合には、文化庁長官は、その補助の条件として管理又は修理に関し必要な事項を指示することができる。

3　文化庁長官は、必要があると認めるときは、第一項の補助金を交付する重要文化財の管理又は修理について指揮監督することができる。

（修理に関する命令又は勧告）

第三十七条　文化庁長官は、国宝がき損している場合において、その保存のため必要があると認めるときは、所有者又は管理団体に対し、その修理について必要な命令又は勧告をすることができる。

2　文化庁長官は、国宝以外の重要文化財がき損している場合において、その保存のため必要があると認めるときは、所有者又は管理団体に対し、その修理について必要な勧告をすることができる。

3　前二項の規定による命令又は勧告に基いてする修理のために要する費用は、文部科学省令の定めるところにより、その全部又は一部を国庫の負担とすることができる。

4　前項の規定により国庫が費用の全部又は一部を負担する場合には、第三十五条第三項の規定を準用する。

（文化庁長官による国宝の修理等の施行）

第三十八条　文化庁長官は、左の各号の一に該当する場合においては、国宝につき自ら修理を行い、又は滅失、き損若しくは盗難の防止の措置をすることができる。

一　所有者、管理責任者又は管理団体が前二条の規定による命令に従わないとき。

二　国宝がき損している場合又は滅失し、き損し、若しくは盗み取られる虞がある場合において、所有者、管理責任者又は管理団体に修理又は滅失、き損若しくは盗難の防止の措置をさせることが適当でないと認められるとき。

2　前項の規定による修理又は措置をしようとするときは、文化庁長官は、あらかじめ、所有者、管理責任者又は管理団体に対し、当該国宝の名称、修理又は措置の内容、着手の時期その他必要と認める事項を記載した令書を交付するとともに、権原に基く占有者にこれらの事項を通知しなければならない。

第三十九条　文化庁長官は、前条第一項の規定による修理又は措置をするときは、文化庁の職員のうちから、当該修理又は措置の施行及び当該国宝の管理の責に任ずべき者を定めなければならない。

2　前項の規定により責に任ずべき者と定められた者は、当該修理又は措置の施行に当るときは、その身分を証明する証票を携帯し、関係者の請求があつたときは、これを示し、且つ、その正当な意見を十分に尊重しなければならない。

3　前条第一項の規定による修理又は措置の施行には、第三十二条の二第五項の規定を準用する。

第四十条　第三十八条第一項の規定による修理又は措置のために要する費用は、国庫の負担とする。

2　文化庁長官は、文部科学省令の定めるところにより、第三十八条第一項の規定による修理又は措置のために要した費用の一部を所有者（管理団体がある場合は、その者）から徴収することができる。但し、同条第一項第二号の場合には、修理又は措置を要するに至つた事由が所有者、管理責任者若しくは管理団体の責に帰すべきとき、又は所有者若しくは管理団体がその費用の一部を負担する能力があるときに限る。

3　前項の規定による徴収については、行政代執行法（昭和二十三年法律第四十三号）第五条及び第六条の規定を準用する。

第四十一条　第三十八条第一項の規定による修理又は措置によつて損失を受けた者に対しては、国は、その通常生ずべき損失を補償する。

2　前項の補償の額は、文化庁長官が決定する。

3　前項の規定による補償額に不服のある者は、訴えをもつてその増額を請求することができる。ただし、前項の補償の決定の通知を受けた日から六箇月を経過したときは、この限りでない。

4　前項の訴えにおいては、国を被告とする。

（補助等に係る重要文化財譲渡の場合の納付金）

第四十二条　国が修理又は滅失、き損若しくは盗難の防止の措置（以下この条において、「修理等」という。）につき第三十五条第一項の規定により補助金を交付し、又は第三十六条第二項、第三十七条第三項若しくは第四十条第一項の規定により費用を負担した重要文化財のその当時における所有者又はその相続人、受遺者若しくは受贈者（第二次以下の相続人、受遺者又は受贈者を含む。以下この条において同じ。）（以下この条において、「所有者等」という。）は、補助又は費用負担に係る修理等が行われた後当該重要文化財を有償で譲り渡した場合においては、当該補助金又は負担金の額（第四十条第一項の規定による負担金については、同条第二項の規定により所有者から徴収した部分を控除した額をいう。以下この条において同じ。）の合計額から当該修理等が行われた後重要文化財の修理等のため自己の費した金額を控除して得た金額（以下この条において、「納付金額」という。）を、文部科学省令の定めるところにより国庫に納付しなければならない。

2　前項に規定する「補助金又は負担金の額」とは、補助金又は負担金の額を、補助又は費用負担に係る修理等を施した重要文化財又はその部分につき文化庁長官が個別的に定める耐用年数で除して得た金額に、更に当該耐用年数から修理等を行つた時以後重要文化財の譲渡の時までの年数を控除した残余の年数（一年に満たない部分があるときは、これを切り捨てる。）を乗じて得た金額に相当する金額とする。

3　補助又は費用負担に係る修理等が行われた後、当該重要文化財が所有者等の責に帰することのできない事由により著しくその価値を減じた場合又は当該重要文化財を国に譲り渡した場合には、文化庁長官は、納付金額の全部又は一部の納付を免除することができる。
4　文化庁長官の指定する期限までに納付金額を完納しないときは、国税滞納処分の例により、これを徴収することができる。この場合における徴収金の先取特権の順位は、国税及び地方税に次ぐものとする。
5　納付金額を納付する者が相続人、受遺者又は受贈者であるときは、第一号に定める相続税額又は贈与税額と第二号に定める額との差額に相当する金額を第三号に定める年数で除して得た金額に第四号に定める年数を乗じて得た金額をその者が納付すべき納付金額から控除するものとする。
一　当該重要文化財の取得につきその者が納付した、又は納付すべき相続税額又は贈与税額
二　前号の相続税額又は贈与税額の計算の基礎となつた課税価格に算入された当該重要文化財又はその部分につき当該相続、遺贈又は贈与の時までに行つた修理等に係る第一項の補助金又は負担金の額の合計額を当該課税価格から控除して得た金額を課税価格として計算した場合に当該重要文化財又はその部分につき納付すべきこととなる相続税額又は贈与税額に相当する額
三　第二項の規定により当該重要文化財又はその部分につき文化庁長官が定めた耐用年数から当該重要文化財又はその部分の修理等を行つた時以後当該重要文化財の相続、遺贈又は贈与の時までの年数を控除した残余の年数（一年に満たない部分があるときは、これを切り捨てる。）
四　第二項に規定する当該重要文化財又はその部分についての残余の耐用年数
6　前項第二号に掲げる第一項の補助金又は負担金の額については、第二項の規定を準用する。この場合において、同項中「譲渡の時」とあるのは、「相続、遺贈又は贈与の時」と読み替えるものとする。
7　第一項の規定により納付金額を納付する者の同項に規定する譲渡に係る所得税法（昭和四十年法律第三十三号）第三十三条第一項に規定する譲渡所得の金額の計算については、第一項の規定により納付する金額は、同条第三項に規定する資産の譲渡に要した費用とする。
（修理の届出等）
第四十三条の二　重要文化財を修理しようとするときは、所有者又は管理団体は、修理に着手しようとする日の三十日前までに、文部科学省令の定めるところにより、文化庁長官にその旨を届け出なければならない。但し、前条第一項の規定により許可を受けなければならない場合その他文部科学省令の定める場合は、この限りでない。
2　重要文化財の保護上必要があると認めるときは、文化庁長官は、前項の届出に係る重要文化財の修理に関し技術的な指導と助言を与えることができる。
（管理又は修理の受託又は技術的指導）
第四十七条　重要文化財の所有者（管理団体がある場合は、その者）は、文化庁長官の定める条件により、文化庁長官に重要文化財の管理（管理団体がある場合を除く。）又は

修理を委託することができる。

2　文化庁長官は、重要文化財の保存上必要があると認めるときは、所有者（管理団体がある場合は、その者）に対し、条件を示して、文化庁長官にその管理（管理団体がある場合を除く。）又は修理を委託するように勧告することができる。

3　前二項の規定により文化庁長官が管理又は修理の委託を受けた場合には、第三十九条第一項及び第二項の規定を準用する。

4　重要文化財の所有者、管理責任者又は管理団体は、文部科学省令の定めるところにより、文化庁長官に重要文化財の管理又は修理に関し技術的指導を求めることができる。

現状変更

現状の変更は文化庁長官の許可を受けなければならないが、災害など、応急措置をとる場合などは許可は必要ない。

（現状変更等の制限）

第四十三条　重要文化財に関しその現状を変更し、又はその保存に影響を及ぼす行為をしようとするときは、文化庁長官の許可を受けなければならない。ただし、現状変更については維持の措置又は非常災害のために必要な応急措置を執る場合、保存に影響を及ぼす行為については影響の軽微である場合は、この限りでない。

2　前項但書に規定する維持の措置の範囲は、文部科学省令で定める。

3　文化庁長官は、第一項の許可を与える場合において、その許可の条件として同項の現状変更又は保存に影響を及ぼす行為に関し必要な指示をすることができる。

4　第一項の許可を受けた者が前項の許可の条件に従わなかつたときは、文化庁長官は、許可に係る現状変更若しくは保存に影響を及ぼす行為の停止を命じ、又は許可を取り消すことができる。

5　第一項の許可を受けることができなかつたことにより、又は第三項の許可の条件を付せられたことによつて損失を受けた者に対しては、国は、その通常生ずべき損失を補償する。

6　前項の場合には、第四十一条第二項から第四項までの規定を準用する。

輸出

輸出は国際交流などの理由以外では原則行えない。

（輸出の禁止）

第四十四条　重要文化財は、輸出してはならない。但し、文化庁長官が文化の国際的交流その他の事由により特に必要と認めて許可した場合は、この限りでない。

環境保全

文化庁長官は文化財保存のためにその環境を保全することができる。

（環境保全）

第四十五条　文化庁長官は、重要文化財の保存のため必要があると認めるときは、地域を定めて一定の行為を制限し、若しくは禁止し、又は必要な施設をすることを命ずることができる。

2　前項の規定による処分によつて損失を受けた者に対しては、国は、その通常生ずべき損失を補償する。

3　前項の場合には、第四十一条第二項から第四項までの規定を準用する。

先買権

文化財保護と活用のため、国は重要文化財を優先的に買い取ることができる。

（国に対する売渡しの申出）

第四十六条　重要文化財を有償で譲り渡そうとする者は、譲渡の相手方、予定対価の額（予定対価が金銭以外のものであるときは、これを時価を基準として金銭に見積つた額。以下同じ。）その他文部科学省令で定める事項を記載した書面をもつて、まず文化庁長官に国に対する売渡しの申出をしなければならない。

2　前項の書面においては、当該相手方に対して譲り渡したい事情を記載することができる。

3　文化庁長官は、前項の規定により記載された事情を相当と認めるときは、当該申出のあつた後三十日以内に当該重要文化財を買い取らない旨の通知をするものとする。

4　第一項の規定による売渡しの申出のあつた後三十日以内に文化庁長官が当該重要文化財を国において買い取るべき旨の通知をしたときは、第一項の規定による申出書に記載された予定対価の額に相当する代金で、売買が成立したものとみなす。

5　第一項に規定する者は、前項の期間（その期間内に文化庁長官が当該重要文化財を買い取らない旨の通知をしたときは、その時までの期間）内は、当該重要文化財を譲り渡してはならない。

（管理団体による買取りの補助）

第四十六条の二　国は、管理団体である地方公共団体その他の法人が、その管理に係る重要文化財（建造物その他の土地の定着物及びこれと一体のものとして当該重要文化財に指定された土地に限る。）で、その保存のため特に買い取る必要があると認められるものを買い取る場合には、その買取りに要する経費の一部を補助することができる。

2　前項の場合には、第三十五条第二項及び第三項並びに第四十二条の規定を準用する。

公開活用

重要文化財の公開は所有者が行い、管理団体があるものは管理団体が行う。この場合、文化庁長官は公開について勧告及び命令の権限をもっている。その他、文化庁長官が行う場合、第三者が行う場合、公開承認施設での公開がある。また海外における展覧会への出品もある。

文化庁長官は、自ら公開を行う場合、所有者に対して出品を勧告する権限をもっている。また、補助金などを出したものに対しては出品すること命令することができる。

第三者による公開の場合、事前に文化庁長官の許可が必要である。文化庁長官は許可にあたって必要な指示を行うことができ、指示に従わない場合、公開の停止、許可の取り消しができる。

あらかじめ文化庁長官の承認を受けた施設での公開は長官の許可を要しない。観覧の期間の最終日の翌日から20日以内に文化庁長官に届出をすることが義務づけられている。

海外での展覧会への出品は、年を追うごとに増えている。文化庁主催・共催に限らず、国立博物館や国際交流基金、新聞社、各博物館・美術館と対象国の機関などとの共催も増えている。海外の人々が日本の文化財に触れて日本の伝統や文化の理解を深めてもらうことは大変重要なことである。これからも海外展覧会の機会は増えていくであろう。この場合、つぎのようなリスクが伴うことを十分に認識し、これらのリスクに対するマネージメントが重要である。

＜移動のリスク＞

落下や衝突による破損・破壊、移動途中の環境変化・振動による破損、交通事故、飛行機事故、盗難、破壊行為など、海外に限らず、国内においても文化財の移動にはリスクが伴う。

＜環境の変化によるリスク＞

湿度、温度、光、空気中の物質などの環境によって文化財は損傷してしまうことがある。

＜公開機会の増加によるリスク＞

公開機会が増加すれば、公開場所の環境による影響を受け劣化する。また、人的被害の可能性も増大する。

＜意識の違いや社会情勢・国際情勢のリスク＞

国や地域によって文化財の取扱に対する知識や考え方や意識に違いがある。また、文化財の持ち込み・持ち出しの許認可や展示の条件、社会情勢や国際情勢などが変化する場合もあるので、常に気をつけておかなければならない。

これらのリスクに備えて、保障・賠償をどのようにするかをあらかじめ決めておくことが必要である。ただし、保障・賠償ではオリジナルを修復できても、元に戻すことはできない。事前にリスクを回避することが大切である。場合によっては中止・取りやめなどの決断を勇気を持って行わなければならない。

（公開）

第四十七条の二　重要文化財の公開は、所有者が行うものとする。但し、管理団体がある場合は、管理団体が行うものとする。

2　前項の規定は、所有者又は管理団体の出品に係る重要文化財を、所有者及び管理団体以外の者が、この法律の規定により行う公開の用に供することを妨げるものではない。

3　管理団体は、その管理する重要文化財を公開する場合には、当該重要文化財につき観覧料を徴収することができる。

（文化庁長官による公開）

第四十八条　文化庁長官は、重要文化財の所有者（管理団体がある場合は、その者）に対し、一年以内の期間を限つて、国立博物館（独立行政法人国立文化財機構が設置する博物館をいう。以下この条において同じ。）その他の施設において文化庁長官の行う公開の用に供するため重要文化財を出品することを勧告することができる。

2　文化庁長官は、国庫が管理又は修理につき、その費用の全部若しくは一部を負担し、又は補助金を交付した重要文化財の所有者（管理団体がある場合は、その者）に対し、一年以内の期間を限つて、国立博物館その他の施設において文化庁長官の行う公開の用に供するため当該重要文化財を出品することを命ずることができる。

3　文化庁長官は、前項の場合において必要があると認めるときは、一年以内の期間を限つて、出品の期間を更新することができる。但し、引き続き五年をこえてはならない。

4　第二項の命令又は前項の更新があつたときは、重要文化財の所有者又は管理団体は、その重要文化財を出品しなければならない。

5　前四項に規定する場合の外、文化庁長官は、重要文化財の所有者（管理団体がある場合は、その者）から国立博物館その他の施設において文化庁長官の行う公開の用に供するため重要文化財を出品したい旨の申出があつた場合において適当と認めるときは、その出品を承認することができる。

第四十九条　文化庁長官は、前条の規定により重要文化財が出品されたときは、第百八十五条に規定する場合を除いて、文化庁の職員のうちから、その重要文化財の管理の責に任ずべき者を定めなければならない。

第五十条　第四十八条の規定による出品のために要する費用は、文部科学省令の定める基準により、国庫の負担とする。

2　政府は、第四十八条の規定により出品した所有者又は管理団体に対し、文部科学省令の定める基準により、給与金を支給する。

（所有者等による公開）

第五十一条　文化庁長官は、重要文化財の所有者又は管理団体に対し、三箇月以内の期間を限つて、重要文化財の公開を勧告することができる。

2　文化庁長官は、国庫が管理、修理又は買取りにつき、その費用の全部若しくは一部を負担し、又は補助金を交付した重要文化財の所有者又は管理団体に対し、三箇月以内の期間を限つて、その公開を命ずることができる。

3　前項の場合には、第四十八条第四項の規定を準用する。

4　文化庁長官は、重要文化財の所有者又は管理団体に対し、前三項の規定による公開及び当該公開に係る重要文化財の管理に関し必要な指示をすることができる。

5　重要文化財の所有者、管理責任者又は管理団体が前項の指示に従わない場合には、文化庁長官は、公開の停止又は中止を命ずることができる。

6　第二項及び第三項の規定による公開のために要する費用は、文部科学省令の定めるところにより、その全部又は一部を国庫の負担とすることができる。

7　前項に規定する場合のほか、重要文化財の所有者又は管理団体がその所有又は管理に係る重要文化財を公開するために要する費用は、文部科学省令で定めるところにより、その全部又は一部を国庫の負担とすることができる。

第五十一条の二　前条の規定による公開の場合を除き、重要文化財の所在の場所を変更してこれを公衆の観覧に供するため第三十四条の規定による届出があつた場合には、前条第四項及び第五項の規定を準用する。

（損失の補償）

第五十二条　第四十八条又は第五十一条第一項、第二項若しくは第三項の規定により出品し、又は公開したことに起因して当該重要文化財が滅失し、又はき損したときは、国は、その重要文化財の所有者に対し、その通常生ずべき損失を補償する。ただし、重要文化財が所有者、管理責任者又は管理団体の責に帰すべき事由によつて滅失し、又はき損した場合は、この限りでない。

2　前項の場合には、第四十一条第二項から第四項までの規定を準用する。

（所有者等以外の者による公開）

第五十三条　重要文化財の所有者及び管理団体以外の者がその主催する展覧会その他の催しにおいて重要文化財を公衆の観覧に供しようとするときは、文化庁長官の許可を受けなければならない。ただし、文化庁長官以外の国の機関若しくは地方公共団体があらかじめ文化庁長官の承認を受けた博物館その他の施設（以下この項において「公開承認施設」という。）において展覧会その他の催しを主催する場合又は公開承認施設の設置者が当該公開承認施設においてこれらを主催する場合は、この限りでない。

2　前項ただし書の場合においては、同項に規定する催しを主催した者（文化庁長官を除く。）は、重要文化財を公衆の観覧に供した期間の最終日の翌日から起算して二十日以内に、文部科学省令で定める事項を記載した書面をもつて、文化庁長官に届け出るものとする。

3　文化庁長官は、第一項の許可を与える場合において、その許可の条件として、許可に係る公開及び当該公開に係る重要文化財の管理に関し必要な指示をすることができる。

4　第一項の許可を受けた者が前項の許可の条件に従わなかつたときは、文化庁長官は、許可に係る公開の停止を命じ、又は許可を取り消すことができる。

重要文化財保存活用計画

重要文化財の所有者は保存及び活用の計画を提出し、認定を受ければ、現状変更や修理の届出を終了した後におこなうことができるようになった。

第五款　重要文化財保存活用計画

（重要文化財保存活用計画の認定）

第五十三条の二　重要文化財の所有者（管理団体がある場合は、その者）は、文部科学省令で定めるところにより、重要文化財の保存及び活用に関する計画（以下「重要文化財保存活用計画」という。）を作成し、文化庁長官の認定を申請することができる。

2　重要文化財保存活用計画には、次に掲げる事項を記載するものとする。

一　当該重要文化財の名称及び所在の場所

二　当該重要文化財の保存及び活用のために行う具体的な措置の内容

三　計画期間

四　その他文部科学省令で定める事項

3　前項第二号に掲げる事項には、次に掲げる事項を記載することができる。

一　当該重要文化財の現状変更又は保存に影響を及ぼす行為に関する事項

二　当該重要文化財の修理に関する事項

三　当該重要文化財（建造物であるものを除く。次項第六号において同じ。）の公開を目的とする寄託契約に関する事項

4　文化庁長官は、第一項の規定による認定の申請があつた場合において、その重要文化財保存活用計画が次の各号のいずれにも適合するものであると認めるときは、その認定をするものとする。

一　当該重要文化財保存活用計画の実施が当該重要文化財の保存及び活用に寄与するものであると認められること。

二　円滑かつ確実に実施されると見込まれるものであること。

三　第百八十三条の二第一項に規定する文化財保存活用大綱又は第百八十三条の五第一項に規定する認定文化財保存活用地域計画が定められているときは、これらに照らし適切なものであること。

四　当該重要文化財保存活用計画に前項第一号に掲げる事項が記載されている場合には、その内容が重要文化財の現状変更又は保存に影響を及ぼす行為を適切に行うために必要なものとして文部科学省令で定める基準に適合するものであること。
五　当該重要文化財保存活用計画に前項第二号に掲げる事項が記載されている場合には、その内容が重要文化財の修理を適切に行うために必要なものとして文部科学省令で定める基準に適合するものであること。
六　当該重要文化財保存活用計画に前項第三号に掲げる事項が記載されている場合には、当該寄託契約の内容が重要文化財の公開を適切かつ確実に行うために必要なものとして文部科学省令で定める基準に適合するものであること。
5　文化庁長官は、前項の認定をしたときは、遅滞なく、その旨を当該認定を申請した者に通知しなければならない。
（認定を受けた重要文化財保存活用計画の変更）
第五十三条の三　前条第四項の認定を受けた重要文化財の所有者又は管理団体は、当該認定を受けた重要文化財保存活用計画の変更（文部科学省令で定める軽微な変更を除く。）をしようとするときは、文化庁長官の認定を受けなければならない。
2　前条第四項及び第五項の規定は、前項の認定について準用する。
（現状変更等の許可の特例）
第五十三条の四　第五十三条の二第三項第一号に掲げる事項が記載された重要文化財保存活用計画が同条第四項の認定（前条第一項の変更の認定を含む。以下この款及び第百五十三条第二項第六号において同じ。）を受けた場合において、当該重要文化財の現状変更又は保存に影響を及ぼす行為をその記載された事項の内容に即して行うに当たり、第四十三条第一項の許可を受けなければならないときは、同項の規定にかかわらず、当該現状変更又は保存に影響を及ぼす行為が終了した後遅滞なく、文部科学省令で定めるところにより、その旨を文化庁長官に届け出ることをもつて足りる。
（修理の届出の特例）
第五十三条の五　第五十三条の二第三項第二号に掲げる事項が記載された重要文化財保存活用計画が同条第四項の認定を受けた場合において、当該重要文化財の修理をその記載された事項の内容に即して行うに当たり、第四十三条の二第一項の規定による届出を行わなければならないときは、同項の規定にかかわらず、当該修理が終了した後遅滞なく、文部科学省令で定めるところにより、その旨を文化庁長官に届け出ることをもつて足りる。
（認定重要文化財保存活用計画の実施状況に関する報告の徴収）
第五十三条の六　文化庁長官は、第五十三条の二第四項の認定を受けた重要文化財の所有者又は管理団体に対し、当該認定を受けた重要文化財保存活用計画（変更があつたときは、その変更後のもの。次条第一項及び第五十三条の八において「認定重要文化財保存活用計画」という。）の実施の状況について報告を求めることができる。
（認定の取消し）
第五十三条の七　文化庁長官は、認定重要文化財保存活用計画が第五十三条の二第四項各号のいずれかに適合しなくなつたと認めるときは、その認定を取り消すことができる。
2　文化庁長官は、前項の規定により認定を取り消したときは、遅滞なく、その旨を当該認定を受けていた者に通知しなければならない。

（所有者等への指導又は助言）

第五十三条の八　都道府県及び市（特別区を含む。以下同じ。）町村の教育委員会（地方教育行政の組織及び運営に関する法律（昭和三十一年法律第百六十二号）第二十三条第一項の条例の定めるところによりその長が文化財の保護に関する事務を管理し、及び執行することとされた地方公共団体（以下「特定地方公共団体」という。）にあつては、その長。第百八十三条の八第四項、第百九十条第一項及び第百九十一条第一項を除き、以下同じ。）は、重要文化財の所有者又は管理団体の求めに応じ、重要文化財保存活用計画の作成及び認定重要文化財保存活用計画の円滑かつ確実な実施に関し必要な指導又は助言をすることができる。

2　文化庁長官は、重要文化財の所有者又は管理団体の求めに応じ、重要文化財保存活用計画の作成及び認定重要文化財保存活用計画の円滑かつ確実な実施に関し必要な指導又は助言をするように努めなければならない。

銃砲・刀剣類

登録の範囲

昭和21年、連合軍の命令に基づいて、銃砲等所持禁止令が公布施行されたが、「銃刀類で美術品としての価値のあるもの」は所持禁止の例外とされた。さらに昭和25年に新たに制定された銃砲刀剣類等所持取締令によって、文化財保護委員会の登録を受けた場合は銃砲刀剣の所持禁止の例外とされた。さらに、昭和28年には武器等製造法によって「文化財保護委員会の承認を受けて刀剣類を製作する者が所有する場合」も所持禁止の例外とされた。昭和40年、銃砲刀剣類所持取締法の改正によって火縄銃式(5-21) 以外の古式銃砲で、美術品又は骨董品として価値のあるものも所持許可の対象となった。

5-21火縄銃

銃砲刀剣類所持等取締法

第二章　銃砲又は刀剣類の所持の許可

（許可）

第四条　次の各号のいずれかに該当する者は、所持しようとする銃砲又は刀剣類ごとに、その所持について、住所地を管轄する都道府県公安委員会の許可を受けなければならない。

一　狩猟、有害鳥獣駆除又は標的射撃の用途に供するため、猟銃又は空気銃（空気けん銃を除く。）を所持しようとする者（第五号の二に該当する者を除く。）

二　人命救助、動物麻酔、と殺又は漁業、建設業その他の産業の用途に供するため、それぞれ、救命索発射銃、救命用信号銃、麻酔銃、と殺銃又は捕鯨砲、もり銃、捕鯨用標識銃、建設用びよう打銃、建設用綱索発射銃その他の産業の用途に供するため必要な銃砲で政令で定めるものを所持しようとする者

三　政令で定める試験又は研究の用途に供するため必要な銃砲を所持しようとする者

四　国際的な規模で開催される政令で定める運動競技会のけん銃射撃競技又は空気けん銃射撃競技に参加する選手又はその候補者として適当であるとして政令で定める者から推薦された者で、当該けん銃射撃競技又は空気けん銃射撃競技の用途に供するため、けん銃又は空気けん銃を所持しようとするもの

五　国際的又は全国的な規模で開催される政令で定める運動競技会における運動競技の審判に従事する者として適当であるとして政令で定める者から推薦された者で、当該運動競技の出発合図の用途に供するため、運動競技用信号銃又はけん銃を所持しようとするもの

五の二　年少射撃資格者に対する政令で定める運動競技会の空気銃射撃競技のための空気銃の射撃の指導に従事する射撃指導員で、当該指導の用途に供するため空気銃を所持しようとするもの

六　狩猟、有害鳥獣駆除、と殺、漁業又は建設業の用途に供するため必要な刀剣類を所持しようとする者

七　祭礼等の年中行事に用いる刀剣類その他の刀剣類で所持することが一般の風俗慣習上やむを得ないと認められるものを所持しようとする者

八　演劇、舞踊その他の芸能の公演で銃砲（けん銃等を除く。以下この項において同じ。）又は刀剣類を所持することがやむを得ないと認められるものの用途に供するため、銃砲又は刀剣類を所持しようとする者

九　博覧会その他これに類する催しにおいて展示の用途に供するため、銃砲又は刀剣類を所持しようとする者

十　博物館その他これに類する施設において展示物として公衆の観覧に供するため、銃砲又は刀剣類を所持しようとする者

2　都道府県公安委員会は、銃砲又は刀剣類の所持に関する危害予防上必要があると認めるときは、その必要の限度において、前項の規定による許可に条件を付し、及びこれを変更することができる。

3　第一項第四号の政令で定める者が行う推薦は、国家公安委員会規則で定める数の範囲内において行うものとする。

4　第一項第四号、第八号及び第九号の規定による許可は、政令で定めるところにより、期間を定めて行うものとする。

5　法人が第一項に掲げる業務のため代表者又は代理人、使用人その他の従業者に銃砲又は刀剣類を所持させようとする場合においては、現に銃砲又は刀剣類を所持しようとする法人の代表者又は代理人、使用人その他の従業者が、法人の事業場の所在地を管轄す

る都道府県公安委員会の許可を受けなければならない。

（許可の申請）

第四条の二　前条の規定による許可を受けようとする者は、内閣府令で定めるところにより、住所地又は法人の事業場の所在地を管轄する都道府県公安委員会に、次に掲げる事項を記載した許可申請書を提出しなければならない。

一　住所、氏名及び生年月日

二　銃砲又は刀剣類の種類（内閣府令で定める猟銃の種類を含む。）

三　銃砲又は刀剣類の所持の目的

四　その他内閣府令で定める事項

2　前項の許可申請書が前条第一項第一号の規定による猟銃又は空気銃の所持の許可に係るものである場合には、当該許可申請書には、医師の診断書であつて内閣府令で定める要件に該当するものを添付しなければならない。

3　前項に定めるもののほか、第一項の許可申請書には、内閣府令で定める書類を添付しなければならない。

第三章　古式銃砲及び刀剣類の登録並びに刀剣類の製作の承認

（登録）

第十四条　都道府県の教育委員会（地方教育行政の組織及び運営に関する法律（昭和三十一年法律第百六十二号）第二十三条第一項の条例の定めるところによりその長が文化財の保護に関する事務を管理し、及び執行することとされた都道府県にあつては、当該都道府県の知事。以下同じ。）は、美術品若しくは骨とう品として価値のある火縄式銃砲等の古式銃砲又は美術品として価値のある刀剣類の登録をするものとする。

2　銃砲又は刀剣類の所有者（所有者が明らかでない場合にあつては、現に所持する者。以下同じ。）で前項の登録を受けようとするものは、文部科学省令で定める手続により、その住所の所在する都道府県の教育委員会に登録の申請をしなければならない。

3　第一項の登録は、登録審査委員の鑑定に基いてしなければならない。

4　都道府県の教育委員会は、第一項の規定による登録をした場合においては、速やかにその旨を登録を受けた銃砲又は刀剣類の所有者の住所地を管轄する都道府県公安委員会に通知しなければならない。

5　第一項の登録の方法、第三項の登録審査委員の任命及び職務、同項の鑑定の基準及び手続その他登録に関し必要な細目は、文部科学省令で定める。

（登録証）

第十五条　都道府県の教育委員会は、前条第一項の登録をする場合においては、登録証を交付しなければならない。

2　登録を受けた銃砲又は刀剣類を所持する者は、登録証を亡失し、若しくは盗み取られ、又は登録証が滅失した場合においては、文部科学省令で定める手続により、速やかにその旨を当該登録の事務を行つた都道府県の教育委員会に届け出てその再交付を受けなければならない。

3　登録証の様式及び再交付の手続は、文部科学省令で定める。

（登録証の返納）

第十六条　登録を受けた銃砲又は刀剣類を所持する者は、次の各号のいずれかに該当するに至つた場合においては、速やかに登録証(第三号の場合にあつては、回復した登録証)を当該登録の事務を行つた都道府県の教育委員会に返納しなければならない。

一　当該銃砲又は刀剣類を亡失し、若しくは盗み取られ、又はこれらが滅失した場合

二　本邦から輸出したため当該銃砲又は刀剣類を所持しないこととなつた場合

三　亡失し、又は盗み取られた登録証を回復した場合

2　都道府県の教育委員会は、前項第一号又は第二号の規定により登録証の返納を受けた場合には、速やかにその旨を登録証を返納した者の住所地を管轄する都道府県公安委員会に通知しなければならない。

(登録を受けた銃砲又は刀剣類の譲受け、相続、貸付け又は保管の委託の届出等)

第十七条　登録を受けた銃砲又は刀剣類を譲り受け、若しくは相続により取得し、又はこれらの貸付け若しくは保管の委託をした者は、文部科学省令で定める手続により、二十日以内にその旨を当該登録の事務を行つた都道府県の教育委員会に届け出なければならない。貸付け又は保管の委託をした当該銃砲又は刀剣類の返還を受けた場合においても、また同様とする。

2　登録を受けた銃砲又は刀剣類を試験、研究、研ま若しくは修理のため、又は公衆の観覧に供するため貸し付け、又は保管の委託をした場合においては、前項の規定にかかわらず、届出を要しない。

3　都道府県の教育委員会は、第一項の届出を受理した場合においては、速やかにその旨を当該届出に係る銃砲又は刀剣類の所有者の住所地を管轄する都道府県公安委員会に通知しなければならない。

第十八条　登録を受けた銃砲又は刀剣類を譲り渡し、貸し付け、若しくはこれらの保管を委託し、又はこれらを他人をして運送させる者は、当該銃砲又は刀剣類の登録証とともにしなければならない。

2　登録を受けた銃砲又は刀剣類を譲り受け、借り受け、又はこれらの保管の委託を受ける者は、当該銃砲又は刀剣類の登録証とともにしなければならない。

3　何人も、当該銃砲又は刀剣類とともにする場合を除いては、登録証を譲り渡し、又は譲り受けてはならない。

(刀剣類の製作の承認)

第十八条の二　美術品として価値のある刀剣類を製作しようとする者は、製作しようとする刀剣類ごとに、その住所の所在する都道府県の教育委員会(政令で定める場合にあつては、文化庁長官。第三項において同じ。)の承認を受けなければならない。

2　前項の承認を受けようとする者は、文部科学省令で定める手続により、承認の申請をしなければならない。

3　都道府県の教育委員会は、第一項の規定による承認をした場合においては、速やかにその旨を承認を受けた者の住所地を管轄する都道府県公安委員会に通知しなければならない。

4　第一項の承認に関し必要な細目は、文部科学省令で定める。

第十九条　削除

第二十条　削除

（所持の態様についての制限）

第二十一条　第十条（第二項各号を除く。）の規定は、第十四条の規定による登録を受けた銃砲又は刀剣類を所持する者について準用する。この場合において、第十条第一項中「それぞれ当該許可に係る用途に供する場合その他正当な理由」とあるのは「正当な理由」と、同条第二項中「次の各号のいずれかに該当する」とあるのは「正当な理由に基づいて使用する」と、同条第四項及び第五項中「第二項各号のいずれかに該当する」とあるのは「使用する」と読み替えるものとする。

手続き

銃砲刀剣類登録規則

昭和三十三年文化財保護委員会規則第一号

銃砲刀剣類等所持取締法（昭和三十三年法律第六号）の規定に基き、銃砲刀剣類登録規則を次のように定める。

（登録の手続等）

第一条　銃砲刀剣類所持等取締法（昭和三十三年法律第六号。以下「法」という。）第十四条第一項の登録の申請は、第一号様式の登録申請書により、行わなければならない。

2　前項の登録申請書には、申請に係る銃砲が日本製銃砲にあつてはおおむね慶応三年以前に製造されたこと、外国製銃砲にあつてはおおむね同年以前に我が国に伝来していたことを証明する資料等がある場合には、それを添付するものとする。

3　都道府県の教育委員会（当該都道府県が文化財保護法第五十三条の八第一項に規定する特定地方公共団体（以下単に「特定地方公共団体」という。）である場合にあつては、当該都道府県の知事。第二号様式及び第二号の二様式を除き、以下同じ。）は、第一項の申請書を受理したときは、法第十四条第三項の規定による鑑定を行う日時及び場所を同条第一項の登録を受けようとする者（以下「申請者」という。）に通知しなければならない。

4　申請者は、前項の通知を受けたときは、当該申請に係る火縄式銃砲等の古式銃砲又は刀剣類を通知された日時に、通知された場所に持参しなければならない。

5　法第十四条第四項の通知には、当該通知に係る登録証の写しを添付するものとする。

（登録審査委員）

第二条　法第十四条第三項の登録審査委員は、銃砲又は刀剣類に関し学識経験のある者のうちから都道府県の教育委員会が任命する。

第三条　登録審査委員は、都道府県の教育委員会の指示を受けて、火縄式銃砲等の古式銃砲及び刀剣類の鑑定の職務に従事する。

2　登録審査委員は、鑑定にあたつては、次条の鑑定の基準に従つて公正に行なわなければならない。

（鑑定の基準）

第四条　火縄式銃砲等の古式銃砲の鑑定は、日本製銃砲にあつてはおおむね慶応三年以前に製造されたもの、外国製銃砲にあつてはおおむね同年以前に我が国に伝来したものであつて、次の各号のいずれかに該当するものであるか否かについて行うものとする。

一　火縄式、火打ち石式、管打ち式、紙薬包式又はピン打ち式(かに目式)の銃砲で、形状、象嵌がん、彫り物等に美しさが認められるもの又は資料として価値のあるもの

二　前号に掲げるものに準ずる銃砲で骨とう品として価値のあるもの(明治十九年以降実用に供せられている実包を使用できるものを除く。)

2　刀剣類の鑑定は、日本刀であつて、次の各号の一に該当するものであるか否かについて行なうものとする。

一　姿、鍛え、刃文、彫り物等に美しさが認められ、又は各派の伝統的特色が明らかに示されているもの

二　銘文が資料として価値のあるもの

三　ゆい緒、伝来が史料的価値のあるもの

四　前各号に掲げるものに準ずる刀剣類で、その外装が工芸品として価値のあるもの

(鑑定の手続)

第五条　鑑定は、登録審査委員二名以上によつて行なわれなければならない。

(登録原票)

第六条　都道府県の教育委員会は、法第十五条第一項の登録証を交付するときは、火縄式銃砲等の古式銃砲に係るものにあつては第二号様式の銃砲登録原票、刀剣類に係るものにあつては第二号の二様式の刀剣類登録原票を作成しなければならない。

(登録証の様式)

第七条　登録証は、第三号様式のとおりとする。

(登録証再交付の手続)

第八条　法第十五条第二項の規定により登録証の再交付の申請は、第四号様式の登録証再交付申請書により、行わなければならない。

(所有者変更届出書等)

第九条　法第十七条第一項の規定による届出は、譲受け又は相続による取得の場合にあつては第五号様式の所有者変更届出書により、貸付け又は保管の委託の場合にあつては第六号様式の貸付け又は保管委託届出書により、貸付け又は保管の委託をした当該銃砲又は刀剣類の返還を受けた場合にあつては第七号様式の貸付け又は保管委託終了届出書により、しなければならない。

登録等の事務は都道府県教育委員会が行い、審査は、文化庁長官が任命する登録審査委員二名以上によって行なわれる。

登録有形文化財

近年、時代の変化や社会の新たな要請によって、文化財保護措置の拡大や近代文化遺産の保護、文化財の多様性に対応する必要が出てきた。そのため国は、国土開発、経済の高度化などによって取り壊わしの危機にさらされている建造物を対象として、保護対象の登録と登録物件に関する届け出制を行っている。

(有形文化財の登録)

第五十七条　文部科学大臣は、重要文化財以外の有形文化財(第百八十二条第二項

に規定する指定を地方公共団体が行つているものを除く。)のうち、その文化財としての価値にかんがみ保存及び活用のための措置が特に必要とされるものを文化財登録原簿に登録することができる。

2　文部科学大臣は、前項の規定による登録をしようとするときは、あらかじめ、関係地方公共団体の意見を聴くものとする。ただし、当該登録をしようとする有形文化財が第百八十三条の五第一項の規定又は文化観光拠点施設を中核とした地域における文化観光の推進に関する法律(令和二年法律第十八号)第十六条第一項の規定による登録の提案に係るものであるときは、この限りでない。

3　文化財登録原簿に記載すべき事項その他文化財登録原簿に関し必要な事項は、文部科学省令で定める。

登録の基準

登録有形文化財登録基準

平成8年8月30日文部省告示第152号

改正　平成17年3月28日文部科学省告示第44号

建築物，土木構造物及びその他の工作物(重要文化財及び文化財保護法第182条第2項に規定する指定を地方公共団体が行っているものを除く。)のうち，原則として建設後50年を経過し，かつ，次の各号の一に該当するもの

(1)　国土の歴史的景観に寄与しているもの

(2)　造形の規範となっているもの

(3)　再現することが容易でないもの

優遇措置

管理補修は原則として所有者が行うが、

1，保存・活用に必要な修理等の設計監理費の2分の1を国が補助する。

2，敷地の地価税の二分の一が減税される。

3，家屋の固定資産税の二分の一が軽減される

4，改修などの資金は日本開発銀行などから低利で融資を受けることができる

5，相続財産評価額を10分の3控除する

登録された有形文化財

産業1次　小岩井農場　本部事務所など(雫石町)

産業2次　両関酒造　本館ほか(秋田県湯沢町)

産業3次　向龍　本館など(秋田県湯沢町)

交通　萩駅舎(山口県萩市)

観光庁舎　群馬県庁本庁舎(群馬県前橋市)

学校　東京大学大講堂(安田講堂)(5-22)

生活関連　水戸市水道低区配水塔(水戸市)

文化福祉　南座　(京都市)

住宅　室谷家　主屋ほか(神戸市)

宗教　津和野カトリック教会(津和野)
など

参考引用文献

中村賢二郎　1999　『文化財保護制度概説』　ぎょうせい

図版の出典

5-1紙本著色伴大納言絵詞(国宝)　出光美術館蔵『フリー百科事典　ウィキペディア日本語版』2020. 10. 06https://upload.wikimedia.org/wikipedia/commons/5/58/Ban_dainagon_ekotobaL.jpg

5-2紙本著色病草紙(国宝)『フリー百科事典　ウィキペディア日本語版』2020. 10. 06https://ja.wikipedia.org/wiki/%E7%97%85%E8%8D%89%E7%B4%99#/media/%E3%83%95%E3%82%A1%E3%82%A4%E3%83%AB:Yamai_no_Soshi_-_Eye_Disease_(part_1).jpeg

5-3紙本著色源氏物語絵巻(東屋)(国宝)徳川美術館蔵『フリー百科事典　ウィキペディア日本語版』2020. 10. 06https://ja.wikipedia.org/wiki/%E5%A4%A7%E5%92%8C%E7%B5%B5#/media/File:Genji_emaki_azumaya.jpg

5-4紙本金地著色洛中洛外図　上杉本 左隻(国宝)　『フリー百科事典　ウィキペディア日本語版』2020. 10. 06https://commons.wikimedia.org/wiki/File:%E6%B4%9B%E4%B8%AD%E6%B4%9B%E5%A4%96%E5%9B%B3%E5%B7%A6.jpg

5-5絹本著色十一面観音像(国宝)『フリー百科事典　ウィキペディア日本語版』2020. 10. 06https://ja.wikipedia.org/wiki/%E5%8D%81%E4%B8%80%E9%9D%A2%E8%A6%B3%E9%9F%B3#/media/File:Eleven-faced_Goddess_of_Mercy.jpg

5-6紙本墨画蓮池水禽図(国宝)　京都国立博物館蔵『フリー百科事典　ウィキペディア日本語版』2020. 10. 06https://ja.wikipedia.org/wiki/%E3%83%95%E3%82%A1%E3%82%A4%E3%83%AB:RENTISUIKIN_SOTATSU.JPG

5-7絹本著色黒き猫(重要文化財)　菱田 春草『フリー百科事典　ウィキペディア日本語版』2020. 10. 06https://ja.wikipedia.org/wiki/%E3%83%95%E3%82%A1%E3%82%A4%E3%83%AB:Kuroki_Neko_by_Hishida_Shunso.jpg

5-8法隆寺釈迦三尊像(国宝)『フリー百科事典　ウィキペディア日本語版』2020. 10. 06https://ja.wikipedia.org/wiki/%E3%83%95%E3%82%A1%E3%82%A4%E3%83%AB:Horyuji_Monastery_Sakya_Trinity_of_Kondo_(178).jpg

5-9能面小面「増女(ぞうおんな)」(重要文化財)江戸時代 東京国立博物館蔵(金春宗家伝来)『フリー百科事典　ウィキペディア日本語版』2020. 10. 06https://ja.wikipedia.org/wiki/%E3%83%95%E3%82%A1%E3%82%A4%E3%83%AB:Zo%27onna_Noh_Mask,_Edo_period,_18th_century,_wood_with_polychromy_-_Tokyo_National_Museum_-_DSC06166.JPG

5-10新訂万国全図 文化7年(1810年)亜欧堂 田善『フリー百科事典　ウィキペディア日本語版』2020. 10. 06https://ja.wikipedia.org/wiki/%E3%83%95%E3%82%A1%E3%82%A4%E3%83%AB:Aodo_Denzen_bankoku1.jpg

5-11法隆寺献納御物金銅五鈷鈴(重要文化財)『フリー百科事典　ウィキペディア日本語版』2020. 10. 06https://ja.wikipedia.org/wiki/%E6%B3%95%E9%9A%86%E5%AF%BA%E7%8C%AE%E7%B4%8D%E5%AE%9D%E7%89%A9#/media/%E3%83%95%E3%82%A1%E3%82%A4%E3%83%AB:Periodo_muromachi,_Rei,_campanella_con_maniglia_a_sei_volute,_XIV-XV_sec.JPG

5-12法隆寺献納御物龍首水瓶(国宝)『フリー百科事典　ウィキペディア日本語版』2020. 10. 06https://upload.wikimedia.org/wikipedia/commons/5/55/Dragon_head_Pitcher_former_Horyuji.JPG

5-13染分沙綾地雪輪山吹文様小袖『フリー百科事典　ウィキペディア日本語版』2020. 10. 06https://commons.wikimedia.org/wiki/File:Periodo_edo,_kosode,_XVIII_sec..JPG

5-14赤糸威大鎧(竹虎雀飾)(国宝)『フリー百科事典　ウィキペディア日本語版』2020. 10. 06https://upload.wikimedia.org/wikipedia/commons/6/69/Armour_red_threads_Kasuga_shrine.jpg

5-15八橋蒔絵螺鈿硯箱(国宝)『フリー百科事典　ウィキペディア日本語版』2020. 10. 06https://ja.wikipedia.org/wiki/%E5%B0%BE%E5%BD%A2%E5%85%89%E7%90%B3#/media/%E3%83%95%E3%82%A1%E3%82%A4%E3%83%AB:WritingBox_EightBridges_OgataKorin.JPG

5-16太刀:備前長船住景光(国宝)『フリー百科事典　ウィキペディア日本語版』2020. 10. 06https://ja.wikipedia.org/wiki/%E6%99%AF%E5%85%89#/media/%E3%83%95%E3%82%A1%E3%82%A4%E3%83%AB:Tachi_Sword_-_Kagemitsu.jpg

5-17法隆寺献納御物古今目録抄(聖徳太子伝私記)顕真筆(重要文化財)『フリー百科事典　ウィキペディア日本語版』2020. 10. 06https://upload.wikimedia.org/wikipedia/commons/9/98/Shotoku_Taishi_den_shiki.jpg

5-18明月記(藤原定家日記)(国宝)『フリー百科事典　ウィキペディア日本語版』2020. 10. 06https://ja.wikipedia.org/wiki/明月記#/media/File:%E9%87%8D%E8%A6%81%E6%96%87%E5%8C%96%E8%B2%A1%E3%80%8C%E6%98%8E%E6%9C%88%E8%A8%98%E3%80%8D.jpg

5-19埴輪武装男子立像(群馬県太田市出土)(国宝)『フリー百科事典　ウィキペディア日本語版』2020. 10. 06
https://ja.wikipedia.org/wiki/%E5%9F%B4%E8%BC%AA#/media/File:%E5%A4%AA%E7%94%B0%E5%B8%82%E9%A3%AF%E5%A1%9A%E7%94%BA%E5%87%BA%E5%9C%9F_%E5%9F%B4%E8%BC%AA_%E6%8C%82%E7%94%B2%E3%81%AE%E6%AD%A6%E4%BA%BA-2.JPG

5-20源氏物語絵巻 横笛 詞書(国宝)『フリー百科事典　ウィキペディア日本語版』2020. 10. 06https://upload.wikimedia.org/wikipedia/c

ommons/e/ee/Genji_emaki_YOKOBUE_Ms.JPG
5-21火縄銃 『フリー百科事典 ウィキペディア日本語版』2020. 10. 06https://upload.wikimedia.org/wikipedia/commons/1/15/Tepu5.jpg
5-22東京大学大講堂(安田講堂)(登録有形文化財)『フリー百科事典 ウィキペディア日本語版』2020. 10. 06https://upload.wikimedia.org/wikipedia/commons/thumb/d/de/Yasuda_Auditorium.jpg/965px-Yasuda_Auditorium.jpg?uselang=ja

5-22東京大学大講堂(安田講堂)(登録有形文化財)

第 6 回　無形文化財

無形文化財とは、「二　演劇、音楽、工芸技術その他の無形の文化的所産で我が国にとって歴史上又は芸術上価値の高いもの（文化財保護法第二条）」と定義されている。したがって無形の文化財は、人間のわざそのものであり、具体的には、そのわざを体現・体得（たいとく）した個人又は個人の集団によって表現される。

無形文化財の保護は、昭和25年の文化財保護法によって初めて制度として確立し、演劇、音楽、工芸技術、その他の無形の「わざ」についても保存・活用の対象とされた。

昭和25年当初は、国が保護しなければ衰亡（すいぼう）する恐れのあるものとされていたが、昭和29年の改正によって、価値の観点から重要なものを国が指定する制度となり、存亡の恐れのある「わざ」に限らず保護されることとなった。しかし、無形文化財保持者が自然人に限られていたたため、個人的特色が薄く団体で行われるような「わざ」では支障が出る場合があった。そこで昭和50年には自然人以外にも「わざ」を保持する者を主たる構成員とする団体を、保持団体として認定する制度を設けた。

指定・認定

国は、無形文化財のうち重要なものを重要無形文化財に指定し、同時に、これらの「わざ」を高度に体現・体得している者又は団体を保持者又は保持団体として認定する。「保持者又は保持団体の認定には「各個認定」、「総合認定」、「保持団体認定」の3つの方式が採られており、「わざを高度に体現・体得している者＝各個認定」が、いわゆる「人間国宝（正式には、「重要無形文化財の保持者」）」である。

高度に体現・体得している保持者又は保持団体を認定

《各個認定》重要無形文化財に指定される芸能又は工芸技術を高度に体現・体得している者を認定。いわゆる「人間国宝」

《総合認定》重要無形文化財に指定される芸能を二人以上の者が一体となって体現している場合に、これらの者が構成している団体の構成員を認定。

《保持団体認定》重要無形文化財に指定される工芸技術の性格上個人的特色が薄く、かつ、そのわざを保持する者が多数いる場合には、これらの者が主たる構成員となっている団体を認定。（文化庁2018『人が伝える伝統の「わざ」重要無形文化財 ～その「わざ」を保持する人々～』）

6-1歌舞伎女方　人間国宝　坂東玉三郎

指定の基準

文化財保護法では重要無形文化財の指定について、「第七十一条　文部科学大臣は、無形文化財のうち重要なものを重要無形文化財に指定することができる。」とあり、その指定には、「重要無形文化財の指定並びに保持者及び保持団体の認定の基準」

（文化財保護委員会告示第五十五号）

昭和五十年十一月二十日文部省告示第百五十四号 改正（行政機構の簡素化等のための

総理府設置法等の一部を改正する法律(昭和四十三年法律第九十九号)附則第三項参照) 改正によって定められている。

第一　重要無形文化財の指定基準

〔芸能関係〕

一　音楽、舞踊、演劇その他の芸能のうち次の各号の一に該当するもの

(一)　芸術上特に価値の高いもの

(二)　芸能史上特に重要な地位を占めるもの

(三)　芸術上価値が高く、又は芸能史上重要な地位を占め、かつ、地方的又は流派的特色が顕著なもの

二　前項の芸能の成立、構成上重要な要素をなす技法で特に優秀なもの

〔工芸技術関係〕

陶芸、染織、漆芸、金工その他の工芸技術のうち次の各号の一に該当するもの

(一)　芸術上特に価値の高いもの

(二)　工芸史上特に重要な地位を占めるもの

(三)　芸術上価値が高く、又は工芸史上重要な地位を占め、かつ、地方的特色が顕著なもの

認定の基準

文化財保護法第七十一条2では、「文部科学大臣は、前項の規定による指定をするに当たつては、当該重要無形文化財の保持者又は保持団体(無形文化財を保持する者が主たる構成員となつている団体で代表者の定めのあるものをいう。以下同じ。)を認定しなければならない。」とし、第七十一条1で指定した重要無形文化財の保持者・保持団体などを認定しなければならない。「重要無形文化財の指定並びに保持者及び保持団体の認定の基準」(前出)では次のようにさだめられている。

第二　重要無形文化財の保持者又は保持団体の認定基準

〔芸能関係〕

保持者

一　重要無形文化財に指定される芸能又は芸能の技法(以下単に「芸能又は技法」という。)を高度に体現できる者

二　芸能又は技法を正しく体得し、かつ、これに精通している者

三　二人以上の者が一体となって芸能又は技法を高度に体現している場合において、これらの者が構成している団体の構成員

保持団体

芸能又は技法の性格上個人的特色が薄く、かつ、当該芸能又は技法を保持する者が多数いる場合において、これらの者が主たる構成員となっている団体

〔工芸技術関係〕

保持者

一　重要無形文化財に指定される工芸技術(以下単に「工芸技術」という。)を高度に体得している者

二　工芸技術を正しく体得し、かつ、これに精通している者

三　二人以上の者が共通の特色を有する工芸技術を高度に体得している場合において、

これらの者が構成している団体の構成員
保持団体
工芸技術の性格上個人的特色が薄く、かつ、当該工芸技術を保持する者が多数いる場合において、これらの者が主たる構成員となっている団体

各個認定

芸能･工芸技術を無形文化財に指定し、その保持者(いわゆる「人間国宝」)を認定する。

「人間国宝」について

我が国には、伝統的な演劇や音楽、工芸技術などが、永い歴史の中で守り伝えられている。これらのうち芸術上又は歴史上特に高い価値を有しているものを重要無形文化財に指定し、これらの「わざ」を高度に体現･体得している者又は団体を、そのわざの保持者又は保持団体として認定している。このうち、個人として認定されている保持者のことを重要無形文化財の保持者といい、一般には「人間国宝」といわれている。

(令和元年12月1日現在)

雅楽
能シテ方 友枝 昭世 梅若 善政(梅若 実) 野村 四郎 大槻 文藏
能囃子方小鼓 大倉源治郎
能囃子方大鼓 亀井 忠雄 柿原 崇志
能囃子方太鼓 三島 元太郎
狂言 野村 太良(野村 萬) 野村 二朗(野村 万作) 山本 東次郎
文楽
人形浄瑠璃文楽太夫 村上 五郎(豊竹 嶋大夫) 生田 陽三(豊竹 咲太夫)
人形浄瑠璃文楽三味線 中能島 浩(鶴澤 清治)
人形浄瑠璃文楽人形 平尾 勝義(吉田 簑助) 荻野 恒利(吉田 和生)
歌舞伎
歌舞伎立役 林 宏太郎(坂田 藤十郎) 寺嶋 秀幸(尾上 菊五郎) 波野 辰次郎(中村 吉右衛門) 岡 孝夫(片岡 仁左衛門)
歌舞伎女方 守田 伸一(坂東 玉三郎)(6-1)
歌舞伎脇役 山中 宗雄(澤村 田之助) 河野 均(中村 東蔵)岡 彦人(片岡 秀太郎)
歌舞伎音楽竹本 柳瀬 信吾(竹本 葵太夫)
歌舞伎音楽長唄 川原 壽夫(鳥羽屋 里長) 宮澤 雅之(杵屋 淨貢)
組踊(6-2)
組踊立方 德村 正吉(宮城 能鳳)
組踊音楽歌三線 城間 德太郎 西江 喜春
組踊音楽太鼓 比嘉 聰
音楽
琵琶 奥村 和美(奥村 旭翠)

6-2組踊

箏曲 木原 司都子(山勢 松韻) 米川 操(米川 文子)
地歌 八田 清隆(富山 清琴)
長唄唄 杵家 安廣(杵屋 喜三郎) 宮田 哲男
長唄三味線 中川 昇一(今藤 政太郎) 牟田口 照國(杵屋 勝国)
長唄鳴物 安倍 康仁(堅田 喜三久) 中川 勳(藤舎 名生)
義太夫節浄瑠璃 上田 悦子(竹本 駒之助)
義太夫節三味線 宮崎 君子(鶴澤 友路)
一中節浄瑠璃 梅津 ふじ(宇治 紫文)
一中節三味線 東 峯子(宇治 文蝶)
河東節浄瑠璃 佐藤 佐喜子(宮薗 千碌)
河東節三味線 八田 美千代(山彦 千子)
宮薗節浄瑠璃 佐藤 佐喜子(宮薗 千碌)
常磐津節三味線 鈴木英二(常磐津英寿)
清元節浄瑠璃 佐川 好忠(清元 清寿太夫)
清元節三味線 松原 清之介(清元 梅吉)
新内節浄瑠璃 髙橋 行道(鶴賀 若狭掾)
新内節三味線 角田 富章(新内 仲三郎)
琉球古典音楽 照喜名 朝一 中村 一雄
舞踊
歌舞伎舞踊 西川 扇藏
京舞 觀世 三千子(井上 八千代)(6-3)

演芸
古典落語 郡山 剛藏(柳家 小三治)
講談 浅野 清太郎(一龍斎 貞水) 渡邉 孝夫(神田 松鯉)
陶芸
色絵磁器 今泉 今右衛門(十四代 今泉 今右衛門)
釉裏金彩 吉田 稔(吉田 美統)
白磁 井上 萬二 前田 昭博
鉄釉陶器 原 清
無名異焼 伊藤 窯一(五代 伊藤 赤水)
志野 鈴木 藏
瀬戸黒 加藤 孝造
備前焼 伊勢﨑 惇(伊勢﨑 淳)
小石原焼 福嶋 善三(福島 善三)
染付
有職織物(ゆうそくおりもの) 喜多川 俵二
羅 北村 武資

6-3重要無形文化財「京舞」保持者 井上八千代氏

6-4重要無形文化財「蒔絵」保持者　室瀬和美氏

経錦（たてにしき） 北村 武資
紋紗（もんしゃ） 土屋 順紀
紬織（つむぎおり） 志村 ふくみ 佐々木 苑子
精好仙台平 甲田 綏郎
献上博多織 小川 規三郎
首里の織物 宮平 初子
芭蕉布 平良 敏子
友禅 森口 邦彦 二塚 長生
江戸小紋 小宮 康孝
木版摺更紗 鈴田 滋人
紅型 玉那覇 有公
刺繍 福田 喜重
漆芸
蒔絵 室瀬 和美(6-4) 中野 孝一
螺鈿 北村 謙一(北村 昭斎)
沈金 前 史雄 山岸 一男
蒟醤（きんま） 磯井 正美　山下 義人
髹漆（きゅうしつ） 大西 勲 小森 邦博(小森 邦衛) 増村 紀一郎
金工
鋳金 大澤 幸勝(大澤 光民)
彫金 中川 衛 桂 剛(桂 盛仁) 山本 晃
鍛金 奥山 喜藏(奥山 峰石) 田口 壽恒 玉川 宣夫 大角 幸枝
銅鑼（どら） 魚住 安彦(三代 魚住 為楽)
刀剣研磨 本阿彌 道弘(本阿彌 光洲)
木竹工
木工芸 川北 良造 大坂 弘道 中川 清司 村山 明 須田 賢司
竹工芸 勝城 一二(勝城 蒼鳳) 藤沼 昇
人 形
衣裳人形 今井 信子(秋山 信子)
桐塑（とうそ）人形 林 駒夫
手漉和紙
越前奉書 岩野 市兵衛(九代 岩野 市兵衛)
名塩雁皮紙（がんぴし） 谷野 武信(谷野 剛惟)

総合認定(芸能)

芸能には、演技者や歌い手、楽器演奏者など、二人以上の者が一体となって舞台を構成するようなものがある。そのような芸能の場合、わざを高度に体現している者が構成している団体の構成員を重要無形文化財の(総合認定)保持者として認定している。

(令和元年12月1日現在)

雅楽 宮内庁式部職楽部部員(6-5)

能楽　一般社団法人日本能楽会会員
文楽
人形浄瑠璃文楽　人形浄瑠璃文楽座座員(6-6)
歌舞伎
歌舞伎　一般社団法人伝統歌舞伎保存会会員
組踊　一般社団法人伝統組踊保存会会員
音楽
義太夫節　義太夫節保存会会員
常磐津節　常磐津節保存会会員
一中節　一中節保存会会員
河東節　河東節保存会会員
宮薗節　宮薗節保存会会員
荻江節　荻江節保存会会員
清元節　清元節保存会会員
長唄　　伝統長唄保存会会員

舞踊
琉球舞踊　琉球舞踊保存会会員

保持団体認定(工芸技術)

重要無形文化財に指定される工芸技術の性格上個人的特色が薄く、かつ、そのわざを保持する者が多数いる場合には、これらの者が主たる構成員となっている団体を保持団体として認定している。
陶芸
柿右衛門(濁手)　柿右衛門製陶技術保存会
色鍋島(6-7)　色鍋島今右衛門技術保存会
小鹿田焼(6-8)　小鹿田焼技術保存会

6-5宮内庁式部職楽部部員

6-6人形浄瑠璃文楽座座員

染織

結城紬 本場結城紬技術保持会

小千谷縮·越後上布 越後上布·小千谷縮布技術保存協会

久留米絣 重要無形文化財久留米絣技術保持者会

喜如嘉の芭蕉布 喜如嘉の芭蕉布保存会

久米島紬 久米島紬保持団体

宮古上布 宮古上布保持団体

伊勢型紙 伊勢型紙技術保存会

漆芸

津軽塗　津軽塗技術保存会

輪島塗 輪島塗技術保存会

手漉和紙

細川紙 細川紙技術者協会

越前鳥の子紙　越前生漉鳥の子紙保存会

本美濃紙 本美濃紙保存会

石州半紙 石州半紙技術者会

6-7色鍋島

6-8小鹿田焼

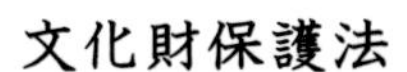

文化財保護法

第四章　無形文化財

（重要無形文化財の指定等）

第七十一条　文部科学大臣は、無形文化財のうち重要なものを重要無形文化財に指定することができる。

2　文部科学大臣は、前項の規定による指定をするに当たつては、当該重要無形文化財の保持者又は保持団体（無形文化財を保持する者が主たる構成員となつている団体で代表者の定めのあるものをいう。以下同じ。）を認定しなければならない。

3　第一項の規定による指定は、その旨を官報で告示するとともに、当該重要無形文化財の保持者又は保持団体として認定しようとするもの（保持団体にあつては、その代表者）に通知してする。

4　文部科学大臣は、第一項の規定による指定をした後においても、当該重要無形文化財の保持者又は保持団体として認定するに足りるものがあると認めるときは、そのものを保持者又は保持団体として追加認定することができる。

5　前項の規定による追加認定には、第三項の規定を準用する。

（重要無形文化財の指定等の解除）

第七十二条　重要無形文化財が重要無形文化財としての価値を失つた場合その他

特殊の事由があるときは、文部科学大臣は、重要無形文化財の指定を解除することができる。
2　保持者が心身の故障のため保持者として適当でなくなつたと認められる場合、保持団体がその構成員の異動のため保持団体として適当でなくなつたと認められる場合その他特殊の事由があるときは、文部科学大臣は、保持者又は保持団体の認定を解除することができる。
3　第一項の規定による指定の解除又は前項の規定による認定の解除は、その旨を官報で告示するとともに、当該重要無形文化財の保持者又は保持団体の代表者に通知してする。
4　保持者が死亡したとき、又は保持団体が解散したとき（消滅したときを含む。以下この条及び次条において同じ。）は、当該保持者又は保持団体の認定は解除されたものとし、保持者のすべてが死亡したとき、又は保持団体のすべてが解散したときは、重要無形文化財の指定は解除されたものとする。この場合には、文部科学大臣は、その旨を官報で告示しなければならない。
（保持者の氏名変更等）
第七十三条　保持者が氏名若しくは住所を変更し、又は死亡したとき、その他文部科学省令の定める事由があるときは、保持者又はその相続人は、文部科学省令の定める事項を記載した書面をもつて、その事由の生じた日（保持者の死亡に係る場合は、相続人がその事実を知つた日）から二十日以内に文化庁長官に届け出なければならない。保持団体が名称、事務所の所在地若しくは代表者を変更し、構成員に異動を生じ、又は解散したときも、代表者（保持団体が解散した場合にあつては、代表者であつた者）について、同様とする。
（重要無形文化財の保存）
第七十四条　文化庁長官は、重要無形文化財の保存のため必要があると認めるときは、重要無形文化財について自ら記録の作成、伝承者の養成その他その保存のため適当な措置を執ることができるものとし、国は、保持者、保持団体又は地方公共団体その他その保存に当たることが適当と認められる者（以下この章において「保持者等」という。）に対し、その保存に要する経費の一部を補助することができる。
2　前項の規定により補助金を交付する場合には、第三十五条第二項及び第三項の規定を準用する。
（重要無形文化財の公開）
第七十五条　文化庁長官は、重要無形文化財の保持者又は保持団体に対し重要無形文化財の公開を、重要無形文化財の記録の所有者に対しその記録の公開を勧告することができる。
2　重要無形文化財の保持者又は保持団体が重要無形文化財を公開する場合には、第五十一条第七項の規定を準用する。
3　重要無形文化財の記録の所有者がその記録を公開する場合には、国は、その公開に要する経費の一部を補助することができる。
（重要無形文化財の保存に関する助言又は勧告）

第七十六条　文化庁長官は、重要無形文化財の保持者等に対し、重要無形文化財の保存のため必要な助言又は勧告をすることができる。

（重要無形文化財保存活用計画の認定）

第七十六条の二　重要無形文化財の保持者等は、文部科学省令で定めるところにより、重要無形文化財の保存及び活用に関する計画（以下この章及び第百五十三条第二項第八号において「重要無形文化財保存活用計画」という。）を作成し、文化庁長官の認定を申請することができる。

2　重要無形文化財保存活用計画には、次に掲げる事項を記載するものとする。

一　当該重要無形文化財の名称及び保持者又は保持団体

二　当該重要無形文化財の保存及び活用のために行う具体的な措置の内容

三　計画期間

四　その他文部科学省令で定める事項

3　文化庁長官は、第一項の規定による認定の申請があつた場合において、その重要無形文化財保存活用計画が次の各号のいずれにも適合するものであると認めるときは、その認定をするものとする。

一　当該重要無形文化財保存活用計画の実施が当該重要無形文化財の保存及び活用に寄与するものであると認められること。

二　円滑かつ確実に実施されると見込まれるものであること。

三　第百八十三条の二第一項に規定する文化財保存活用大綱又は第百八十三条の五第一項に規定する認定文化財保存活用地域計画が定められているときは、これらに照らし適切なものであること。

4　文化庁長官は、前項の認定をしたときは、遅滞なく、その旨を当該認定を申請した者に通知しなければならない。

（認定を受けた重要無形文化財保存活用計画の変更）

第七十六条の三　前条第三項の認定を受けた重要無形文化財の保持者等は、当該認定を受けた重要無形文化財保存活用計画の変更（文部科学省令で定める軽微な変更を除く。）をしようとするときは、文化庁長官の認定を受けなければならない。

2　前条第三項及び第四項の規定は、前項の認定について準用する。

（認定重要無形文化財保存活用計画の実施状況に関する報告の徴収）

第七十六条の四　文化庁長官は、第七十六条の二第三項の認定を受けた重要無形文化財の保持者等に対し、当該認定（前条第一項の変更の認定を含む。次条及び第百五十三条第二項第八号において同じ。）を受けた重要無形文化財保存活用計画（変更があつたときは、その変更後のもの。次条第一項及び第七十六条の六において「認定重要無形文化財保存活用計画」という。）の実施の状況について報告を求めることができる。

（認定の取消し）

第七十六条の五　文化庁長官は、認定重要無形文化財保存活用計画が第七十六条の二第三項各号のいずれかに適合しなくなつたと認めるときは、その認定を取り消すことができる。

2　文化庁長官は、前項の規定により認定を取り消したときは、遅滞なく、その旨を当該認定を受けていた者に通知しなければならない。

（保持者等への指導又は助言）

第七十六条の六　都道府県及び市町村の教育委員会は、重要無形文化財の保持者等の求めに応じ、重要無形文化財保存活用計画の作成及び認定重要無形文化財保存活用計画の円滑かつ確実な実施に関し必要な指導又は助言をすることができる。

2　文化庁長官は、重要無形文化財の保持者等の求めに応じ、重要無形文化財保存活用計画の作成及び認定重要無形文化財保存活用計画の円滑かつ確実な実施に関し必要な指導又は助言をするように努めなければならない。

（重要無形文化財以外の無形文化財の記録の作成等）

第七十七条　文化庁長官は、重要無形文化財以外の無形文化財のうち特に必要のあるものを選択して、自らその記録を作成し、保存し、又は公開することができるものとし、国は、適当な者に対し、当該無形文化財の公開又はその記録の作成、保存若しくは公開に要する経費の一部を補助することができる。

2　前項の規定により補助金を交付する場合には、第三十五条第二項及び第三項の規定を準用する。

参考引用文献

文化庁2018『人が伝える伝統の「わざ」重要無形文化財　～その「わざ」を保持する人々～』　http://www.bunka.go.jp/tokei_hakusho_shuppan/shuppanbutsu/bunkazai_pamphlet/pdf/pamphlet_ja_07.pdf

文化庁2020『人が伝える伝統の「わざ」重要無形文化財　～その「わざ」を保持する人々～』https://www.bunka.go.jp/tokei_hakusho_shuppan/shuppanbutsu/bunkazai_pamphlet/pdf/pamphlet_ja_07.pdf

中村賢二郎　1999　『文化財保護制度概説』　ぎょうせい

図版の出典

6-1歌舞伎女方 坂東玉三郎（人間国宝）『フリー百科事典　ウィキペディア日本語版』2020．10．07https://upload.wikimedia.org/wikipedia/commons/c/cf/BandoTamasaburoV_Nihonbashi_Dec2012_cropped.jpg

6-2組踊『フリー百科事典　ウィキペディア日本語版』2020．10．06https://upload.wikimedia.org/wikipedia/commons/archive/9/9e/20121213113745%21Japanisches_Kulturinstitut_B%C3%BChnenk%C3%BCnste.jpg?uselang=ja

6-3重要無形文化財「京舞」保持者 井上八千代氏　（人間国宝）文化庁ホームページ2018より転載http://www.bunka.go.jp/seisaku/bunkazai/shokai/mukei/

6-4重要無形文化財「蒔絵」保持者室瀬和美氏（人間国宝）文化庁ホームページ2018より転載http://www.bunka.go.jp/seisaku/bunkazai/shokai/mukei/

6-5 宮内庁式部職楽部部員（総合認定）宮内庁ホームページ2018より転載http://www.kunaicho.go.jp/culture/gagaku/gagaku-ph.html

6-6人形浄瑠璃文楽座座員（総合認定）『フリー百科事典　ウィキペディア日本語版』2020．10．06https://upload.wikimedia.org/wikipedia/commons/c/cb/Osonowiki.jpg

6-7色鍋島（保持団体認定）『フリー百科事典　ウィキペディア日本語版』2020．10．06https://ja.wikipedia.org/wiki/鍋島焼#/media/File:Dish_with_rock_and_peony_design,_Japan,_Arita,_Edo_period,_17th-18th_century_AD,_enamelled_Nabeshima_ware_-_Matsuoka_Museum_of_Art_-_Tokyo,_Japan_-_DSC07220.JPG

6-8小鹿田焼（保持団体認定）『フリー百科事典　ウィキペディア日本語版』2020．10．06https://upload.wikimedia.org/wikipedia/commons/0/0a/Ondayoshie.JPG

第 7 回　民俗文化財

風俗習慣や民俗芸能は、それぞれの地域や風土の中で、社会生活の一部として形成され営まれ、伝承されてきた。しかし昭和30年代以降、人々の社会・生活の激変によって、衰退の一途をたどり滅亡の危機にさらされているものも多い。このような状態に対し、国はこれらを民俗文化財として保存・保護するために、随時調査を行い、助成などの措置を講じている。昭和37年度から39年度までの3年間「民俗資料緊急調査」が実施され、昭和44年度からは「日本民俗地図」が刊行されている。また昭和49年度から59年度には「民俗文化財分布調査」が、昭和54年度から平成元年度には「民謡緊急調査」が行われた。さらに、昭和58年度から平成5年度には「諸職関係民俗文化財調査」が行われ、平成元年度からは「民俗芸能緊急調査」、平成5年度からは「祭り・行事調査」が行われている。そのほか、昭和53年度以降5年間、琵琶湖総合開発に対する緊急調査やダム建設や開発に対応した緊急調査、昭和50年度以降のアイヌの人々の調査なども行われている。

定義

民俗文化財とは、文化財保護法では次のように定義されている。

> 第二条　この法律で「文化財」とは、次に掲げるものをいう。
>
> 三　衣食住、生業、信仰、年中行事等に関する風俗慣習、民俗芸能、民俗技術及びこれらに用いられる衣服、器具、家屋その他の物件で我が国民の生活の推移の理解のため欠くことのできないもの（以下「民俗文化財」という。）

つまり、

> 「民俗文化財とは、それぞれの地域に根ざした衣食住・生業・信仰・年中行事等に関する風俗慣習、民俗芸能、民俗技術及びこれらに用いられる衣服、器具、家屋、その他の物件など、人々が日常生活の中で創造し、継承してきた国民の生活の推移を理解する上で欠くことのできないもの。」

なのである。（文化庁2018『日本の伝統文化を未来へ伝える。－民俗文化財の保護制度－』）

経緯

昭和25（1950）年の文化財保護法制定時には、民俗資料は有形文化財の一つとして位置づけられた。また、神楽・行事などの無形の民俗資料は助成措置を講ずるための選定制度が設けられた。しかし、昭和29（1954）年の法改正まで有形文化財として指定された民俗資料はなかった。昭和29（1954）年の法改正で民俗資料を有形文化財から独立させ、重要有形民俗資料の指定制度が設けられた。また、無形の民俗資料の選択制度も設けられた。さらに、現状変更および輸出、第三者による公開は、許可制ではなく、事前届け出制とされた。昭和50（1975）年、民俗資料に関する保護制度の充実を図るため、民俗資料を民俗文化財と改め、これを重要有形民俗文化財とするとともに、風俗習慣・民俗芸能を重要無形民俗文化財とし、指定制度が設けられた。平成17（2005）年には民俗文化財の定義の中に民俗技術を追加し、文化財の保護範囲の拡大を図るとともに、有形民俗文化財に登録制度が導入された。

有形民俗文化財と無形民俗文化財

民俗文化財は有形民俗文化財と無形民俗文化財に分けることができる。さらに、有形民俗文化財は重要有形民俗文化財の指定制度と、それを補完する登録有形民俗文化財の登録制度がある。無形民俗文化財には重要無形民俗文化財の指定制度と、重要無形民俗文化財以外から「記録作成等の措置を講ずべき無形の民俗文化財」(通称「選択無形民俗文化財」)を選択する制度がある。

有形民俗文化財

有形民俗文化財とは、日本人の衣・食・住や農耕、漁撈、狩猟などの生産・生業、あるいは、人の一生や信仰や年中行事といった、くらしの中のさまざまな場面で使用されてきた用具類や施設などで、日常生活の必要から生み出され、工夫・改良を繰り返しながら伝えられてきた身近な文化財であり、日本人の生活の推移を知る上で不可欠な資料である。

これらのうち、特に重要なものを重要有形民俗文化財に指定し、また、保存と活用が特に必要のあるものを登録有形民俗文化財に登録し、保護を図っている。

(文化庁2018『日本の伝統文化を未来へ伝える。－民俗文化財の保護制度－』に加筆)

＜指定の基準＞

指定の基準は「重要有形民俗文化財指定基準」によって定められている。

重要有形民俗文化財指定基準
(文化財保護委員会告示第五十八号)
昭和五十年十一月二十日文部省告示第百五十五号 改正
平成十七年三月二十八日文部科学省告示第四十二号 改正

7-1池田の桟敷(香川)(重要有形民俗文化財)

7-2大桃の舞台(福島県) (重要有形民俗文化財)

7-3祇園祭山鉾(京都)(重要有形民俗文化財)

一　次に掲げる有形の民俗文化財のうちその形様、制作技法、用法等において我が国民の基盤的な生活文化の特色を示すもので典型的なもの

（一）衣食住に用いられるもの　例えば、衣服、装身具、飲食用具、光熱用具、家具調度、住居等

（二）生産、生業に用いられるもの　例えば、農具、漁猟具、工匠用具、紡織用具、作業場等

（三）交通、運輸、通信に用いられるもの　例えば、運搬具、舟車（しゆうしや）、飛脚用具、関所等

（四）交易に用いられるもの　例えば、計算具、計量具、看板、鑑札、店舗等

（五）社会生活に用いられるもの　例えば、贈答用具、警防用具、刑罰用具、若者宿等

（六）信仰に用いられるもの　例えば、祭祀具、法会具、奉納物、偶像類、呪術用具、社祠（しやし）等(7-1)(7-3)

（七）民俗知識に関して用いられるもの　例えば、暦類、卜占（ぼくせん）用具、医療具、教育施設等

（八）民俗芸能、娯楽、遊戯に用いられるもの　例えば、衣装、道具、楽器、面、人形、玩具　舞台等(7-2)

（九）人の一生に関して用いられるもの　例えば、産育用具、冠婚葬祭用具、産屋等

（十）年中行事に用いられるもの　例えば、正月用具、節供（せつく）用具、盆用具等

二　前項各号に掲げる有形の民俗文化財の収集でその目的、内容等が次の各号のいずれかに該当し、特に重要なもの

（一）歴史的変遷を示すもの

（二）時代的特色を示すもの

（三）地域的特色を示すもの

（四）技術的特色を示すもの

（五）生活様式の特色を示すもの

（六）職能の様相を示すもの

三　我が国民以外の人々に係る前二項に規定する有形の民俗文化財又はその収集で、我が国民の生活文化との関連上特に重要なもの

（文化庁2019「文化財関係法令集」）

＜有形民俗文化財の保存・活用への支援＞

重要有形民俗文化財

伝承基盤整備　重要有形民俗文化財の使用法等の復元・調査に要する経費について補助する。地方公共団体又は所有者等を補助事業者とする。

管理・修理　重要有形民俗文化財の管理や修理に要する経費について補助する。所有者又は管理団体を補助事業者とする。

防災　重要有形民俗文化財の防災設備の整備に要する経費について補助する。所有者又は管理団体を補助事業者とする。

保存活用整備　重要有形民俗文化財の保存に必要な施設の設置や展示設備の整備等に要する経費について補助する。所有者又は管理団体を補助事業者とする。

登録有形民俗文化財

台帳整備 保存箱購入　登録有形民俗文化財の保護に資するための台帳の整備とそれに伴う保存箱の購入等に補助する。所有者又は管理団体を補助事業者とする。

7-4高山祭屋台会館

有形の民俗文化財調査　有形の民俗文化財の保護に資するための調査に要する経費について補助する。地方公共団体等を補助事業者とする。(文化庁2018『日本の伝統文化を未来へ伝える。－民俗文化財の保護制度－』)

南佐渡の漁撈用具(新潟県)、高山祭屋台会館(岐阜県)(7-4)などの収蔵施設の事例がある。

無形民俗文化財

四季折々の祭りや年中行事、人の一生の節目に営まれる人生儀礼などの風俗慣習や、神楽や田楽、風流などの民俗芸能、そして、生活や生業に関わる製作技術等の民俗技術が無形の民俗文化財である。これらは、日本の風土の中で生まれ、世代から世代へと繰り返し伝えられてきた無形の伝承である。これらのうち、特に重要なものを、重要無形民俗文化財に指定し、また、国指定以外の無形の民俗文化財のうち、特に必要のあるものを「記録作成等の措置を講ずべき無形の民俗文化財」(通称「選択無形民俗文化財」)に選択し、保護を図っている。

(文化庁2018『日本の伝統文化を未来へ伝える。－民俗文化財の保護制度－』に加筆)

＜指定の基準＞

指定の基準は「重要無形民俗文化財指定基準」によって定められている。

重要無形民俗文化財指定基準

(文部省告示第百五十六号)

平成十七年三月二十八日文部科学省告示第四十三号 改正

一 風俗慣習のうち次の各号のいずれかに該当し、特に重要なもの

(一) 由来、内容等において我が国民の基盤的な生活文化の特色を示すもので典型的なもの(7-5)

7-5青森のねぶた(重要無形民俗文化財)

7-6鬼剣舞(北上市)(重要無形民俗文化財)

（二） 年中行事、祭礼、法会等の中で行われる行事で芸能の基盤を示すもの

二 民俗芸能のうち次の各号のいずれかに該当し、特に重要なもの(7-6)
（一） 芸能の発生又は成立を示すもの
（二） 芸能の変遷の過程を示すもの
（三） 地域的特色を示すもの

三 民俗技術のうち次の各号のいずれかに該当し、特に重要なもの
（一） 技術の発生又は成立を示すもの
（二） 技術の変遷の過程を示すもの
（三） 地域的特色を示すもの
（文化庁2019「文化財関係法令集」）

＜無形民俗文化財の伝承･活用等への支援＞

重要無形民俗文化財

伝承基盤整備　重要無形民俗文化財の用具の修理･新調、施設の修理･防災、伝承者の養成、現地公開等に要する経費について補助する。地方公共団体又は保護団体（保存会等）を補助事業者とする。

記録作成等の措置を講ずべき無形の民俗文化財

伝承基盤整備　記録作成等の措置を講ずべき無形の民俗文化財の現地公開に要する経費について補助する。地方公共団体又は保護団体（保存会等）を補助事業者とする。

無形の民俗文化財

調査　無形の民俗文化財の保護に資するための調査に要する経費について補助する。地方公共団体等を補助事業者とする。

伝承　無形の民俗文化財の周知事業や伝承教室･講習会･発表会の開催に要する経費について補助する。地方公共団体を補助事業者とする。

活用　無形の民俗文化財の映像記録の製作や写真･採譜資料等による記録の作成や刊行に要する経費について補助する。地方公共団体を補助事業者とする。

昭和55年度文化庁長官裁定「民俗文化財地域伝承活動国庫補助要項」などによって重要無形民俗文化財の伝承者養成事業などを行っている。

（文化庁2018『日本の伝統文化を未来へ伝える。－民俗文化財の保護制度－』に加筆）

文化財保護法

（e-Gov https://elaws.e-gov.go.jp/search/elawsSearch/elaws_search/lsg0500/detail?lawId=325AC1000000214#O）

第五章　民俗文化財

（重要有形民俗文化財及び重要無形民俗文化財の指定）

第七十八条　文部科学大臣は、有形の民俗文化財のうち特に重要なものを重要有形民俗文化財に、無形の民俗文化財のうち特に重要なものを重要無形民俗文化財に指定することができる。

2　前項の規定による重要有形民俗文化財の指定には、第二十八条第一項から第四項

までの規定を準用する。
3　第一項の規定による重要無形民俗文化財の指定は、その旨を官報に告示してする。
（重要有形民俗文化財及び重要無形民俗文化財の指定の解除）
第七十九条　重要有形民俗文化財又は重要無形民俗文化財が重要有形民俗文化財又は重要無形民俗文化財としての価値を失つた場合その他特殊の事由があるときは、文部科学大臣は、重要有形民俗文化財又は重要無形民俗文化財の指定を解除することができる。
2　前項の規定による重要有形民俗文化財の指定の解除には、第二十九条第二項から第四項までの規定を準用する。
3　第一項の規定による重要無形民俗文化財の指定の解除は、その旨を官報に告示してする。
（重要有形民俗文化財の管理）
第八十条　重要有形民俗文化財の管理には、第三十条から第三十四条までの規定を準用する。
（重要有形民俗文化財の保護）
第八十一条　重要有形民俗文化財に関しその現状を変更し、又はその保存に影響を及ぼす行為をしようとする者は、現状を変更し、又は保存に影響を及ぼす行為をしようとする日の二十日前までに、文部科学省令の定めるところにより、文化庁長官にその旨を届け出なければならない。ただし、文部科学省令の定める場合は、この限りでない。
2　重要有形民俗文化財の保護上必要があると認めるときは、文化庁長官は、前項の届出に係る重要有形民俗文化財の現状変更又は保存に影響を及ぼす行為に関し必要な事項を指示することができる。
第八十二条　重要有形民俗文化財を輸出しようとする者は、文化庁長官の許可を受けなければならない。
第八十三条　重要有形民俗文化財の保護には、第三十四条の二から第三十六条まで、第三十七条第二項から第四項まで、第四十二条、第四十六条及び第四十七条の規定を準用する。
（重要有形民俗文化財の公開）
第八十四条　重要有形民俗文化財の所有者及び管理団体（第八十条において準用する第三十二条の二第一項の規定による指定を受けた地方公共団体その他の法人をいう。以下この章（第九十条の二第一項を除く。）及び第百八十七条第一項第二号において同じ。）以外の者がその主催する展覧会その他の催しにおいて重要有形民俗文化財を公衆の観覧に供しようとするときは、文部科学省令の定める事項を記載した書面をもつて、観覧に供しようとする最初の日の三十日前までに、文化庁長官に届け出なければならない。ただし、文化庁長官以外の国の機関若しくは地方公共団体があらかじめ文化庁長官から事前の届出の免除を受けた博物館その他の施設（以下この項において「公開事前届出免除施設」という。）において展覧会その他の催しを主催する場合又は公開事前届出免除施設の設置者が当該公開事前届出免除施設においてこれらを主催する場合には、重要有形民俗文化財を公衆の観覧に供した期間の最終日の翌日から起算して二十日以内に、文化庁長官に届け出ることをもつて足りる。
2　前項本文の届出に係る公開には、第五十一条第四項及び第五項の規定を準用する。
第八十五条　重要有形民俗文化財の公開には、第四十七条の二から第五十二条までの規定を準用する。

（重要有形民俗文化財保存活用計画の認定）
第八十五条の二　重要有形民俗文化財の所有者（管理団体がある場合は、その者）は、文部科学省令で定めるところにより、重要有形民俗文化財の保存及び活用に関する計画（以下「重要有形民俗文化財保存活用計画」という。）を作成し、文化庁長官の認定を申請することができる。
2　重要有形民俗文化財保存活用計画には、次に掲げる事項を記載するものとする。
一　当該重要有形民俗文化財の名称及び所在の場所
二　当該重要有形民俗文化財の保存及び活用のために行う具体的な措置の内容
三　計画期間
四　その他文部科学省令で定める事項
3　前項第二号に掲げる事項には、当該重要有形民俗文化財の現状変更又は保存に影響を及ぼす行為に関する事項を記載することができる。
4　文化庁長官は、第一項の規定による認定の申請があつた場合において、その重要有形民俗文化財保存活用計画が次の各号のいずれにも適合するものであると認めるときは、その認定をするものとする。
一　当該重要有形民俗文化財保存活用計画の実施が当該重要有形民俗文化財の保存及び活用に寄与するものであると認められること。
二　円滑かつ確実に実施されると見込まれるものであること。
三　第百八十三条の二第一項に規定する文化財保存活用大綱又は第百八十三条の五第一項に規定する認定文化財保存活用地域計画が定められているときは、これらに照らし適切なものであること。
四　当該重要有形民俗文化財保存活用計画に前項に規定する事項が記載されている場合には、その内容が重要有形民俗文化財の現状変更又は保存に影響を及ぼす行為を適切に行うために必要なものとして文部科学省令で定める基準に適合するものであること。
5　文化庁長官は、前項の認定をしたときは、遅滞なく、その旨を当該認定を申請した者に通知しなければならない。
（現状変更等の届出の特例）
第八十五条の三　前条第三項に規定する事項が記載された重要有形民俗文化財保存活用計画が同条第四項の認定（次条において準用する第五十三条の三第一項の変更の認定を含む。第百五十三条第二項第十二号において同じ。）を受けた場合において、当該重要有形民俗文化財の現状変更又は保存に影響を及ぼす行為をその記載された事項の内容に即して行うに当たり、第八十一条第一項の規定による届出を行わなければならないときは、同項の規定にかかわらず、当該現状変更又は保存に影響を及ぼす行為が終了した後遅滞なく、文部科学省令で定めるところにより、その旨を文化庁長官に届け出ることをもつて足りる。
（準用）
第八十五条の四　重要有形民俗文化財保存活用計画については、第五十三条の三及び第五十三条の六から第五十三条の八までの規定を準用する。この場合において、第五十三条の三第一項中「前条第四項」とあるのは「第八十五条の二第四項」と、同条第二項中「前条第四項及び第五項」とあるのは「第八十五条の二第四項及び第五項」と、第五十三条の六中「第五十三条の二第四項」とあるのは「第八十五条の二第四項」と、第五十三条の七第一項中「第五十三条の二第四項各号」とあるのは「第八十五条の二第四項各号」と読み替えるものとする。
（重要有形民俗文化財の保存のための調査及び所有者変更等に伴う権利義務の承継）

第八十六条　重要有形民俗文化財の保存のための調査には、第五十四条の規定を、重要有形民俗文化財の所有者が変更し、又は重要有形民俗文化財の管理団体が指定され、若しくはその指定が解除された場合には、第五十六条の規定を準用する。
（重要無形民俗文化財の保存）
第八十七条　文化庁長官は、重要無形民俗文化財の保存のため必要があると認めるときは、重要無形民俗文化財について自ら記録の作成その他その保存のため適当な措置を執ることができるものとし、国は、地方公共団体その他その保存に当たることが適当と認められる者（第八十九条及び第八十九条の二第一項において「保存地方公共団体等」という。）に対し、その保存に要する経費の一部を補助することができる。
2　前項の規定により補助金を交付する場合には、第三十五条第二項及び第三項の規定を準用する。
（重要無形民俗文化財の記録の公開）
第八十八条　文化庁長官は、重要無形民俗文化財の記録の所有者に対し、その記録の公開を勧告することができる。
2　重要無形民俗文化財の記録の所有者がその記録を公開する場合には、第七十五条第三項の規定を準用する。
（重要無形民俗文化財の保存に関する助言又は勧告）
第八十九条　文化庁長官は、保存地方公共団体等に対し、その保存のため必要な助言又は勧告をすることができる。
（重要無形民俗文化財保存活用計画の認定）
第八十九条の二　保存地方公共団体等は、文部科学省令で定めるところにより、重要無形民俗文化財の保存及び活用に関する計画（以下この章及び第百五十三条第二項第十三号において「重要無形民俗文化財保存活用計画」という。）を作成し、文化庁長官の認定を申請することができる。
2　重要無形民俗文化財保存活用計画には、次に掲げる事項を記載するものとする。
一　当該重要無形民俗文化財の名称
二　当該重要無形民俗文化財の保存及び活用のために行う具体的な措置の内容
三　計画期間
四　その他文部科学省令で定める事項
3　文化庁長官は、第一項の規定による認定の申請があつた場合において、その重要無形民俗文化財保存活用計画が次の各号のいずれにも適合するものであると認めるときは、その認定をするものとする。
一　当該重要無形民俗文化財保存活用計画の実施が当該重要無形民俗文化財の保存及び活用に寄与するものであると認められること。
二　円滑かつ確実に実施されると見込まれるものであること。
三　第百八十三条の二第一項に規定する文化財保存活用大綱又は第百八十三条の五第一項に規定する認定文化財保存活用地域計画が定められているときは、これらに照らし適切なものであること。
4　文化庁長官は、前項の認定をしたときは、遅滞なく、その旨を当該認定を申請した者に通知しなければならない。
（準用）
第八十九条の三　重要無形民俗文化財保存活用計画については、第七十六条の三から第七十六条の六までの規定を準用する。この場合において、第七十六条の三第一項中「前条第三項」とあるのは「第八十九条の二第三項」と、同条第二項中「前条第三項及び第四項」とあるのは「第八十九条の二第三項及び第四項」と、第七十六条の四中「第七十六条の二第三項」とあるのは「第八十九条の二第三項」と、「次条及び第百五十三条第二項第八号」とあるのは「次条」と、第七十六条の五第一項中「第七十六条の二第三項各号」とあるのは「第八十九条の二第三項各号」と読み替えるものとする。

（登録有形民俗文化財）

第九十条　文部科学大臣は、重要有形民俗文化財以外の有形の民俗文化財（第百八十二条第二項に規定する指定を地方公共団体が行つているものを除く。）のうち、その文化財としての価値にかんがみ保存及び活用のための措置が特に必要とされるものを文化財登録原簿に登録することができる。

2　前項の規定による登録には、第五十七条第二項及び第三項の規定を準用する。

3　前二項の規定により登録された有形の民俗文化財（以下「登録有形民俗文化財」という。）については、第三章第二節（第五十七条及び第六十七条の二から第六十七条の七までの規定を除く。）の規定を準用する。この場合において、第六十四条第一項及び第六十五条第一項中「三十日前」とあるのは「二十日前」と、第六十四条第一項ただし書中「維持の措置若しくは非常災害のために必要な応急措置又は他の法令の規定による現状変更を内容とする命令に基づく措置を執る場合」とあるのは「文部科学省令で定める場合」と読み替えるものとする。

（登録有形民俗文化財保存活用計画の認定）

第九十条の二　登録有形民俗文化財の所有者（管理団体（前条第三項において準用する第六十条第三項の規定による指定を受けた地方公共団体その他の法人をいう。）がある場合は、その者）は、文部科学省令で定めるところにより、登録有形民俗文化財の保存及び活用に関する計画（以下「登録有形民俗文化財保存活用計画」という。）を作成し、文化庁長官の認定を申請することができる。

2　登録有形民俗文化財保存活用計画には、次に掲げる事項を記載するものとする。

一　当該登録有形民俗文化財の名称及び所在の場所

二　当該登録有形民俗文化財の保存及び活用のために行う具体的な措置の内容

三　計画期間

四　その他文部科学省令で定める事項

3　前項第二号に掲げる事項には、当該登録有形民俗文化財の現状変更に関する事項を記載することができる。

4　文化庁長官は、第一項の規定による認定の申請があつた場合において、その登録有形民俗文化財保存活用計画が次の各号のいずれにも適合するものであると認めるときは、その認定をするものとする。

一　当該登録有形民俗文化財保存活用計画の実施が当該登録有形民俗文化財の保存及び活用に寄与するものであると認められること。

二　円滑かつ確実に実施されると見込まれるものであること。

三　第百八十三条の二第一項に規定する文化財保存活用大綱又は第百八十三条の五第一項に規定する認定文化財保存活用地域計画が定められているときは、これらに照らし適切なものであること。

四　当該登録有形民俗文化財保存活用計画に前項に規定する事項が記載されている場合には、登録有形民俗文化財の現状変更を適切に行うために必要なものとして文部科学省令で定める基準に適合するものであること。

5　文化庁長官は、前項の認定をしたときは、遅滞なく、その旨を当該認定を申請した者に通知しなければならない。

（現状変更の届出の特例）

第九十条の三　前条第三項に規定する事項が記載された登録有形民俗文化財保存活用計画が同条第四項の認定（次条において準用する第六十七条の三第一項の変更の認定を含む。第百五十三条第二項第十四号において同じ。）を受けた場合において、当該登録有形民俗文化財の現状変更をその記載された事項の内容に即して行うに当たり、第九十条第三項において準用する第六十四条第一項の規定による届出を行わなければならないときは、同項の規定にかかわらず、当該現状変更が終了した後遅滞なく、文部科学省令で定めるところにより、その旨を文化庁長官に届け出ることをもつて足りる。

（準用）

第九十条の四　登録有形民俗文化財保存活用計画については、第六十七条の三及び第六十七条の五から第六十七条の七までの規定を準用する。この場合において、第六十七条の三第一項中「前条第四項」とあるのは「第九十条の二第四項」と、同条第二項中「前条第四項及び第五項」とあるのは「第九十条の二第四項及び第五項」と、第六十七条の五中「第六十七条の二第四項」とあるのは「第九十条の二第四項」と、第六十七条の六第一項中「第六十七条の二第四項各号」とあるのは「第九十条の二第四項各号」と読み替えるものとする。

（重要無形民俗文化財以外の無形の民俗文化財の記録の作成等）

第九十一条　重要無形民俗文化財以外の無形の民俗文化財には、第七十七条の規定を準用する。

参考引用文献

文化庁2018『日本の伝統文化を未来へ伝える。－民俗文化財の保護制度－』http://www.bunka.go.jp/tokei_hakusho_shuppan/shuppanbutsu/bunkazai_pamphlet/pdf/pamphlet_ja_13.pdf

中村賢二郎　1999　『文化財保護制度概説』　ぎょうせい

文化庁2019「文化財関係法令集」https://www.bunka.go.jp/seisaku/bunkazai/hogofukyu/kenshu/pdf/r1392040_01.pdf

図版の出典

7-1池田の桟敷（香川）（重要有形民俗文化財）『フリー百科事典　ウィキペディア日本語版』2020. 10. 06https://ja.wikipedia.org/wiki/%E6%B1%A0%E7%94%B0%E3%81%AE%E6%A1%9F%E6%95%B7#/media/%E3%83%95%E3%82%A1%E3%82%A4%E3%83%AB:Ikeda-no-sajiki_Shodoshima_Kagawa_pref_Japan02s3.jpg

7-2大桃の舞台（福島県）（重要有形民俗文化財）『フリー百科事典　ウィキペディア日本語版』2020. 10. 06https://ja.wikipedia.org/wiki/%E9%87%8D%E8%A6%81%E6%9C%89%E5%BD%A2%E6%B0%91%E4%BF%97%E6%96%87%E5%8C%96%E8%B2%A1#/media/File:Farm_village_Kabuki_stage_Omomo-no_Butai.JPG

7-3祇園祭山鉾（京都）（重要有形民俗文化財）『フリー百科事典　ウィキペディア日本語版』2020. 10. 06https://ja.wikipedia.org/wiki/%E9%87%8D%E8%A6%81%E6%9C%89%E5%BD%A2%E6%B0%91%E4%BF%97%E6%96%87%E5%8C%96%E8%B2%A1#/media/File:TsukiBoko2.jpg

7-4高山祭屋台会館　筆者撮影

7-5青森のねぶた（重要無形民俗文化財）『フリー百科事典　ウィキペディア日本語版』2020. 10. 06　https://ja.wikipedia.org/wiki/%E9%9D%92%E6%A3%AE%E3%81%AD%E3%81%B6%E3%81%9F#/media/File:Tohoku_epco_n1.jpg

7-6鬼剣舞（北上市）（重要無形民俗文化財）『フリー百科事典　ウィキペディア日本語版』2020. 10. 06https://ja.wikipedia.org/wiki/%E9%AC%BC%E5%89%A3%E8%88%9E#/media/File:Oni_Kenbai_1,_Kitakami,_Iwate.jpg

第 8 回　記念物

記念物とは

記念物とは以下の文化財の総称である。

貝塚、古墳、都城跡、城跡旧宅等の遺跡で我が国にとって歴史上または学術上価値の高いもの

庭園、橋梁（きょうりょう）、峡谷（きょうこく）、海浜、山岳等の名勝地で我が国にとって芸術上または鑑賞上価値の高いもの

動物、植物及び地質鉱物で我が国にとって学術上価値の高いもの

国は、これらの記念物のうち重要なものをこの種類に従って「史跡」、「名勝」、「天然記念物」に指定し、これらの保護を図っている。そのうち特に重要なものについては、それぞれ「特別史跡」、「特別名勝」、「特別天然記念物」に指定している。

史跡等に指定されたものについては、現状を変更し、あるいはその保存に影響を及ぼす行為をしようとする場合、文化財保護法により、文化庁長官の許可を要するとされている。また、規制により財産権に一定限度を超える損失が生じた場合、補償を要するとされている。通例、国庫補助を受けて地方公共団体がその土地等を買い取ることにより、実質的な補償としている。また、史跡等の活用を広く図るため、国庫補助によりその整備を行っている。 近年では史跡や天然記念物の保存保護に加えて、整備·活用も行われている。

（文化庁2018『文化庁ホームページ』「記念物」に加筆 ）

経緯

明治時代、近代国家としての発展に伴う開発によって、多くの史跡や名勝、天然記念物が破壊され消滅の危機にさらされた。このような状況に対して記念物を保護しようという動きが起こったのである。

明治33年に奈良県技師の関野貞（後に東京帝国大学教授）が平城京の調査結果を発表した。その結果に基づき、明治39年、植木商の棚田嘉十郎は「平城京址保存会」を結成して、保存活動を行い、大正4年には約9万7000平方メートルを確保して「平城京史跡保存会」の所有地とした。平城京址の保存運動が盛り上がりを見せている明治44年、「史蹟及天然記念物保存に関する建議」が提出され、国による記念物の保存が提唱された。政府はその提唱に従い、大正8年に「史蹟名勝天然記念物法」を制定した。それとともに国は平城京を史跡に指定し、保存会所有の土地は国に寄付された。このようにして、棚田らに始まった市民の保存運動は、平城京址の保存を成功させただけではなく、日本における史跡保護の先駆けとなった。

史蹟名勝天然記念物法は文化財保護法に引き継がれ、さらに、昭和29年の改正で、記念物に、動植物の生息地自生地および地質鉱物の特異現象の発生地域のような土地を含むことが明確化された。昭和35年頃からは埋蔵文化財包蔵地の分布調査が行われ、昭和39年度以降「全国遺跡地図」が刊行された。その後、昭和40年以降は陣屋跡、本陣、旧宅、中世城館跡などの調査、昭和42年からは植生と動植物の分布調査が行われて、「植生図·主要動植物地図」が刊行されている。

昭和53年度から「歴史の道」調査事業、「歴史の道」整備事業として、江戸時代以前の古い道·運河等とそれに沿う地域の文化遺産を、周囲の環境を含めて総合的かつ体系的に調査するとともに、それらの保存整備を進め、平成5年度からは、地域の歴史文化への理解の一助とし、地域の環境を

含めた文化財の保護を進めるため、全国各地で古道を歩き地域の文化財にふれる事業（歩き・み・ふれる歴史の道事業）の実施を主唱（しゅしょう）されている。

平成21年度から平成23年度にかけては「近代の庭園・公園等に関する調査研究」が実施された。また、平成23年度から平成24年度にかけては、名勝に関する全国的な所在調査を実施され、全国各地の未指定・未登録の名勝地について、所在及び概要の把握を行い、今後の名勝地の評価や保護の手法などについて検討されている。

記念物の特色

記念物は多くの場合、史跡や名勝、動植物の生息地・自生地など、広範囲な地域がその対象となるため、所有者や占有者が多数に渡ったり、その確認が容易ではない場合もある。したがって、指定には町村の事務所又はこれに準ずる施設の掲示場に掲示し、その掲示を始めた日から二週間を経過した時に、通知が相手方に到達したものとみなすことになっている。また、名勝や天然記念物は環境庁の所管する自然公園と重複するものが多く、「自然公園法」「自然環境保全法」などと重複する場合が多いため、環境庁との協議は必要不可欠である。

指定と解除

指定の方法は基本的に重要文化財と変わらないが、前述のように、記念物の性質上、指定地域が広範囲になり、所有者や占有者への通達が容易ではない場合もあるので、第百九条4において、町村の事務所又はこれに準ずる施設の掲示場に掲示し、その掲示を始めた日から二週間を経過した時に通知が相手方に到達したものとみなすことになっている。また、名勝、天然記念物を指定する際、自然環境保護の見地から価値が高いものである場合、環境庁との協議することが決められている。さらに、第百十条には指定前で緊急性が高い場合、都道府県教育委員会が仮指定を行うことができることになっている。

記念物は、土地や開発との関係が密接なため、第百十一条において「関係者の所有権、鉱業権その他の財産権を尊重するとともに、国土の開発その他の公益との調整に留意しなければならない」と定められている。第百十二条では、指定物件がその価値を失った場合や特殊な事由があった場合、解除できることになっている。

管理と復旧など

管理は原則として所有者が行うが、所有者が判明しない場合や管理が著しく困難な場合、文化庁長官が適当な地方公共団体やその他の法人（管理団体）を指定して、管理および復旧を行わせることになっている。文化庁長官は記念物が毀損したり衰亡しているとき、所有者や管理責任者、管理団体に必要な措置を命じ、勧告することができることになっている。
（第113条から第122条）

指定の基準

指定の基準は特別史跡名勝天然記念物及び史跡名勝天然記念物指定基準にさだめられている。

「特別史跡名勝天然記念物及び史跡名勝天然記念物指定基準」

[昭和26年5月10日　文化財保護委員会告示第2号]

[最近改正　平成7年3月6日　文部省告示第24号]

特別史跡名勝天然記念物及び史跡名勝天然記念物指定基準

(史　跡)

左に掲げるもののうち我が国の歴史の正しい理解のために欠くことができず、かつ、その遺跡の規模、遺構、出土遺物等において学術上価値のあるもの

一　貝塚(8-1)、集落跡(8-2)、古墳(8-3)、その他この類の遺跡

二　都城跡、国郡庁跡、城跡、官公庁、戦跡その他政治に関する遺跡(8-5)(8-6)

三　社寺の跡又は旧境内その他祭祀信仰に関する遺跡

四　学校(8-4)、研究施設、文化施設その他教育·学術·文化に関する遺跡

五　医療·福祉施設、生活関連施設その他社会·生活に関する遺跡

六　交通·通信施設、治山·治水施設、生産施設その他経済·生産活動に関する遺跡(8-5)

七　墳墓及び碑

八　旧宅、園池その他特に由緒のある地域の類

九　外国及び外国人に関する遺跡

(特別史跡)

史跡のうち学術上の価値が特に高く、我が国文化の象徴たるもの

(名　勝)

左に掲げるもののうち我が国の優れた国土美として欠くことができないものであつて、その自

8-1加曽利貝塚(特別史跡)

8-2 三内丸山遺跡(特別史跡)

8-3造山古墳(史跡)

8-4足利学校(史跡)

然的なものにおいては、風致景観の優秀なもの、名所的あるいは学術的価値の高いもの、人文的なものにおいては、芸術的あるいは学術的価値の高いもの

一　公園、庭園(8-6)(8-7)

二　橋梁、築堤（ちくてい）

三　花樹、花草、紅葉、緑樹などの叢生（そうせい）する場所

四　鳥獣、魚虫など棲息（せいそく）する場所

五　岩石、洞穴

六　峡谷、瀑布（ばくふ）、渓流、深淵(8-8)

七　湖沼、湿原、浮島、湧泉

八　砂丘、砂嘴（さし）、海浜、島嶼（とうしょ）

九　火山、温泉

十　山岳、丘陵、高原、平原、河川

十一　展望地点

（特別名勝）

名勝のうち価値が特に高いもの

（天然記念物）

左に掲げる動物植物及び地質鉱物のうち学術上貴重で、我が国の自然を記念するもの

一　動物

（一）日本特有の動物で著名なもの及びその棲息地(8-9)

（二）特有の産ではないが、日本著名の動物としてその保存を必要とするもの及びその棲息地(8-10)

（三）自然環境における特有の動物又は動物群聚（ぐんしゅう）

（四）日本に特有な畜養動物

（五）家畜以外の動物で海外より我が国に移植され現時野生の状態にある著名なもの及びその棲息地

（六）特に貴重な動物の標本

二　植物

（一）名木、巨木、畸形木（きけいぼく）、栽培植物の原木、並木、社叢

（二）代表的原始林、稀有の森林植物相(8-11)

（三）代表的高山植物帯、特殊岩石地植物群落

（四）代表的な原野植物群落

（五）海岸及び沙地（すなじ）植物群落の代表的なもの

（六）泥炭形成植物の発生する地域の代表的なもの

（七）洞穴に自生する植物群落

（八）池泉、温泉、湖沼、河、海等の珍奇な水草類、藻類、蘇苔（こけ）類、微生物等の生ずる地域

（九）着生草木の著しく発生する岩石又は樹木

（十）著しい植物分布の限界地

（十一）著しい栽培植物の自生地

（十二）珍奇又は絶滅に瀕した植物の自生地

三　地質鉱物

(一)岩石、鉱物及び化石の産出状態(8-13)

(二)地層の整合及び不整合

(三)地層の褶曲(しゆうきよく)及び衝上(しようじよう)

(四)生物の働きによる地質現象

(五)地震断層など地塊(ちかい)運動に関する現象

(六)洞穴

(七)岩石の組織(8-13)

(八)温泉並びにその沈殿物

(九)風化並びに侵食に関する現象

(十)硫気孔及び火山活動によるもの(8-12)

(十一)氷雪霜の営力による現象

(十二)特に貴重な岩石、鉱物及び化石の標本

四　保護すべき天然記念物に富んだ代表的一定の地域、天然保護区域(8-14)

(特別天然記念物)

天然記念物のうち世界的に又国家的に価値が特に高いもの

8-5石見銀山(史跡)

8-6一乗谷朝倉氏遺跡(特別史跡·特別名勝)

8-7兼六園(特別名勝)

8-8奥入瀬渓流(特別名勝·天然記念物)

8-9イリオモテヤマネコ(特別天然記念物)

8-10ウスバキチョウ(天然記念物)

8-11屋久島スギ原生林(特別天然記念物)

8-12昭和新山(特別天然記念物)

8-13菊花石(特別天然記念物)

8-14尾瀬(特別天然記念物)

公有化

史跡などの指定地の中核部分は、現状変更などに制限が加えられる。私有財産権を尊重する立場から、このような場合は地方公共団体が国庫補助事業として土地を買い上げる措置がとられる。

(環境保全)

第百二十八条　文化庁長官は、史跡名勝天然記念物の保存のため必要があると認めるときは、地域を定めて一定の行為を制限し、若しくは禁止し、又は必要な施設をすることを命ずることができる。

2　前項の規定による処分によつて損失を受けた者に対しては、国は、その通常生ずべき損失を補償する。

3　第一項の規定による制限又は禁止に違反した者には、第百二十五条第七項の規定を、前項の場合には、第四十一条第二項から第四項までの規定を準用する。

(管理団体による買取りの補助)

第百二十九条　管理団体である地方公共団体その他の法人が、史跡名勝天然記念物の指定に係る土地又は建造物その他の土地の定着物で、その管理に係る史跡名勝天然記念物の保存のため特に買い取る必要があると認められるものを買い取る場合には、国は、その買取りに要する経費の一部を補助することができる。

整備と活用

文化財保護法上、記念物の復旧は「毀損し、又は衰亡している場合」に限られており、現状維持が優先されている。しかし、近年、国民や地域住民への還元という視点から一部を「史跡公園」などとして積極的に公開・活用するようになってきた。特に「風土記の丘」や「歴史の道」「ふるさと歴史の広場」などは史跡を整備して積極的に公開活用使用とするものである。

8-15さきたま風土記の丘・埼玉古墳群

8-16近江風土記の丘・安土城

8-17西都原風土記の丘・西都原遺跡

8-18日光街道杉並木

風土記の丘

古墳、城跡などが集中する地域を広域に整備し、その地方の歴史・考古資料などを収集展示する資料館を設置して遺跡と関係資料を一体的に保存活用する。

さきたま風土記の丘(8-15)

埼玉古墳群は1938年に国により史跡として指定を受け、「さきたま風土記の丘」として整備された。

近江風土記の丘(8-16)

特別史跡安土城跡、史跡観音寺城跡、史跡瓢箪山古墳、史跡大中の湖南遺跡で構成されている。安土城考古博物館には近江の歴史・文化、城郭をテーマに展示されている。

西都原風土記の丘(8-17)

300余基の古墳が点在している西都原古墳群は、1952年に国の特別史跡の指定を受け、その後古墳と自然が調和した歴史的景観を維持保存するために「風土記の丘」第一号として整備された。

歴史の道

古来文物や人々の交流の地である街道・水路などで、現在もそのたたずまいを残している地域を一体的に保存、整備して活用する。

日光街道杉並木(8-18)　奥州街道など

8-19大湯環状列石

8-20毛越寺庭園

ふるさと歴史の広場

ふるさとの史跡に親しみ史跡などを積極的に活用する。

一乗谷朝倉氏遺跡(8-6)など

地方拠点史跡等総合整備事業(歴史ロマン再生事業)

地方の拠点となる史跡などについて地方の歴史、文化を概観できる機能を備えた総合的複合的整備を行う。

大湯環状列石(特別史跡)(8-19)など

名勝の保存修理

毛越寺庭園(8-20)の復元整備など

天然記念物の保護

天然記念物の保護増殖は湿原等の植生回復、病害虫の駆除、土壌改良による樹勢回復、動物への給餌など動植物の種類によって多様である。天然記念物の指定地域が自然公園と重複している場合もある。国立・国定公園内の鳥獣特別保護地区、原生自然環境保全地域などに生息している鳥獣、動植物などの天然記念物の保護増殖事業は環境庁と文化庁で協議することになっている。これによって文化庁で行っていたトキ(新潟県)・ライチョウ(富山県、大町市)下北半島のサルおよびサル生息北限地(脇野沢村)尾瀬(福島県・群馬県)の保護増殖事業は昭和59年度以降環境庁に移管された。

食害問題

近年、天然記念物に指定した動物による食害が問題となっている。

昭和30年に特別天然記念物にしていされたカモシカ(8-21)は昭和49年頃から青森県、長野県、岐阜県などから植林地、農地での食害が報告され対応を求められた。昭和54年、環境庁・文化庁・林野庁はカモシカの生息地域を区分して保護地域を設定し、保護地域以外では状況に応じて個体数の調整などを行うこととした。食害の対策として、防護柵の設置、幼

8-21カモシカ(特別天然記念物)

樹の保護、忌避剤の塗布などが行われ、個体調整も行われている。

鹿児島県出水市ではナベヅル、マナヅルなどが飛来し、「鹿児島県のツル及びその渡来地」として特別天然記念物に指定されている。保護の成果もあり年々増加し、それとともに農作物への被害も増した。そこで、天然記念物食害対策事業として給餌事業、防護網等設置事業、旧遊地借り上げ事業を行っている。

国営公園

国営公園の制度の概要

国営公園の位置づけ(8-22)

我が国において、一般に「公園」と呼ばれているものは都市公園に代表される営造物公園と、国立公園等自然公園に代表される地域制公園とに大別されます。

国営公園は国が維持管理を行う都市公園として、国土交通大臣が設置するものです。

(国土交通省都市局公園緑地・景観課2018「公園とみどり」)

国営公園の種類(8-23)

国営公園はその設置の趣旨から次の二つの種類に分けられます。

(都市公園法第2条第1項第2号)

(イ)

一の都府県の区域を超えるような広域の見地から設置する都市計画施設である公園又は緑地。(ロに該当するものを除く)(イ号国営公園)

(ロ)

国家的な記念事業として、又は我が国固有の優れた文化的資産の保存及び活用を図るために閣議の決定を経て設置する都市計画施設である公園又は緑地。(ロ号国営公園)

古代都城址と飛鳥地域

古代の都城址や飛鳥地域は、わが国古代国家形成期の政治・文化・外交の中心地の遺跡として古代史をひもとく上にも大変重要な遺跡である。従って史跡・特別史跡として指定され、独立行政法人奈良文化財研究所による調査や奈良県、市町村教育委員会による調査と整備保存が行われている。

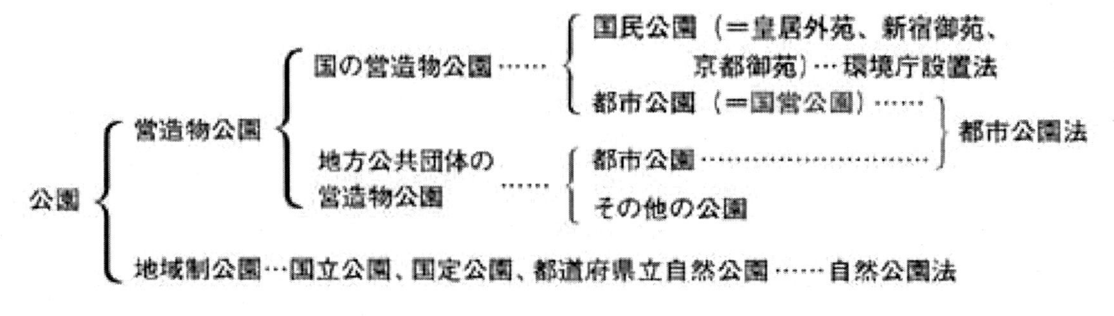

8-22公園の種類(国土交通省都市局公園緑地・景観課2020『公園とみどり』)

8-23日本の国営公園(国土交通省都市局公園緑地・景観課2020『公園とみどり』)

平城京(8-24)

平城京は、律令制にもとづいた政治をおこなう中心地として、唐(中国)の長安をモデルに造営した都である。西暦710年、元明天皇が藤原京から遷都し、740年(天平12年)に一時的に放棄されるが、745年(天平17年)再び遷都され、その後784年(延暦3年)に長岡京に遷都されるまで政治の中心地であった。

＜保存の経緯＞

前述のように、平城京の保存活動は史跡保存の先駆けの一つとなった事業で、現在もなお継続している。

784年以降、平城京の跡地は人々から忘れられ耕作地となっていたが、江戸時代の末、北浦定政の研究により、「平城宮大内裏跡坪割之図」などが完成した。明治の終わり頃、関野貞、喜田貞吉などの研究によって奈良時代の都の姿が明らかにされると、棚田嘉十郎や溝辺文四郎など地元の人々を中心に「平城宮址保存会」「奈良大極殿址保存会」が設立され、大正11年(1922年)平城宮第二次大極殿・朝堂院跡が史跡に指定された。昭和53年(1978年)には「平城宮跡保存整備基本構想」が策定され、その後の平城宮跡の保存整備はこの基本構想を指針として進められる。

平成10年(1998年)に朱雀門、東院庭園の復原が完成し、平城宮跡を含む「古都奈良の文化財」

8-24平城京

がユネスコの世界遺産に登録された。さらに平成20年(2008年)には平城宮跡を国土交通省が所管する国営公園として整備することが閣議決定され、国営平城宮跡歴史公園の整備・管理の基本計画を策定され、平成22年(2010年)第一次大極殿の復原が完成し、平成遷都1300年祭が行われた。

国営平城宮跡歴史公園について

(国土交通省国営飛鳥歴史公園事務所2020「国営平城宮跡歴史公園ホームページ」)

「国営平城宮跡歴史公園は、特別史跡であり、世界遺産「古都奈良の文化財」の構成資産の一つでもあって、我が国を代表する歴史・文化資産である平城宮跡の一層の保存・活用を図ることを目的として、平成20年度に事業化された国営公園」

基本理念

「古都奈良の歴史的・文化的景観の中で、平城宮跡の保存と活用を通じて、"奈良時代を今に感じる"空間を創出する。」

基本方針

①特別史跡・世界遺産である歴史・文化資産としての適切な保存・活用

平城宮跡が、国の特別史跡として指定され、世界遺産として登録された「古都奈良の文化財」の構成資産であることを尊重し、貴重な歴史・文化資産として確実に保存し、良好な状態で後世に伝えます。

さらに、今後も遺跡の発掘調査・研究が継続される場所として、発掘調査・研究自体、また、蓄積・深化されていく考古学的知見や遺跡の表現手法の技術的発展を事業に適切に活かしていくことにより、特別史跡・世界遺産にふさわしい「遺跡博物館」※としての機能を持つ公園整備を実施します。

※遺跡博物館:遺跡を守り、研究し、これを整備して国民的な利用に供するものとして提案された遺跡の一つの存在形式(「特別史跡平城宮跡保存整備基本構想」による)。

②古代国家の歴史・文化の体感・体験

多様な来園者の誰もが楽しみながら古代国家の歴史・文化を体感し、体験的に学ぶことができるように、遺跡の公開や空間スケールを活かした遺跡の表現、平城宮跡周辺の古都奈良の歴史的・文化的景観と併せ、往時に思いを馳せることのできる景観の形成を図ります。また、興味をかき立てるわかりやすい解説や多彩なイベントを実施します。

③古都奈良の歴史・文化を知る拠点づくり

古代において国際都市であった平城京の中心の地として、古都奈良の歴史・文化を伝える情報発信のセンターとなるとともに、歴史・文化等を通じた国際交流の拠点としての活用を図ります。

④国営公園として利活用性の高い空間形成

関係機関との連携のもと、快適な空間づくりときめ細やかなサービスの提供により、四季を通じて様々な来園者が一日を充実して過ごすことのできる公園を目指します。併せて、地域住民・NPOをはじめとした多様な主体が整備、管理・運営に参画し、公園に集う人全てで作り、育む公園とします。

藤原京

694年(持統8年)から710年(和銅3年)までの16年間機能した、奈良県橿原市に所在する日本で最初の都市。律令国家体制が確立後、新しい首都として造営された。

＜保存の経緯＞

藤原宮跡は昭和27年(1952年)に国の特別史跡に指定されている。現在は大極殿の土壇が残っており、その周辺は史跡公園になっている。昭和43年(1968年)9月13日、歴史的風土特別保存地区に指定され、平成19年(2007年)1月、世界遺産登録の前提となる暫定リストに「飛鳥・藤原の宮都とその関連資産群」として登録された。

飛鳥地域(8-25)

推古天皇が崇峻5年(592年)の豊浦宮(とゆらのみや)での即位から持統天皇8年(694年)の藤原京への移転までの約100年間、各天皇が宮殿を明日香の地域に置いた。この時代を飛鳥時代と称している。(国土交通省近畿地方整備局国営飛鳥歴史公園事務所『国営飛鳥歴史公園ホームページ』)

総面積約60haある飛鳥の豊かな自然と文化的遺産の保護、活用を図る一環として、国土交通省によって整備されたのが国営飛鳥歴史公園です。

公園といっても、フェンスなどで仕切られている訳ではありません。

飛鳥歴史公園は以下の5地区からなり、それぞれの特色を生かした公園づくりが行われています。

一人でも多くの方に飛鳥を訪れていただき、その豊かな自然と深い歴史を感じ取って欲しいと願っております。

8-25国営飛鳥歴史公園地図

8-26高松塚古墳壁画

皆様の「来村」を心よりお待ちしております。
[飛鳥歴史公園の5地区]
1.
研修宿泊所「祝戸荘」がある祝戸地区
2.
蘇我馬子の墓と伝えられる石舞台古墳がある石舞台地区
3.
展望台から飛鳥の風景を一望できる甘樫丘地区
4.
高松塚古墳や、飛鳥歴史公園館、高松塚壁画館が設置された高松塚周辺地区(8-26)
5.
キトラ古墳壁画が発見されたキトラ古墳周辺地区

吉野ヶ里歴史公園(8-27)

佐賀県神埼郡吉野ヶ里町と神埼市にまたがる吉野ヶ里丘陵にある遺跡で、国の特別史跡に指定されている。吉野ヶ里遺跡は特に弥生時代の大規模な環濠集落遺跡として知られている。中期には集落を囲む環濠や柵、望楼(ぼうろう)、権力者の墓である墳丘墓をはじめとした墓域、政治、祭祀の中心と考えられる建造物や倉庫群が検出され、まさに弥生都市国家ともいうべき様相を呈していた。魏志倭人伝にみる邪馬台国を彷彿(ほうふつ)とさせる遺跡である。

＜公園概要＞

吉野ヶ里歴史公園は、「弥生人の声が聞こえる」を基本テーマに、日本の優れた文化的資産である吉野ヶ里遺跡の保存と、当時の施設の復元や発掘物の展示などを通じて、弥生時代を体感できる場を創出し、日本はもとより世界への情報発信の拠点とすることを目的に作られました。
かつてこの地に佐賀県の工業団地を造る計画が持ち上がる中、遺跡の価値が改めて認識され、昭和61年から本格的な文化財の発掘調査が行われました。その結果、我が国弥生時代最大規模の環壕集落であることが確認され、また魏志倭人伝に記された邪馬台国の様子を彷彿とさせる建物跡などが発見されたことにより、一躍全国の注目を集めました。日本の古代の歴史を解き明かす上で極めて貴重な資料や情報が集まっています。
平成4年に国営吉野ヶ里歴史公園として整備することが閣議決定され、さらに国営公園区域の周辺に佐賀県の公園区域を設け、国と県が一体となった歴史公園として、平成13年4月からその一部が開園、平成 29年7月15日現在では面積約104.0ha(国営公園約52.8ha、県立公園約51.2ha)が開園しています。

(国土交通省九州地方整備局国営海の中道海浜公園事務所歴史公園課2020『吉野ヶ里歴史公園ホームページ』)

8-27吉野ヶ里遺跡

文化財保護法

第七章　史跡名勝天然記念物

（指定）

第百九条　文部科学大臣は、記念物のうち重要なものを史跡、名勝又は天然記念物（以下「史跡名勝天然記念物」と総称する。）に指定することができる。

2　文部科学大臣は、前項の規定により指定された史跡名勝天然記念物のうち特に重要なものを特別史跡、特別名勝又は特別天然記念物（以下「特別史跡名勝天然記念物」と総称する。）に指定することができる。

3　前二項の規定による指定は、その旨を官報で告示するとともに、当該特別史跡名勝天然記念物又は史跡名勝天然記念物の所有者及び権原に基づく占有者に通知してする。

4　前項の規定により通知すべき相手方が著しく多数で個別に通知し難い事情がある場合には、文部科学大臣は、同項の規定による通知に代えて、その通知すべき事項を当該特別史跡名勝天然記念物又は史跡名勝天然記念物の所在地の市町村の事務所又はこれに準ずる施設の掲示場に掲示することができる。この場合においては、その掲示を始めた日から二週間を経過した時に同項の規定による通知が相手方に到達したものとみなす。

5　第一項又は第二項の規定による指定は、第三項の規定による官報の告示があつた日からその効力を生ずる。ただし、当該特別史跡名勝天然記念物又は史跡名勝天然記念物の所有者又は権原に基づく占有者に対しては、第三項の規定による通知が到達した時又は前項の規定によりその通知が到達したものとみなされる時からその効力を生ずる。

6　文部科学大臣は、第一項の規定により名勝又は天然記念物の指定をしようとする場合において、その指定に係る記念物が自然環境の保護の見地から価値の高いものであるときは、環境大臣と協議しなければならない。

（仮指定）

第百十条　前条第一項の規定による指定前において緊急の必要があると認めるときは、都道府県の教育委員会（当該記念物が指定都市の区域内に存する場合にあつては、当該指定都市の教育委員会。第百三十三条を除き、以下この章において同じ。）は、史跡名勝天然記念物の仮指定を行うことができる。
2　前項の規定により仮指定を行つたときは、都道府県の教育委員会は、直ちにその旨を文部科学大臣に報告しなければならない。
3　第一項の規定による仮指定には、前条第三項から第五項までの規定を準用する。
（所有権等の尊重及び他の公益との調整）
第百十一条　文部科学大臣又は都道府県の教育委員会は、第百九条第一項若しくは第二項の規定による指定又は前条第一項の規定による仮指定を行うに当たつては、特に、関係者の所有権、鉱業権その他の財産権を尊重するとともに、国土の開発その他の公益との調整に留意しなければならない。
2　文部科学大臣又は文化庁長官は、名勝又は天然記念物に係る自然環境の保護及び整備に関し必要があると認めるときは、環境大臣に対し、意見を述べることができる。この場合において、文化庁長官が意見を述べるときは、文部科学大臣を通じて行うものとする。
3　環境大臣は、自然環境の保護の見地から価値の高い名勝又は天然記念物の保存及び活用に関し必要があると認めるときは、文部科学大臣に対し、又は文部科学大臣を通じ文化庁長官に対して意見を述べることができる。
（解除）
第百十二条　特別史跡名勝天然記念物又は史跡名勝天然記念物がその価値を失つた場合その他特殊の事由のあるときは、文部科学大臣又は都道府県の教育委員会は、その指定又は仮指定を解除することができる。
2　第百十条第一項の規定により仮指定された史跡名勝天然記念物につき第百九条第一項の規定による指定があつたとき、又は仮指定があつた日から二年以内に同項の規定による指定がなかつたときは、仮指定は、その効力を失う。
3　第百十条第一項の規定による仮指定が適当でないと認めるときは、文部科学大臣は、これを解除することができる。
4　第一項又は前項の規定による指定又は仮指定の解除には、第百九条第三項から第五項までの規定を準用する。
（管理団体による管理及び復旧）
第百十三条　史跡名勝天然記念物につき、所有者がないか若しくは判明しない場合又は所有者若しくは第百十九条第二項の規定により選任された管理の責めに任ずべき者による管理が著しく困難若しくは不適当であると明らかに認められる場合には、文化庁長官は、適当な地方公共団体その他の法人を指定して、当該史跡名勝天然記念物の保存のため必要な管理及び復旧（当該史跡名勝天然記念物の保存のため必要な施設、設備その他の物件で当該史跡名勝天然記念物の所有者の所有又は管理に属するものの管理及び復旧を含む。）を行わせることができる。
2　前項の規定による指定をするには、文化庁長官は、あらかじめ、指定しようとする地方公共団体その他の法人の同意を得なければならない。
3　第一項の規定による指定は、その旨を官報で告示するとともに、当該史跡名勝天然記念物の所有者及び権原に基づく占有者並びに指定しようとする地方公共団体その他の法人に通知してする。
4　第一項の規定による指定には、第百九条第四項及び第五項の規定を準用する。
第百十四条　前条第一項に規定する事由が消滅した場合その他特殊の事由があるときは、文化庁長官は、管理団体の指定を解除することができる。
2　前項の規定による解除には、前条第三項並びに第百九条第四項及び第五項の規定を準用する。

第百十五条　第百十三条第一項の規定による指定を受けた地方公共団体その他の法人(以下この章(第百三十三条の二第一項を除く。)及び第百八十七条第一項第三号において「管理団体」という。)は、文部科学省令の定める基準により、史跡名勝天然記念物の管理に必要な標識、説明板、境界標、囲いその他の施設を設置しなければならない。

2　史跡名勝天然記念物の指定地域内の土地について、その土地の所在、地番、地目又は地積に異動があつたときは、管理団体は、文部科学省令の定めるところにより、文化庁長官にその旨を届け出なければならない。

3　管理団体が復旧を行う場合は、管理団体は、あらかじめ、その復旧の方法及び時期について当該史跡名勝天然記念物の所有者(所有者が判明しない場合を除く。)及び権原に基づく占有者の意見を聞かなければならない。

4　史跡名勝天然記念物の所有者又は占有者は、正当な理由がなくて、管理団体が行う管理若しくは復旧又はその管理若しくは復旧のため必要な措置を拒み、妨げ、又は忌避してはならない。

第百十六条　管理団体が行う管理及び復旧に要する費用は、この法律に特別の定めのある場合を除いて、管理団体の負担とする。

2　前項の規定は、管理団体と所有者との協議により、管理団体が行う管理又は復旧により所有者の受ける利益の限度において、管理又は復旧に要する費用の一部を所有者の負担とすることを妨げるものではない。

3　管理団体は、その管理する史跡名勝天然記念物につき観覧料を徴収することができる。

第百十七条　管理団体が行う管理又は復旧によつて損失を受けた者に対しては、当該管理団体は、その通常生ずべき損失を補償しなければならない。

2　前項の補償の額は、管理団体(管理団体が地方公共団体であるときは、当該地方公共団体の教育委員会)が決定する。

3　前項の規定による補償額については、第四十一条第三項の規定を準用する。

4　前項で準用する第四十一条第三項の規定による訴えにおいては、管理団体を被告とする。

第百十八条　管理団体が行う管理には、第三十条、第三十一条第一項及び第三十三条の規定を、管理団体が行う管理及び復旧には、第三十五条及び第四十七条の規定を、管理団体が指定され、又はその指定が解除された場合には、第五十六条第三項の規定を準用する。

(所有者による管理及び復旧)

第百十九条　管理団体がある場合を除いて、史跡名勝天然記念物の所有者は、当該史跡名勝天然記念物の管理及び復旧に当たるものとする。

2　前項の規定により史跡名勝天然記念物の管理に当たる所有者は、当該史跡名勝天然記念物の適切な管理のため必要があるときは、第百九十二条の二第一項に規定する文化財保存活用支援団体その他の適当な者を専ら自己に代わり当該史跡名勝天然記念物の管理の責めに任ずべき者(以下この章及び第百八十七条第一項第三号において「管理責任者」という。)に選任することができる。この場合には、第三十一条第三項の規定を準用する。

第百二十条　所有者が行う管理には、第三十条、第三十一条第一項、第三十二条、第三十三条並びに第百十五条第一項及び第二項(同条第二項については、管理責任者がある場合を除く。)の規定を、所有者が行う管理及び復旧には、第三十五条及び第四十七条の規定を、所有者が変更した場合の権利義務の承継には、第五十六条第一項の規定を、管理責任者が行う管理には、第三十条、第三十一条第一項、第三十二条第三項、第三十三条、第四十七条第四項及び第百十五条第二項の規定を準用する。

（管理に関する命令又は勧告）

第百二十一条　管理が適当でないため史跡名勝天然記念物が滅失し、き損し、衰亡し、又は盗み取られるおそれがあると認めるときは、文化庁長官は、管理団体、所有者又は管理責任者に対し、管理方法の改善、保存施設の設置その他管理に関し必要な措置を命じ、又は勧告することができる。

2　前項の場合には、第三十六条第二項及び第三項の規定を準用する。

（復旧に関する命令又は勧告）

第百二十二条　文化庁長官は、特別史跡名勝天然記念物がき損し、又は衰亡している場合において、その保存のため必要があると認めるときは、管理団体又は所有者に対し、その復旧について必要な命令又は勧告をすることができる。

2　文化庁長官は、特別史跡名勝天然記念物以外の史跡名勝天然記念物が、き損し、又は衰亡している場合において、その保存のため必要があると認めるときは、管理団体又は所有者に対し、その復旧について必要な勧告をすることができる。

3　前二項の場合には、第三十七条第三項及び第四項の規定を準用する。

（文化庁長官による特別史跡名勝天然記念物の復旧等の施行）

第百二十三条　文化庁長官は、次の各号のいずれかに該当する場合においては、特別史跡名勝天然記念物につき自ら復旧を行い、又は滅失、き損、衰亡若しくは盗難の防止の措置をすることができる。

一　管理団体、所有者又は管理責任者が前二条の規定による命令に従わないとき。

二　特別史跡名勝天然記念物がき損し、若しくは衰亡している場合又は滅失し、き損し、衰亡し、若しくは盗み取られるおそれのある場合において、管理団体、所有者又は管理責任者に復旧又は滅失、き損、衰亡若しくは盗難の防止の措置をさせることが適当でないと認められるとき。

2　前項の場合には、第三十八条第二項及び第三十九条から第四十一条までの規定を準用する。

（補助等に係る史跡名勝天然記念物譲渡の場合の納付金）

第百二十四条　国が復旧又は滅失、き損、衰亡若しくは盗難の防止の措置につき第百十八条及び第百二十条で準用する第三十五条第一項の規定により補助金を交付し、又は第百二十一条第二項で準用する第三十六条第二項、第百二十二条第三項で準用する第三十七条第三項若しくは前条第二項で準用する第四十条第一項の規定により費用を負担した史跡名勝天然記念物については、第四十二条の規定を準用する。

（現状変更等の制限及び原状回復の命令）

第百二十五条　史跡名勝天然記念物に関しその現状を変更し、又はその保存に影響を及ぼす行為をしようとするときは、文化庁長官の許可を受けなければならない。ただし、現状変更については維持の措置又は非常災害のために必要な応急措置を執る場合、保存に影響を及ぼす行為については影響の軽微である場合は、この限りでない。

2　前項ただし書に規定する維持の措置の範囲は、文部科学省令で定める。

3　第一項の規定による許可を与える場合には、第四十三条第三項の規定を、第一項の規定による許可を受けた者には、同条第四項の規定を準用する。

4　第一項の規定による処分には、第百十一条第一項の規定を準用する。

5　第一項の許可を受けることができなかつたことにより、又は第三項で準用する第四十三条第三項の許可の条件を付せられたことによつて損失を受けた者に対しては、国は、その通常生ずべき損失を補償する。
6　前項の場合には、第四十一条第二項から第四項までの規定を準用する。
7　第一項の規定による許可を受けず、又は第三項で準用する第四十三条第三項の規定による許可の条件に従わないで、史跡名勝天然記念物の現状を変更し、又はその保存に影響を及ぼす行為をした者に対しては、文化庁長官は、原状回復を命ずることができる。この場合には、文化庁長官は、原状回復に関し必要な指示をすることができる。
（関係行政庁による通知）
第百二十六条　前条第一項の規定により許可を受けなければならないこととされている行為であつてその行為をするについて、他の法令の規定により許可、認可その他の処分で政令に定めるものを受けなければならないこととされている場合において、当該他の法令において当該処分の権限を有する行政庁又はその委任を受けた者は、当該処分をするときは、政令の定めるところにより、文化庁長官（第百八十四条第一項又は第百八十四条の二第一項の規定により前条第一項の規定による許可を都道府県又は市町村の教育委員会が行う場合には、当該都道府県又は市町村の教育委員会）に対し、その旨を通知するものとする。
（復旧の届出等）
第百二十七条　史跡名勝天然記念物を復旧しようとするときは、管理団体又は所有者は、復旧に着手しようとする日の三十日前までに、文部科学省令の定めるところにより、文化庁長官にその旨を届け出なければならない。ただし、第百二十五条第一項の規定により許可を受けなければならない場合その他文部科学省令の定める場合は、この限りでない。
2　史跡名勝天然記念物の保護上必要があると認めるときは、文化庁長官は、前項の届出に係る史跡名勝天然記念物の復旧に関し技術的な指導と助言を与えることができる。
（環境保全）
第百二十八条　文化庁長官は、史跡名勝天然記念物の保存のため必要があると認めるときは、地域を定めて一定の行為を制限し、若しくは禁止し、又は必要な施設をすることを命ずることができる。
2　前項の規定による処分によつて損失を受けた者に対しては、国は、その通常生ずべき損失を補償する。
3　第一項の規定による制限又は禁止に違反した者には、第百二十五条第七項の規定を、前項の場合には、第四十一条第二項から第四項までの規定を準用する。
（管理団体による買取りの補助）
第百二十九条　管理団体である地方公共団体その他の法人が、史跡名勝天然記念物の指定に係る土地又は建造物その他の土地の定着物で、その管理に係る史跡名勝天然記念物の保存のため特に買い取る必要があると認められるものを買い取る場合には、国は、その買取りに要する経費の一部を補助することができる。
2　前項の場合には、第三十五条第二項及び第三項並びに第四十二条の規定を準用する。
（史跡名勝天然記念物保存活用計画の認定）
第百二十九条の二　史跡名勝天然記念物の管理団体又は所有者は、文部科学省令で定めるところにより、史跡名勝天然記念物の保存及び活用に関する計画（以下「史跡名勝天然記念物保存活用計画」という。）を作成し、文化庁長官の認定を申請することができる。
2　史跡名勝天然記念物保存活用計画には、次に掲げる事項を記載するものとする。
一　当該史跡名勝天然記念物の名称及び所在地

二　当該史跡名勝天然記念物の保存及び活用のために行う具体的な措置の内容
三　計画期間
四　その他文部科学省令で定める事項
3　前項第二号に掲げる事項には、当該史跡名勝天然記念物の現状変更又は保存に影響を及ぼす行為に関する事項を記載することができる。
4　文化庁長官は、第一項の規定による認定の申請があつた場合において、その史跡名勝天然記念物保存活用計画が次の各号のいずれにも適合するものであると認めるときは、その認定をするものとする。
一　当該史跡名勝天然記念物保存活用計画の実施が当該史跡名勝天然記念物の保存及び活用に寄与するものであると認められること。
二　円滑かつ確実に実施されると見込まれるものであること。
三　第百八十三条の二第一項に規定する文化財保存活用大綱又は第百八十三条の五第一項に規定する認定文化財保存活用地域計画が定められているときは、これらに照らし適切なものであること。
四　当該史跡名勝天然記念物保存活用計画に前項に規定する事項が記載されている場合には、その内容が史跡名勝天然記念物の現状変更又は保存に影響を及ぼす行為を適切に行うために必要なものとして文部科学省令で定める基準に適合するものであること。
5　文化庁長官は、前項の認定をしたときは、遅滞なく、その旨を当該認定を申請した者に通知しなければならない。
（認定を受けた史跡名勝天然記念物保存活用計画の変更）
第百二十九条の三　前条第四項の認定を受けた史跡名勝天然記念物の管理団体又は所有者は、当該認定を受けた史跡名勝天然記念物保存活用計画の変更（文部科学省令で定める軽微な変更を除く。）をしようとするときは、文化庁長官の認定を受けなければならない。
2　前条第四項及び第五項の規定は、前項の認定について準用する。
（現状変更等の許可の特例）
第百二十九条の四　第百二十九条の二第三項に規定する事項が記載された史跡名勝天然記念物保存活用計画が同条第四項の認定（前条第一項の変更の認定を含む。以下この章及び第百五十三条第二項第二十三号において同じ。）を受けた場合において、当該史跡名勝天然記念物の現状変更又は保存に影響を及ぼす行為をその記載された事項の内容に即して行うに当たり、第百二十五条第一項の許可を受けなければならないときは、同項の規定にかかわらず、当該現状変更又は保存に影響を及ぼす行為が終了した後遅滞なく、文部科学省令で定めるところにより、その旨を文化庁長官に届け出ることをもつて足りる。
（認定史跡名勝天然記念物保存活用計画の実施状況に関する報告の徴収）
第百二十九条の五　文化庁長官は、第百二十九条の二第四項の認定を受けた史跡名勝天然記念物の管理団体又は所有者に対し、当該認定を受けた史跡名勝天然記念物保存活用計画（変更があつたときは、その変更後のもの。次条第一項及び第百二十九条の七において「認定史跡名勝天然記念物保存活用計画」という。）の実施の状況について報告を求めることができる。
（認定の取消し）
第百二十九条の六　文化庁長官は、認定史跡名勝天然記念物保存活用計画が第百二十九条の二第四項各号のいずれかに適合しなくなつたと認めるときは、その認定を取り消すことができる。

2　文化庁長官は、前項の規定により認定を取り消したときは、遅滞なく、その旨を当該認定を受けていた者に通知しなければならない。
（管理団体等への指導又は助言）
第百二十九条の七　都道府県及び市町村の教育委員会は、史跡名勝天然記念物の管理団体又は所有者の求めに応じ、史跡名勝天然記念物保存活用計画の作成及び認定史跡名勝天然記念物保存活用計画の円滑かつ確実な実施に関し必要な指導又は助言をすることができる。
2　文化庁長官は、史跡名勝天然記念物の管理団体又は所有者の求めに応じ、史跡名勝天然記念物保存活用計画の作成及び認定史跡名勝天然記念物保存活用計画の円滑かつ確実な実施に関し必要な指導又は助言をするように努めなければならない。
（保存のための調査）
第百三十条　文化庁長官は、必要があると認めるときは、管理団体、所有者又は管理責任者に対し、史跡名勝天然記念物の現状又は管理、復旧若しくは環境保全の状況につき報告を求めることができる。
第百三十一条　文化庁長官は、次の各号のいずれかに該当する場合において、前条の報告によつてもなお史跡名勝天然記念物に関する状況を確認することができず、かつ、その確認のため他に方法がないと認めるときは、調査に当たる者を定め、その所在する土地又はその隣接地に立ち入つてその現状又は管理、復旧若しくは環境保全の状況につき実地調査及び土地の発掘、障害物の除却その他調査のため必要な措置をさせることができる。ただし、当該土地の所有者、占有者その他の関係者に対し、著しい損害を及ぼすおそれのある措置は、させてはならない。
一　史跡名勝天然記念物に関する現状変更又は保存に影響を及ぼす行為の許可の申請があつたとき。
二　史跡名勝天然記念物がき損し、又は衰亡しているとき。
三　史跡名勝天然記念物が滅失し、き損し、衰亡し、又は盗み取られるおそれのあるとき。
四　特別の事情によりあらためて特別史跡名勝天然記念物又は史跡名勝天然記念物としての価値を調査する必要があるとき。
2　前項の規定による調査又は措置によつて損失を受けた者に対しては、国は、その通常生ずべき損失を補償する。
3　第一項の規定により立ち入り、調査する場合には、第五十五条第二項の規定を、前項の場合には、第四十一条第二項から第四項までの規定を準用する。
（登録記念物）
第百三十二条　文部科学大臣は、史跡名勝天然記念物（第百十条第一項に規定する仮指定を都道府県の教育委員会が行つたものを含む。）以外の記念物（第百八十二条第二項に規定する指定を地方公共団体が行つているものを除く。）のうち、その文化財としての価値にかんがみ保存及び活用のための措置が特に必要とされるものを文化財登録原簿に登録することができる。
2　前項の規定による登録には、第五十七条第二項及び第三項、第百九条第三項から第五項まで並びに第百十一条第一項の規定を準用する。
第百三十三条　前条の規定により登録された記念物（以下「登録記念物」という。）については、第五十九条第一項から第五項まで、第六十四条、第六十八条、第百十一条第二項及び第三項並びに第百十三条から第百二十条までの規定を準用する。この場合において、第五十九条第一項中「第二十七条第一項の規定により重要文化財に指定したとき」とあるのは「第百九条第一項の規定により史跡名勝天然記念物に指定したとき（第百十条第一項に規定する仮指定を都道府県の教育委員会(当該記念物が指定都市の区域内に存する場合にあつては、当該指定都市の教育委員会)が行つたときを含む。)」と、同条第四項中「所有者に通知する」とあるのは「所有者及び権原に基づく占有者に通知する。ただし、通知すべき相手方が著しく多数で個別に通知し難い事情がある場合には、文部科学大臣は、当該通知に代えて、その通知すべき事項を当該登録記念物の所在地の市町村の事務所又はこれに準ずる施設の掲示場に掲示することができる。この場合においては、その掲示を始めた日から二週間を経過した時に当該通知が相手方に到達したものとみなす」と、同条第五項中「抹消には、前条第二項の規定を準用する」とあるのは「抹消は、前項の規定による官報の告示があつた日からその効力を生ずる。ただし、当該登録記念物の所有者又は権原に基づく占有者に対しては、前項の規定による通知が到達した時又は同項の規定によりその通知が到達したものとみなされる時からその効力を生ずる」と、第百十三条第一項中「不適当であると明らかに認められる場合には」とあるのは「不適当であることが明らかである旨の関係地方公共団体の申出があつた場合には、関係地方公共団体の意見を聴いて」と、第百十八条及び第百二十条中「第三十条、第三十一条第一項」とあるのは「第三十一条第一項」と、「準用する」とあるのは「準用する。この場合において、第三十一条第一項中「並びにこれに基いて発する文部科学省令及び文化庁長官の指示に従い」とあるのは「及びこれに基づく文部科学省令に従い」と読み替えるものとする」と、第百十八条中「第三十五条及び第四十七条の規定を、管理団体が指定され、又はその指定が解除された場合には、第五十六条第三項」とあるのは「第四十七条第四項」と、第百二十条中「第三十五条及び第四十七条の規定を、所有者が変更した場合の権利義務の承継には、第五十六条第一項」とあるのは「第四十七条第四項」と読み替えるものとする。

(登録記念物保存活用計画の認定)

第百三十三条の二　登録記念物の管理団体(前条において準用する第百十三条第一項の規定による指定を受けた地方公共団体その他の法人をいう。)又は所有者は、文部科学省令で定めるところにより、登録記念物の保存及び活用に関する計画(以下「登録記念物保存活用計画」という。)を作成し、文化庁長官の認定を申請することができる。

2　登録記念物保存活用計画には、次に掲げる事項を記載するものとする。

一　当該登録記念物の名称及び所在地

二　当該登録記念物の保存及び活用のために行う具体的な措置の内容

三　計画期間

四　その他文部科学省令で定める事項

3　前項第二号に掲げる事項には、当該登録記念物の現状変更に関する事項を記載することができる。

4　文化庁長官は、第一項の規定による認定の申請があつた場合において、その登録記念物保存活用計画が次の各号のいずれにも適合するものであると認めるときは、その認定をするものとする。

一　当該登録記念物保存活用計画の実施が当該登録記念物の保存及び活用に寄与するものであると認められること。

二　円滑かつ確実に実施されると見込まれるものであること。

三　第百八十三条の二第一項に規定する文化財保存活用大綱又は第百八十三条の五第一項に規定する認定文化財保存活用地域計画が定められているときは、これらに照らし適切なものであること。

四　当該登録記念物保存活用計画に前項に規定する事項が記載されている場合には、その内容が登録記念物の現状変更を適切に行うために必要なものとして文部科学省令で定める基準に適合するものであること。

5　文化庁長官は、前項の認定をしたときは、遅滞なく、その旨を当該認定を申請した者に通知しなければならない。

（現状変更の届出の特例）

第百三十三条の三　前条第三項に規定する事項が記載された登録記念物保存活用計画が同条第四項の認定（次条において準用する第六十七条の三第一項の変更の認定を含む。第百五十三条第二項第二十四号において同じ。）を受けた場合において、当該登録記念物の現状変更をその記載された事項の内容に即して行うに当たり、第百三十三条において準用する第六十四条第一項の規定による届出を行わなければならないときは、同項の規定にかかわらず、当該現状変更が終了した後遅滞なく、文部科学省令で定めるところにより、その旨を文化庁長官に届け出ることをもつて足りる。

（準用）

第百三十三条の四　登録記念物保存活用計画については、第六十七条の三及び第六十七条の五から第六十七条の七までの規定を準用する。この場合において、第六十七条の三第一項中「前条第四項」とあるのは「第百三十三条の二第四項」と、同条第二項中「前条第四項及び第五項」とあるのは「第百三十三条の二第四項及び第五項」と、第六十七条の五中「第六十七条の二第四項」とあるのは「第百三十三条の二第四項」と、第六十七条の六第一項中「第六十七条の二第四項各号」とあるのは「第百三十三条の二第四項各号」と読み替えるものとする。

参考引用文献

文化庁2018『文化庁ホームページ』「記念物」http://www.bunka.go.jp/seisaku/bunkazai/shokai/kinenbutsu/

文化庁文化財部記念物課2010『記念物の保護のしくみ』https://www.bunka.go.jp/tokei_hakusho_shuppan/shuppanbutsu/bunkazai_pamphlet/pdf/pamphlet_ja_10.pdf

国土交通省都市局公園緑地・景観課2020「公園とみどり」　http://www.mlit.go.jp/crd/park/shisaku/p_kokuei/seido/index.html

国土交通省国営飛鳥歴史公園事務所2020『国営平城宮跡歴史公園』「国営平城京跡歴史公園とは？」　http://www.kkr.mlit.go.jp/asuka/heijo/index.html　http://www.kkr.mlit.go.jp/asuka/heijo/about/about.htm

国土交通省近畿地方整備局国営飛鳥歴史公園事務所2020『国営飛鳥歴史公園ホームページ』https://www.asuka-park.go.jp/

国土交通省九州地方整備局国営海の中道海浜公園事務所歴史公園課2020『吉野ヶ里歴史公園ホームページ』　http://www.yoshinogari.jp/contents2/?categoryId=1

中村賢二郎　1999　『文化財保護制度概説』　ぎょうせい

図版の出典

8-1加曽利貝塚（特別史跡）『フリー百科事典　ウィキペディア日本語版』2020．10．09https://upload.wikimedia.org/wikipedia/commons/5/52/Kasori_midden.jpg

8-2三内丸山遺跡（特別史跡）『フリー百科事典　ウィキペディア日本語版』2020．10．09https://upload.wikimedia.org/wikipedia/commons/3/35/三内丸山遺跡_-_panoramio_%288%29.jpg

8-3造山古墳（史跡）Copyright © 国土画像情報（カラー空中写真）国土交通省 {国土航空写真}https://upload.wikimedia.org/wikipedia/commons/c/c6/Tsukuriyama_Kofun%2C_Okayama_air.jpg

8-4足利学校（史跡）『フリー百科事典　ウィキペディア日本語版』2020．10．09https://ja.wikipedia.org/wiki/ファイル:Ashikaga_Ashikaga-School_School_Gate_2.JPG

8-5石見銀山（史跡・重要伝統的建造物群保存地区・世界文化遺産）『フリー百科事典　ウィキペディア日本語版』2020．10．09https://upload.wikimedia.org/wikipedia/commons/c/c8/Iwami_Ginzan_Silver_Mine%2C_Ryugenji_Mabu_Mine_Shaft_001.JPG

8-6一乗谷朝倉氏遺跡（特別史跡・特別名勝）『フリー百科事典　ウィキペディア日本語版』2020．10．09https://upload.wikimedia.org/wikipedia/commons/d/d1/Asakura_Yakata_of_Ichijodani_Asakura_Family_Historic_Ruins02s3s4440.jpg

8-7兼六園（特別名勝）『フリー百科事典　ウィキペディア日本語版』2020．10．09https://ja.wikipedia.org/wiki/兼六園#/media/File:Kenroku-en-winter-lantern.jpg

8-8奥入瀬渓流（特別名勝・天然記念物）『フリー百科事典　ウィキペディア日本語版』2020．10．09https://ja.wikipedia.org/wiki/奥入瀬渓流#/media/File:%E9%98%BF%E4%BF%AE%E7%BE%85%E3%81%AE%E6%B5%81%E3%82%8C.jpg

8-9イリオモテヤマネコ（特別天然記念物）九州森林管理局Webサイト2020．10．09http://www.rinya.maff.go.jp/kyusyu/keikakuhozenbu/biodiversity/top.html

8-10ウスバキチョウ（天然記念物）『フリー百科事典　ウィキペディア日本語版』2020．10．09
https://upload.wikimedia.org/wikipedia/commons/0/0e/PARNASSIAN_EVERSMANN%27S_%28Parnassius_eversmanni%29_%286-25-2016%29_denali_highway%2C_mile_p13_pass%2C_near_paxson%2C_alaska_%281%29_%2828494231274%29.jpg?uselang=ja

8-11屋久島スギ原生林（特別天然記念物）『フリー百科事典 ウィキペディア日本語版』2020．10．09https://commons.wikimedia.org/wiki/File:Jomon_Sugi_07.jpg

8-12昭和新山（特別天然記念物）『フリー百科事典　ウィキペディア日本語版』2020．10．09https://ja.wikipedia.org/wiki/昭和新山#/media/File:130922_Showa-shinzan_Sobetsu_Hokkaido_Japan01s3.jpg

8-13菊花石（特別天然記念物）『フリー百科事典　ウィキペディア日本語版』2020．10．09https://ja.wikipedia.org/wiki/菊花石#/media/File:Gifu-kegonji5728.JPG

8-14尾瀬（特別天然記念物）『フリー百科事典　ウィキペディア日本語版』2020．10．09https://ja.wikipedia.org/wiki/尾瀬#/media/File:Mt.Shibutsu_16.jpg

8-15さきたま風土記の丘『フリー百科事典　ウィキペディア日本語版』2020．10．09https://upload.wikimedia.org/wikipedia/ja/8/83/Gyoda_Sakitama_Kofun_Park_Lawn_Field_1.JPG

8-16近江風土記の丘・安土城（特別史跡）筆者撮影

8-17西都原風土記の丘・西都原遺跡（特別史跡）『フリー百科事典　ウィキペディア日本語版』2020．10．09https://ja.wikipedia.org/wiki/西都原古墳群#/media/File:Oni-no-iwaya_kofun_zenkei.JPG

8-18日光街道杉並木（特別天然記念物・世界遺産）『フリー百科事典　ウィキペディア日本語版』2020．10．09https://ja.wikipedia.org/wiki/日光杉並木#/media/File:Suginamiki2.jpg

8-19大湯環状列石（特別史跡）『フリー百科事典　ウィキペディア日本語版』2020．10．09https://commons.wikimedia.org/wiki/Category:Oyu_stone_circles?uselang=ja#/media/File:Oyu-kanjyouretuseki.JPG

8-20毛越寺庭園（特別史跡・特別名勝）『フリー百科事典　ウィキペディア日本語版』2020．10．09https://ja.wikipedia.org/wiki/毛越寺#/media/File:M%C5%8Dts%C5%AB-ji.JPG

8-21カモシカ（特別天然記念物）『フリー百科事典　ウィキペディア日本語版』2020．10．09https://ja.wikipedia.org/wiki/カモシカ#/media/File:Yaseinokamosika.jpg

8-22公園の種類　国土交通省都市局公園緑地・景観課2020『公園とみどり』「国営公園の位置づけ」 https://www.mlit.go.jp/crd/park/shisaku/p_kokuei/seido/index.html

8-23日本の国営公園　国土交通省都市局公園緑地・景観課2020『公園とみどり』「日本の国営公園」https://www.mlit.go.jp/crd/park/shisaku/p_kokuei/nihon/index.html

8-24平城京（特別史跡）『フリー百科事典　ウィキペディア日本語版』2020．10．09https://upload.wikimedia.org/wikipedia/commons/6/6d/181103_Heijo_Palace_Daigokuden_Nara_Japan05n.jpg

8-25国営飛鳥歴史公園地図　国土交通省近畿地方整備局国営飛鳥歴史公園事務所2018『国営飛鳥歴史公園ホームページ』「国営飛鳥歴史公園とは」 https://www.asuka-park.go.jp/about/

8-26高松塚古墳壁画（国宝）『フリー百科事典　ウィキペディア日本語版』2020．10．09https://ja.wikipedia.org/wiki/高松塚古墳#/media/File:Takamat1.jpg

8-27吉野ヶ里遺跡（特別史跡）『フリー百科事典　ウィキペディア日本語版』2020．10．09https://commons.wikimedia.org/wiki/File:Yoshinogari-iseki_kita-naikaku.JPG?uselang=ja

第 9 回　文化的景観

近年は大規模な開発などによって全国的に一般化・平準化し、地域的個性が失われつつある。そのような状況において、人々の生活や風土と深く結びついた地域特有の景観の重要性が見直され、それと同時に、失われつつある地域の特性とその景観の保護の必要性が認識されるようになった。

文化的景観とは文化財保護法において、つぎのように規定されている。

（文化財の定義）

第二条　この法律で「文化財」とは、次に掲げるものをいう。

五　地域における人々の生活又は生業及び当該地域の風土により形成された景観地で我が国民の生活又は生業の理解のため欠くことのできないもの（以下「文化的景観」という。）

さらに、文化庁ホームページでは文化的景観とその保護の概要について

文化的景観は、日々の生活に根ざした身近な景観であるため、日頃その価値にはなかなか気付きにくいものです。文化的景観を保護する制度を設けることによって、その文化的な価値を正しく評価し、地域で護り、次世代へと継承していくことができます。

文化的景観の中でも特に重要なものは、都道府県又は市町村の申出に基づき、「重要文化的景観」として選定されます。

重要文化的景観に選定されたものについては、現状を変更し、あるいはその保存に影響を及ぼす行為をしようとする場合、文化財保護法により、文化庁長官に届け出ることとされています。ただし、通常の生産活動に係る行為や非常災害に係る応急措置等においては、この限りではありません。

また、文化的景観の保存活用のために行われるさまざまな事業、たとえば調査事業や保存計画策定事業、整備事業、普及・啓発事業に対しては、国からその経費の補助が行われます。

重要文化的景観の選定制度は、平成16年の文化財保護法の一部改正によって始まった、新しい文化財保護の手法です。

と記載されている。（文化庁2020『文化庁ホームページ』「文化的景観」）

選定基準

平成17年文部科学省告示第46号「重要文化的景観選定基準」では、文化的景観を重要文化的景観に選定する場合の基準が、次のように定められている。

一　地域における人々の生活又は生業及び当該地域の風土により形成された次に掲げる景観地のうち我が国民の基盤的生活又は生業の特色を示すもので典型的なもの又は独特のもの

(1)　水田・畑地などの農耕に関する景観地(9-1)(9-4)

(2)　茅野・牧野などの採草・放牧に関する景観地

(3)　用材林・防災林などの森林の利用に関する景観地

(4)　養殖いかだ・海苔ひびなどの漁ろうに関する景観地(9-3)

(5)　ため池・水路・港などの水の利用に関する景観地

(6)　鉱山・採石場・工場群などの採掘・製造に関する景観地

(7)　道･広場などの流通･往来に関する景観地(9-3)

(8)　垣根･屋敷林などの居住に関する景観地(9-1)(9-3)

二　前項各号に掲げるものが複合した景観地のうち我が国民の基盤的な生活又は生業の特色を示すもので典型的なもの又は独特なもの

(文化庁次長2005「文化財保護法の一部改正に伴う関係省令及び告示の整備等について(通知)」平成17年文部科学省告示第46号「重要文化的景観選定基準」)

文化財保護法では、

(重要文化的景観の選定)

第百三十四条　文部科学大臣は、都道府県又は市町村の申出に基づき、当該都道府県又は市町村が定める景観法(平成十六年法律第百十号)第八条第二項第一号に規定する景観計画区域又は同法第六十一条第一項に規定する景観地区内にある文化的景観であつて、文部科学省令で定める基準に照らして当該都道府県又は市町村がその保存のため必要な措置を講じているもののうち特に重要なものを重要文化的景観として選定することができる。

したがって、文化的景観の保存のための必要な措置は都道府県、市町村が講じる必要がある。その中から、重要文化的景観は都道府県、市町村の申し出によって選定されることになる。

重要文化的景観に申し出るために必要な基準は「重要文化的景観に係る選定及び届出等に関する規則(平成十七年文部科学省令第十号)第一条第一項」によって次のように定められている。

第一条　文化財保護法(以下「法」という。)第百三十四条第一項の文部科学省令で定める基準は、次のとおりとする。

一　選定の申出に係る文化的景観(以下「文化的景観」という。)の保存に関する計画(以下「文化的景観保存計画」という。)を定めていること。

二　景観法その他の法律に基づく条例で、文化的景観の保存のため必要な規制を定めていること。

三　文化的景観の所有者又は権原に基づく占有者(管理者がいる場合には、当該管理者を含む。以下「所有者等」という。)の氏名又は名称及び住所を把握していること。

第二項では文化財的景観保存計画の記載について言及している。

2　文化的景観保存計画には、次に掲げる事項を記載するものとする。

一　文化的景観の位置及び範囲

二　文化的景観の保存に関する基本方針

三　文化的景観の保存に配慮した土地利用に関する事項

四　文化的景観の整備に関する事項

五　文化的景観を保存するために必要な体制に関する事項

六　文化的景観における重要な構成要素

七　前各号に掲げるもののほか、文化的景観の保存に関し特に必要と認められる事項

その他、選定の申し出や滅失･毀損の届出、現状変更など、重要文化的景観に関する届出方法などが定められている。(平成十七年文部科学省令第十号「重要文化的景観に係る選定及び届出等に関する規則」)

9-1一関本寺の農村景観

9-2利根川·渡良瀬川合流域の水場景観

9-3宮津天橋立の文化的景観

9-4遊子水荷浦の段畑(ゆすみずがうらのだんばた)

9-1一関本寺の農村景観(重要文化的景観)

中尊寺に現存する国の重要文化財の荘園絵図の2葉に記された景観が現存する。史跡指定区域を包括する伝統的な村落景観が一関本寺の農村景観(いちのせきほんでらののうそんけいかん)として、2006(平成18)年に重要文化的景観に選定された。

9-2利根川·渡良瀬川合流域の水場景観(重要文化的景観)

中世から近代にかけての治水施設や豊かな生態系と共生してきた暮らしの景観が評価されている。板倉町周辺の水辺は関東地方では唯一の重要文化的景観に選定されている。

9-3宮津天橋立の文化的景観(重要文化的景観)

古代より奇勝·名勝として知られ、今日も名勝として広く知られている天橋立。松島、宮島と並び『日本三景』の一つ。

9-4遊子水荷浦の段畑(重要文化的景観)

急斜面に石垣を積み上げ作られた階段状の畑地。宇和海沿岸のリアス式海岸で営まれてきた半農半漁のくらしを示す独自の景観を形成している。

9-5天草市﨑津・今富の文化的景観

9-5天草市﨑津・今富の文化的景観（重要文化的景観・世界文化遺産）
﨑津集落は、羊角湾に面した熊本県天草市河浦町﨑津一帯の総称で、潜伏キリシタンの里として知られている。

重要文化的景観に係る選定及び届出等に関する規則

平成十七年文部科学省令第十号

重要文化的景観に係る選定及び届出等に関する規則

文化財保護法(昭和二十五年法律第二百十四号)第百三十四条第一項、第百三十六条(同法第百六十七条第二項において準用する場合を含む。)並びに第百三十九条第一項(同法第百六十七条第二項において準用する場合を含む。)及び第二項の規定に基づき、並びに同法を実施するため、重要文化的景観に係る選定及び届出等に関する規則を次のように定める。

(法第百三十四条第一項の文部科学省令で定める基準)

第一条　文化財保護法(以下「法」という。)第百三十四条第一項の文部科学省令で定める基準は、次のとおりとする。

一　選定の申出に係る文化的景観(以下「文化的景観」という。)の保存に関する計画(以下「文化的景観保存計画」という。)を定めていること。

二　景観法その他の法律に基づく条例で、文化的景観の保存のため必要な規制を定めていること。
三　文化的景観の所有者又は権原に基づく占有者（管理者がいる場合には、当該管理者を含む。以下「所有者等」という。）の氏名又は名称及び住所を把握していること。
2　文化的景観保存計画には、次に掲げる事項を記載するものとする。
一　文化的景観の位置及び範囲
二　文化的景観の保存に関する基本方針
三　文化的景観の保存に配慮した土地利用に関する事項
四　文化的景観の整備に関する事項
五　文化的景観を保存するために必要な体制に関する事項
六　文化的景観における重要な構成要素
七　前各号に掲げるもののほか、文化的景観の保存に関し特に必要と認められる事項
（選定の申出）
第二条　法第百三十四条第一項の規定による重要文化的景観の選定の申出をしようとする都道府県又は市町村は、選定の申出に関し、あらかじめ当該文化的景観における重要な構成要素である不動産の所有者等の同意を得て、次に掲げる事項を記載した選定申出書を文部科学大臣に提出するものとする。
一　文化的景観の名称
二　文化的景観の種類
三　文化的景観の所在地及び面積
四　文化的景観の保存状況
五　文化的景観の特性
六　文化的景観保存計画
七　その他参考となるべき事項
2　前項の選定申出書には、次に掲げる書類、図面及び写真を添えるものとする。
一　文化的景観の位置及び範囲を示す図面
二　文化的景観の概況を示す写真
三　文化的景観に係る規制に関する書類
四　所有者等の同意を得たことを証する書類
五　その他参考となるべき資料
（滅失又はき損の届出書の記載事項等）
第三条　法第百三十六条の規定による重要文化的景観の全部又は一部が滅失し、又はき損したときの届出の書面には、次に掲げる事項を記載するものとする。
一　重要文化的景観の名称
二　選定年月日
三　重要文化的景観の所在地
四　選定の申出を行った都道府県又は市町村
五　所有者等の氏名又は名称及び住所
六　滅失又はき損の事実の生じた日時
七　滅失又はき損の事実の生じた当時における管理の状況
八　滅失又はき損の原因並びにき損の場合は、その箇所及び程度
九　き損の場合は、き損の結果当該重要文化的景観がその保存上受ける影響
十　滅失又はき損の事実を知った日
十一　滅失又はき損の事実を知った後に執られた措置その他参考となるべき事項
2　前項の書面には、滅失又はき損の状態を示すキャビネ型写真及び図面を添えるものとす

る。
（滅失又はき損の届出を要しない場合）
第四条　法第百三十六条ただし書に規定する文部科学省令で定める場合は、重要文化的景観の滅失又はき損が次に掲げる行為による場合とする。
一　都市計画事業の施行として行う行為、国、都道府県、市町村若しくは当該都市計画施設を管理することとなる者が当該都市施設若しくは市街地開発事業に関する都市計画に適合して行う行為、国土保全施設、水資源開発施設、道路交通、船舶交通若しくは航空機の航行の安全のため必要な施設、気象、海象、地象、洪水等の観測若しくは通報の用に供する施設、自然公園の保護若しくは利用のための施設若しくは都市公園若しくはその施設の設置若しくは管理に係る行為、土地改良事業若しくは地方公共団体若しくは農業等を営む者が組織する団体が行う農業構造、林業構造若しくは漁業構造の改善に関する事業の施行に係る行為、重要文化財等文部科学大臣の指定若しくは選定に係る文化財の保存に係る行為又は鉱物の掘採に係る行為
二　道路、鉄道若しくは軌道、国若しくは地方公共団体が行う通信業務、認定電気通信事業（電気通信事業法（昭和五十九年法律第八十六号）第百二十条第一項に規定する認定電気通信事業をいう。）、基幹放送（放送法（昭和二十五年法律第百三十二号）第二条第二号に規定する基幹放送をいう。）若しくは有線テレビジョン放送（有線電気通信設備を用いて行われる同条第十八号に規定するテレビジョン放送をいう。）の用に供する線路若しくは空中線系（その支持物を含む。）、水道若しくは下水道又は電気工作物若しくはガス工作物の設置又は管理に係る行為（自動車専用道路以外の道路、駅、操車場、車庫及び発電の用に供する電気工作物の新設に係るものを除く。）
三　古都における歴史的風土の保存に関する特別措置法（昭和四十一年法律第一号）第四条に規定する歴史的風土保存区域内においてその歴史的風土の保存に関連して必要とされる施設の設置又は管理に係る行為
四　都市緑地法（昭和四十八年法律第七十二号）第五条に規定する緑地保全地域、同法第十二条第一項に規定する特別緑地保全地区又は同法第五十五条第一項に規定する市民緑地（緑地保全地域又は特別緑地保全地区内にあるものを除く。）内において緑地の保全に関連して必要とされる施設の設置又は管理に係る行為
（現状変更等の届出）
第五条　法第百三十九条第一項の規定による重要文化的景観の現状変更又は保存に影響を及ぼす行為（以下「現状変更等」という。）の届出は、次に掲げる事項を記載した書面をもって行うものとする。
一　重要文化的景観の名称
二　選定年月日
三　重要文化的景観の所在地
四　選定の申出を行った都道府県又は市町村
五　所有者等の氏名又は名称及び住所
六　届出者の氏名又は名称及び住所並びに法人にあっては、その代表者の氏名
七　現状変更等を必要とする理由
八　現状変更等の内容及び実施の方法
九　現状変更等により生ずる物件の滅失若しくはき損又は景観の変化その他現状変更等が重要文化的景観に及ぼす影響に関する事項
十　現状変更等の着手及び終了の予定時期
十一　現状変更等に係る地域の地番

十二　現状変更等に係る工事その他の行為の施行者の氏名又は名称及び住所並びに法人にあっては、その代表者の氏名
十三　その他参考となるべき事項
2　前項の書面には、次に掲げる書類、図面及び写真を添えるものとする。
一　現状変更等の設計仕様書及び設計図
二　現状変更等に係る地域及びこれに関連する地域の地番及び地貌ぼうを表示した実測図
三　現状変更等に係る地域のキャビネ型写真
四　現状変更等を必要とする理由を証するに足りる資料があるときは、その資料
3　前項第二号の実測図及び第三号の写真には、現状変更等をしようとする箇所を表示しなければならない。
（届出書及びその添付書類等の記載事項等の変更）
第六条　前条第一項の届出の書面又は同条第二項の書類、写真若しくは図面に記載し、又は表示した事項を変更しようとするときは、あらかじめ文化庁長官にその旨を届け出なければならない。
（維持の措置の範囲）
第七条　法第百三十九条第一項ただし書の規定により現状変更について届出を要しない場合は、次の各号のいずれかに該当する場合とする。
一　重要文化的景観がき損している場合において、その価値に影響及ぼすことなく当該重要文化的景観をその選定当時の原状（選定後において現状変更等の届出をしたものについては、当該現状変更等の後の原状）に復するとき。
二　重要文化的景観がき損している場合において、当該き損の拡大を防止するため応急の措置を執るとき。
三　重要文化的景観の一部がき損し、かつ、当該部分の復旧が明らかに不可能である場合において、当該部分を除去するとき。
（国の所有に属する重要文化的景観の滅失又はき損等の通知）
第八条　各省各庁の長が、重要文化的景観の滅失若しくはき損又は現状変更等について、法第百六十七条第一項第三号の規定により通知する場合については第三条の規定を、法第百六十七条第一項第六号の規定により通知する場合については第五条及び第六条の規定を準用する。
2　法第百六十七条第二項において準用する法第百三十六条ただし書の規定により滅失又はき損について通知を要しない場合については第四条の規定を、法第百六十七条第二項において準用する法第百三十九条第一項ただし書の規定により現状変更について通知を要しない場合については前条の規定を準用する。
附　則
この省令は、平成十七年四月一日から施行する。
附　則　（平成二〇年七月三一日文部科学省令第二四号）
この省令は、公布の日から施行する。
附　則　（平成二三年六月二九日文部科学省令第二四号）
（施行期日）
1　この省令は、放送法等の一部を改正する法律の施行の日（平成二十三年六月三十日）から施行する。
（経過措置）
2　放送法等の一部を改正する法律附則第七条の規定により同法附則第二条の規定に

よる廃止前の有線放送電話に関する法律（昭和三十二年法律第百五十二号）の規定の適用についてなお従前の例によることとされる同法第三条の許可を受けている者が行う有線放送電話業務の用に供する線路の設置又は管理に係る行為については、この省令による改正後の重要文化的景観に係る選定及び届出等に関する規則第四条第二号の規定にかかわらず、なお従前の例による。

文化財保護法

第八章　重要文化的景観

（重要文化的景観の選定）

第百三十四条　文部科学大臣は、都道府県又は市町村の申出に基づき、当該都道府県又は市町村が定める景観法（平成十六年法律第百十号）第八条第二項第一号に規定する景観計画区域又は同法第六十一条第一項に規定する景観地区内にある文化的景観であつて、文部科学省令で定める基準に照らして当該都道府県又は市町村がその保存のため必要な措置を講じているもののうち特に重要なものを重要文化的景観として選定することができる。

2　前項の規定による選定には、第百九条第三項から第五項までの規定を準用する。この場合において、同条第三項中「権原に基づく占有者」とあるのは、「権原に基づく占有者並びに第百三十四条第一項に規定する申出を行つた都道府県又は市町村」と読み替えるものとする。

（重要文化的景観の選定の解除）

第百三十五条　重要文化的景観がその価値を失つた場合その他特殊の事由があるときは、文部科学大臣は、その選定を解除することができる。

2　前項の場合には、前条第二項の規定を準用する。

（滅失又はき損）

第百三十六条　重要文化的景観の全部又は一部が滅失し、又はき損したときは、所有者又は権原に基づく占有者（以下この章において「所有者等」という。）は、文部科学省令の定める事項を記載した書面をもつて、その事実を知つた日から十日以内に文化庁長官に届け出なければならない。ただし、重要文化的景観の保存に著しい支障を及ぼすおそれがない場合として文部科学省令で定める場合は、この限りでない。

（管理に関する勧告又は命令）

第百三十七条　管理が適当でないため重要文化的景観が滅失し、又はき損するおそれがあると認めるときは、文化庁長官は、所有者等に対し、管理方法の改善その他管理に関し必要な措置を勧告することができる。

2　文化庁長官は、前項に規定する勧告を受けた所有者等が、正当な理由がなくてその勧告に係る措置を執らなかつた場合において、特に必要があると認めるときは、当該所有者等に対し、その勧告に係る措置を執るべきことを命ずることができる。

3　文化庁長官は、第一項の規定による勧告又は前項の規定による命令をしようとするときは、あらかじめ、当該重要文化的景観について第百三十四条第一項に規定する申出を行つた都道府県又は市町村の意見を聴くものとする。

4　第一項及び第二項の場合には、第三十六条第二項及び第三項の規定を準用する。

（費用負担に係る重要文化的景観譲渡の場合の納付金）

第百三十八条　国が滅失又はき損の防止の措置につき前条第四項で準用する第三十六条第二項の規定により費用を負担した重要文化的景観については、第四十二条の規定を準用する。

（現状変更等の届出等）

第百三十九条　重要文化的景観に関しその現状を変更し、又はその保存に影響を及ぼす行為をしようとする者は、現状を変更し、又は保存に影響を及ぼす行為をしようとする日の三十日前までに、文部科学省令で定めるところにより、文化庁長官にその旨を届け出なければならない。ただし、現状変更については維持の措置若しくは非常災害のために必要な応急措置又は他の法令の規定による現状変更を内容とする命令に基づく措置を執る場合、保存に影響を及ぼす行為については影響の軽微である場合は、この限りでない。

2　前項ただし書に規定する維持の措置の範囲は、文部科学省令で定める。

3　重要文化的景観の保護上必要があると認めるときは、文化庁長官は、第一項の届出に係る重要文化的景観の現状変更又は保存に影響を及ぼす行為に関し必要な指導、助言又は勧告をすることができる。

（現状等の報告）

第百四十条　文化庁長官は、必要があると認めるときは、所有者等に対し、重要文化的景観の現状又は管理若しくは復旧の状況につき報告を求めることができる。

（他の公益との調整等）

第百四十一条　文部科学大臣は、第百三十四条第一項の規定による選定を行うに当たつては、特に、関係者の所有権、鉱業権その他の財産権を尊重するとともに、国土の開発その他の公益との調整及び農林水産業その他の地域における産業との調和に留意しなければならない。

2　文化庁長官は、第百三十七条第一項の規定による勧告若しくは同条第二項の規定による命令又は第百三十九条第三項の規定による勧告をしようとするときは、重要文化的景観の特性にかんがみ、国土の開発その他の公益との調整及び農林水産業その他の地域における産業との調和を図る観点から、政令で定めるところにより、あらかじめ、関係各省各庁の長と協議しなければならない。

1　国は、重要文化的景観の保存のため特に必要と認められる物件の管理、修理、修景又は復旧について都道府県又は市町村が行う措置について、その経費の一部を補助することができる。

参考引用文献

文化庁2020『文化庁ホームページ』「文化的景観」http://www.bunka.go.jp/seisaku/bunkazai/shokai/keikan/

文化庁次長2005「文化財保護法の一部改正に伴う関係省令及び告示の整備等について（通知）」平成17年文部科学省告示第46号「重要文化的景観選定基準」https://www.bunka.go.jp/seisaku/bunka_gyosei/shokan_horei/bunkazai/pdf/hogohou_ichibukaisei_no1.pdf#search='%E5%B9%B3%E6%88%9017%E5%B9%B4%E6%96%87%E9%83%A8%E7%A7%91%E5%AD%A6%E7%9C%81%E5%91%8A%E7%A4%BA%E7%AC%AC46%E5%8F%B7'

平成十七年文部科学省令第十号「重要文化的景観に係る選定及び届出等に関する規則」https://elaws.e-gov.go.jp/search/elawsSearch/elaws_search/lsg0500/detail?lawId=417M60000080010

中村賢二郎　1999　『文化財保護制度概説』　ぎょうせい

図版の出典

9-1一関本寺の農村景観（重要文化的景観）『フリー百科事典　ウィキペディア日本語版』2020．10．09https://ja.wikipedia.org/wiki/骨寺村荘園遺跡#/media/File:%E9%AA%A8%E5%AF%BA%E6%9D%91%E8%8D%98%E5%9C%92%EF%BC%88%E4%B8%80%E9%96%A2%E6%9C%AC%E5%AF%BA%EF%BC%892.jpg

9-2利根川・渡良瀬川合流域の水場景観（重要文化的景観）『フリー百科事典　ウィキペディア日本語版』2020．10．09https://ja.wikipedia.org/wiki/群馬の水郷#/media/File:%E6%9D%BF%E5%80%89%E7%94%BA%E3%81%AE%E6%B0%B4%E5%A0%B4%E6%99%AF%E8%A6%B31.JPG

9-3宮津天橋立の文化的景観（重要文化的景観）『フリー百科事典　ウィキペディア日本語版』2020．10．09https://ja.wikipedia.org/wiki/天橋立#/media/File:Amanohashidate_view_from_Kasamatsu_Park01s3s4410.jpg

9-4遊子水荷浦の段畑(ゆすみずがうらのだんばた)(重要文化的景観)『フリー百科事典　ウィキペディア日本語版』2020. 10. 09https://ja.wikipedia.org/wiki/遊子水荷浦の段畑#/media/File:2012%E9%81%8A%E5%AD%90%E6%B0%B4%E8%8D%B7%E6%B5%A6%E3%81%AE%E6%AE%B5%E7%95%91.jpg
9-5天草市崎津・今富の文化的景観(重要文化的景観・世界文化遺産)『フリー百科事典　ウィキペディア日本語版』2020. 10. 09https://ja.wikipedia.org/wiki/崎津集落#/media/File:Sakitsu_Smakusa6.JPG
9-6高島市針江・霜降の水辺景観(重要文化的景観)『フリー百科事典　ウィキペディア日本語版』2020. 10. 09https://upload.wikimedia.org/wikipedia/commons/thumb/3/38/Harie20160508a.JPG/1280px-Harie20160508a.JPG

9-6高島市針江・霜降の水辺景観

第 10 回　伝統的建造物群

伝統的建造物群とは文化財保護法第二条第一項第六号において

「六　周囲の環境と一体をなして歴史的風致(ふうち)を形成している伝統的な建造物群で価値の高いもの(以下「伝統的建造物群」という。)」と定義されている。

昭和30年代後半の高度成長期から、人々の生活基盤に変化がおこり、人口が都市部に集中し、都市やその近郊では住宅地の大規模開発が行われた。逆に、農村部や山村部では人口流失による過疎化によって荒廃した。これによって都市部・農山村部ともに伝統的な町並みや集落が急速に破壊されていくことになった。こうした状況において個別の建造物の保存にとどまらず、町並みや村落そのものを保存する運動がはじまり、全国で町並み保存のための条例が制定されるようになった。このような中、従来の文化財保護法では対応できなかった「多数の住民が生活する地域を集合体として保存する制度」が必要とされたのである。そこで、昭和50年、文化財保護法を改正し、伝統的建造物群保存地区の制度が発足した。これによって城下町、宿場町、門前町など全国各地に残る歴史的な集落・町並みの保存が図られるようになり、広域保存・集合保存が可能となった。

伝統的建造物群保存地区の制度は、市町村の主体性を尊重し、都市計画と連携(れんけい)しながら、歴史的な集落や町並みの保存と整備を行うものである。まず、市町村が、伝統的建造物群保存地区を決定し、地区内の保存事業を計画的に進めるため、保存条例に基づき保存計画を定める。国は市町村からの申し出を受けて、価値が高いと判断したものを重要伝統的建造物群保存地区に選定する。

文化庁や都道府県教育委員会は、市町村の保存・活用の取組みに対し指導・助言を行い、市町村が行う修理・修景事業、防災設備の設置事業、案内板の設置事業等に対して補助し、税制優遇措置を設ける等の支援を行う。

妻籠宿のとりくみ(10-1)

妻籠宿(つまごじゅく)は中山道六十九次のうち江戸から四十二番目の宿で、中山道と伊那街道が交叉する交通の要衝(ようしょう)として賑わいをみせていた。しかし、近代化により、鉄道や道路が整備され、宿場としての機能を失い衰退の一途をたどった。昭和になると、経済成長の中、江戸時代の宿場の姿を色濃く残す妻籠宿の町並みが見直され、全国に先駆けて保存運動が起こった。

住民は家や土地を、「売らない・貸さない・壊さない」という三原則をつくり、生活しながら、江戸時代の町並みという貴重な財産を後世に伝えている。1976年、国の重要伝統的建造物群保存地区の最初の選定地の一つに選ばれた。

保存事業の歩み(妻誤観光協会2020『妻籠観光協会ホームページ』「保存事業のあゆみ」)

妻籠の集落保存計画は、「保存と開発」の問題が多くの論議を呼びおこす中で、いわば集落保存の先駆的、実験的計画として、多くの注目を集めた。すなわち、従来の文化財保護対象を「点」から「面」へと広げ、さらにその景観ないし環境を含めて、優れた文化財として保存して行こうとする考えを、理念から実践の段階へと押し進めたものである。妻籠は、明治以後の交通改革により、宿場としての機能を失い、見るべき産業もなく、昭和30年代高度成長の波をうけ、若者達の外部流失によって過疎化し、衰退の一途にあった。40年、観光開発としての集落保存が提起され、論議が始まった。町ではこれをうけて、学識経験者や専門家の意見を徴したうえで、地元住民に集落保存の説明会や討議を行うなど、積極的な姿勢を示し、集落保存の方向へとその態勢を整えた。

保存事業の実施

昭和43年8月、妻籠宿保存事業は、長野県の明治百年記念事業のひとつとして実施することになった。昭和44年を初年度とする3ヵ年計画で、町屋を対象とした歴史風土を守る観点から、解体復元・大修理・中修理・小修理に分類し、復原・修景を実施した。そして地元住民は、昭和43年「妻籠を愛する会」を設立し「売らない・貸さない・壊さない」の信条に基づき、地元住民を中心とした保存事業であり、観光的利用であるという考えのもとに意思統一を図り、さらに妻籠の観光開発は、自然環境も含めた宿場景観あるいは藤村文学の舞台としての景観保存以外にはありえないという考え方を確認した。文化財に定義され、「重要伝統的建造物群保存地区」に選定(昭和51年)された。以降、自然や街道とともに、山深い木曽谷の中の集落として宿場景観を保存している。

保存に必要な施設の整備

宿内施設は、当初の基本計画に基き、かなり整備された。昭和45年、長野県の信濃路自然歩道設置計画に伴い、宿内一部の石畳の復原、道標設置、高札場の復原、中山道の公衆便所設置、標示板の設置等を実施した。宿内の電柱は、日本ナショナルトラスト、中部電力、電電公社等の協力により、宿全体にわたり裏側に移された。現在、宿内の車の乗り入れを規制しており、自動車や観光バスの駐車場は国道256号線沿いに4カ所設けてある。防火施設工事は、国と県の補助を受けて昭和51・52年度の事業で、総工費1億円をかけて完成させた。保存事業の大きな目標が達成された。

10-1妻籠宿（重要伝統的建造物群保存地区）

妻籠宿を守る住民憲章

昭和46年7月宣言

妻籠住民は、保存をすべてにおいて優先させるために、妻籠宿と旧中山道沿いの観光資源(建物・屋敷・農耕地・山林等)について、「売らない」「貸さない」「こわさない」の三原則を貫くことを決めた。現在も、妻籠住民によって住民憲章は守られている。

(財)妻籠宿保存財団の設立

保存事業を進める上で、保存に深い関心を寄せる住民によって昭和58年2月1日に「財団法人妻籠宿保存財団」が誕生。(平成2年、(財)妻籠を愛する会と名称変更)

妻籠宿の保存活動は、全国から観光客を呼び、各地区でも資料館の整備など観光客向けに便宜(べんぎ)を図って町は活性化した。この保存活動は、町並み保存と観光事業として活用が成功した例として全国の町並み保存活動に影響を与え、町並み保存を行おうとしている団体や個人の連帯と相互の情報交換などを目指して、昭和49年に「全国町並み保存連盟」が結成された。

景観保存と外観保存

文化財保護法第百四十二条では「伝統的建造物群及びこれと一体をなしてその価値を形成している環境を保存する」とうたわれており、伝統的建造物群とともに、それが立ち並ぶ環境も保存することになっている。つまり、建造物群のみならず、その建造物群が形成され、維持される環境をも保存することになる。文化財保護法第百四十六条には「国は、重要伝統的建造物群保存地区の保存のための当該地区内における建造物及び伝統的建造物群と一体をなす環境を保存するため特に必要と認められる物件の管理、修理、修景又は復旧について市町村が行う措置について、その経費の一部を補助することができる。」とあり、「修景」という用語を盛り込んで、環境を保存するため、必要な場合景観の修復に努めることを明確にしている。

一方、伝統的建造物群にはそこで暮らす人々の生活があり、文明の発展とともに生活環境は変化していることも事実である。伝統的建造物の住民に伝統的生活の維持を求めることは不可能である。伝統的建造物群を含む地域の景観を住民の生活の場として維持しつつ保全するためには、居住環境や居住条件は現代生活に応じたものでなければならない。また将来の生活の変化にも対応できなければならない。重要文化財に指定された建造物は指定時の構造・様式などを維持することが原則であり、修理改築では本来の構造・様式に復することが求められる場合もある。従って、住民生活の場としての町並み保存という基本原則とはなじまない。そこで、伝統的建造物群の保存ではヨーロッパの景観保存の方法である「ファサード保存」の手法が取り入れられている。これは伝統的様式の外観を維持しつつ、内部の住環境などを現代生活に合わせるものである。

伝統的建造物群保存地区の決定と保存

文化財保護法第百四十二条「この章において「伝統的建造物群保存地区」とは、伝統的建造物群及びこれと一体をなしてその価値を形成している環境を保存するため、次条第一項又は第二項の定めるところにより市町村が定める地区をいう。」とあり、前提として市町村が該当地区を定めなければならないことになっている。これは、伝統的建造物群保存も住民生活の場であり、よって保存には住民の合意が不可欠で、国が一方的に指定して保存する方法はそぐわないからである。従って、まず住民の合意を前提として、市町村、市町村教育委員会が伝統的建造物群保存地区を決定して保存を行うことになる。国は市町村の申し出にもとづいて、特に価値が高いと判断されるものを重要伝統的建造物群保存地区に選定し、市町村、市町村教育委員会の取り組みを支援することになる。

選定の基準と現状変更

「重要伝統的建造物群保存地区選定基準(昭和 50 年 11 月 20 日文部省告示第 157 号)」において、国は重要伝統的建造物群保存地区選定基準として

伝統的建造物群保存地区を形成している区域のうち次の各号の一に該当するもの

(一)伝統的建造物群が全体として意匠的に優秀なもの(10-5)

(二)伝統的建造物群及び地割がよく旧態を保持しているもの(10-3)

(三)伝統的建造物群及びその周囲の環境が地域的特色を顕著に示しているもの(10-2)(10-4)

としている。

現状変更は昭和50年政令第267号の文化財保護法施行令第四条によって

第四条　法第百四十三条第一項(同条第二項において準用する場合を含む。)の政令で定める伝統的建造物群保存地区(以下「保存地区」という。)内における現状変更の規制の基準に関しては、この条の定めるところによる。

《改正》平16政422

2　保存地区内における次に掲げる行為については、あらかじめ、市(特別区を含む。以下同じ。)町村の教育委員会(都市計画に定めた保存地区にあつては、市町村の長及び教育委員会とし、以下この条において単に「教育委員会」という。)の許可を受けなければならないものとする。ただし、非常災害のために必要な応急措置として行う行為及び通常の管理行為、軽易な行為その他の行為で条例で定めるものについては、この限りでないものとする。

一　建築物その他の工作物(以下「建築物等」という。)の新築、増築、改築、移転又は除却

二　建築物等の修繕、模様替え又は色彩の変更でその外観を変更することとなるもの

三　宅地の造成その他の土地の形質の変更

四　木竹の伐採

五　土石の類の採取

六　前各号に掲げるもののほか、保存地区の現状を変更する行為で条例で定めるもの

3　教育委員会は、前項の規定により許可を受けることとされている行為で次に定める基準(市町村の長にあつては、第八号に定める基準)に適合しないものについては、許可をしてはならないものとする。

一　伝統的建造物群を構成している建築物等(以下「伝統的建造物」という。)の増築若しくは改築又は修繕、模様替え若しくは色彩の変更でその外観を変更することとなるものについては、それらの行為後の伝統的建造物の位置、規模、形態、意匠又は色彩が当該伝統的建造物群の特性を維持していると認められるものであること。

二　伝統的建造物の移転(同一保存地区内における当該伝統的建造物の移築を含む。以下この号において同じ。)については、移転後の伝統的建造物の位置及び移転後の状態が当該伝統的建造物群の特性を維持していると認められるものであること。

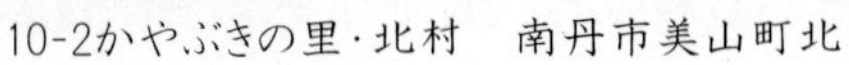

10-2かやぶきの里・北村　南丹市美山町北

10-3武家屋敷の町並み・萩市堀内地区

10-4竹富町島の村落

10-5うだつの町並み・脇町南町

三　伝統的建造物の除却については、除却後の状態が当該伝統的建造物群の特性を維持していると認められるものであること。

四　伝統的建造物以外の建築物等の新築、増築若しくは改築又は修繕、模様替え若しくは色彩の変更でその外観を変更することとなるものについては、それらの行為後の当該建築物等の位置、規模、形態、意匠又は色彩が当該保存地区の歴史的風致を著しく損なうものでないこと。

五　前号の建築物等の移転については、移転後の当該建築物等の位置及び移転後の状態が当該保存地区の歴史的風致を著しく損なうものでないこと。

六　第四号の建築物等の除却については、除却後の状態が当該保存地区の歴史的風致を著しく損なうものでないこと。

七　前項第三号から第六号までの行為については、それらの行為後の地貌（ちぼう）その他の状態が当該保存地区の歴史的風致を著しく損なうものでないこと。

八　前各号に定めるほか、当該行為後の建築物等又は土地の用途等が当該伝統的建造物群の保存又は当該保存地区の環境の維持に著しい支障を及ぼすおそれがないものであること。

4　第二項の規定による許可には、保存地区の保存のため必要な限度において条件を付することができるものとする。

5　国又は地方公共団体の機関が行う行為については、第二項の規定による許可を受けることを要しないものとする。この場合において、当該国又は地方公共団体の機関は、その行為をしようとするときは、あらかじめ、教育委員会に協議しなければならないものとする。
6　次に掲げる行為及びこれらに類する行為で保存地区の保存に著しい支障を及ぼすおそれがないものとして条例で定めるものについては、第二項の規定による許可を受け、又は前項の規定による協議をすることを要しないものとする。この場合において、これらの行為をしようとする者は、あらかじめ、教育委員会にその旨を通知しなければならないものとする。
一　都市計画事業の施行として行う行為、国、都道府県、市町村若しくは当該都市計画施設を管理することとなる者が当該都市施設若しくは市街地開発事業に関する都市計画に適合して行う行為、国土保全施設、水資源開発施設、道路交通、船舶交通若しくは航空機の航行の安全のため必要な施設、気象、海象、地象、洪水等の観測若しくは通報の用に供する施設、自然公園の保護若しくは利用のための施設若しくは都市公園若しくはその施設の設置若しくは管理に係る行為、土地改良事業若しくは地方公共団体若しくは農業等を営む者が組織する団体が行う農業構造、林業構造若しくは漁業構造の改善に関する事業の施行に係る行為、重要文化財等文部科学大臣の指定に係る文化財の保存に係る行為又は鉱物の掘採に係る行為（当該保存地区の保存に支障があると認めて条例で定めるものを除く。）
二　道路、鉄道若しくは軌道、国若しくは地方公共団体が行う通信業務、認定電気通信事業（電気通信事業法（昭和五十九年法律第八十六号）第百二十条第一項に規定する認定電気通信事業をいう。）、基幹放送（放送法（昭和二十五年法律第百三十二号）第二条第二号に規定する基幹放送をいう。）若しくは有線テレビジョン放送（有線電気通信設備を用いて行われる同条第十八号に規定するテレビジョン放送をいう。）の用に供する線路若しくは空中線系（その支持物を含む。）、水道若しくは下水道又は電気工作物若しくはガス工作物の設置又は管理に係る行為（自動車専用道路以外の道路、駅、操車場、車庫及び発電の用に供する電気工作物の新設に係るものその他当該保存地区の保存に著しい支障を及ぼすおそれがあると認めて条例で定めるものを除く。）

としている。

文化財保護法

第九章　伝統的建造物群保存地区
（伝統的建造物群保存地区）
第百四十二条　この章において「伝統的建造物群保存地区」とは、伝統的建造物群及びこれと一体をなしてその価値を形成している環境を保存するため、次条第一項又は第二項の定めるところにより市町村が定める地区をいう。
（伝統的建造物群保存地区の決定及びその保護）
第百四十三条　市町村は、都市計画法（昭和四十三年法律第百号）第五条又は第五条の二の規定により指定された都市計画区域又は準都市計画区域内においては、都市計画に伝統的建造物群保存地区を定めることができる。この場合においては、市町村は、条例で、当該地区の保存のため、政令の定める基準に従い必要な現状変更の規制について定めるほか、その保存のため必要な措置を定めるものとする。
2　市町村は、前項の都市計画区域又は準都市計画区域以外の区域においては、条例の定めるところにより、伝統的建造物群保存地区を定めることができる。この場合においては、前項後段の規定を準用する。

10-6白川郷・五箇山の合掌造り集落 白川村荻町集落(世界遺産・重要伝統的建造物群保存地区)

3 市町村は、伝統的建造物群保存地区に関し、地区の決定若しくはその取消し又は条例の制定若しくはその改廃を行つた場合は、文化庁長官に対し、その旨を報告しなければならない。

4 文化庁長官又は都道府県の教育委員会は、市町村に対し、伝統的建造物群保存地区の保存に関し、必要な指導又は助言をすることができる。

(重要伝統的建造物群保存地区の選定)

第百四十四条 文部科学大臣は、市町村の申出に基づき、伝統的建造物群保存地区の区域の全部又は一部で我が国にとつてその価値が特に高いものを、重要伝統的建造物群保存地区として選定することができる。

2 前項の規定による選定は、その旨を官報で告示するとともに、当該申出に係る市町村に通知してする。

(選定の解除)

第百四十五条 文部科学大臣は、重要伝統的建造物群保存地区がその価値を失つた場合その他特殊の事由があるときは、その選定を解除することができる。

2 前項の場合には、前条第二項の規定を準用する。

(管理等に関する補助)

第百四十六条 国は、重要伝統的建造物群保存地区の保存のための当該地区内における建造物及び伝統的建造物群と一体をなす環境を保存するため特に必要と認められる物件の管理、修理、修景又は復旧について市町村が行う措置について、その経費の一部を補助することができる。

参考引用文献

妻誤観光協会2020『妻籠観光協会ホームページ』「保存事業のあゆみ」http://www.tumago.jp/learn/index.html
中村賢二郎　1999　『文化財保護制度概説』　ぎょうせい

図版の出典

10-1妻籠宿（重要伝統的建造物群保存地区）筆者撮影
10-2かやぶきの里・北村　南丹市美山町北（重要伝統的建造物群保存地区）『フリー百科事典　ウィキペディア日本語版』2020．10．09https://ja.wikipedia.org/wiki/かやぶきの里・北村#/media/File:Kayabukinosato01.JPG
10-3萩市堀内地区武家屋敷の町並み『フリー百科事典　ウィキペディア日本語版』2020．10．09https://ja.wikipedia.org/wiki/%E9%87%8D%E8%A6%81%E4%BC%9D%E7%B5%B1%E7%9A%84%E5%BB%BA%E9%80%A0%E7%89%A9%E7%BE%A4%E4%BF%9D%E5%AD%98%E5%9C%B0%E5%8C%BA#/media/%E3%83%95%E3%82%A1%E3%82%A4%E3%83%AB:Hagi-shi_Horiuchi-chiku,_Yamaguchi,_samurai_quarter.JPG
10-4竹富町島の村落（重要伝統的建造物群保存地区）『フリー百科事典　ウィキペディア日本語版』2020．10．09https://ja.wikipedia.org/wiki/重要伝統的建造物群保存地区#/media/File:Village_in_Taketomi_Island_-_located_at_southwest_Japan.jpg
10-5うだつの町並み・脇町南町（重要伝統的建造物群保存地区）『フリー百科事典　ウィキペディア日本語版』2020．10．09https://ja.wikipedia.org/wiki/脇町南町#/media/File:Wakimachi_Minami-machi_in_Mima_Tokushima_pref01.jpg
10-6白川郷・五箇山の合掌造り集落　白川村荻町集落（世界文化遺産・重要伝統的建造物群保存地区）筆者撮影
10-7白川郷　筆者撮影

10-7　白川郷

第 11 回　文化財の保存技術

文化財の保存技術には、「古くから伝わる伝統的技術」と「新しい保存技術」がある。

古くから伝わる伝統的技術は、文化財が作られ伝承してきた中で培われた技術であり、文化財保護法において保護される対象となっているものもある。一方、新しい保存技術とは文化財を保存するために科学技術よって生み出された技術であり、一般に保存科学とよばれ、現在もなお研究・進歩し続けている技術といえる。

伝統的技術の保存

文化財を保存修復し、後世に伝達するためには、それに関わる技術をも伝達しなければならない。しかしながら、科学技術の進歩や生活様式の変化によって、伝達すべき技術への需要が減少しており、その伝授（でんじゅ）が途絶えてしまおうとしているものもある。いわば「風前の灯火」となってしまった技術を保存することも文化財保護の重要な使命である。国は「選定保存技術保持者・保持団体」を認定し、これらの技術の保存を図っている。

文化庁パンフレット『文化財を支える伝統の名匠』選定保存技術「保持者・保存団体」より

選定保存技術

文化財は先人の築き上げた大切な遺産であり、私たちはこれを保存して後世に伝えていく重大な責務があります。そして、この重要な責務を果たすためにも、文化財の保存に欠くことのできない伝統的な技術、または技能が不可欠です。文化財保護法では、文化財の保存のために欠くことのできない伝統的な技術または技能である「文化財の保存技術」のうち、保存の措置を講ずる必要のあるものを「選定保存技術」として選定し、その保持者や保存団体を認定する制度を設けています。この制度は、文化財を支え、その存続を左右する重要な技術を保護することを目的としており、技術の向上、技術者の確保のための伝承者養成とともに、技術の記録作成などを行おうとするものです。昭和50(1975)年、文化財保護法が大幅に改正され「選定保存技術」の制度が創設されました。現在までに随時選定・認定が行われ、保持者・保存団体による伝承者養成事業の実施をはじめ、技術の保存・伝承に多くの努力が払われています。

（文化庁パンフレット2020『文化財を支える伝統の名匠』選定保存技術「保持者・保存団体」）

文化財保護法

文化財保護法では、「第十章　文化財の保存技術の保護」として、

第百四十七条　文部科学大臣は、文化財の保存のために欠くことのできない伝統的な技術又は技能で保存の措置を講ずる必要があるものを選定保存技術として選定することができる。

2　文部科学大臣は、前項の規定による選定をするに当たつては、選定保存技術の保持者又は保存団体（選定保存技術を保存することを主たる目的とする団体（財団を含む。）で代表者又は管理人の定めのあるものをいう。以下同じ。）を認定しなければならない。

3　一の選定保存技術についての前項の認定は、保持者と保存団体とを併せてすることができる。

としている。

11-1檜皮葺(選定保存技術)・安楽寺八角三重塔(国宝)

選定保存技術保持者・保持団体

選定保存技術保持者・保持団体は、規矩術・鋳物製作・檜皮葺・甲冑修理・表具用刷毛製作・漆濾紙製作など多岐にわたっている。

また文化財の修理には茅・柿などの建築資材、コウゾ・漆・チョマなどの伝統工芸に用いられる材料が必要で、その資材・材料の生産が激減しており、入手困難な状況になってきている。国はこれらの資材・材料の保存・確保のために助成を行っている。

新しい保存技術

新しい保存技術とは、文化財を保存するために科学技術よって生み出された技術であり、一般に保存科学と呼ばれる。おおまかに「文化財のおかれた環境や保存に対する技術」「文化財の修復に関する技術」「環境や修復のための分析技術」「取り扱いや管理に関する技術」があり、これらの技術はお互いに関連しながら、現在もなお研究・進歩し続けている。

経緯

文化財の保存修復は独立行政法人、財団、大学、博物館、文化財センター、私企業、個人など、多くの機関や個人によって行われている。1933年に設立された「古美術保存協会」を前身とした「文化財保存修復学会」が、文化財の保存に関わる科学・技術の発展と普及を図ることを目的として、保存修復に携わる人々の交流、意見交換、発表の場としての活動をしている。

文化財の保存修復を科学的に研究する代表的な研究所として東京文化財研究所と奈良文化財研究所がある。

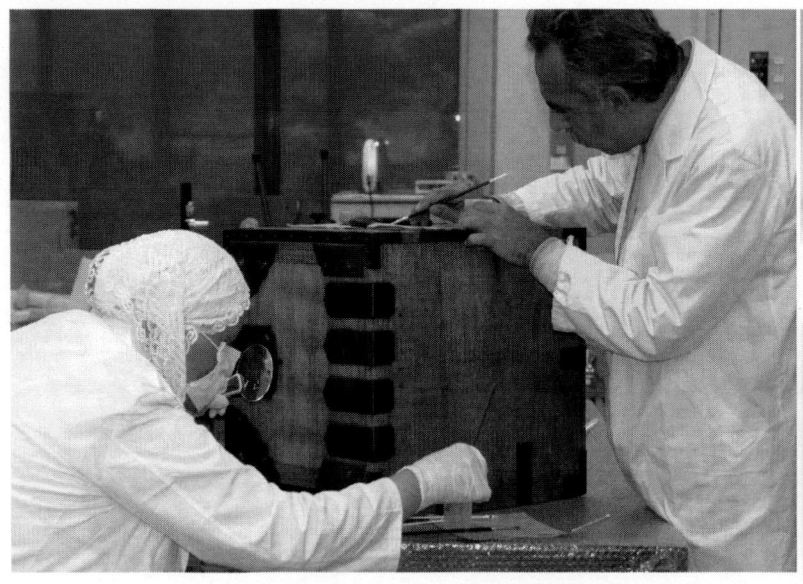

11-3船箪笥修復前

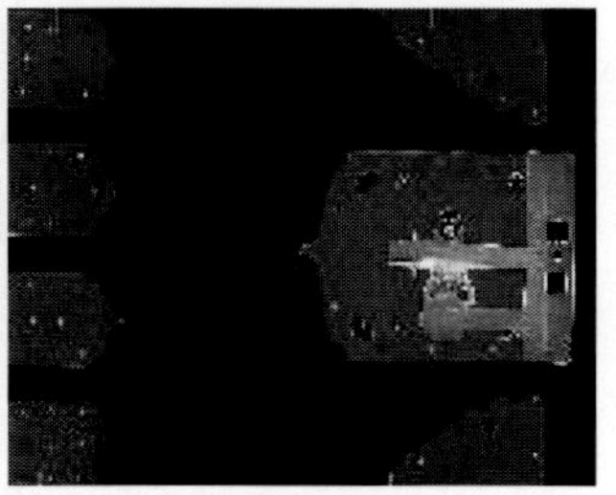

11-2東京文化財研究所(船箪笥の修復)

11-4船箪笥X線写真

11-6銅鐸修復前

11-5東京文化財研究所(銅鐸の修復)

11-7銅鐸修復後

＜東京文化財研究所＞(11-2～7)

東京文化財研究所は、1930年(昭和5)洋画家黒田清輝の遺言と遺産の一部によって、美術を研究する機関として設置された帝国美術院附属美術研究所を母体としている。1952年(昭和27)に東京文化財研究所として広く文化財全般に関する調査研究を行う機関となった。2007(平成19)年には独立行政法人国立文化財機構東京文化財研究所となって有形・無形の文化財に関する総合的研究機関として活動している。

＜奈良文化財研究所＞(11-8)

奈良文化財研究所は、昭和27年(1952年)古都奈良に残る古建築や古美術品を総合的に研究する目的で設立された。1960年代からは平城宮跡の保存問題を契機として、平城地区と飛鳥・藤原地区で宮跡等の発掘調査と研究を進めている。また、日本や世界の遺跡や遺物を守り、それを活用するために、保存・修復・整備に関する研究をおこなっている。

文化財レスキュー (11-9～11)

阪神淡路大震災、東日本大震災において文化財も甚大な被害を被った。文化庁は、東日本大震災で被災した文化財等を緊急に保全し、廃棄・散逸や盗難の被害から防ぐため、文化財レスキュー事業を行っている。その一環として、東京文化財研究所内に国立文化財機構「文化財防災ネットワーク推進本部」を設置して、博物館や大学など参画団体や関係機関との連携をはかり、その後に発生した熊本地震への対応や、今後の大規模災害に備えて文化財レスキュー事業を行うための体制の構築をはかっている。2020年10月1日には独立行政法人国立文化財機構文化財防災センターが開設された。また、文化庁は文化財防災ウィールを作成し、震災時などの初期対応を示している。

(独立行政法人国立文化財機構 文化財防災センター2020『文化財防災ネットワーク』)

11-8奈良文化財研究所

11-9文化財レスキュー1(石巻文化センター)

11-10文化財レスキュー2 (石巻文化センター)

11-11文化財レスキュー3(石巻文化センター)

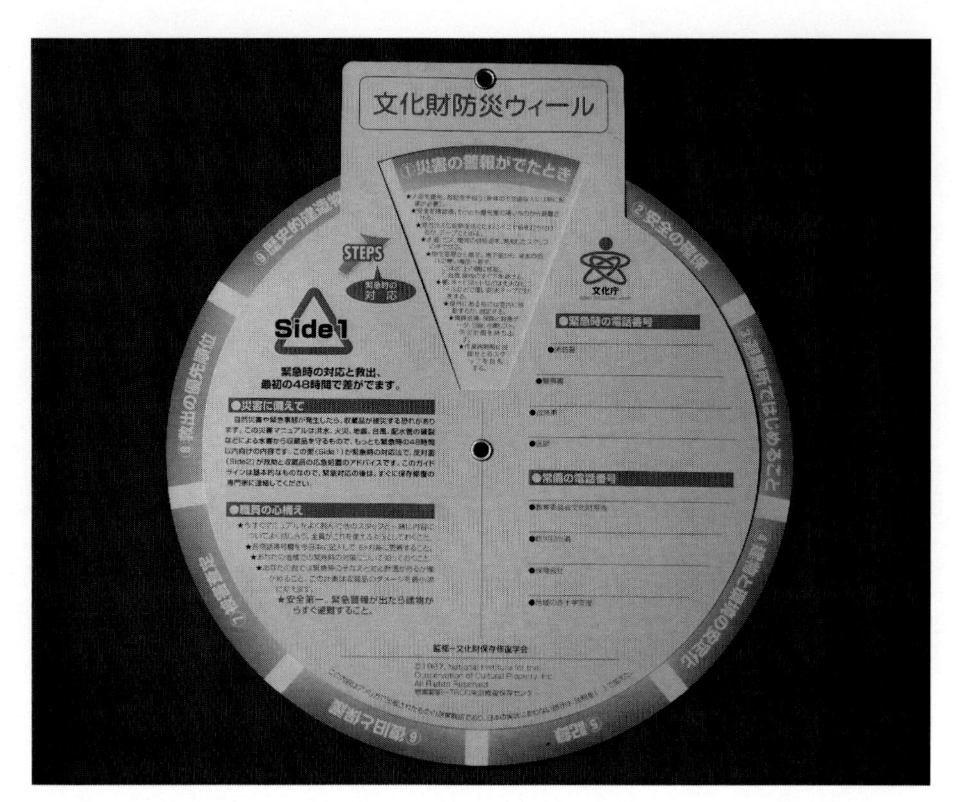

11-12文化財ウィール Side1

文化財防災ウィール(発行:文化庁)(11-12)

(http://www.bunka.go.jp/earthquake/taio_hoho/pdf/jyoho_03.pdf)

Side1

緊急時の対応と救出、最初の48時間で差がでます。

●災害に備えて

自然災害や緊急事態が発生したら、収蔵品が被災する恐れがあります。この災害マニュアルは洪水、火災、地震、台風、配水管の破裂などによる水害から収蔵品を守るもので、もっとも緊急時の48時間以内向けの内容です。この面(Side1)が緊急時の対応法で、反対面(Side2)が救助と収蔵品の応急処置のアドバイスです。このガイドラインは基本的なものなので、緊急対応の後は、すぐに保存修復の専門家に連絡してください。

●職員の心構え

・今すぐマニュアルをよく読んで他のスタッフと一緒に内容についてよく話し合う。全員がこれを使えるようにしておくこと。
・各電話番号欄を今日中に記入して、6ヶ月毎に更新すること。
・あなたの地域での緊急時の対策について知っておくこと。
・あなたの館では緊急時のそなえと対応計画があるか確かめること。この計画は収蔵品のダメージを最小限に抑えます。

★安全第一。緊急警報が出たら建物からすぐ避難すること。

緊急時の電話番号 ●消防署 ●警察署 ●救急車 ●医師常備の電話番号 ●教育委員会文化財担当 ●防災担当者 ●保険会社 ●地域の赤十字支部

緊急時の対応

①災害の警報がでたとき

・人命を優先。救助を手伝う(身体の不自由な人には特に配慮が必要。)

・安全を確認後、もっとも優先度の高いものから避難させる。
・窓ガラスの粉砕を防ぐためにベニヤ板を打ち付けるか、テープでとめる。
・水道、ガス、電気の供給源を、熟知したスタッフの手で切る。
・物を窓際から離す。地下室から、浸水の恐れのない場所へ移す。
○洪水:上の階に移動。
○台風:屋根のすぐ下を避ける。
・棚、キャビネットなどは丈夫なビニールなどで覆い防水テープで封をする。
・屋外にあるものは室内に移動するか、固定する。
・職員名簿、保険と財務データ、目録、在庫リスト、防災計画を持ち出す。
・作業再開時に指揮をとるスタッフを指名する。
②安全の確保
・平静を保ち周囲を安心させる。
・たるんだり、もしくは切れた電線は危険。決して触れずに電力会社に報告する。
・電気装置の災害、火花、切れたりほつれたりした電線、絶縁体の焦げた臭いなどを探す。安全を確保のうえ電気の主電源をオフにする。
・水道を止める。
・ガスもれを感じたら、窓を開けてすぐに建物を離れる。経験があればガスの元栓を閉め、直ちにガス会社に連絡する。
・安全監督者や緊急管理者が安全を確認するまで建物には再入場しない。
③避難所ではじめること
・《館内の安全な場所、あるいは近くの安全な建物内等に避難所を開設する。》
・避難所にスタッフを集め作業を指示し、優先的に救出するものを確認する。作業規模に見合うチームを編成する。
・事務機器(パソコン、コピー機)と連絡道具(無線、携帯電話)を備えた指令センターを設置する。
・扇風機、テーブル、棚、ビニールシート、乾燥用材料、きれいな水の用意できる、安全で施錠可能な救出場所を確保する。
・公的な災害対応官に被害の規模を通知する。外部の機関や専門家グループに援助を要請する。
・現状記録の担当者を任命する。(コレクションに近づく人を限定する。)
・財務情報:保険の金額と期間、義援金を確かめる。
・発電機、冷凍庫、乾燥機もしくは真空乾燥機、冷蔵輸送のサービス業者に連絡する。
・警備装置の修理の手配をする。
④建物と環境の安定化
・建物の中の汚染を考えて、防災手袋、防災服、ヘルメット、防塵マスクなどを着用するのが望ましい。
・危険箇所の見直しをする(棚の支持、瓦礫の除去)。
・直ちに温度と相対湿度を下げ、カビ発生を防ぐ(目安は20℃以下、相対湿度45%以下)
・外気温が高い時は、エアコンを最低温度に設定する。壊れた窓をビニールでカバーする。
・外気温が低く、乾燥した天候なら窓を開け、換気扇を回す。カビが既に発生している場合は、換気はしない。
・作業中でも、できる限り暖めない。
・たまっている水は吸い取り、含水物(濡れたカーペットや備品)は除去する。
・全てが濡れていたら、歴史的建造物以外なら市販の除湿機を使う。

・必要な備品を購入する。
⑤記録
・被害を受けた場所の記録と調査は建物内の安全を確保した後に行う。安全に配慮した服装をする。
・現状記録を終えるまで、作品やコレクションを動かさない。
・コレクションの現状記録はデジタルカメラ、ポラロイドカメラかビデオカメラ等を使用する。被害をはっきりと記録する。より高品質のカメラも場合により必要。写真と一緒にノートや録音レコーダーで記録する。
・保険業者等に対応するための記録を行うスタッフを任命する。このスタッフが復旧と救出計画を決定する。
・救出作業のそれぞれの段階を画像、書面と声で記録する。
⑥復旧と保護
・被害を受けていないものは、環境が安定しているならそのままにする。そうでなければ、安全で環境が安定的に制御されている場所に移動させる。
・建物が乾いていなければ、すべてのものをゆるやかにビニールシートで保護する。
・コレクションを動かす時には被害を受けていないもの、借用中のものを優先する。被害を受けていないものと被害を受けたものと区別する。
・救出が始まるまで、濡れたもの、乾いたものなど別々にグループをつくり、その状態を保つ。
・壊れたものの破片は回収して、ラベルをつける。
・カビは毎日チェックする。もしカビが発見されたら、細心の注意で取り扱い、隔離する。
⑦被害査定
・保険業者、安全管理担当者に通知する。救出作業の前に現場検証が必要である。
・被害を受けたものの種類と被害の規模等は大まかに見積もる。
・作業者の安全とコレクションの安全(警備システムを含む)をチェックする。
・カビの痕跡をチェックする。ものがどのくらい長く濡れていたのか、現在の室内温度と相対湿度に気をつける。
・「記録」の項をよく熟読する。被害記録は保険に対して重要で、復旧にも助けになる。《保険会社に対する対応は、各館の実情に合わせて行う。》
⑧救出の優先順位
素材に基づいたグループを作り、その後救出の優先順位をつける。図書館は分類や請求番号を、公文書館は目録を、そして博物館は材質分類を参考にできる。
保護活動と救出作業の優先項目
①重要な組織情報:会計資料、加入保険リスト、棚リスト、データベースのバックアップ。
②個人から、もしくは他の団体から借用中のもの。
③館を代表するコレクション。
④特に重要なもの、使用頻度の高いもの、研究価値のあるもの、専門分野を代表するもの、代用が効きづらいもの、最も高価なもの。
⑤早期の処置が望まれるもの。
⑥救出の効果が期待できる材質のもの。
⑨歴史的建造物
清掃する前に建築保存修復家、文化庁、建築家に連絡をとる。指定文化財の場合は必ず行う。
・地下や床下にたまっている水の吸取。ポンプ使用の際には事前に技術者に相談する。ポンプによるくみ出しは地下水位が高い時、土台が崩壊する恐れがある。

・洪水でびしょぬれになった断熱材、壁板、歴史的でない壁の覆いなどを取り除く。くずれそうになったしっくい壁をベニヤ板とT字支持材木で支える。
・歴史的な文化財を最初に洗う。非研磨家庭用洗剤を使用する。
・非歴史的な部分を扱う時、歴史的な要素の部分を痛めつけないようにする。
・見つかったもの、ゆるくなった装飾的部分・備品・コレクションの目録を作成する。これらを再利用、もしくは修復のモデルのためにとって置く。
・換気を行い空気を乾かす。急激に乾燥させるシステムは使用しない。

Side 2
緊急時の対応と救出、最初の48時間で差がでます。
●基本的な救出の方法
9種類の収蔵品の救出方法にそって収蔵品を安全な所に移して乾かす。
・できるだけ早く保存修復の専門家に連絡する。
・最優先の収蔵品のエリアから始める。
・一般に、48時間以内に乾燥が間に合わないものは冷凍する。
・保存修復の専門家に相談する。
例外：金属、ガラス板、写真、家具などは冷凍には向かない。
●応急処置の用語集
（自然乾燥 Air-Drying）
風通しがよく湿度の低い涼しい場所で、資料の下に吸水性の素材を敷いて濡れてきたら交換する。可能ならば、資料をすき間のある棚において乾かし、水分の蒸発を早める。資料を日光に晒すとカビの発生を抑えられるが、長時間日光にあてると退色する恐れがあるので注意を要す。《日本ではカビが発生することが多いので低湿度を保つよう十分注意する。》
（間紙の挿入 Interleaving）
吸取紙、紙タオル、ワックス紙、＊フリーザー紙などを使って、資料同士の固着を防ぎ、インクの色移りや滲みを防ぐ。
（冷凍 Freezing）
資料を48時間以内に乾燥できない場合、冷凍する。冷凍により収蔵品を数ヶ月の間カビの発生、インクの滲み、転色や紙の膨潤を防ぐ事ができる。－20℃以下の業務用冷凍庫がベストだが、家庭用冷凍庫でも使える。冷蔵庫は資料を低温で維持して、カビの発生を遅くする。
（現場の除湿 On-Site Dehumidification）
湿った空気を排出し、乾燥した空気を送り建物を除湿する。濡れた図書や古文書にとって有効な方法であり、現代的建物内のカーペット、壁財、家具の乾燥に適用できる。木や漆喰でできた歴史的建造物や博物館には向かない。
（洗浄 Rinsing）
汚れや泥のついた資料はきれいな流水で洗うか、容器に入れた水の中でやさしく揺り動かしてすすぐ。汚れがこびり付くので強くこすらず、スポンジや柔らかい布で吸い取る。
（真空乾燥 Vacuum Drying）
資料を40℃以上ある真空チャンバーで乾燥することから熱乾燥とも呼ばれる。注意：この方法は皮革、ヴェラム、フィルム媒体などにダメージを与え劣化を早める。真空凍結乾燥より時間がかかるがコストがかからないため、広く適用できる。
（真空凍結乾燥 Vacuum Freeze-Drying）
資料を氷点下の真空チャンバーで乾燥すると、膨潤と歪みを最小限に抑えられるため、この方法が最も良い方法である。特に、歴史資料や光沢のある紙に向いている。《この作業を行える施設

は限られているので、最寄の教育委員会文化財担当者に問い合わせる。》
緊急時の応急処置
絵画
・安全で乾いた場所で額から取り出す。絵画を木枠から絶対に取り外さないこと。
・濡れた絵画は画面を上向きにして水平に置き、表面になにもあたらないようにする。直射日光は禁物。
ガラスのカバーがついた紙作品または写真
・作品がガラスにくっつかなければ、安全で乾いた場所で額から取り出す。
・作品がガラスにはり付いたら額にいれたまま、ガラス面を下にして乾燥。
・そうでなければ写っている面を上向きにし、表面に何も当たらないようにしてゆっくりと乾かす。《ここでいう絵画は油絵である。》
写真
・プラスチックや紙のケース、フレームから取り出す。写真についての情報はすべて保存しておくこと。
・冷たくきれいな水で慎重に洗い流す。
・表面に触ったり汚したりしないこと。
・自然乾燥:写真の写っていない部分をクリップでとめて吊るすか、吸水性のある紙の上に平らにして置く。写真の表面がお互いに接触するのを避けること。
・他にたくさんすることがあれば、次のうちどちらかの処置をする。
①48時間までなら、きれいな水を入れた容器に浸し、保管する。
②凍らせる。可能であれば写真の間に*フリーザー紙やワックス紙を挟んでおく。
・ガラス板の原板は凍らせないこと。
本・紙
本
・洗浄が必要ならば、本を閉じた状態で持って洗浄する。
・部分的に濡れたり、湿っている場合:90度の角度で表紙を開いて本を立たせる。
・完全に濡れている場合:きれいな台に平置きし、本の体積の1/5以下の量の吸い取り紙を挟む。湿ってきたら替える。
・本が多すぎて48時間以内に乾燥できない場合:
①*フリーザー紙かワックス紙で包む。
②頑丈な容器に本の背を下にして入れる。
③冷凍する。
紙
・一枚毎か数枚毎に間紙をはさみ、平らにして乾燥させる。湿ってきたら間紙を替える。
・濡れた紙を広げたり、切り離したりしない。
・多すぎて乾燥できない場合:
①固まり毎か、一枚毎に*フリーザー紙かワックス紙を挟む。
②頑丈な容器に束になった紙を縦にして入れる。(容器の90%位入れる)
③冷凍する。
・《巻物、経典などは修復の専門家に連絡する。》
電子記録
磁気メディア
・扱う時は手袋をはめ、表面に傷つけるのを避けること。
・磁気を帯びた道具や鉄を使わない。

・コピーする時はドライブヘッドを頻繁にきれいにする。
テープ
・ケースに入っているので被害を免れている可能性もあるが、テープが濡れてしまっていたら
①ケースを分解して、テープを取りはずす。
②汚れたテープ、傷ついたリールもきれいなぬるめの湯で洗い流す。
③吸取紙の上に垂直に支えて自然乾燥させる。
④組み立て直してコピーする。
フロッピーディスク
・ディスクをケースから出してきれいな蒸留水で洗う。
・毛羽立っていないタオルを使い乾かす。
・ディスクを新しいケースにいれてコピーする。
染織品
・重い織物は十分な人の支えにより運ぶこと。
・濡れて脆くなった布を広げない。濡れた織物を積み重ねない。
・汚れを洗い流しよくすすぎ、きれいなタオルやコットンで水を吸い取る。
・湿った織物を元の型に戻すために、型を整える。
・織物を室内でエアコンや扇風機を使い乾燥する。
・48時間以内に織物を乾かすことができなければ、染料が落ちるのを避けるため、*フリーザー紙やワックス紙で一点づつ覆う。そして平に置いて凍らせる。《衣服は専門家に相談する。》
家具
木製品(家具や漆器)
・表面をやさしく洗い流すか拭い取ってきれいにする。吸い取り紙で余分な水分を除き、ゆっくり自然乾燥させる。
・彩色部分が剥落しそうな時は汚れなど拭き取らず、ゆっくり乾燥させる。
・化粧貼り板はシートをかぶせ重しをする。
・仕上がり時には白い汚れが現れるが、これは即座に手当てをする必要はない。
革張りをした家具
・泥を洗い流す。
・クッションを取り、シートや他の分かれる部分を取り外す。
・革張りしたものをシーツやタオルなどの布で包み、湿っぽい時は布を取り替える。
・木の部分を乾かし、ゆっくり自然乾燥させる。
陶磁器・石・金属
陶磁器
・陶磁器のタイプを見分け、乾燥させる手順を修復の専門家に相談する。
・陶磁器が割れてひびがはいっていたり、鉱物質の付着物や、古い修復箇所があれば、手当てができるようになるまで清潔で透明なポリエチレンのバッグにいれておく。
石製品
・表面がつるつるしていたら、やさしくふき取って、自然乾燥させる。
・ざらざらしていたり、塗装されていたら拭き取らない。きれいなタオルの上で自然乾燥させる。
金属製品
・手袋をはめて扱う。
・汚れをスポンジで洗い流すか拭き取って自然乾燥させる。
・塗装されていたら拭かないで自然乾燥させる。剥離した表面は水平に保つ。
有機素材

皮革
・きれいな水ですすぐか汚れを拭き取る。
・余分な水を除くために、水を切り、紙で吸い取る。
・形を保つために、タオル地や印刷されていない紙を使って詰め物をする。
・自然乾燥させる。皮を柔らかくするために毛皮を乾かしている間なめす。
かご
・すすぐ。
・水を切り、紙で吸い取る。
・形を保つために、清潔な紙タオルやコットンシートを使って詰め物をして、きれいなタオルで覆い、ゆっくり自然乾燥させる。
・定期的に吸取紙を取り替える。
骨・貝・象牙
・すすぐ。
・水を切り、紙で吸い取る。
・吸取紙の上でゆっくり自然乾燥させる。
標本
・標本は有毒な物質を含むためマスク着用し、衣類を保護する。
動物の皮と剥製
・直接扱うのを避け、ゆっくり自然乾燥させるか、凍らせる。
植物の標本
・必要な場合に限りすすぐ。標本に間紙を挟むか自然乾燥させる。可能ならば重しをする。注意：標本によっては素早く乾燥させなければならない。修復の専門家に相談すること。
古生物の標本
・すすいでゆっくり自然乾燥させる。
・もろい標本や過去に修復した標本は乾かしている間紐で一つにしばる。ポリエチレンシートなどをはさんで、紐が標本に付かないようにする。
・この内容はアメリカで出版されたものの原案原稿であり、日本の実状にあわない部分は、注釈を《　》で加えた。
・文中の*フリーザー紙は冷蔵保存用の高密度ポリエチレンフィルムをさす。
監修 ― 文化財保存修復学会

翻訳原案 ― TRCC東京修復保存センター

文化財保護法

第十章　文化財の保存技術の保護
（選定保存技術の選定等）
第百四十七条　文部科学大臣は、文化財の保存のために欠くことのできない伝統的な技術又は技能で保存の措置を講ずる必要があるものを選定保存技術として選定することができる。
2　文部科学大臣は、前項の規定による選定をするに当たつては、選定保存技術の保持者又は保存団体（選定保存技術を保存することを主たる目的とする団体（財団を含む。）で代表者又は管理人の定めのあるものをいう。以下同じ。）を認定しなければならない。
3　一の選定保存技術についての前項の認定は、保持者と保存団体とを併せてすることができる。
4　第一項の規定による選定及び前二項の規定による認定には、第七十一条第三項から第五項までの規定を準用する。

（選定等の解除）

第百四十八条　文部科学大臣は、選定保存技術について保存の措置を講ずる必要がなくなつた場合その他特殊の事由があるときは、その選定を解除することができる。

2　文部科学大臣は、保持者が心身の故障のため保持者として適当でなくなつたと認められる場合、保存団体が保存団体として適当でなくなつたと認められる場合その他特殊の事由があるときは、保持者又は保存団体の認定を解除することができる。

3　前二項の場合には、第七十二条第三項の規定を準用する。

4　前条第二項の認定が保持者のみについてなされた場合にあつてはそのすべてが死亡したとき、同項の認定が保存団体のみについてなされた場合にあつてはそのすべてが解散したとき（消滅したときを含む。以下この項において同じ。）、同項の認定が保持者と保存団体とを併せてなされた場合にあつては保持者のすべてが死亡しかつ保存団体のすべてが解散したときは、選定保存技術の選定は、解除されたものとする。この場合には、文部科学大臣は、その旨を官報で告示しなければならない。

（保持者の氏名変更等）

第百四十九条　保持者及び保存団体には、第七十三条の規定を準用する。この場合において、同条後段中「代表者」とあるのは、「代表者又は管理人」と読み替えるものとする。

（選定保存技術の保存）

第百五十条　文化庁長官は、選定保存技術の保存のため必要があると認めるときは、選定保存技術について自ら記録を作成し、又は伝承者の養成その他選定保存技術の保存のために必要と認められるものについて適当な措置を執ることができる。

（選定保存技術の記録の公開）

第百五十一条　選定保存技術の記録の所有者には、第八十八条の規定を準用する。

（選定保存技術の保存に関する援助）

第百五十二条　国は、選定保存技術の保持者若しくは保存団体又は地方公共団体その他その保存に当たることを適当と認める者に対し、指導、助言その他の必要と認められる援助をすることができる。

参考引用文献

文化庁パンフレット2020『文化財を支える伝統の名匠』選定保存技術「保持者・保存団体」http://www.bunka.go.jp/tokei_hakusho_shuppan/shuppanbutsu/bunkazai_pamphlet/pdf/pamphlet_ja_08.pdf

独立行政法人国立文化財機構　文化財防災センター2020　『文化財防災ネットワーク』http://ch-drm.nich.go.jp/resquelink/resquelink

図版の出典

11-1　檜皮葺（選定保存技術）・安楽寺八角三重塔（国宝）　筆者撮影

11-2東京文化財研究所（船箪笥の修復）　犬竹和氏提供

11-3船箪笥修復前　犬竹和氏提供

11-4船箪笥X線写真　犬竹和氏提供

11-5東京文化財研究所（銅鐸の修復）　犬竹和氏提供

11-6銅鐸修復前　犬竹和氏提供

11-7銅鐸修復後　犬竹和氏提供

11-8奈良文化財研究所『フリー百科事典 ウィキペディア日本語版』2020．10．09https://upload.wikimedia.org/wikipedia/commons/thumb/4/4c/2019_Nara_National_Research_Institute_for_Cultural_Properties.jpg/1280px-2019_Nara_National_Research_Institute_for_Cultural_Properties.jpg?uselang=ja

11-9文化財レスキュー1（石巻文化センター）井上洋一氏撮影・提供　石巻市教育委員会掲載承認済　許可番号第22号

11-10文化財レスキュー2（石巻文化センター）井上洋一氏撮影・提供　石巻市教育委員会掲載承認済　許可番号第22号

11-11文化財レスキュー3（石巻文化センター）井上洋一氏撮影・提供　石巻市教育委員会掲載承認済　許可番号第22号

11-12文化財ウィール Side1文化庁1997 文化財保存修復学会監修 national institute for the conservation of cultural property

第 12 回　埋蔵文化財

埋蔵文化財とは土の中に埋もれている文化財のことであり、一般に考古学の遺跡・遺物・遺構を指している。遺構とは住居跡などの不動産をいう。遺物とは、土器などの動産をいう。遺跡とはそれらを有機的に結合したある一定のまとまりで、人類のある活動の範囲をあらわす。

日本において考古学は歴史の一分野として発展してきた。他の大型、中型の動物と比して身体能力的には脆弱（ぜいじゃく）な人類は、過去の事象や経験を「歴史」として後世に伝達し、これをもとに未来を決定することによって今日まで生存し、繁栄してきた。いわば「歴史」は人類の生存戦略の一つである。考古学は過去の人類が残した痕跡から歴史を明らかにする学問で、遺跡・遺物・遺構は考古学資料として過去の人類の活動を今に伝えている大切な文化財なのである。

埋蔵文化財と開発(12-1・2)

埋蔵文化財は建設工事や土木工事などの開発行為に伴う発掘調査で消滅する場合が多い。昭和61年には開発行為に伴って1万8000件の発掘調査が行われ、遺跡が消滅している。現在でもなお、年間約7000件の遺跡が発掘調査で消滅している。遺跡の絶対数は限りがあるので、このまま開発に伴う発掘調査を続ければ、国民の財産である埋蔵文化財がすべて消滅することになる。一方、開発行為は人々の生活の発展にとって欠かせない行為であり、これをすべて止めてしまうことも不可能である。したがって埋蔵文化財の保護と開発行為との調整のための立法とシステムが必要となった。

埋蔵文化財調査の手順

埋蔵文化財は地中に埋もれているものなので、どこにあるかはわからない。しかし、それでは保護計画を立てる場合も、開発計画を立てる場合にも支障がある。そこで文化財保護法第九十六条第一項では、「土地の所有者又は占有者が出土品の出土等により貝づか、住居跡、古墳その他遺跡と認められるものを発見したときは、第九十二条第一項の規定による調査に当たつて発見した場合を除き、その現状を変更することなく、遅滞なく、文部科学省令の定める事項を記載した書面をもつて、その旨を文化庁長官に届け出なければならない。ただし、非常災害のために必要な応急措置を執（と）る場合は、その限度において、その現状を変更することを妨げない。」とし、遺跡・遺構・遺物を発見した場合は土地の所有者・占有者は文化庁長官宛てに届け出を出すことになっている。そのようにして積み重ねられた情報をもとに、文化財保護法第九十五条第一項では「国及び地方公共団体は、周知の埋蔵文化財包

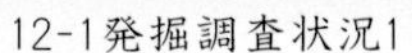
12-1発掘調査状況1

12-2発掘調査状況2

蔵地について、資料の整備その他その周知の徹底を図るために必要な措置の実施に努めなければならない。」とし、国及び各地方公共団体は周知の遺跡について遺跡台帳や遺跡地図を作成して、現在知られている埋蔵文化財の包蔵地について公表している。この台帳や遺跡地図が発掘調査の基本情報となる。しかし現在でも遺跡台帳や遺跡地図に掲載されておらず、開発行為の途中で偶然発見される場合もある。

開発に伴う発掘調査には「一般事業者が行う発掘調査」と「公共団体が行う発掘調査」の二種類があり、それぞれ申請などの手順が違う。

「一般事業者が行う発掘調査」の場合(12-3)

事業者は開発を行おうとする場所に埋蔵文化財が包蔵されていないかを事前に遺跡地図や遺跡台帳で確認する必要がある。包蔵地であることが分かったら、地方公共団体の担当部局に申し出る。遺跡台帳や遺跡地図に掲載されておらず、偶然埋蔵文化財を発見してしまった場合も、文化財保護法第九十六条第一項にしたがって担当部局に申し出ることになる。

担当部局は届け出のあった当該地の埋蔵文化財の状況をより詳しく把握すべく、事前調査等を行う場合がある。この調査等の結果を踏まえて、事業者との協議を行う。協議の結果は「記録保存のための発掘調査」「工事中の立ち会い」「一部現状保存」「現状保存」のいずれか一つとなるが、前三者となった場合、発掘調査が行われることになる。

発掘調査は、第九十三条第一項で「土木工事その他埋蔵文化財の調査以外の目的で、貝づか、古墳その他埋蔵文化財を包蔵する土地として周知されている土地(以下「周知の埋蔵文化財包蔵地」という。)を発掘しようとする場合には、前条第一項の規定を準用する。この場合において、同項中「三十日前」とあるのは、「六十日前」と読み替えるものとする。」とし、調査を行う60日前までに文化庁長官宛てに届け出を出すことになっている。ただし、第九十二条第二項において「埋蔵文化財の保護上特に必要があると認めるときは、文化庁長官は、前項の届出に係る発掘に関し必要な事項及び報告書の提出を指示し、又はその発掘の禁止、停止若しくは中止を命ずることができる。」と定めている。

「公共団体が行う発掘調査」の場合(12-3)

第九十四条第一項において「国の機関、地方公共団体又は国若しくは地方公共団体の設立に係る法人で政令の定めるもの(以下この条及び第九十七条において「国の機関等」と総称する。)が、前条第一項に規定する目的で周知の埋蔵文化財包蔵地を発掘しようとする場合においては、同条の規定を適用しないものとし、当該国の機関等は、当該発掘に係る事業計画の策定に当たつて、あらかじめ、文化庁長官にその旨を通知しなければならない。」ことになっている。

原因者負担

なお、発掘調査に必要な資金は、1998年(平成10年)9月29日付文化庁次長による都道府県教育委員会教育長あての「埋蔵文化財の保護と発掘調査の円滑化等について(通知)」に記されているように、開発事業を行う事業者が負担する、いわゆる「原因者負担」である。

「埋蔵文化財の保護と発掘調査の円滑化等について(通知)」

七　発掘調査の経費等について

(一)　発掘調査経費負担に関する理念・根拠

発掘調査の流れ

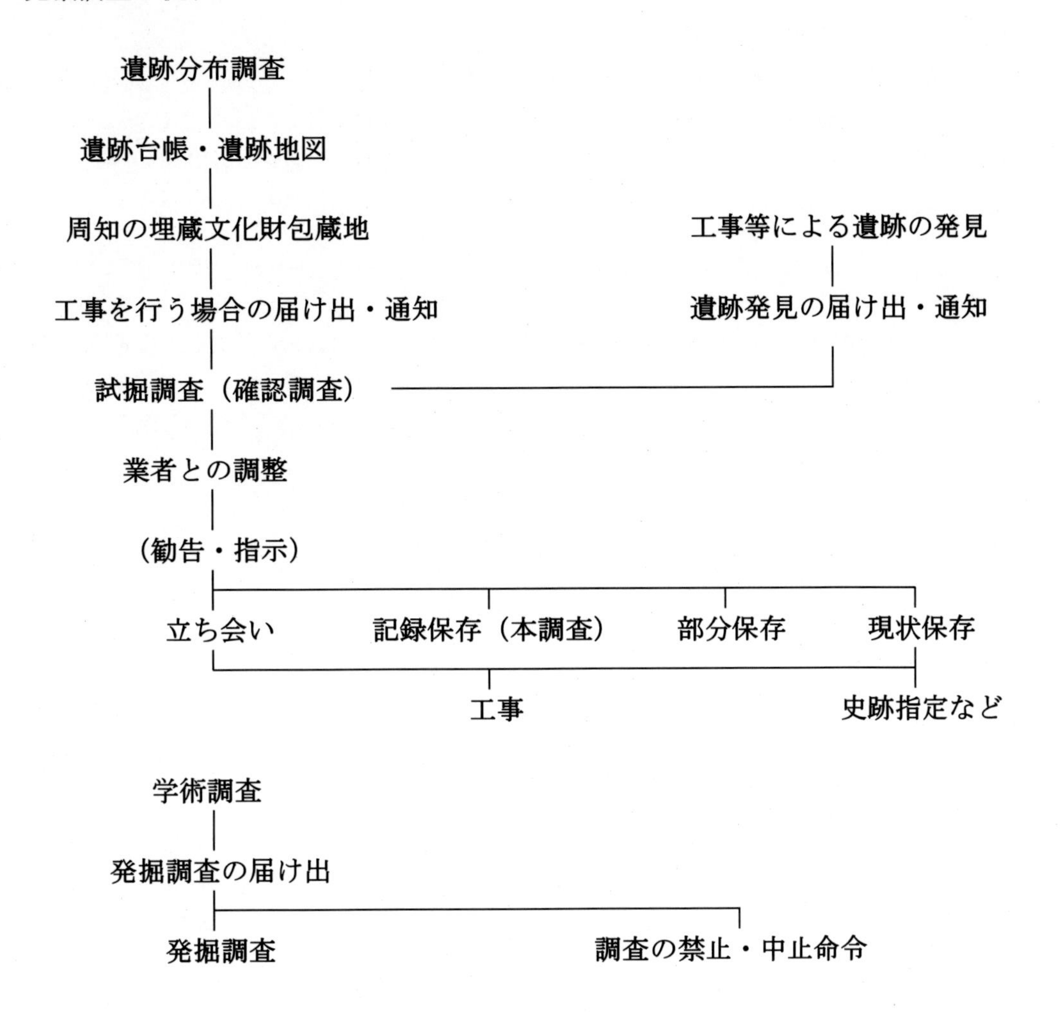

12-3発掘調査の流れ

埋蔵文化財は、我が国の歴史を解明する上で重要な価値を有する貴重な国民共有の財産であり、可能な限り現状で保存することが望ましいものであるが、開発事業等が計画されたことによりこれを現状のまま保存することができなくなった場合、少なくとも、発掘調査によって当該埋蔵文化財の記録を保存することとし、この場合、当該埋蔵文化財の現状による保存を不可能とする原因となった開発事業等の事業者に対しその経費負担による記録保存のための調査の実施を求めることとしている。

このような開発事業等の事業者の経費負担による発掘調査の実施は、文化財保護法第五十七条の二第二項による指示等及び「埋蔵文化財関係の事務処理の迅速適正化について」(昭和五六年二月七日付け庁保記第一一号)による各都道府県教育委員会の指導に基づき行われているものである。

埋蔵文化財として扱う範囲

埋蔵文化財として扱う範囲は原則として

1，おおむね中世までに属する遺跡は、原則として対象とすること。

2，近世に属する遺跡については、地域において必要なものを対象とすることができること。

3，近現代の遺跡については、地域において特に重要なものを対象とすることができること。

とされている。

遺物の所有権

発掘によって出土した遺物は、第百四条第一項で「第百条第一項又はに規定する文化財又は第百二条第二項に規定する文化財（国の機関又は独立行政法人国立文化財機構が埋蔵文化財の調査のための土地の発掘により発見したものに限る。）で、その所有者が判明しないものの所有権は、国庫に帰属する。この場合においては、文化庁長官は、当該文化財の発見された土地の所有者にその旨を通知し、かつ、その価格の二分の一に相当する額の報償金を支給する。」ことになっている。また、第百五条では第一項で「第百条第二項に規定する文化財又は第百二条第二項に規定する文化財（前条第一項に規定するものを除く。）で、その所有者が判明しないものの所有権は、当該文化財の発見された土地を管轄する都道府県に帰属する。この場合においては、当該都道府県の教育委員会は、当該文化財の発見者及びその発見された土地の所有者にその旨を通知し、かつ、その価格に相当する額の報償金を支給する。」とし、第三項で「第一項の報償金の額は、当該都道府県の教育委員会が決定する。」ことになっている。

このように、遺物は発見者や土地所有者に報奨金を支給して国庫または都道府県に帰属することになっている。ただし、発見者や土地所有者が権利を主張していない場合は国庫又は都道府県に帰属する。また、工事に伴う発掘調査やその他の場合でも届け出の時点で、発見者や土地所有者としての権利を放棄してもらうことも行われている。

公開

発掘調査の成果は1998年（平成10年）9月29日付文化庁次長による都道府県教育委員会教育長あての「埋蔵文化財の保護と発掘調査の円滑化等について（通知）」

八　発掘調査成果の活用等による保護の推進

（一）　埋蔵文化財の保護については、広く国民の理解を求め、その協力によって進めることが肝要であることから、各地方公共団体及び関係の機関において、発掘調査現場の公開、調査成果のわかりやすい広報、出土品の展示、その他埋蔵文化財保護に関する事業の実施を積極的に進めることとされたい。なお、出土品については、平成九年八月一三日付け庁保記第一八二号「出土品の取扱いについて」を踏まえ、その積極的な活用に努めることとされたい。

（二）　発掘調査終了後は、可能な限り速やかに調査結果の客観的資料化を行い、発掘調査報告書の早期作成とその公表に努めることとされたい。

とされ、速やかな公開・活用が求められている。

学術調査

大学や研究機関などが学問的見地から発掘をする、いわゆる学術発掘の場合も、第九十三条第一項にしたがって調査を行う60日前までに文化庁長官宛てに届け出を出すことになっている。ただし、第九十二条第二項で「埋蔵文化財の保護上特に必要があると認めるときは、文化庁長官は、前項の届出に係る発掘に関し必要な事項及び報告書の提出を指示し、又はその発掘の禁止、停止若しくは中止を命ずることができる。」ことになっている。

埋蔵文化財の活用・保護

記録保存のため発掘調査された遺跡は報告書としてその記録を公開される。調査された遺構は工事によって破壊され消滅するが、遺物は国や都道府県に帰属し、埋蔵文化センターや博物館、教育委員会などで保管される。遺物は、学問的・美術的・教育的に価値などによってランク付けされて、博物館や学校などで展示・活用されることとなる。一方、将来にわたり保存・活用を図る必要性・可能性がないとされた遺物は廃棄処分が認められている。

多くの遺跡が開発に伴う発掘調査のために消滅している中、三内丸山遺跡や荒神谷遺跡、吉野ヶ里遺跡、妻木晩田遺跡など一部の遺跡はその重要性を認められて、保存され活用されている。

三内丸山遺跡(12-4)

青森県青森市大字三内字丸山に所在する縄文時代前期から中期の集落遺跡である。

1992年、新しい県営野球球場の事前調査により縄文時代の大集落跡であることが確認され、青森県は野球場建設を中止し、遺跡の保存を決定した。2000年に国の特別史跡に指定された。遺跡は約40ヘクタールの範囲に広がり、集落、墓、ゴミ捨て場、大型掘立柱建築物などが検出されている。遺跡は保存されるとともに、公園として活用されている。

12-4三内丸山遺跡(特別史跡)

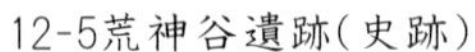
12-5荒神谷遺跡(史跡)

12-6妻木晩田遺跡(史跡)

荒神谷遺跡(12-5)

島根県出雲市斐川町神庭に所在する銅剣358本、銅鐸6個、銅矛16本が出土した遺跡である。1983年広域農道(愛称・出雲ロマン街道)の建設に伴い遺跡が発見され、1984年から1985年に調査が行われた。銅剣の一箇所からの出土数としては最多であり、古代出雲の政治勢力について大きな手がかりを与えた。出土した青銅製品は1998年に国宝に指定され、遺跡は1987年に国の史跡に指定されて、斐川町(現:出雲市)によって「荒神谷史跡公園」として整備された。

妻木晩田遺跡(12-6)

鳥取県西伯郡大山町富岡・妻木・長田から米子市淀江町福岡に所在する、いわゆる倭国大乱の影響とされる高地性集落で、国内最大級の弥生集落遺跡である。
1995年から1998年にかけて、京阪グループ主導による大規模リゾート「大山スイス村」開発計画に伴い、大山町と淀江町の教育委員会により発掘調査が行われ発見された。全国的な保存運動も展開された結果、京阪側が開発を断念(開発中止を決定)、1999年12月22日に国の史跡に指定され、後に鳥取県によって「鳥取県立むきばんだ史跡公園」として保存・整備が図られた。

吉野ヶ里遺跡(12-7)

佐賀県神埼郡吉野ヶ里町と神埼市にまたがる弥生時代の大規模環濠集落遺跡。

1980年代、企業誘致の為に佐賀県は吉野ヶ里丘陵南部に工場団地の開発を計画し、文化財発掘のための事前調査を1982年(昭和57年)から始めた。1986(昭和61)年の本格調査で、約59ヘクタールの広範囲に遺跡が広がっていることが判明した。市民団体による遺跡保存の活動が高まり、1989年3月には県は遺跡と重複する地域の開発を中止した。1990(平成2)年5月に史跡、1991(平成3)年4月に特別史跡に指定され、1992(平成4)年には閣議によって国営歴史公園の整備が決定した。遺構を損なわないように盛土によって保存し、その上に復元や植樹を行い公園整備を行い、2001年に開園した。

12-7吉野ヶ里遺跡（特別史跡）

埋蔵文化財の保護と発掘調査の円滑化等について

庁保記第七五号

平成一〇年九月二九日

各都道府県教育委員会教育長あて

文化庁次長通知

埋蔵文化財の保護と発掘調査の円滑化等について

標記のことについては、これまで数次にわたり通知したところであり、貴教育委員会、貴管内各市町村（特別区を含む。以下同じ。）の教育委員会及び関係機関の御努力により、逐次必要な措置が講じられ、各地方公共団体における埋蔵文化財行政の改善・充実が図られてきているところであります。

しかしながら、この数年来、平成六年七月の規制緩和に関する閣議決定、平成七年一一月の総務庁による勧告等において、埋蔵文化財の保護と開発事業との適切な調整、発掘調査の迅速化、発掘調査に係る費用負担の明確化等が指摘されるなど、埋蔵文化財の保護と発掘調査に関する施策の一層の充実と適切な実施が求められています。

また、当庁では、平成六年度から「埋蔵文化財発掘調査体制等の整備充実に関する調査研究委員会」を設け、埋蔵文化財行政に関する基本的な事項について順次調査研究を行っており、平成九年度においては、埋蔵文化財の把握と周知、開発事業に伴う発掘調査の取扱い等についての調査研究を行い、平成一〇年六月、その報告を受けたところであります。

これらの状況を踏まえ、貴教育委員会におかれては、特に左記の事項に留意の上、埋蔵文化財行政の改善・充実に努めるようお願いします。また、管内の市町村教育委員会に対しこの趣旨の周知が図られるようお願いします。

なお、埋蔵文化財に関する重要な事項については、今後とも、速やかに当庁と連絡を取り、適切に対処するようお願いします。

本通知により、昭和五六年七月二四日付け庁保記第一七号、昭和六〇年一二月二〇日付け庁保記第一〇二号、平成五年一一月一九日付け庁保記第七五号の「埋蔵文化財の保護と発掘調査の円滑化について」及び平成八年一〇月一日付けの庁保記第七五号の「埋蔵文化財の保護と発掘調査の円滑化等について」の各通知は廃止します。

記

一　基本的事項

(一)　埋蔵文化財保護の基本的な考え方

埋蔵文化財は、国民共通の財産であると同時に、それぞれの地域の歴史と文化に根ざした歴史的遺産であり、その地域の歴史・文化環境を形作る重要な要素であることから、基本的には各地域で保存・活用その他の措置を講ずるという理念に基づいて諸施策を進めること。

(二)　埋蔵文化財保護に関する諸施策の推進

埋蔵文化財の保護に当たっては、市町村、都道府県、国それぞれの観点から保護を要する重要な遺跡の条例や法律による史跡指定等の推進、埋蔵文化財行政に係る体制の整備・充実、発掘調査体制・方法の改善等に積極的に取り組むこと。

(三)　開発事業者等への対応の基本

埋蔵文化財に関する開発事業との調整や発掘調査その他の措置に関しては、事業者その他関係者に対し埋蔵文化財保護の趣旨を十分説明し、その理解と協力を基本として進めること。

(四)　関係部局との連携

埋蔵文化財の保護行政は、各地方公共団体における開発担当部局等、教育委員会以外の関係部局との連絡・協調の下に進めること。

(五)　客観化・標準化の推進

埋蔵文化財の保護に関する行政は、保護の対象が地下に埋もれているため的確に把握することが困難であり、また、その内容や所在状況がきわめて多様であるため必ずしも定量的な基準に即して行うことに適しない面があるものの、その施策について国民の理解と協力を得るために、可能な限り客観的・標準的な基準を設け、それに即して進めること。

(六)　広報活動等の推進

埋蔵文化財の保護とそのために講ずる諸措置に関しては、発掘調査成果の公開や文化財保護施策に係る広報活動等に積極的に取り組むことにより、埋蔵文化財行政について広く国民の理解を得、その協力によって進めること。

二　埋蔵文化財行政の組織・体制のあり方とその整備・充実について

埋蔵文化財の保護上必要な開発事業との調整、発掘調査等を円滑に進めるには、それらを的確に執行するための体制が必要である。埋蔵文化財保護の体制については、各地方公共団体において、今後とも更に以下の各事項に留意の上、その整備・充実に努められたい。

(一)　地方公共団体における体制の整備・充実

各地方公共団体においては、埋蔵文化財の保護を図るため、史跡の指定等による積極的な保護及びその整備活用、埋蔵文化財包蔵地の把握と周知、開発事業との調整及び発掘調査の実施、発掘調査成果の公開等の広報活動等の多岐にわたる行政を進めることが求められる。

このため、適切な対応能力を備えた十分な数の専門の職員を確保し、それぞれの担当部署への適切な配置に努めるとともに、常時その能力の向上を図る必要がある。

また、専門職員の資質・技能の向上のため、地方公共団体の設置する発掘調査組織等との適切な人事交流を図るとともに、自らの職員、管内あるいは関係の地方公共団体職員を対象とする研修の実施、奈良国立文化財研究所その他が行う研修への職員の派遣などに努める必要がある。

さらに、埋蔵文化財の保護については、人的な体制とともに発掘調査、出土品の管理や活用等の活動の拠点となる施設の整備・充実も必要であることから、今後とも埋蔵文化財センターの建設等を進める必要がある。

(二) 市町村の役割及び体制の整備・充実

埋蔵文化財は地域の歴史と文化に根ざした歴史的遺産であることから、地域の埋蔵文化財の状況を適切に把握することができる市町村が重要な役割を果たすことが必要である。

このため、埋蔵文化財担当専門職員を配置していない市町村においては、少なくとも埋蔵文化財保護の基本的行政に支障がないよう専門職員の配置を促進することとし、既に専門職員を配置している市町村においても、適切な埋蔵文化財保護行政の執行と経常的な発掘調査の円滑な実施のため、適正な体制の整備・充実を図る必要がある。

なお、小規模な市町村の場合、一定の地域内に所在する複数の市町村が共同して広域の発掘調査組織を設けることも有益である。このような場合には、広域調査組織の設立、運営に当たっての関係市町村間の理解と合意の確保、各関係市町村教育委員会と広域調査組織との連携、職員の採用形態等について十分配慮し、その運営が円滑に行われるよう留意すること。

(三) 都道府県の役割及び体制の整備・充実

都道府県は、大規模な、あるいは複数の市町村にまたがる埋蔵文化財の保護及びこれらに係る開発事業との調整・発掘調査を行い、重要な遺跡の保存・活用等を推進するとともに、管内の市町村における埋蔵文化財保護行政に関する指導・援助及び連絡調整を行うことが求められる。

特に、埋蔵文化財保護の具体的な内容が市町村ごとに大きな差違を生ずることを避け、行政の客観化・標準化を進めるためには、各都道府県教育委員会において、保護の基本となる方針や標準を定め、それを基に管内の市町村を指導することが望ましい。

また、体制の未整備な市町村に係る事業に関して、当面の措置として、発掘調査の緊急性等を踏まえ、自ら発掘調査を実施する等の措置を執り、管内における埋蔵文化財行政に不均衡が生じないよう配慮されたい。

このため、各都道府県においては、開発事業との調整や発掘調査等に当たる体制の整備に努めるとともに、保護の基本となる方針や標準を策定し、管内の市町村への指導・援助及び連絡調整を適切に行うための一層の体制の整備・充実に努める必要がある。

なお、市町村と都道府県との役割分担について、従来の区分では適切な対応が困難な場合には、都道府県と市町村で調整の上、区分の在り方を見直すなど、開発事業の内容等と埋蔵文化財行政側の体制の状況に応じた柔軟な対応を行うことにより、発掘調査等の円滑な実施を図ることとされたい。

(四) 地方公共団体間の専門職員の相互派遣

(二)、(三)で掲げた各市町村及び都道府県の基本的な役割を踏まえつつも、増大する開発事業との円滑な調整を図り、埋蔵文化財の適切な保護を図るためには、各市町村及び都道府県が相互に協力して臨むことが必要である。

各地方公共団体の対応能力を超えるような発掘調査事業の臨時的、急激な増加等に対応して円滑な事業の推進を図るためには、都道府県相互間、都道府県と市町村の間あるいは市町村相互間で専門職員を出向・派遣する等の相互支援を行うことが望ましい。

このため、次の各事項に留意の上、適切な措置を講ずることとされたい。

[1] 都道府県教育委員会においては、管内の市町村における発掘調査事業の動向とこれに対する対応能力等の状況を的確に把握するとともに、体制が不十分な市町村への専門職員の出向・派遣、市町村間の専門職員の出向・派遣の調整等に努める必要があること。

［２］　地方ブロック毎の連絡会議等で、各都道府県における発掘調査事業の動向等について情報交換を行い、近隣都道府県間の専門職員の出向・派遣等による相互支援について、検討を進めること。

［３］　当庁では、これまで大規模な災害復旧に対応する場合等に都道府県の範囲を超える全国規模の専門職員の派遣等について協力要請を行ってきたが、今後も必要に応じて同様の措置を執ることとしたいので引き続き配慮願いたいこと。

（五）　発掘調査を業務とする財団その他の組織・機関のあり方

地方公共団体が設置している発掘調査のための組織・機関は、発掘調査を円滑に進めるために十分な職員体制と調査のための基本的な機材等を整えるとともに、財政的な基盤を確保する必要がある。

また、各教育委員会は、こうした調査組織・機関による発掘調査であっても、調査に関する指導は教育委員会が行うものであるから、これらの組織・機関との連絡を密にすることが必要である。

（六）　民間調査関係組織の適切かつ効果的な導入

発掘調査への民間調査組織の導入については、地方公共団体における埋蔵文化財保護体制の整備を前提として、導入の形態、導入する範囲等についての明確な方針の下に行う必要がある。この場合、次のような原則によるのが適切である。

（ア）　発掘調査に関連する各種の業務について

排土・測量・写真撮影等、発掘調査に関連しこれを支援する業務については、発掘調査の効率的な実施のために有効な場合は、民間の調査支援機関の効果的な導入を図ること。

（イ）　発掘調査について

発掘調査についての民間調査組織の導入については、本来当該発掘調査を実施すべき地方公共団体等が一定程度の発掘調査体制を有している場合であって、その発掘調査体制では発掘調査が著しく遅延している場合又は短期的な発掘調査事業の急増により現在の体制では調査の遅延等の事態が生ずることが予想され、他の地方公共団体からの専門職員の派遣その他の支援によっても対応することができない場合に限って、次の要件の下に行うこと。なお、発掘調査への民間調査組織の導入を行うときは、そのことにより地方公共団体の発掘調査体制の整備が遅滞することのないよう十分留意すること。

［１］　導入しようとする発掘調査組織は、発掘調査について十分な資質を有する担当職員を備えており、埋蔵文化財の発掘調査を適正に実施する能力を有するものであること。

［２］　民間の発掘調査組織の導入は、発掘調査を実施する地方公共団体等の発掘調査体制に組み込む形態で行うものとし、発掘調査組織の選択、発掘調査の実施の管理等は、当該地方公共団体が責任をもって行うこと。

三　開発事業との調整について

埋蔵文化財の保護と開発事業の調整は、事業者の理解と協力の上に成り立つものであることを踏まえ、次の各事項に留意の上、遺漏のないよう措置されたい。

なお、公共工事の実施と埋蔵文化財の保護に係る調整については、平成九年八月七日付け庁保記第一八三号「公共工事の実施と埋蔵文化財の保護に係る連絡調整体制の整備について」により通知したところであり、連絡調整体制の整備等による一層の連携強化に努めていただきたい。

（一）　関係部局との連携体制の確保による計画の早期把握

各地方公共団体における開発事業等に対して指導等の行政を担当する部局との間の連携を強化し、各部局に関係する開発事業計画の早期把握と適切な事前調整に努めること。

（二）　事業者との調整

事業者との間で開発事業計画と埋蔵文化財保護との調整を行うに当たっては、次の各事項に留意する必要がある。

[１] 事業計画が把握された場合は、速やかに事業者との具体的な調整を開始すること。また、埋蔵文化財に係る調整は、当該事業に係る他の行政上の指導や手続きと並行して迅速に行うこと。

[２] 事業者との事前協議に当たっては、事業の計画や実情について十分了知するとともに、埋蔵文化財の保護についてよく説明して理解を得るよう努めること。

[３] 埋蔵文化財の範囲や性格等の把握が十分でない場合は、速やかに後述の試掘・確認調査等を行い、これを的確に把握した上で事業計画との調整を行うこととし、調整後に調整内容の変更等の事態を生じないよう努めること。

[４] 調整により本発掘調査が必要となった場合は、その範囲・調査期間・経費等を提示し、十分に説明し理解を得ること。

[５] 事業者との調整の経過等については、逐次記録し、調整の結果は協定書等にまとめること。

(三) 発掘調査の円滑・迅速化

開発事業との調整の結果行われる記録保存のための発掘調査については、効率的に進めるため、次の各事項に留意する必要がある。

[１] 試掘・確認調査を積極的に活用し、その結果に基づき調査区の適切な設定や遺跡の性格等に応じた調査体制の編成等に配慮すること。

[２] 作業の各段階において土木機械・測量機器を積極的に導入するなどして、その円滑かつ迅速な実施に努めること。

[３] 事業者との連絡を密にし、調査の行程や進行に支障のない限り工事が並行して実施できるように工夫すること。

四 埋蔵文化財包蔵地の把握と周知について

埋蔵文化財包蔵地の所在・範囲を的確に把握し、これに基づき保護の対象となる周知の埋蔵文化財包蔵地を定め、これを資料化して国民への周知の徹底を図ることは、埋蔵文化財の保護上必要な基本的な重要事項である。周知の埋蔵文化財包蔵地は、法律によって等しく国民に保護を求めるものであるから、その範囲は可能な限り正確に、かつ、各地方公共団体間で著しい不均衡のないものとして把握され、適切な方法で定められ、客観的な資料として国民に提示されなければならない。

このため、都道府県教育委員会においては、平成一〇年六月の埋蔵文化財発掘調査体制等の整備充実に関する調査研究委員会による報告「埋蔵文化財の把握から開発事前の発掘調査に至るまでの取扱いについて」(以下「報告書」という。)の第一章、二を参照の上、次の各事項に留意の上、必要な措置を講ずることとされたい。

(一) 埋蔵文化財として扱うべき遺跡の範囲

何を埋蔵文化財とするかについては、次の 一)に示す原則に則しつつ、かつ 二)に示す要素を総合的に勘案するとともに、地域における遺跡の時代・種類・所在状況や地域的特性等を十分考慮して、各都道府県教育委員会において一定の基準を定めることが望ましい。なお、埋蔵文化財とする範囲は、今後の発掘調査の進展による新たな発見や調査事例の蓄積、研究の進展により変化する性格のものであるので、前記の基準は適宜合理的に見直すことが必要と考えられる。

一) 埋蔵文化財として扱う範囲に関する原則

[１] おおむね中世までに属する遺跡は、原則として対象とすること。

[２] 近世に属する遺跡については、地域において必要なものを対象とすることができること。

[３] 近現代の遺跡については、地域において特に重要なものを対象とすることができること。

二）　埋蔵文化財として扱う範囲の基準の要素
遺跡の時代・種類を主たる要素とし、遺跡の所在する地域の歴史的な特性、文献・絵図・民俗資料その他の資料との補完関係、遺跡の遺存状況、遺跡から得られる情報量等を副次的要素とすること。
(二)　埋蔵文化財包蔵地の把握と周知の埋蔵文化財包蔵地としての決定
埋蔵文化財包蔵地の所在・範囲の把握は、地域に密着して埋蔵文化財の状況を適切に把握することができる市町村教育委員会が行うこと。
ただし、現在それを実施するための体制の整っていない市町村や埋蔵文化財包蔵地の所在・範囲の把握や資料の整備が不十分な市町村については、当面、都道府県教育委員会が自ら分布調査等を実施すること、又は市町村教育委員会が分布調査等を実施するよう指導し、必要な助言や援助を行うことが望ましい。
埋蔵文化財包蔵地の所在・範囲は、これまでに行われた諸調査の成果に加え、今後、埋蔵文化財包蔵地の所在・範囲の把握を目的として行う分布調査、試掘・確認調査その他の調査の結果によって的確に把握し、常時新たな情報に基づいて内容の更新と高精度化を図ること。なお、これまで所在のみが把握され必ずしも範囲が明確に把握されていなかった埋蔵文化財包蔵地については、早急に所要の調査等を行い、順次範囲を把握すること。
前記によって把握された埋蔵文化財包蔵地については、都道府県教育委員会が、関係市町村の教育委員会との間でその所在・範囲についての調整を行い、周知の埋蔵文化財包蔵地として決定すること。
(三)　周知の埋蔵文化財包蔵地の所在・範囲の資料化と周知の徹底
前記(二)により都道府県教育委員会が決定した周知の埋蔵文化財包蔵地については、都道府県及び市町村において、「遺跡地図」、「遺跡台帳」等の資料に登載し、それぞれの地方公共団体の担当部局等に常備し閲覧可能にする等による周知の徹底を図ること。また、必要に応じて、関係資料の配付等の措置を講ずること。
この資料については、都道府県と市町村が内容として共通のものを保有することとするとともに、常時最新の所在・範囲の状況を表示できるよう、加除訂正が可能な基本原図を用いることや、コンピュータを用いた情報のデータベース化等、機能的な方法を工夫すること。
なお、資料への表示としては、埋蔵文化財包蔵地の区域は、原則として、その範囲を実線で明確に示すこと。また、遺跡が完全に滅失した地域の表示や遺跡の重要性に応じた表示など、表示方法を工夫することも開発事業者側、文化財保護行政側の双方にとって有効なことと考えられる。
五　試掘・確認調査について
周知の埋蔵文化財包蔵地の適切な範囲の決定、開発事業と埋蔵文化財の取扱いの調整、あるいはその調整の結果必要となった記録保存のための発掘調査の範囲及び調査に要する期間・経費等の算定のためには、あらかじめ当該埋蔵文化財の範囲・性格・内容、遺構・遺物の密度、遺構面の数と深さ等の状況を的確に把握しておくことが求められる。また、開発事業に対応して埋蔵文化財の所在地において盛土等を行うに際しても、後述の六(三)のとおり、一定の記録を残しておくことが求められる。
このため、各教育委員会においては、それぞれの目的に応じて必要な知見や情報を得るために、十分な分布調査や試掘調査(地表面の観察等からでは判断できない場合に行う埋蔵文化財の有無を確認するための部分的な発掘調査)、確認調査(埋蔵文化財包蔵地の範囲・性格・内容等の概要までを把握するための部分的な発掘調査)を行うことが必要である。
各地方公共団体においては、このような試掘・確認調査の重要性及び有効性を十分に認識し、これを埋蔵文化財の保護や開発事業との調整等の仕事の中に的確に位置づけ、その十分な実施を確保できる職員の配置等の体制整備を図るとともに、より効率的な試掘・確認調査のための方法の改良等に努める必要がある。

なお、開発事業が計画されている区域において改めて分布調査や試掘・確認調査を行う場合は、事業者その他の関係者の十分な理解を得ておくことが必要である。

六　開発事業に伴う記録保存のための発掘調査等について

(一)　記録保存のための発掘調査の要否等の判断

周知の埋蔵文化財包蔵地における開発事業と埋蔵文化財の取扱いについての調整の結果、現状保存することができないこととされた遺跡については、記録保存のための発掘調査その他の措置を執ることとされているが、どのような取扱いにするかについては、第一にその工事区域が地下遺構の内容や状況等の観点で発掘調査を要する範囲に含まれるかどうか、第二に工事の内容が地下遺構に与える影響の観点で記録保存の措置を必要とする場合に当たるかどうかを判断して定める必要がある。

この二点についての基本的な考え方は別紙一及び別紙二のとおりであるので、各教育委員会においては、これを踏まえ、「報告書」の第三章及び第四章を参照の上、必要な措置を講ずることとされたい。

特に、別紙二の各項に示す事項の中には、実際に適用する上では地域的な特性や従前の取扱いとの関連において更に細目的な基準を必要とするものがあるので、それらについては各都道府県教育委員会において、各地方ブロックで策定された基準又は現在検討中の基準を踏まえる等により工事の種別ごとの取扱い及び数値の適用基準を定めることとされたい。

なお、この適用基準は、埋蔵文化財保護に関する理念の変化や技術的な進歩等に伴って変更されていく性格のものであるから、今後、適切に検討の上、見直しを図っていく必要がある。

(二)　記録保存のための発掘調査範囲の決定

個々の開発事業についてどのような措置を執るか、また、本発掘調査を行う場合の調査範囲については、上記(一)に基づき判断することになるが、試掘・確認調査等により遺跡の性格や内容等を十分に把握した上、専門的な知識及び経験を踏まえて適切に示すことが必要である。このため、都道府県教育委員会が、市町村教育委員会の意見(試掘・確認調査等が市町村以外の調査機関によって行われた場合にあっては、その結果報告に基づく市町村教育委員会の意見)を聞き、調整の上決定することが適切である。

また、その決定内容については、事業者に対し十分に説明を行い、その理解を得ることが必要である。

(三)　盛土等とその留意事項

開発事業との調整に際しては、建築物等の工作物や盛土の下であっても遺跡等を比較的良好な状態で残すことができ、調査のための期間や経費を節減できる場合には、記録保存のための発掘調査を合理的な範囲にとどめ、盛土等の取扱いとすることを考慮することが必要である。

ただし、この場合も、このような取扱いは埋蔵文化財本来の保存方法として必ずしも適切ではないこと、盛土等の施工後は地形や地貌が大きく変化し周知の埋蔵文化財包蔵地であることを実態上把握しにくくなり、試掘・確認調査等を行うこともかなり困難になること等を認識し、盛土等の施工以前に、地下に残る埋蔵文化財の位置と範囲、遺跡の内容・性格等を記録しておく必要がある。そのために事前にその目的に即した試掘・確認調査を行うこと等が必要である。また、盛土等の処理に関する協議・調整、それに伴う踏査、試掘・確認調査及び工事の具体的な範囲・内容等の記録を適切に保管・管理する仕組みと体制を整備するとともに、将来、別の開発事業に際してその存在を見落とされるなどのことのないよう、関係事業者や土地所有者等に周知徹底する措置も必要である。

七　発掘調査の経費等について

(一)　発掘調査経費負担に関する理念・根拠

埋蔵文化財は、我が国の歴史を解明する上で重要な価値を有する貴重な国民共有の財産であり、可能な限り現状で保存することが望ましいものであるが、開発事業等が計画されたことによりこれを現状のまま保存することができなくなった場合、少なくとも、発掘調査によって当該埋蔵文化財の記録を保存することとし、この場合、当該埋蔵文化財の現状による保存を不可能とする原因となった開発事業等の事業者に対しその経費負担による記録保存のための調査の実施を求めることとしている。

このような開発事業等の事業者の経費負担による発掘調査の実施は、文化財保護法第五七条の二第二項による指示等及び「埋蔵文化財関係の事務処理の迅速適正化について」(昭和五六年二月七日付け庁保記第一一号)による各都道府県教育委員会の指導に基づき行われているものである。

(二)　事業者に負担を求める発掘調査経費の範囲等

開発事業等に伴う埋蔵文化財の発掘調査に関して開発事業等の事業者に経費の負担を求めるのは、発掘調査作業に要する経費(機械器具の借損料、立入補償費等を含む。)、出土文化財の整理等に要する経費(応急的な保存処理のための費用を含む。)、報告書作成費等である。

なお、開発事業等の事業者に負担を求める経費の積算に当たっては、当該開発事業に伴う埋蔵文化財の記録保存のために必要な範囲にとどめる等、その節減に努める必要がある。

(三)　発掘調査経費・期間の積算基礎の策定等

開発事業等に伴う発掘調査の経費及び期間については、各地方ブロックごとの標準的な積算基礎の策定が完了したところであるが、今後、標準的な積算基礎の具体的な事案への適用を進めるとともに、必要に応じ、より広範囲の事業に対応できる実用的な内容への補完・改訂等を検討することとされたい。

また、開発事業者と発掘調査経費について協議する際には、経費の具体的な積算根拠等について十分説明し、その理解を得る必要がある。

八　発掘調査成果の活用等による保護の推進

(一)　埋蔵文化財の保護については、広く国民の理解を求め、その協力によって進めることが肝要であることから、各地方公共団体及び関係の機関において、発掘調査現場の公開、調査成果のわかりやすい広報、出土品の展示、その他埋蔵文化財保護に関する事業の実施を積極的に進めることとされたい。なお、出土品については、平成九年八月一三日付け庁保記第一八二号「出土品の取扱いについて」を踏まえ、その積極的な活用に努めることとされたい。

(二)　発掘調査終了後は、可能な限り速やかに調査結果の客観的資料化を行い、発掘調査報告書の早期作成とその公表に努めることとされたい。

別紙一

発掘調査を要する範囲の基本的な考え方

(一)　遺構の所在する場所にあっては、遺構が単独の場合は個々の遺構のみを範囲とし、遺構が歴史的な意味あいを持つ群をなす場合はその群全体の範囲(外側の遺構を順次結んで囲まれる範囲)とすること。

また、ごく少数の遺構が互いに離れて存在する場合は、各遺構のみを範囲とするか、これらを含む区域全体を範囲とするかは、その遺跡の時代や歴史的意味・性格等を考慮して判断すること。

遺跡の中の空閑地については遺跡の時代や性格等を考慮し、広場等歴史的意味があると考えられる場合は、原則として遺構の範囲に含めること。祭祀遺物が分布する区域あるいは廃棄された遺物が集積する区域等のように、顕著な遺構がなくとも出土状況に意味のある遺物が所在する範囲は、遺構に含めること。

(二)　遺物包含層のみの場合は、遺物の出土状況に基づいて、一定の量の遺物がまとまって所在する区域を範囲とし、遺物が散漫に所在する区域は範囲から除外すること。

ただし、出土状況の判定に当たっては、地域性や遺跡の時代·性格等を十分に考慮する必要があり、遺物の出土が散漫な区域であっても地域や時代性等の特性(例えば旧石器時代や縄文時代草創期等、本来遺物が多量に出土することの希な時代の場合)を考慮して範囲に含めるかどうかを判断すること。

(三)　規格性のある区画や類似する構成·性格の遺構が連続しており一部の遺構の在り方から全体が推定できる場合(例えば田畑及び近世の都市·集落等を構成する道路·木樋·側溝等)は、地域性、遺構の残存状況(現在の市街地との重複等)、発掘調査で得られる情報の内容、考古学的情報以外の資料から得られる情報(古文書等の資料の有無)等の諸要素を総合的に勘案し、本発掘調査を要する範囲を判断すること。

別紙二

記録保存のための発掘調査その他の措置を行う場合の基本的な考え方

(一)　工事前の発掘調査を要する場合の基本的な考え方

[1]　工事により埋蔵文化財が掘削され、破壊される場合は発掘調査を行うものとすること。

[2]　掘削が埋蔵文化財に直接及ばない場合であっても、工事によって地下の埋蔵文化財に影響を及ぼすおそれがある場合や、一時的な盛土や工作物の設置の場合であっても、その重さによって地下の埋蔵文化財に影響を及ぼすおそれがある場合は、発掘調査を行うものとすること。

埋蔵文化財に影響を及ぼすおそれがあるかどうかは、埋蔵文化財の所在する地域ごとの地質·土壌条件、工事の規模等を勘案し、個々に判断せざるを得ないものであるが、同一地域の同規模の工事に対し、その判断に不均衡が生じることは適切ではないので、都道府県教育委員会において、具体的な工事の規模(盛土の厚さ等)や保護層(工事の施工に際して埋蔵文化財を保護するために設ける一定の厚さの土層、樹脂等による緩衝層)の要否とその程度についての適用基準を定めることが望ましいこと。

[3]　恒久的な工作物の設置により相当期間にわたり埋蔵文化財と人との関係が絶たれ、当該埋蔵文化財が損壊したのに等しい状態となる場合は、発掘調査を行うものとすること。これを事業の種類ごとに、工事の性質·内容に即して、当該工作物の設置あるいは盛土の施工後であっても必要な場合は発掘調査が可能か否かの観点から具体的に示すと、次のとおりである。

○道路等　次に掲げるもの以外は、発掘調査の対象とすること。

(ア)　一時的な工事用道路、道路の植樹帯、歩道等

(イ)　高架·橋梁の橋脚を除く部分

(ウ)　道路構造令に準拠していない農道、私道

(エ)　道路の拡幅·改修の場合の既存道路部分

ただし、前記のものについても、都道府県教育委員会の定める適用基準により、施設としての将来的な利用計画及び地下埋設物·付帯施設の設置計画の有無·内容等を考慮して発掘調査の対象とするか否かを定めることができる。

鉄道については、道路に準じて取り扱うこと。
○ダム・河川　ダムについては堤体及び貯水池、河川については堤防敷及び河川敷の内の低水路は発掘調査の対象とすること。
ただし、ダム貯水池のうちの常時満水位より高い区域と河川の高水敷については、都道府県教育委員会の定める適用基準により、施設としての将来的な利用計画及び地下埋設物・付帯施設の設置計画の有無・内容等を考慮して発掘調査の対象とするか否かを定めることができる。
○恒久的な盛土・埋立　盛土・埋立については、その施工後の状況が、必要な場合は発掘調査が可能なものかどうか等の観点で、個々の事業に即し、発掘調査が必要か否かを定めることとすること。
ただし、都道府県教育委員会の定める適用基準により、あらかじめ盛土等の厚さの標準を定めておくことができるものとする。この場合、現在の掘削工法の限界、従前の例等から、盛土等の厚さの標準は二～三メートル程度が適当である。
なお、野球場・競技場・駐車場等についても、都道府県教育委員会の定める適用基準により、施設としての将来的な利用計画及び地下埋設物・付帯施設の設置計画の有無・内容等を考慮して発掘調査の対象とするか否かを定めることができる。
○建築物　建築物については、規模・構造・耐用年数等において前記の工作物に比べ比較的簡易なものが多いため、原則として発掘調査の対象とはしないこと。
ただし、その規模・構造・耐用年数・将来の利用計画等の観点で、都道府県教育委員会の定める適用基準により、発掘調査の対象とするか否かを定めることができる。
(二)　いわゆる「工事立会」、「慎重工事」を要する場合の基本的な考え方
発掘調査を要しない場合で、いわゆる「工事立会」、「慎重工事」の措置を必要とする場合とその内容は、次の基本的な考え方によること。
[１]　対象地域が狭小で通常の発掘調査が実施できない場合及び工事が埋蔵文化財を損壊しない範囲内で計画されているが現地で状況を確認する必要がある場合には、工事の実施中地方公共団体の専門職員が立ち会うものとすること。
なお、その際、遺構が確認される等のことがあった場合はその記録を採る等適切な措置を講ずること。
[２]　遺構の状況と工事の内容から、発掘調査、工事立会の必要がないと考えられる場合は、埋蔵文化財包蔵地において工事を行うものであることを認識の上慎重に施工し、遺構・遺物を発見した場合は地方公共団体と連絡をとるよう求めるものとすること。

出土品の取扱いについて
庁保記第一八二号
平成九年八月一三日
各都道府県教育委員会教育長あて
文化庁次長通知
出土品の取扱いについて
発掘調査等による出土品に関しては、文化財保護法(昭和二五年法律第二一四号。以下「法」という。)第六三条第一項の規定により国庫に帰属した出土品について、「出土文化財取扱要領」(昭和五五年二月二一日付け文化庁長官裁定)により、出土品のうち国で保有するものの選択基準、法第六四条第一項又は第三項の規定に基づく出土品の譲与と譲与後の取扱い、国で保有しているものの貸付け等について定め、これに即して「出土文化財の取扱について」の通知(昭和五五年二月二一日付け庁保記第一二号。文化庁次長か

ら各都道府県教育委員会教育長あて通知)により、国が保有した出土品及び譲与された出土品の取扱いについて指導を行ってきたところであります。

しかしながら、近年、出土品は、開発事業等に伴う発掘調査事業量の増大に比例して増加し続けており、既に収蔵されているものも含めて、その取扱いは文化財保護行政上の大きな課題とされております。

このため、当庁では、出土品の取扱いの在り方について、「埋蔵文化財発掘調査体制等の整備充実に関する調査研究委員会」において検討を行ってきたところでありますが、平成九年二月の同委員会報告「出土品の取扱いについて」(以下「報告書」という。)を踏まえ、出土品全体の取扱いに関し、別紙のとおり「出土品の取扱いに関する指針」(平成九年八月一三日文化庁長官裁定。以下「指針」という。)を定めました。

ついては、出土品の取扱いに関しては、今後、この「指針」に従い、左記により行うこととしますので、貴教育委員会におかれては、出土品の適切な保存・活用に必要な措置を講ずるとともに、貴管下の市町村(特別区を含む。以下同じ。)の教育委員会その他の関係機関に対し、このことを御伝達の上、出土品の具体的な取扱いに関する指導・調整等につき遺漏のないよう御配慮ください。

なお、この通知により昭和五五年二月二一日付け庁保記第一二号の通知は廃止することとしますので、御承知おきください。

記

一　出土品の取扱いに関する基本的な考え方(「指針」一関係)

出土品の文化財としての取扱いについては、次に掲げる基本的な考え方により、具体的な措置を執ることとされたい。

(ア)　出土品については、一定の基準に基づき、将来にわたり文化財として保存を要し、活用の可能性のあるものと、それ以外のものとに区分し、その区分に応じて保管・管理その他の取扱いを行うこと。

(イ)　前記(ア)の区分により保存・活用の必要性・可能性があるとされた出土品については、その文化財としての重要性・活用の状況等に応じて、適切な方法で保管・管理を行うこと。

(ウ)　出土品の活用については、専用施設における展示・公開等の従来の方法にとらわれず、広範な方途により積極的に行うこと。

(エ)　法第六三条第一項の規定により国庫に帰属した出土品は、法第六四条の規定により、その保存のため又は効用からみて国において保存・活用を行う必要がある場合は国が保有し、それ以外の場合は地方公共団体等に譲与すること。

(オ)　国で保有した出土品については、その活用のために必要があるときは、地方公共団体等に対して貸し付けることができること。

各都道府県教育委員会においては、この基本的な考え方に従い、以下の各項目について、各地域の歴史的特性等に応じた具体的な基準を定めること等により、出土品の適切な保存・活用を進めることができるよう措置されたい。

二　保存・活用の必要性・可能性のある出土品等の区分(「指針」二関係)

(一)　区分に関する基準

将来にわたり保存・活用を図る必要性・可能性のある出土品とそれ以外のものとの区分については、一定の基準に即して行う必要がある。

したがって、各都道府県教育委員会においては、次に示す諸要素を総合的に勘案し、かつ、各地域の歴史的特性や関連の学問分野等に係る要素を加えて、区分に関する具体的な基準を定めることとされたい。

[1]　種類：出土品の種類・性格による分類の要素
[2]　時代：出土品が製作され、又は埋蔵された時代の要素
[3]　地域：出土品が出土した場所、地方又は歴史的・文化的区域の要素
[4]　遺跡の種類・性格：出土した遺跡の種類・性格の要素
[5]　遺跡の重要度：出土した遺跡の重要度の要素
[6]　出土状況：出土の状況、特に遺構との関係に関する要素
[7]　規格性の有無：出土品が型作り等による規格品・大量生産品であるか否かの要素
[8]　出土量：同種・同型・同質の出土品の出土量の要素
[9]　残存度・遺存状況：出土品の残存・保存の程度の要素
[10]　文化財としての重要性：出土品自体が有している文化財としての性格・重要度の内容・高低の要素
[11]　移動・保管の可能性：出土品の大きさ・形状・重さ、それによる移動・保管の可能性の要素
[12]　活用の可能性：出土品の将来的な活用の可能性の有無・程度に関する要素

この基準の策定に際しては、前記「報告書」の第二章、二、(二)中の「選択についての標準・方針の要素・視点となる事項」を参照されたい。

なお、この基準については、策定後もその妥当性・有効性について随時検討し、学術的な進歩、社会的認識の変化等に従って、最適なものとなるよう改善していくことが望ましい。

(二)　区分の対象等

出土品の区分は、現在収蔵・保管が行われているもの及び今後発掘調査等により出土するものを対象とし、発掘調査の段階、出土品の整理作業の段階、それ以降の段階等において随時行うことが望ましい。

三　出土品の保管・管理等(「指針」三関係)

(一)　保管・管理に関する基本的な考え方及び方法

(ア)　基本的な考え方

将来にわたり適切に出土品の保存・活用を図り、かつ、保管スペースを効率的に利用していくためには、出土品について、その種類・形状・形態、材質・遺存状況、文化財としての重要性、発掘調査報告書・記録等への登載の有無、整理済み・未整理の別、活用の状況・可能性等の諸要素を総合的に勘案して区分し、その区分に応じて保管・管理の態様をいくつかの種類・段階に分け、適切かつ合理的に保管・管理を行うことが必要である。

このような出土品の区分とそれに対応した保管・管理の在り方としては、次のようなものが考えられる。

[1]　文化財としての価値が高く、展示・公開等による活用の機会が多いと考えられるもの

種類・形状・形態や活用の頻度を考慮し、一般の収蔵庫等とは別の展示・収蔵施設において保管・管理を行うことが考えられる。また、材質・遺存状況において脆弱なもの、特別の保存措置を要するものについては、適切な収納・保管設備、空気調節などの環境調整のための設備の整った施設において保管・管理を行う。

[2]　文化財としての価値、活用の頻度等において[1]の区分に次ぐもの

保存及び検索・取出しの便と保管スペースの節約を考慮しつつ、収蔵箱に入れ収蔵棚に整理する等、適切な方法で保管・管理を行う。発掘調査報告書に記載されたものとそれ以外のもの、完形品とそれ以外のもの、展示・公開や研究資料としての活用の可能性の大小等の観点で、更に数区分に分けることも考えられる。

[3]　文化財としての価値、活用の可能性・頻度が比較的低いもの

必要があれば取出しが可能な状態で、保管スペースを可能な限り効率的に利用できる方

法で収納する。

この場合、出土品の保管・管理は、必ずしも同一遺跡から出土した出土品を同一の地方公共団体等で一か所に一括して保管するという考え方にとらわれる必要はなく、適切かつ合理的な保管・管理の観点から柔軟に対応することが望ましい。

各都道府県教育委員会においては、前記の基本的な考え方に即し、出土品の適切かつ合理的な取扱いについて、管下の教育委員会等に対する指導等を含め、配慮されたい。

（イ）　適切な保管・管理のための記録の整備・管理

出土品の保管・管理を行う地方公共団体等においては、出土品の適切な管理や活用のため、その名称・内容・数量・発見時期・出土遺跡名、発掘調査報告書への記載状況、保管の主体・場所等に関する記録を作成し、管理する必要がある。

各都道府県教育委員会においては、この趣旨に沿って、出土品の適切な保管・管理について管下の市町村教育委員会その他出土品の保管・管理を行う機関等に対する指導等を含め、配慮するとともに、管下における出土品の保管・管理状況について的確に把握しておくこととされたい。

なお、地方公共団体等へ譲与された出土文化財については、従来、その滅失、き損、所有者又は所在場所の変更について、都道府県教育委員会を経由して文化庁へ報告することとされていたが、この制度は廃止することとした。

（二）　保管・管理のための施設・体制の整備等

出土品について適切かつ合理的な保管・管理を行っていくためには、地方公共団体等における必要な施設の充実と専門的知識を有する職員による体制の整備を進める必要がある。

出土品の保管・管理施設としては、従来、各地方公共団体において、埋蔵文化財収蔵庫、歴史民俗資料館、埋蔵文化財調査センター、出土文化財管理センター等が設置されてきているが、当庁では、現在、出土品の保管・管理と展示等の活用のための「埋蔵文化財センター」の建設に対し国庫補助を行っているので、これを活用する等により、今後ともその充実を図ることとされたい。

（三）　出土品の廃棄その他の措置と配慮事項

将来にわたり保存・活用を図る必要性・可能性がないとされた出土品については、発掘調査現場から持ち帰らず、あるいは埋納、投棄などにより廃棄することができることとなるが、これらの措置は、発掘調査の段階、出土品の整理作業の段階、それ以降の段階等において、発掘調査主体、法第六四条第一項又は第三項の規定による譲与を受けた地方公共団体等が行うこととなる。

これらの措置を執ることについては、後記四による広範な活用の方途を検討した上で、なおかつその可能性のない場合に限る等、慎重な配慮が必要であり、特に地方公共団体以外の者による廃棄等は、関係地方公共団体の教育委員会による指導の下に行われる必要があるので、各都道府県教育委員会においてはこの旨留意の上、適切に措置されたい。

また、廃棄その他の措置を執る場合は、後日、無用の誤解・混乱を生ずることのないよう、対象の出土品の種類・性格・数量等に応じて、何を、どこにおいて、どのような措置を執ったかの概要に関する記録・資料を作成し、保管しておくことが必要である。

各都道府県教育委員会においては、出土品の廃棄その他の措置を執った管下の市町村教育委員会等から前記の記録・資料の提出を受ける等により、管下における取扱いの状況を把握するとともに、出土品の適切な取扱いの確保のため、必要に応じて適宜指導することとされたい。

なお、地方公共団体等による出土品の廃棄は、発見者による当該出土品に係る遺失物法（明治三二年法律第八七号）第一三条で準用する同法第一条の規定による警察署長への差出し(都道府県、指定都市又は中核市の教育委員会の発見に係る出土品については、法第九八条の三第一項で準用する同法第五九条第一項の規定による通知)の時から、法第六四条第一項又は第三項の規定による地方公共団体等への譲与が行われるまでの間は、行うことができないので留意されたい。

四　出土品の活用(「指針」四関係)

(一)　活用に関する基本的な考え方

出土品については、埋蔵文化財の保護や発掘調査に対する国民の理解と協力を促進するためにも、国民が様々な機会に種々の方法でこれにふれることができるよう、従来行われている方法による活用を拡充するとともに、出土品の種類・性格に応じた新たな方法を開発し、積極的にその広範な活用を図る必要がある。

このような出土品の活用方法の改善・充実については、出土品の保管・管理を行う地方公共団体等が、次に示す例を参考として、それぞれ有効かつ適切な方途を検討し、実施することが望まれる。

したがって、各都道府県教育委員会においては、出土品の積極的な活用について、出土品の保管・管理を行う管下の市町村教育委員会等に対する指導を含め、配慮されたい。

(ア)　博物館等の展示専用施設における活用の改善・充実

博物館や歴史民俗資料館等の展示専用施設における展示については、発掘調査組織と博物館等との連絡・協力関係を強化し、発掘調査の成果を地域に広く公開するため、最新の調査成果を反映した常設展示の更新や速報的な展示の企画等を積極的に進めること。

また、展示の方法としても、出土品の種類によっては、見るだけではなく直接触れることができるようにする等の工夫も必要である。

(イ)　学校教育における活用の充実

出土品は、子ども達が直接、見て、触れながら、地域の歴史や文化を学ぶことができる貴重な資料であるため、これを学校教育における「生きた教材」として、一層積極的に活用すること。

この場合、地方公共団体においては、出土品の提供や資料の作成・提供、埋蔵文化財担当専門職員による説明等の協力を行うことも必要である。

(ウ)　地域の住民に対する活用の工夫

市町村役場や公民館等の住民に身近な公共施設における出土品の展示や地域の行事への出品、発掘調査の現地説明会における活用等、地域の住民が直接出土品にふれることができる機会を設けること。

(エ)　民間施設を利用した活用

公的な展示専用施設に限らず、例えば発掘調査の原因となった開発事業により建設された施設での展示等、展示専用施設でない民間の施設を有効に利用した活用も積極的に進めること。

(オ)　他の地方公共団体等との連携

出土した地域や地方公共団体内に限らず、相互交換・貸借により、国内の他の地域における展示・公開あるいは研究資料としての活用を図ること。

なお、我が国の多様な文化と歴史に対する理解を深める上から、外国における展示・公開等も有益であると考えられる。

(カ)　学術的な活用の推進

出土品は、文化財としての活用のほか歴史学・考古学等の研究資料としての活用の可能性を有するものであり、その研究資料としての活用は、学術の進歩・発展にとっても有効なものであるので、大学、研究機関等における研究活動等における出土品の活用を今後一層拡充すること。

そのためには、各地方公共団体において、大学・研究機関・関係学界との間で、出土品に関する情報提供等のための恒常的な連携・連絡の方途を確保し、出土品を研究資料として提供する等の仕組みを構築することが望ましい。

なお、活用に伴って出土品の交換、譲与、貸出し等を行う場合は、出土品の保管・管理を行う地方公共団体等において、その種類、数量等必要な事項を記録し、適正な取扱いを確保するよう配慮されたい。

(二)　展示・公開のための施設・体制の整備等

出土品の展示・公開等その積極的な活用の推進のため、地方公共団体、特に市町村においては、必要な施設の設置や既存の施設の充実・改善及び専門職員の配置等による体制の整備を図る必要がある。

また、埋蔵文化財の発掘調査、出土品の収蔵・保管等の拠点となる施設の設置・整備に際しては、発掘調査の成果を住民に還元できるよう、出土品の展示等の活用のための機能にも十分配慮することが必要である。

前記三、(二)の「埋蔵文化財センター」は、このような施設としても有効なものであるので、これを活用されたい。

また、出土品の広範な活用のため、その保管・管理や活用状況について、広報誌・コンピュータ利用の情報ネットワークなどを活用して情報発信を図ることについても配慮されたい。

五　出土品の整理の促進

前記のような出土品の区分、適切かつ合理的な保管・管理その他の取扱いを適正に行うためには、出土品の整理を行い、その内容等が的確に把握されていることが必要である。

各都道府県教育委員会においては、発掘調査が出土品の整理を経て報告書の作成をもって完了するものであることを十分認識し、現在未整理のまま収蔵されているものを含めて出土品の整理を促進すること、及び出土品の整理作業のための体制や施設の整備・充実を図ることについて、管下の市町村教育委員会その他の発掘調査を行う機関に対する指導を含め、配慮されたい。

六　出土品の国保有(「指針」五関係)

従来から、保存のため又は効用からみて国において保存・活用を行う必要がある出土品は、国で保有することとしてきたところである。

出土品の国保有については、これまで出土地の関係地方公共団体の協力を得て進めてきたところであるが、今後とも、全国的視野に立って協力するとともに、管下の市町村教育委員会の協力方につき配慮されたい。

なお、国で保有する出土品の選択基準は、従来どおりである。

七　出土品の地方公共団体等への譲与(「指針」六、七関係)

(一)　地方公共団体への譲与の促進

従前から、国庫に帰属した出土品のうち国で保有することとしたもの以外のものについては、その発見者又は発見された土地の所有者(以下「発見者等」という。)が当該出土品に係る法第六三条第一項の規定による報奨金の支給を受ける権利及び法第六四条第一項の規定による譲与を受ける権利を主張していない場合、原則として、法第六四条第三項の規定により、出土地を管轄する地方公共団体に譲与することとしている。

出土品の保存・活用は、各地方公共団体が、その管轄する区域内において発見された出土品の譲与を受け、その責任において行うことが最も適切であるので、各都道府県教育委員会においては、この趣旨に沿い、法第六四条第三項の規定による譲与の申請手続きを進めるよう、管下の市町村教育委員会に対する指導を含め、配慮されたい。

地方公共団体への譲与について、当該出土品の発見者等が法第六三条第一項の規定による報奨金の支給を受ける権利及び法第六四条第一項の規定による譲与を受ける権利を主張していない場合に限ったのは、発見者等との間の無用の混乱を避けるためである。したがって、地方公共団体が出土品の譲与を受けようとする場合は、あらかじめ当該出土品の発見者等と連絡をとり、その了承を得ておくことが必要である。

また、工事等に伴う発掘調査その他の場合で、発見者等が企業、個人、法人格を有しない遺跡調査会等出土品の保存・活用を行うに適さないと考えられる者である場合には、調査に関する法第五七条第一項の規定による届出又は工事の事業者との間の発掘調査に係る委託契約等の段階で、出土品について、発見者等としての権利を放棄する旨を確認する等、前記の取扱いを円滑にする措置について配慮することが望ましい。

(二)　発見者等への譲与

前記(一)による国保有又は法第六四条第三項の規定による地方公共団体への譲与を行うことができない場合については、法第六四条第一項の規定により発見者等に譲与することとなる。

なお、地方公共団体以外の組織が行った発掘調査による出土品について、当該組織が自ら譲与を受けることを希望する場合は、当該組織が法人格を有する場合に限り、出土地を管轄する地方公共団体が譲与を受けた上で、適切な保存・活用が確保されることを確認の上当該組織に貸与又は再譲与を行う等の措置を執ることとし、その後の保管・管理等についても当該地方公共団体の教育委員会が指導等を行うことが適切であると考えられるので、この趣旨に沿って指導されたい。

(三)　譲与の手続

法第六四条第一項又は第三項の規定による出土品の譲与は、別紙様式一の「出土品譲与申請書」の提出に基づき行うこととしているので、譲与を希望する者に対し、手続きについての指導等に配慮されたい。

八　国が保有している出土品の貸付け(「指針」八関係)

国が保有している出土品については、従来から、その出土地等の適切な施設において保管・展示等を行うため、貸付けを行ってきたところであるが、今後も、地方公共団体、博物館、歴史民俗博物館、大学その他当該出土品の保存・活用を行うに適した者から借り受けたい旨の申し出があった場合は、次の事項を確認した上、物品の無償貸付及び譲与等に関する法律(昭和二二年法律第二二九号)の定めるところにより、当該出土品を貸し付けることとしている。

[１]　借受けの目的が当該出土品の保存・活用にとって適切であること

[２]　当該出土品の保管・展示等を適切に行うための施設・設備が整備されていること

[３]　貸付けの期間中、当該出土品が適切な知識・技能を有する者により取り扱われること

貸付けは、別紙様式二の「物品(国保有出土品)借受け申請書」の提出に基づき行うこととしているので、各都道府県教育委員会においては、借受けを希望する者等に対し、その手続き及び当該出土品の貸付け期間中の取扱い等についての指導に配慮されたい。

(別紙)

出土品の取扱いに関する指針

平成九年八月一三日

文化庁長官裁定

(出土品の取扱いの基本方針)

一　出土品の取扱いについては、次の基本方針に従い、適切に措置するものとする。

(ア)　出土品については、一定の基準に基づき、将来にわたり文化財として保存を要し、活用の可能性のあるものとそれ以外のものとに区分し、その区分に応じて取り扱うこと。

（イ） 保存・活用の必要性・可能性があるとされた出土品については、その文化財としての重要性、活用の状況等に応じて、適切な方法で保管・管理を行うこと。
（ウ） 出土品の活用については、広範な方途により積極的に行うこと。
（エ） 文化財保護法(昭和二五年法律第二一四号。以下「法」という。)第六三条第一項の規定により国庫に帰属した出土品は、法第六四条の規定により、出土品の保存のため又は効用からみて国において保存・活用を行う必要がある場合は国が保有し、それ以外の場合は地方公共団体等に譲与すること。
（オ） 国で保有した出土品については、その活用のために必要があるときは、地方公共団体等に対して貸し付けることができること。
(保存・活用の必要性・可能性のある出土品等の区分)
二 将来にわたり保存・活用の必要性・可能性のある出土品とそれ以外のものとの区分は、その種類、性格その他の要素を勘案して各都道府県教育委員会が定める基準に基づき、行うものとする。
(出土品の保管・管理等)
三 出土品のうち前項の規定により将来にわたり保存・活用の必要性・可能性があるとされたものについては、その種類、性格、活用の状況等を総合的に勘案して、文化財としての価値が高く活用の機会が多いもの、文化財としての価値・活用の可能性が比較的低いもの等に区分し、それぞれの区分に応じた適切な方法により、適切な施設において保管し、管理するものとする。
保存・活用の必要性・可能性がないとされた出土品については、廃棄その他の措置を執ることができるものとする。
(出土品の活用)
四 出土品の活用については、博物館における展示・公開等のほか、学校教育における教材としての利用、住民に身近な施設における展示、研究活動における学術的な資料としての利用等広範な方途により積極的に行うものとする。
(国で保有する出土品の選択基準)
五 国庫に帰属した出土品のうち、次のいずれかに該当し、製作技術に優れ、類例に乏しく代表的であり、学術上又は芸術上極めて価値の高いものは、国が保有するものとする。
（ア） 石器、骨角器等旧石器時代に属するもの
（イ） 土器、土製品、石器、骨角器等縄文時代に属するもの
（ウ） 土器、青銅器、鉄器、石器、木製品等弥生時代に属するもの
（エ） 鏡、武器、武具、馬具、装身具、埴輪、石製品、土器等古墳時代に属するもの
（オ） 瓦、貨幣、印章、仏像、経筒、骨壷、墓誌、陶磁器、木簡等歴史時代に属するもの
(譲与)
六 出土品のうち前項に該当し国が保有したもの以外のもので、その発見者又は発見された土地の所有者(以下「発見者等」という。)が当該出土文化財に係る法第六三条第一項の規定による報奨金の支給又は法第六四条第一項の規定による譲与を受ける権利を主張していないものは、法第六四条第三項の規定により、その出土地を管轄する地方公共団体に対し、その申請に基づき、譲与するものとする。
七 出土品のうち前二項に規定する取扱いにより国が保有し、又は地方公共団体に譲与したもの以外のものは、法第六四条第一項の規定により発見者等に譲与するものとする。
(国が保有した出土品の貸付け)
八 国が保有した出土品について、地方公共団体、博物館、歴史民俗資料館、大学その他当該出土品の保存・活用を行うに適した者から貸付けを受けたい旨の申出があった場

合は、次の事項を確認した上、物品の無償貸付及び譲与等に関する法律(昭和二二年法律第二二九号)の定めるところにより、当該出土品を貸し付けることができるものとする。
(ア)　貸付けを受ける目的が当該出土品の保存・活用にとって適切であること
(イ)　当該出土品の保管・展示等を適切に行うための施設・設備が整備されていること
(ウ)　貸付けの期間中、当該出土品が、適切な知識・技能を有する者により取り扱われること
(附則)
九　出土文化財取扱要領(昭和五五年二月二一日文化庁長官裁定)は、廃止する。

文化財保護法
第六章　埋蔵文化財
(調査のための発掘に関する届出、指示及び命令)
第九十二条　土地に埋蔵されている文化財(以下「埋蔵文化財」という。)について、その調査のため土地を発掘しようとする者は、文部科学省令の定める事項を記載した書面をもつて、発掘に着手しようとする日の三十日前までに文化庁長官に届け出なければならない。ただし、文部科学省令の定める場合は、この限りでない。
2　埋蔵文化財の保護上特に必要があると認めるときは、文化庁長官は、前項の届出に係る発掘に関し必要な事項及び報告書の提出を指示し、又はその発掘の禁止、停止若しくは中止を命ずることができる。
(土木工事等のための発掘に関する届出及び指示)
第九十三条　土木工事その他埋蔵文化財の調査以外の目的で、貝づか、古墳その他埋蔵文化財を包蔵する土地として周知されている土地(以下「周知の埋蔵文化財包蔵地」という。)を発掘しようとする場合には、前条第一項の規定を準用する。この場合において、同項中「三十日前」とあるのは、「六十日前」と読み替えるものとする。
2　埋蔵文化財の保護上特に必要があると認めるときは、文化庁長官は、前項で準用する前条第一項の届出に係る発掘に関し、当該発掘前における埋蔵文化財の記録の作成のための発掘調査の実施その他の必要な事項を指示することができる。
(国の機関等が行う発掘に関する特例)
第九十四条　国の機関、地方公共団体又は国若しくは地方公共団体の設立に係る法人で政令の定めるもの(以下この条及び第九十七条において「国の機関等」と総称する。)が、前条第一項に規定する目的で周知の埋蔵文化財包蔵地を発掘しようとする場合においては、同条の規定を適用しないものとし、当該国の機関等は、当該発掘に係る事業計画の策定に当たつて、あらかじめ、文化庁長官にその旨を通知しなければならない。
2　文化庁長官は、前項の通知を受けた場合において、埋蔵文化財の保護上特に必要があると認めるときは、当該国の機関等に対し、当該事業計画の策定及びその実施について協議を求めるべき旨の通知をすることができる。
3　前項の通知を受けた国の機関等は、当該事業計画の策定及びその実施について、文化庁長官に協議しなければならない。
4　文化庁長官は、前二項の場合を除き、第一項の通知があつた場合において、当該通知に係る事業計画の実施に関し、埋蔵文化財の保護上必要な勧告をすることができる。
5　前各項の場合において、当該国の機関等が各省各庁の長(国有財産法(昭和二十三年法律第七十三号)第四条第二項に規定する各省各庁の長をいう。以下同じ。)であるときは、これらの規定に規定する通知、協議又は勧告は、文部科学大臣を通じて行うものとする。

（埋蔵文化財包蔵地の周知）

第九十五条　国及び地方公共団体は、周知の埋蔵文化財包蔵地について、資料の整備その他その周知の徹底を図るために必要な措置の実施に努めなければならない。

2　国は、地方公共団体が行う前項の措置に関し、指導、助言その他の必要と認められる援助をすることができる。

（遺跡の発見に関する届出、停止命令等）

第九十六条　土地の所有者又は占有者が出土品の出土等により貝づか、住居跡、古墳その他遺跡と認められるものを発見したときは、第九十二条第一項の規定による調査に当たつて発見した場合を除き、その現状を変更することなく、遅滞なく、文部科学省令の定める事項を記載した書面をもつて、その旨を文化庁長官に届け出なければならない。ただし、非常災害のために必要な応急措置を執る場合は、その限度において、その現状を変更することを妨げない。

2　文化庁長官は、前項の届出があつた場合において、当該届出に係る遺跡が重要なものであり、かつ、その保護のため調査を行う必要があると認めるときは、その土地の所有者又は占有者に対し、期間及び区域を定めて、その現状を変更することとなるような行為の停止又は禁止を命ずることができる。ただし、その期間は、三月を超えることができない。

3　文化庁長官は、前項の命令をしようとするときは、あらかじめ、関係地方公共団体の意見を聴かなければならない。

4　第二項の命令は、第一項の届出があつた日から起算して一月以内にしなければならない。

5　第二項の場合において、同項の期間内に調査が完了せず、引き続き調査を行う必要があるときは、文化庁長官は、一回に限り、当該命令に係る区域の全部又は一部について、その期間を延長することができる。ただし、当該命令の期間が、同項の期間と通算して六月を超えることとなつてはならない。

6　第二項及び前項の期間を計算する場合においては、第一項の届出があつた日から起算して第二項の命令を発した日までの期間が含まれるものとする。

7　文化庁長官は、第一項の届出がなされなかつた場合においても、第二項及び第五項に規定する措置を執ることができる。

8　文化庁長官は、第二項の措置を執つた場合を除き、第一項の届出がなされた場合には、当該遺跡の保護上必要な指示をすることができる。前項の規定により第二項の措置を執つた場合を除き、第一項の届出がなされなかつたときも、同様とする。

9　第二項の命令によつて損失を受けた者に対しては、国は、その通常生ずべき損失を補償する。

10　前項の場合には、第四十一条第二項から第四項までの規定を準用する。

（国の機関等の遺跡の発見に関する特例）

第九十七条　国の機関等が前条第一項に規定する発見をしたときは、同条の規定を適用しないものとし、第九十二条第一項又は第九十九条第一項の規定による調査に当たつて発見した場合を除き、その現状を変更することなく、遅滞なく、その旨を文化庁長官に通知しなければならない。ただし、非常災害のために必要な応急措置を執る場合は、その限度において、その現状を変更することを妨げない。

2　文化庁長官は、前項の通知を受けた場合において、当該通知に係る遺跡が重要なものであり、かつ、その保護のため調査を行う必要があると認めるときは、当該国の機関等に対し、その調査、保存等について協議を求めるべき旨の通知をすることができる。

3　前項の通知を受けた国の機関等は、文化庁長官に協議しなければならない。
4　文化庁長官は、前二項の場合を除き、第一項の通知があつた場合において、当該遺跡の保護上必要な勧告をすることができる。
5　前各項の場合には、第九十四条第五項の規定を準用する。
（文化庁長官による発掘の施行）
第九十八条　文化庁長官は、歴史上又は学術上の価値が特に高く、かつ、その調査が技術的に困難なため国において調査する必要があると認められる埋蔵文化財については、その調査のため土地の発掘を施行することができる。
2　前項の規定により発掘を施行しようとするときは、文化庁長官は、あらかじめ、当該土地の所有者及び権原に基づく占有者に対し、発掘の目的、方法、着手の時期その他必要と認める事項を記載した令書を交付しなければならない。
3　第一項の場合には、第三十九条（同条第三項において準用する第三十二条の二第五項の規定を含む。）及び第四十一条の規定を準用する。
（地方公共団体による発掘の施行）
第九十九条　地方公共団体は、文化庁長官が前条第一項の規定により発掘を施行するものを除き、埋蔵文化財について調査する必要があると認めるときは、埋蔵文化財を包蔵すると認められる土地の発掘を施行することができる。
2　地方公共団体は、前項の発掘に関し、事業者に対し協力を求めることができる。
3　文化庁長官は、地方公共団体に対し、第一項の発掘に関し必要な指導及び助言をすることができる。
4　国は、地方公共団体に対し、第一項の発掘に要する経費の一部を補助することができる。
（返還又は通知等）
第百条　第九十八条第一項の規定による発掘により文化財を発見した場合において、文化庁長官は、当該文化財の所有者が判明しているときはこれを所有者に返還し、所有者が判明しないときは、遺失物法（平成十八年法律第七十三号）第四条第一項の規定にかかわらず、警察署長にその旨を通知することをもつて足りる。
2　前項の規定は、前条第一項の規定による発掘により都道府県又は地方自治法（昭和二十二年法律第六十七号）第二百五十二条の十九第一項の指定都市（以下「指定都市」という。）若しくは同法第二百五十二条の二十二第一項の中核市（以下「指定都市等」という。）の教育委員会が文化財を発見した場合における当該教育委員会について準用する。
3　第一項（前項において準用する場合を含む。）の通知を受けたときは、警察署長は、直ちに当該文化財につき遺失物法第七条第一項の規定による公告をしなければならない。
（提出）
第百一条　遺失物法第四条第一項の規定により、埋蔵物として提出された物件が文化財と認められるときは、警察署長は、直ちに当該物件を当該物件の発見された土地を管轄する都道府県の教育委員会（当該土地が指定都市等の区域内に存する場合にあつては、当該指定都市等の教育委員会。次条において同じ。）に提出しなければならない。ただし、所有者の判明している場合は、この限りでない。
（鑑査）
第百二条　前条の規定により物件が提出されたときは、都道府県の教育委員会は、当該物件が文化財であるかどうかを鑑査しなければならない。
2　都道府県の教育委員会は、前項の鑑査の結果当該物件を文化財と認めたときは、その旨を警察署長に通知し、文化財でないと認めたときは、当該物件を警察署長に差し戻さなければならない。
（引渡し）
第百三条　第百条第一項に規定する文化財又は同条第二項若しくは前条第二項に規定する文化財の所有者から、警察署長に対し、その文化財の返還の請求があつたときは、文化庁長官又は都道府県若しくは指定都市等の教育委員会は、当該警察署長にこれを引き渡さなければならない。
（国庫帰属及び報償金）
第百四条　第百条第一項に規定する文化財又は第百二条第二項に規定する文化財（国の機関又は独立行政法人国立文化財機構が埋蔵文化財の調査のための土地の発掘により発見したものに限る。）で、その所有者が判明しないものの所有権は、国庫に帰属する。この場合においては、文化庁長官は、当該文化財の発見された土地の所有者にその旨を通知し、かつ、その価格の二分の一に相当する額の報償金を支給する。
2　前項の場合には、第四十一条第二項から第四項までの規定を準用する。
（都道府県帰属及び報償金）
第百五条　第百条第二項に規定する文化財又は第百二条第二項に規定する文化財（前条第一項に規定するものを除く。）で、その所有者が判明しないものの所有権は、当該文化財の発見された土地を管轄する都道府県に帰属する。この場合においては、当該都道府県の教育委員会は、当該文化財の発見者及びその発見された土地の所有者にその旨を通知し、かつ、その価格に相当する額の報償金を支給する。
2　前項に規定する発見者と土地所有者とが異なるときは、前項の報償金は、折半して支給する。
3　第一項の報償金の額は、当該都道府県の教育委員会が決定する。
4　前項の規定による報償金の額については、第四十一条第三項の規定を準用する。
5　前項において準用する第四十一条第三項の規定による訴えにおいては、都道府県を被告とする。
（譲与等）
第百六条　政府は、第百四条第一項の規定により国庫に帰属した文化財の保存のため又はその効用から見て国が保有する必要がある場合を除いて、当該文化財の発見された土地の所有者に、その者が同条の規定により受けるべき報償金の額に相当するものの範囲内でこれを譲与することができる。
2　前項の場合には、その譲与した文化財の価格に相当する金額は、第百四条に規定する報償金の額から控除するものとする。
3　政府は、第百四条第一項の規定により国庫に帰属した文化財の保存のため又はその効用から見て国が保有する必要がある場合を除いて、独立行政法人国立文化財機構又は当該文化財の発見された土地を管轄する地方公共団体に対し、その申請に基づき、当該文化財を譲与し、又は時価よりも低い対価で譲渡することができる。
第百七条　都道府県の教育委員会は、第百五条第一項の規定により当該都道府県に帰属した文化財の保存のため又はその効用から見て当該都道府県が保有する必要がある場合を除いて、当該文化財の発見者又はその発見された土地の所有者に、その者が同条の規定により受けるべき報償金の額に相当するものの範囲内でこれを譲与することができる。
2　前項の場合には、その譲与した文化財の価格に相当する金額は、第百五条に規定する報償金の額から控除するものとする。

参考引用文献

中村賢二郎1999『文化財保護制度概説』 ぎょうせい

古庄浩明2018『考古学の世界』三恵社

図版の出典

12-1発掘調査状況1 筆者撮影

12-2発掘調査状況2 筆者撮影

12-3発掘調査の流れ 筆者作成

12-4三内丸山遺跡(特別史跡)『フリー百科事典 ウィキペディア日本語版』2020. 10. 09https://ja.wikipedia.org/wiki/三内丸山遺跡#/media/File:140913_Sannai-Maruyama_site_Aomori_Japan01bs6bs6.jpg

12-5荒神谷遺跡(史跡)『フリー百科事典 ウィキペディア日本語版』2020. 10. 09https://commons.wikimedia.org/wiki/File:Koujindani_Remains_01.JPG

12-6妻木晩田遺跡(史跡)『フリー百科事典 ウィキペディア日本語版』2020. 10. 09https://commons.wikimedia.org/wiki/File:Mukibanda_remains_western_hill_at_Donohara_area.jpg?uselang=ja

12-7吉野ヶ里遺跡(特別史跡)『フリー百科事典 ウィキペディア日本語版』2020. 10. 09https://upload.wikimedia.org/wikipedia/commons/thumb/2/20/吉野ヶ里遺跡復元倉と市.JPG/1024px-吉野ヶ里遺跡復元倉と市.JPG?uselang=ja

12-8板橋区大原町No98遺跡(マンション建設のための調査) 筆者撮影

12-8板橋区大原町No98遺跡（マンション建設のための調査）

第 13 回　ユネスコの保護政策と世界遺産

世界遺産について、日本ユネスコ協会連盟のホームページ(https://www.unesco.or.jp/activities/isan/about-worldheritage/)には「世界遺産とは、地球の生成と人類の歴史によって生み出され、過去から現在へと引き継がれてきたかけがえのない宝物です。現在を生きる世界中の人びとが過去から引継ぎ、未来へと伝えていかなければならない人類共通の遺産です。」と記されている。世界遺産の種類は「文化遺産」「自然遺産」「複合遺産」と「危機にさらされている世界遺産」(危機遺産)がある。日本でいう文化財(cultural property)とはその枠組みが違うが、文化庁では歴史的な価値を有する文化的所産を、文化財を含む広い意味で文化遺産ととらえており、国際的な条約では文化遺産(cultural heritage)という用語が使われる。以下、文献から引用した部分は原文のまま引用する。従って「文化財」と「文化遺産」の両方が混在するが、文化遺産と文化財は特に断りがない限り同意義として扱う。

ユネスコと文化財保護のあゆみ

1954年ハーグ条約(https://www.mofa.go.jp/mofaj/gaiko/treaty/pdfs/treaty166_2_gai.pdf)

ユネスコ(UNESCO　United Nations Educational Scientific and Cultural Organization)は、第二次世界大戦後1946年に設立された教育、科学、文化に関する国際連合の専門機関で、国際協力と途上国への援助を行っている。そのユネスコの主導のもと、1954年、「武力紛争の際の文化財の保護に関する条約(Convention for the Protection of Cultural Property in the Event of Armed Conflict)」、いわゆる「1954年ハーグ条約」が締結された。その内容は戦争などの武力紛争の際に文化遺産を保護するための措置を定めたものである。1956年締結した第一議定書では、平時に文化遺産保護のための適当な措置を取ること、武力紛争の際には文化遺産を尊重すること等を義務付けている。1990年代から続く民族紛争や宗教的紛争では、文化遺産が敵対的勢力の象徴として積極的に破壊された。このような情勢を背景に、2004年に第二議定書が発効した。これによって締約国間の武力紛争時だけではなく、非国際的武力紛争にも適用されることとなった。さらに、強化保護、刑事責任と管轄権、国際援助の枠組み等に関しても規定された。

内容

- 文化財に対する平時からの保護措置、武力紛争の際の文化財の尊重
- 文化財に対する特殊標章の付与及び特殊標章の使用規定整備
- 特に重要な文化財や文化財の輸送に係る国際的な管理(「特別の保護」)
- 被占領地域からの文化財の流出防止と管理及び返還
- 条約違反行為の犯罪化及び一部の犯罪については外国人の国外犯も含めた普遍的刑事管轄権の設定

(外務省2020ハーグ条約、議定書、第二議定書概要)

強化保護とは、①それが人類にとって最も重要な文化遺産であること、②その文化・歴史上の特別の価値を認め、最高水準の保護を確保する適当な立法・行政上の国内措置により保護されていること、③それが軍事目的又は軍事施設の援護のために利用されておらず、かつ当該文化財を管理する締約国から、そのような利用を行わない旨の宣言がなされているこ

との3条件を満した文化財を、攻撃の対象とすることを差し控えること、文化財とその周辺を軍事行動を支援するために利用しないという2つの義務を課して保護することである。

(中内 康夫(外交防衛委員会調査室)2007『立法と調査』NO267「武力紛争の際の文化財保護の国際的枠組への参加 ～武力紛争の際の文化財保護条約・議定書・第二議定書～」参議院)

ハーグ条約の文化財には、日本の建造物などや、有形文化財・図書など、さらには博物館や図書館なども含まれている。条約では文化遺産との充分な距離をとることが求められているが、京都や奈良ではそれが不可能なこと、平和憲法のもとで戦闘行為などが想定されていなかったことなどにより、日本は2007年まで本条約を締約しなかった。

第 17 条 標識の使用(13-1・2) (註:白地に青の三角と四角)

1. 3個を並べて用いる識別標識は、次のものを証示する手段としてのみ使用することができる。

(a) 特別保護の下にある不動産文化財

(b) 第 12 条及び第 13 条に定める条件に基く文化財の輸送

(c) この条約の実施規則に定める条件に基く臨時避難施設

2. 1個のみの識別標識は、次のものを証示する手段としてのみ使用することができる。

(a) 特別保護の下にない文化財

(b) この条約の実施規則に従い管理の任に当る者

(c) 文化財の保護に携わる人員

(d) この条約の実施規則に定める身分証明書

3. 武力紛争の間、この識別標識の使用は、本条1及び2に定める場合を除き禁止され、また、この識別標識に類似する標識の使用は、目的のいかんを問わず禁止される。

4. 識別標識は、締約国の権限のある機関が正当に日付を附して署名した証書が同時に掲示されていない場合には、いかなる不動産文化財に対しても附することができない。

(文部科学省日本ユネスコ国内委員会2020「武力紛争の際の文化財の保護のための条約(仮訳)」・外務省2020 「武力紛争の際の文化財の保護に関する条約」)

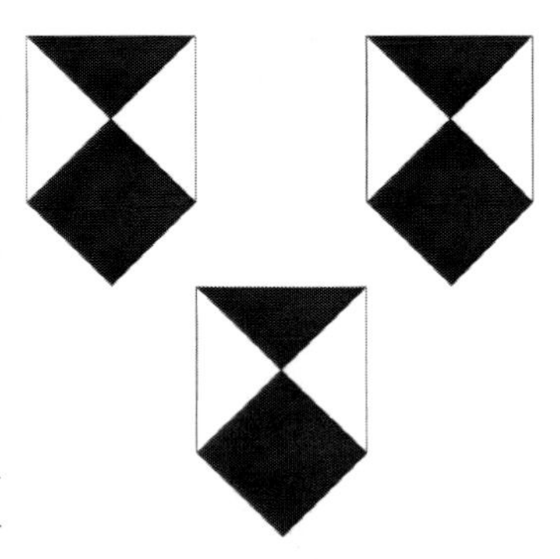

13-1文化財保護のための特殊標章

1970年ユネスコ条約

1970年、ユネスコは「文化財の不法な輸入、輸出及び所有権移転を禁止し防止する手段に関する条約」(Convention on the Means of Prohibiting and Preventing the Illicit Import, Export and Transfer of Ownership of Cultural Property)いわゆる「1970年ユネスコ条約」を制定した。文化財の不法な流入・流出を防ぐ目的の措置を定めた条約で、第二条第1項で、「締約国は、文化財の不法な輸入、輸出及び所有権移転が当該文化財の原産国の文化遺産を貧困化させる主要な原因の一であること、並びに国際協力が、これらの不法な行為によって生ずるあらゆる危険から、各国の文化財を保護するための最も効果的な手段の一であることを認める。」とし、第2項では「締約国は、このため、自国のとり得る手段、特に、不法な輸入、輸出及び所有権移転の原

13－2文化財保護のための特殊標章2

因を除去し、現在行われている行為を停止させ並びに必要な回復を行うために援助することにより、不法な輸入、輸出及び所有権移転を阻止することを約束する。」として、不法な文化財の輸出入・所有権の移転を阻止することになった。そして第三条で「締約国がこの条約に基づいてとる措置に反して行われた文化財の輸入、輸出又は所有権移転は、不法とする。」とその行為が違法であることを明確にしている。また 第七条では「(a)この条約が関係国について効力を生じた後に不法に輸出されたものを取得することを防止するため、国内法に従って必要な措置をとること。この条約がこれらの国について効力を生じた後に当該文化財の原産国である締約国から不法に持ち出された文化財の提供の申出があった場合には、当該原産国に対し、できる限りその旨を通報すること。(b) (i)他の締約国の領域内に所在する博物館、公共の記念工作物(宗教的なものであるかないかを問わない。)その他これらに類する施設からこの条約が関係国について効力を生じた後に盗取された文化財(当該施設の所蔵品目録に属することが証明されたものに限る。)の輸入を禁止すること。(ii)原産国である締約国が要請する場合には、(i)に規定する文化財であってこの条約が関係国について効力を生じた後に輸入されたものを回復し及び返還するため適当な措置をとること。ただし、要請を行う締約国が当該文化財の善意の購入者又は当該文化財に対して正当な権限を有する者に対し適正な補償金を支払うことを条件とする。回復及び返還の要請は、外交機関を通じて行う。要請を行う締約国は、回復及び返還についての権利を確立するために必要な書類その他の証拠資料を自国の負担で提出する。締約国は、この条の規定に従って返還される文化財に対し関税その他の課徴金を課してはならない。文化財の返還及び引渡しに係るすべての経費は、要請を行う締約国が負担する。」としてこの条約の締約後の不法な輸出入について、返還請求ができることをうたっている。

第八条では「締約国は、第六条 (b) 及び前条 (b) に定める禁止に関する規定に違反したことについて責任を有する者に対し、刑罰又は行政罰を科することを約束する。」と罰則規定を科することが決められている。

(文化庁2020「文化財の不法な輸入、輸出及び所有権移転を禁止し及び防止する手段に関する条約」)

1995年ユニドロワ条約(https://www.unidroit.org/instruments/cultural-property/1995-convention)

1970年ユネスコ条約は、締約して効力を生じた後の事象についての取り決めであり、効力を発揮する以前の事例については何ら記載がない。そこで1995年に、より強化された「1995年ユニドロワ条約」(UNIDROITUNIDROIT CONVENTION ON STOLEN OR ILLEGALLY EXPORTED CULTURAL OBJECTS Rome, 24 June 1995)が制定されている。

その第3条で

(1) The possessor of a cultural object which has been stolen shall return it.

盗まれた文化財の所有者にそれは返還される。

(2) For the purposes of this Convention, a cultural object which has been unlawfully excavated or lawfully excavated but unlawfully retained shall be considered stolen, when consistent with the law of the State where the excavation took place.

この条約の趣旨に照らして、違法に発掘された、もしくは合法的に発掘されたが違法に保持された文化遺産は、発掘が行われた国の法律に従い盗難と見なされる。

(3) Any claim for restitution shall be brought within a period of three years from the time when the claimant knew the location of the cultural object and the identity of its possessor, and in any case within a period of fifty years from the time of the theft.

いかなる返還請求も、請求者が文化財の所在や所有者の身元を知った時から3年以内に、そしていかなる場合においても盗難から50年以内になされなければならない。

(4) However, a claim for restitution of a cultural object forming an integral part of an identified monument or archaeological site, or belonging to a public collection, shall not be subject to time limitations other than a period of three years from the time when the claimant knew the location of the cultural object and the identity of its possessor.

ただし、特徴的なモニュメントや考古学的遺跡の不可欠な部分を構成する文化財や、公的コレクションの返還要求は所在や所有者の身元を知ってから3年以内という期間制限の対象外である。

(5) Notwithstanding the provisions of the preceding paragraph, any Contracting State may declare that a claim is subject to a time limitation of 75 years or such longer period as is provided in its law. A claim made in another Contracting State for restitution of a cultural object displaced from a monument, archaeological site or public collection in a Contracting State making such a declaration shall also be subject to that time limitation.

前項の規定にかかわらず、いかなる締約国もその国の法に則り、請求期間を75年もしくはそれ以上にすることを宣言できる。他の締約国によってなされたモニュメントや考古学的遺跡もしくは締約国の公的コレクションから移された文化財の返還請求もまたその期間制限の対象となる。

とあり、第2次世界大戦以前に取得した多くの文化財の還請求がなされる可能性があり、日本を含め、いまだ批准する国は少ない。16世紀の大航海時代から植民地支配の時代を経て、膨大な量の文化財が列強と呼ばれた国々へ流入した。大英博物館やルーブル美術館など、当時収集された世界中の文化財が展示されており、これらの多くが返還要求の対象となる可能性がある。事実、エジプトは大英博物館にロゼッタ・ストーンの返還要求を行っているが、現実的には大英博物館が要求に応えることはないと考えられる。旧植民地国ではいまだ政権が安定せず、文化財の破壊行為や盗難、売買が横行している国もある。ロゼッタ・ストーンなど、多くの文化財が政情不安な国ではなく、安定した国にあったからこそ、失われず残っているという事情もある。国家間、国際間の文化財の帰属問題は今後の課題として残っている。

世界遺産条約（外務省2020「世界遺産条約」https://www.mofa.go.jp/mofaj/gaiko/culture/kyoryoku/unesco/isan/world/isan_1.html）

「文化遺産及び自然遺産を人類全体のための世界の遺産として損傷、破壊等の脅威から保護し、保存するための国際的な協力及び援助の体制を確立することを目的とする」ため1972年採択された「世界の文化遺産及び自然遺産の保護に関する条約」(Convention Concerning the Protection of the World Cultural and Natural Heritage)が、いわゆる「世界遺産条約」である。風化による消滅だけでなく、破壊や損傷といった危険にさらされている文化遺産・自然遺産を、全人類に普遍的価値を持つ世界遺産として保護し、保存するための国際的援助体制の確立と、遺産の未来への継承が義務であることの認識を求めている。

世界遺産条約が成立した契機はエジプトのアスワンハイダム建設である。「1960年代、UNESCOはアスワンハイダムの建設によってナイル川流域にあったヌビア遺跡(アブシンベル神殿など)(13-3)を水没の危機から救うためにこの遺跡群を移築して保存する救済キャンペーンを行」った。このときに「人類共通の遺産」という世界遺産条約の基本的な考え方が広がり、1972年、「世界遺産条約」の採択へとつながったのである。

世界遺産の種類（公益社団法人日本ユネスコ協会連盟　「世界遺産とは」）

世界遺産の種類は基本的には「文化遺産」「自然遺産」「複合遺産」の3つであるが、紛争や自然災害、開発など重大な危機にさらされている世界遺産は「危機遺産」として「危機遺産リスト」に登録される。この登録物件の救済活動こそが、世界遺産条約の最も重要な活動であるとされている。

「文化遺産」（13-3〜7・27）

顕著な普遍的価値を有する記念物、建造物群、遺跡、文化的景観など。

「自然遺産」（13-8・11・12）

顕著な普遍的価値を有する地形や地質、生態系、絶滅のおそれのある動植物の生息・生育地など。

「複合遺産」（13-9・10・13・14）

文化遺産と自然遺産の両方の価値を兼ね備えているもの。

「危機遺産」（13-15〜18）

「危機にさらされている世界遺産リスト（危機遺産リスト）」に登録されている世界遺産。武力紛争、自然災害、大規模工事、都市開発、観光開発、商業目的密漁などにより、その顕著な普遍的価値を損なうような重大な危機にさらされている世界遺産。

13-3アブシンベル神殿　エジプト（文化遺産）

13-4ウェストミンスター宮殿 イギリス(文化遺産)

13-5アンコール遺跡カンボジア(文化遺産)

13-6厳島神社 日本(文化遺産)

13-7富岡製糸場と絹産業遺産群 日本(文化遺産)

13-8スルツェイ アイスランド(自然遺産)

13-9イビサ スペイン(複合遺産)

13-10峨眉山と楽山大仏 中国(複合遺産)

13-11屋久島 日本(自然遺産)

13-12武陵源の自然景観と歴史地域 中国(自然遺産)

13-13セント・キルダ イギリス(複合遺産)

13-14ンゴロンゴロ保全地域 タンザニア(複合遺産)

13-15トンブクトゥ マリ共和国(危機遺産)

13-16パルミラの遺跡 シリア・アラブ共和国(危機遺産)

13-15 トンブクトゥ マリ共和国 (危機遺産)

2012年、アンサル・ディーンによって聖廟が破壊された。ユネスコは数か月のうちに世界遺産の危機を訴え修復活動に着手し、地元職人の手によって聖廟は復元された。

13-16 パルミラの遺跡 シリア・アラブ共和国 (危機遺産)

シリア騒乱による保全状況の悪化を理由に、他のシリアの世界遺産とともに危機遺産リストに加えられた。ISISによる破壊行為が行われた。

13-17レプティス・マグナの古代遺跡 リビア(危機遺産)

13-18バーミヤン渓谷 アフガニスタン(危機遺産)

13-17レプティス・マグナの古代遺跡　リビア（危機遺産）

リビア国内の衝突による損壊および今後引き起こされるさらなる損壊への懸念から、本物件を含め、その時点で登録されているリビアの世界遺産5件全てが危機にさらされている世界遺産(危機遺産)リストに登録された。

13-18バーミヤン渓谷の文化的景観と古代遺跡群 アフガニスタン（危機遺産）

2001年ターリバーンはイスラムの偶像崇拝禁止の規定に反しているとしてバーミヤンの大仏(磨崖仏)を破壊した。

手続きの方法

条約締約国の推薦…国内の世界遺産候補物件リスト(暫定リスト)の中から条件が整ったものを世界遺産委員会に推薦

↓

専門機関による調査…文化遺産は国際記念物遺跡会議(ICOMOS:International Council on Monuments and Site)自然遺産は国際自然保護連合(IUCN:International Union for Conservation of Nature and Natural)が調査する

↓

世界遺産委員会…専門機関からの報告書をもとに世界遺産リストに登録するかどうかを決定

(公益社団法人日本ユネスコ協会連盟 「登録までのながれ」 http://unesco.or.jp/isan/about/)

世界遺産の登録基準

世界遺産リストに登録されるためには、「世界遺産条約履行(りこう)のための作業指針」で示されている下記の登録基準のいずれか1つ以上に合致するとともに、真実性(オーセンティシティ)や完全性(インテグリティ)の条件を満たし、締約国の国内法によって、適切な保護管理体制がとられていることが必要。

世界遺産の登録基準

(i)人間の創造的才能を表す傑作である。

(ii)建築、科学技術、記念碑、都市計画、景観設計の発展に重要な影響を与えた、ある期間にわたる価値感の交流又はある文化圏内での価値観の交流を示すものである。

(iii)現存するか消滅しているかにかかわらず、ある文化的伝統又は文明の存在を伝承する物証として無二の存在(少なくとも希有な存在)である。

(iv)歴史上の重要な段階を物語る建築物、その集合体、科学技術の集合体、あるいは景観を代表する顕著な見本である。

(v)あるひとつの文化(または複数の文化)を特徴づけるような伝統的居住形態若しくは陸上・海上の土地利用形態を代表する顕著な見本である。又は、人類と環境とのふれあいを代表する顕著な見本である(特に不可逆的な変化によりその存続が危ぶまれているもの

(vi)顕著な普遍的価値を有する出来事(行事)、生きた伝統、思想、信仰、芸術的作品、あるいは文学的作品と直接または実質的関連がある(この基準は他の基準とあわせて用いられることが望ましい)。

(vii)最上級の自然現象、又は、類まれな自然美・美的価値を有する地域を包含する。

(viii)生命進化の記録や、地形形成における重要な進行中の地質学的過程、あるいは重要な地形学的又は自然地理学的特徴といった、地球の歴史の主要な段階を代表する顕著な見本である。

(ix)陸上・淡水域・沿岸・海洋の生態系や動植物群集の進化、発展において、重要な進行中の生態学的過程又は生物学的過程を代表する顕著な見本である。

(x)学術上又は保全上顕著な普遍的価値を有する絶滅のおそれのある種の生息地など、生物多様性の生息域内保全にとって最も重要な自然の生息地を包含する。

※なお、世界遺産の登録基準は、2005年2月1日まで文化遺産と自然遺産についてそれぞれ定められていましたが、同年2月2日から上記のとおり文化遺産と自然遺産が統合された新しい登録基準に変更されました。文化遺産、自然遺産、複合遺産の区分については、上記基準(i)〜(vi)で登録された物件は文化遺産、(vii)〜(x)で登録された物件は自然遺産、文化遺産と自然遺産の両方の基準で登録されたものは複合遺産とします。

(公益社団法人日本ユネスコ協会連盟「世界遺産の登録基準」)

世界の記憶(世界記憶遺産:Memory of the World)

世界的に重要な古文書や書物などの歴史的記録物(可動文化財)を保全し、広く公開することを目的とした事業で、ユネスコが主催し1992年に開始し、1997年より登録が始まっている。日本は当初「記憶遺産」と訳していたが、世界遺産との混同を避け、英語を直訳した世界の記憶と記すようになった。

事業の主要目的は

・世界的に重要な記録遺産の保存を最も相応しい技術を用いて促進すること

・重要な記録遺産になるべく多くの人がアクセスできるようにすること

・加盟国における記録遺産の存在及び重要性への認識を高めること

である。

世界の記憶に登録できる品目は

・ 移動可能である(ただし下記参照)

・ 記号や符号、音声および/または画像で構成される

・ 保存可能である(媒体は無生物)

・ 再現可能および移行可能である

・ 意図的な文書化プロセスの産物である

通常、建物などの固定構造物や自然遺跡の一部をなす品目、当該物体の目的に付随して記号や符号が記載されているもの、または絵画や三次元人工物、美術品等といった再現不可能な「オリジナル」としてデザインされた品目それ自体は除外される。但し、碑銘やペトログリフ(岩面線刻)および岩窟壁画など、移動不可能な記録もある。

記録は、内容とそれが載っている媒体の2つで構成されると考えられる。これはいずれも非常に多様で、その両方が記憶の部分として等しく重要である。

例えば:

・ 手書き原稿、書籍、新聞、ポスター等のテキスト資料。テキストの内容は、インク、鉛筆、絵の具その他の手段で記録されている可能性がある。媒体は、紙、プラスチック、パピルス、羊皮紙、ヤシの葉、木の皮、織物、石その他があり得る。

・ 同様に、図画、版画やプリント、地図、音楽等の非テキスト資料。

・ フィルム、ディスク、テープ、写真等の視聴覚資料は、記録方法がアナログ形式かデジタル形式か、または機械式か電子式かその他手段を問わず、内容を搭載した情報担持層を持つ物理的媒体で構成される。

・ ウェブサイト等の仮想文書はサーバー上にある。媒体には、ハードディスクまたはテープがあり、内容は電子データである。

媒体には有効寿命の短いものもあるが、この2つの構成要素は密接に関係し得る。可能な限り、この両方へのアクセスが重要である。保存またはアクセスのためにある媒体から別の媒体へと内容を移動させることが必要または便利である場合があるが、その過程で情報の一部や文脈的意味が失われる可能性もある。

(文部科学省2020　日本ユネスコ国内委員会　「世界の記憶」)

(ユネスコ(国際連合教育科学文化機関)情報社会部2002『ユネスコ「世界の記憶」記録遺産保護のための一般指針』)

13-19アンネの日記

登録の手続き

申請は2年に1度、一ヵ国2件以内の申請が認められている。

登録は

国際登録　国際諮問委員会の勧告に基づき、ユネスコ事務局長が決定する。

地域登録　「世界の記憶」アジア太平洋地域委員会などが決定する。

の二種類がある。

登録例

登録例としては、「アンネの日記」(13-19)「フランス人権宣言」(13-20)「リグヴェーダ」などがあり、日本では「山本作兵衛炭鉱記録画・記録文書」「御堂関白記」「慶長遣欧使節関係資料」「舞鶴への生還」「東寺百合文書」がある。

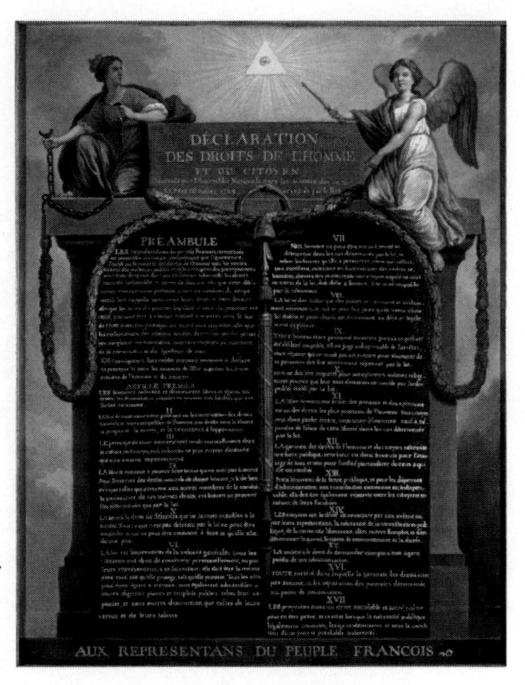

13-20「人間と市民の権利の宣言(フランス人権宣言)」

水中文化遺産保護条約

2001年、「水中文化遺産保護条約」が採択された。この条約は、沈没船や海底遺跡などの水中文化遺産の保護を目的とした条約である。2009年に発効した。

世界の海には多くの船が沈んでおり、これら沈没船は貴重な文化遺産である。1960年代以降、スキューバダイビングが普及し水中考古学が盛んになったが、遺物の無秩序な引き揚げが行われる場合もあった。その後も水中探査技術の発展とともにトレジャーハンターが沈没船から組織的に遺物を引き揚げ、売買した。しかし、こうした行為を規制し、水中文化遺産を保護する国際法はなかった。1982年に領海内の水中文化遺産の無断調査の禁止、領海外での文化遺産の起源国への配慮が盛り込まれた国連海洋法条約が採択されたが、トレジャーハンターの活動は続いた。そこで本条約では、少なくとも100年間以上水中にある文化的・歴史的・考古学的特徴をもった人類の遺産すべてを水中文化遺産と定義して、これを保護の対象とし、水中文化遺産の商業目的による利用の禁止、保護に関しては現状での保全を優先すること、専門家による調査の徹底などを定めている。ここでいう水中文化遺産とは文化的、歴史的、考古学的な人類存在の痕跡を示す、建造物、加工品、人体、航空機などである。ただしパイプラインとケーブルは除外されている。この条約では公海だけではなく、その国の領海や排他的経済水域も対象となるため、排他的経済水域の管轄権に関して沿岸国に与えている権限が強すぎるなど、漁業やパイプライン、ケーブルの設置で水中を経済的に活用したい国には批准が難しい状況であり、日本、アメリカ、イギリスなどは未だ批准していない。

(UNESCO2001「Convention on the Protection of the Underwater Cultural Heritage 2001」)

水中文化遺産の例としては

・アレクサンドリアの沖合にあるエジプトの古代文明の遺跡

・17世紀に海運業で栄えたが、大地震で沈んでしまった「カリブ海の港町」ポートロイヤル

・ナポレオン戦争のきっかけとなった帆船「メルセデス号」

・豪華客船「タイタニック号」(13-21)

・元寇船

などがある。

13-21タイタニック号

無形文化遺産条約

2003年に採択された「無形文化遺産の保護に関する条約」は、グローバリゼーションの進展に伴い、世界各地で消滅の危機にある無形文化遺産(Intangible Cultural Heritage)の保護を目的とした条約である。無形文化遺産の保護やその重要性に関する意識の向上等を確保するため、締約国の担うべき役割や国際的な協力や援助について規定されている。日本は2004年に締約している。

(文化庁2020「無形文化遺産」)

定義

無形遺産は条約の第二条で定義されている。

第二条定義

この条約の適用上、

1「無形文化遺産」とは、慣習、描写、表現、知識及び技術並びにそれらに関連する器具、物品、加工品及び文化的空間であって、社会、集団及び場合によっては個人が自己の文化遺産の一部として認めるものをいう。この無形文化遺産は、世代から世代へと伝承され、社会及び集団が自己の環境、自然との相互作用及び歴史に対応して絶えず再現し、かつ、当該社会及び集団に同一性及び継続性の認識を与えることにより、文化の多様性及び人類の創造性に対する尊重を助長するものである。この条約の適用上、無形文化遺産については、既存の人権に関する国際文書並びに社会、集団及び個人間の相互尊重並びに持続可能な開発の要請と両立するものにのみ考慮を払う。

2 1に定義する「無形文化遺産」は、特に、次の分野において明示される。

(a)口承による伝統及び表現(無形文化遺産の伝達手段としての言語を含む 。)

(b)芸能
(c)社会的慣習、儀式及び祭礼行事
(d)自然及び万物に関する知識及び慣習
(e)伝統工芸技術
(外務省　外交政策　条約2003「無形文化遺産の保護に関する条約」和文テキスト)

日本の役割

日本には「無形文化財」という概念があり、民俗伝承文化を保護する制度も整っていた。従って、本条約への締約は比較的理解を得やすかった。本条約の設立にも貢献し、1993年には「無形文化遺産保護日本信託基金」を設立して資金提供をした。

代表一覧表と緊急保護一覧表

無形文化遺産の国際的な保護を確保するため、条約に基づき、
・人類の無形文化遺産の代表的な一覧表(代表一覧表)
・緊急に保護する必要がある無形文化遺産の一覧表(緊急保護一覧表)
が作成され、公表されている。
(文化庁2020　文化財　文化財の紹介　「無形文化遺産」)

代表一覧表への記載決定は、締約国からのユネスコへ提案書が提出され、これを元に評価機関(Evaluation Body)による審査がおこなわれ、政府間委員会において審議及び決定がおこなわれる。申請国は申請案件がすべての条件を満たしていることを求められている。

1. 申請案件が条約第2条に定義された「無形文化遺産」を構成すること。
2. 申請案件の記載が、無形文化遺産の認知、重要性に対する認識を確保し、対話を誘発し、よって世界的に文化の多様性を反映し且つ人類の創造性を証明することに貢献するものであること。
3. 申請案件を保護し促進することができる保護措置が図られていること。
4. 申請案件が、関係する社会、集団及び場合により個人の可能な限り幅広い参加及び彼らの自由な、事前の説明を受けた上での同意を伴って申請されたものであること。
5. 条約第11条及び第12条に則り、申請案件が提案締約国の領域内にある無形文化遺産の目録に含まれていること。

締結国の役割

第十一条　締約国の役割
締約国は、次のことを行う。
(a)自国の領域内に存在する無形文化遺産の保護を確保するために必要な措置をとること。
(b)第二条3に規定する保護のための措置のうち自国の領域内に存在する種々の無形文化遺産の認定を、社会、集団及び関連のある民間団体の参加を得て、行うこと。
第十二条　目録
1　締約国は、保護を目的とした認定を確保するため、各国の状況に適合した方法により、自国の領域内に存在する無形文化遺産について一又は二以上の目録を作成する。これら

の目録は、定期的に更新する。

2　締約国は、第二十九条に従って定期的に委員会に報告を提出する場合、当該目録についての関連情報を提供する。

保護のための他の措置

リストに登録された無形文化遺産は保護のための措置を求められている。

第十三条　保護のための他の措置

締約国は、自国の領域内に存在する無形文化遺産の保護、発展及び振興のために次のことを行うよう努める。

(a)社会における無形文化遺産の役割を促進し及び計画の中に無形文化遺産の保護を組み入れるための一般的な政策をとること。

(b)自国の領域内に存在する無形文化遺産の保護のため、一又は二以上の権限のある機関を指定し又は設置すること。

(c)無形文化遺産、特に危険にさらされている無形文化遺産を効果的に保護するため、学術的、技術的及び芸術的な研究並びに調査の方法を促進すること。

(d)次のことを目的とする立法上、技術上、行政上及び財政上の適当な措置をとること。

(i)無形文化遺産の管理に係る訓練を行う機関の設立又は強化を促進し並びに無形文化遺産の実演又は表現のための場及び空間を通じた無形文化遺産の伝承を促進すること。

(ii)無形文化遺産の特定の側面へのアクセスを規律する慣行を尊重した上で無形文化遺産へのアクセスを確保すること。

(iii)無形文化遺産の記録の作成のための機関を設置し及びその機関の利用を促進すること。

教育と普及活動

さらに、第14条では教育と普及活動を行わなければならないことが明記されている。

第十四条　教育、意識の向上及び能力形成

締約国は、すべての適当な手段により、次のことを行うよう努める。

(a)特に次の手段を通じて、社会における無形文化遺産の認識、尊重及び拡充を確保すること。

(i)一般公衆、特に若年層を対象とした教育、意識の向上及び広報に関する事業計画

(ii)関係する社会及び集団内における特定の教育及び訓練に関する計画

(iii)無形文化遺産の保護のための能力を形成する活動(特に管理及び学術研究のためのもの)

(iv)知識の伝承についての正式な手段以外のもの

(b)無形文化遺産を脅かす危険及びこの条約に従って実施される活動を公衆に周知させること。

(c)自然の空間及び記念の場所であって無形文化遺産を表現するためにその存在が必要なものの保護のための教育を促進すること。

(外務省2020外交政策　条約「無形文化遺産の保護に関する条約」　和文テキスト)

日本の無形文化遺産

平成20年
能楽(13-23)
人形浄瑠璃文楽
歌舞伎
(伝統的な演技演出様式によって上演される歌舞伎)

平成21年
雅楽
小千谷縮·越後上布
甑島のトシドン
奥能登のあえのこと
早池峰神楽
秋保の田植踊
チャッキラコ
大日堂舞楽
題目立
アイヌ古式舞踊(13-22)

平成22年
組踊(13-25)
結城紬

平成23年
壬生の花田植(13-24)
佐陀神能

平成24年
那智の田楽

平成25年
和食;日本人の伝統的な食文化(13-26)

平成26年
和紙:日本の手漉和紙技術
(構成/石州半紙,本美濃紙,細川紙)

平成28年
山·鉾·屋台行事

13-22アイヌ古式舞踊 (イメージ)(無形文化遺産)

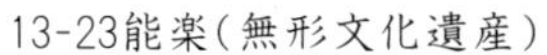
13-23能楽(無形文化遺産)

13-24壬生の花田植(無形文化遺産)

13-25組踊 (無形文化遺産)

13-26和食(無形文化遺産)

参考引用文献

小口和美　2017　「文化遺産と文化財～文化遺産を学ぶための基礎知識～」

公益社団法人日本ユネスコ協会連盟2020『世界遺産とは』「世界遺産について」https://www.unesco.or.jp/activities/isan/about-worldheritage/

外務省2020ハーグ条約、議定書、第二議定書概要 https://www.mofa.go.jp/mofaj/gaiko/treaty/pdfs/treaty166_2_gai.pdf

中内 康夫(外交防衛委員会調査室)2007『立法と調査』NO267「武力紛争の際の文化財保護の国際的枠組への参加 ～武力紛争の際の文化財保護条約・議定書・第二議定書～」 参議院https://www.sangiin.go.jp/japanese/annai/chousa/rippou_chousa/backnumber/2007pdf/20070420027.pdf

文部科学省日本ユネスコ国内委員会2020「武力紛争の際の文化財の保護のための条約(仮訳)」https://www.mext.go.jp/unesco/009/003/004.pdf

外務省2020 「武力紛争の際の文化財の保護に関する条約」https://www.mofa.go.jp/mofaj/gaiko/treaty/treaty166_2.html

文化庁2020「文化財の不法な輸入、輸出及び所有権移転を禁止し及び防止する手段に関する条約」 https://www.bunka.go.jp/seisaku/bunkazai/kokusai/yushutsu/pdf/100001521 1.pdf

ユニドロワ条約1995https://www.unidroit.org/instruments/cultural-property/1995-convention

外務省2020「世界遺産条約」https://www.mofa.go.jp/mofaj/gaiko/culture/kyoryoku/unesco/isan/world/isan_1.html

文部科学省2020　日本ユネスコ国内委員会　ユネスコ関係条約一覧　「世界の文化遺産及び自然遺産の保護に関する条約」(仮訳)https://www.mext.go.jp/unesco/009/003/013.pdf

公益社団法人日本ユネスコ協会連盟　「登録までのながれ」　http://unesco.or.jp/isan/about/

公益社団法人日本ユネスコ協会連盟　「世界遺産の登録基準」公益社団法人日本ユネスコ協会連盟　「世界遺産の登録基準」https://www.unesco.or.jp/activities/isan/decides/

文部科学省2020 日本ユネスコ国内委員会　「世界の記憶」https://www.mext.go.jp/unesco/006/1354664.htm

ユネスコ(国際連合教育科学文化機関)情報社会部2002『ユネスコ「世界の記憶」記録遺産保護のための一般指針』https://www.mext.go.jp/component/a_menu/other/micro_detail/__icsFiles/afieldfile/2017/02/13/1354665_01.pdf

UNESCO2001「Convention on the Protection of the Underwater Cultural Heritage 2001」http://portal.unesco.org/en/ev.php-URL_ID=13520&URL_DO=DO_TOPIC&URL_SECTION=201.html

文化庁2020　文化財　文化財の紹介　「無形文化遺産」 http://www.bunka.go.jp/seisaku/bunkazai/shokai/mukei_bunka_isan/

外務省　外交政策　条約2003「無形文化遺産の保護に関する条約」和文テキスト　https://www.mofa.go.jp/mofaj/gaiko/treaty/pdfs/treaty159_5a.pdf

図版の出典

13-1文化財保護のための特殊標章『フリー百科事典　ウィキペディア日本語版』2020. 10. 09https://ja.wikipedia.org/wiki/武力紛争の際の文化財の保護に関する条約#/media/File:Distinctive_emblem_for_cultural_property_under_special_protection.svg

13-2文化財保護のための特殊標章2『フリー百科事典　ウィキペディア日本語版』2020. 10. 09https://ja.wikipedia.org/wiki/武力紛争の際の文化財の保護に関する条約#/media/File:Distinctive_emblem_for_cultural_property.svg

13-3アブシンベル神殿 エジプト(文化遺産)『フリー百科事典　ウィキペディア日本語版』2020. 10. 09https://ja.wikipedia.org/wiki/アブ・シンベル

13-4ウェストミンスター宮殿、ならびに聖マーガレット教会を含むウェストミンスター寺院 イギリス(文化遺産)『フリー百科事典　ウィキペディア日本語版』2020. 10. 09https://ja.wikipedia.org/wiki/ウェストミンスター宮殿#/media/File:Parliament_at_Sunset.JPG神殿#/media/File:Gro%C3%9Fer_Tempel_(Abu_Simbel)_02.jpg

13-5アンコール遺跡 カンボジア(文化遺産)『フリー百科事典　ウィキペディア日本語版』2020. 10. 09https://ja.wikipedia.org/wiki/アンコール遺跡#/media/File:Templo_de_Angkor_Wat_en_Camboya.JPG

13-6 厳島神社 日本(文化遺産)『フリー百科事典　ウィキペディア日本語版』2020. 10. 09https://ja.wikipedia.org/wiki/厳島神社#/media/File:Itsukushima_Hiroshima.JPG

13-7富岡製糸場と絹産業遺産群 日本(文化遺産) 『フリー百科事典　ウィキペディア日本語版』2020. 10. 09https://ja.wikipedia.org/wiki/富岡製糸場と絹産業遺産群#/media/File:Tomioka_Silk_Mill_East_Cocoon_Warehouse05.jpg

13-8スルツェイ アイスランド(自然遺産)『フリー百科事典　ウィキペディア日本語版』2020. 10. 09https://upload.wikimedia.org/wikipedia/commons/a/ad/Surtsey_from_plane%2C_1999.jpg

13-9イビサ、生物多様性と文化 スペイン(複合遺産)『フリー百科事典　ウィキペディア日本語版』2020. 10. 09https://ja.wikipedia.org/wiki/イビサ島#/media/File:ForbysIbizaTown_03.jpg

13-10峨眉山と楽山大仏 中国(複合遺産)『フリー百科事典　ウィキペディア日本語版』2020. 10. 09https://commons.wikimedia.org/wiki/File:Buddha_Leshan01.jpg

13-11屋久島 日本(自然遺産)『フリー百科事典　ウィキペディア日本語版』2020. 10. 09https://ja.wikipedia.org/wiki/屋久島#/media/File:Jhomonsugi_in_Yaku_Island_Japan_001.JPG

13-12武陵源の自然景観と歴史地域 中国(自然遺産)『フリー百科事典　ウィキペディア日本語版』2020. 10. 09https://ja.wikipedia.org/wiki/武陵源#/media/File:Wulingyuan_from_Tianzishan.jpg

13-13セント・キルダ イギリス(複合遺産)『フリー百科事典　ウィキペディア日本語版』2020. 10. 09https://ja.wikipedia.org/wiki/セント・キルダ#/media/File:Cleit_above_Village_Bay.jpg

13-14ンゴロンゴロ保全地域 タンザニア(複合遺産)『フリー百科事典　ウィキペディア日本語版』2020. 10. 09https://ja.wikipedia.org/wiki/ンゴロンゴロ保全地域#/media/File:Ngorongoro-Crater-animals.jpg

13-15トンブクトゥ マリ共和国(危機遺産)『フリー百科事典　ウィキペディア日本語版』2020. 10. 09https://ja.wikipedia.org/wiki/トンブクトゥ#/media/File:Mali1974-123_hg.jpg

13-16パルミラの遺跡 シリア・アラブ共和国(危機遺産)『フリー百科事典　ウィキペディア日本語版』2020. 10. 09https://upload.wikimedia.org/wikipedia/commons/e/e7/PalmyraAncientAvenue.JPG

13-17レプティス・マグナの古代遺跡 リビア(危機遺産)『フリー百科事典　ウィキペディア日本語版』2020. 10. 09https://upload.wikimedia.org/wikipedia/commons/9/97/Severan_Basilica.JPG

13-18バーミヤン渓谷の文化的景観と古代遺跡群 アフガニスタン(危機遺産)『フリー百科事典　ウィキペディア日本語版』2020. 10. 09https://upload.wikimedia.org/wikipedia/commons/6/66/Bamiyan_Valley2.jpg

13-19アンネフランク1942『アンネの日記』『フリー百科事典　ウィキペディア日本語版』2020. 10. 09https://upload.wikimedia.org/wikipedia/commons/7/7c/Diary_of_Anne_Frank_28_sep_1942.jpg

13-20「人間と市民の権利の宣言(フランス人権宣言)」1789 https://upload.wikimedia.org/wikipedia/commons/6/6c/Declaration_of_the_Rights_of_Man_and_of_the_Citizen_in_1789.jpg

13-21タイタニック号 『フリー百科事典　ウィキペディア日本語版』2020. 10. 09https://upload.wikimedia.org/wikipedia/commons/9/9c/Titanic_wreck_bow.jpg

13-22アイヌ古式舞踊(イメージ)(無形文化遺産)『フリー百科事典　ウィキペディア日本語版』2020. 10. 09https://upload.wikimedia.org/wikipedia/commons/c/c4/Ceremonial_round_dance%2C_resembles_the_Japanese_Bon-Odori_%28Temple_dance_in_which_the_departed_are_commemorated%29_%2810795473465%29.jpg?uselang=ja

13-23能楽(無形文化遺産)『フリー百科事典　ウィキペディア日本語版』2020. 10. 09https://upload.wikimedia.org/wikipedia/commons/6/67/Noh5.jpg

13-24壬生の花田植(無形文化遺産)『フリー百科事典　ウィキペディア日本語版』2020. 10. 09https://ja.wikipedia.org/wiki/壬生の花田植#/media/File:Mibu-hanadaue01.JPG

13-25組踊(無形文化遺産)『フリー百科事典　ウィキペディア日本語版』2020. 10. 09https://upload.wikimedia.org/wikipedia/commons/archive/9/9e/20121213113745%21Japanisches_Kulturinstitut_B%C3%BChnenk%C3%BCnste.jpg?uselang=ja

13-26和食(無形文化遺産)『フリー百科事典　ウィキペディア日本語版』2020. 10. 09https://ja.wikipedia.org/wiki/日本料理#/media/File:Osechi_001.jpg

13-27イチャン・カラ ヒヴァ・ウズベキスタン共和国(世界文化遺産)筆者撮影

13-27イチャン・カラ ヒヴァ・ウズベキスタン共和国(世界文化遺産)

第 14 回　その他の文化財保護

文化財保護法は、我が国の文化財保護行政の基本である。しかし文化財保護法以外にも様々な法律が出されて文化財の保護活用を図ろうとしている。特徴としては、保護だけではなく活用にも重点を置いていることで、ストーリー性を重視してより興味を持ってもらえるようにするなど、観光資源として地域の活性化につなげようという動きが反映されているものが多いことである。ここではその一部を紹介する。

日本遺産

文化庁は2015年より日本遺産の認定事業を行っている。文化財保護法が文字通り「文化財」の「保護」を目的としたものであるのに対し、日本遺産は活用して地域の活性化を図ることを目的としたものである。ここで重要視されるのは、「歴史的魅力や特色を」もった「我が国の文化・伝統を語るストーリー」であり、これを構成する要素としての遺産を「面」として活用することである。

> 「日本遺産(Japan Heritage)」は地域の歴史的魅力や特色を通じて我が国の文化・伝統を語るストーリーを「日本遺産(Japan Heritage)」として文化庁が認定するものです。
> ストーリーを語る上で欠かせない魅力溢れる有形や無形の様々な文化財群を、地域が主体となって総合的に整備・活用し、国内だけでなく海外へも戦略的に発信していくことにより、地域の活性化を図ることを目的としています。
> ー中略ー
> 世界遺産登録や文化財指定は、いずれも登録・指定される文化財(文化遺産)の価値付けを行い、保護を担保することを目的とするものです。一方で日本遺産は、既存の文化財の価値付けや保全のための新たな規制を図ることを目的としたものではなく、地域に点在する遺産を「面」として活用し、発信することで、地域活性化を図ることを目的としている点に違いがあります。
> (文化庁2020『文化庁ホームページ』「日本遺産(Japan Heritage)」について　)

方向性

日本遺産の方向性は3つに集約されている。

①地域に点在する文化財の把握とストーリーによるパッケージ化
②地域全体としての一体的な整備・活用
③国内外への積極的かつ戦略的・効果的な発信

要件と種類

認定のストーリーの要件は

①歴史的経緯や地域の風習に根ざし、世代を超えて受け継がれている伝承、風習などを踏まえたものであること。
②ストーリーの中核には、地域の魅力として発信する明確なテーマを設定の上、建造物や遺跡・名勝地、祭りなど、地域に根ざして継承・保存がなされている文化財にまつわるものを据えること。
③単に地域の歴史や文化財の価値を解説するだけのものになっていないこと。

であり、ストーリーには二種類がある。

○「地域型」・・・単一の市町村内でストーリーが完結

〇「シリアル型(ネットワーク型)」・・・複数の市町村にまたがってストーリーが展開

申請

申請は文化庁が都道府県を通じて公募し、

①申請者は市町村とします。シリアル型の場合は原則市町村の連名としますが、当該市町村が同一都道府県内にある場合は、都道府県が申請者となることも可能です。

②ストーリーを構成する文化財群は地域に受け継がれている有形・無形のあらゆる文化財が対象で、地方指定や未指定の文化財を含めることも可能ですが、国指定・選定のものを必ず一つは含める必要があります。

③地域型で申請する場合は、歴史文化基本構想もしくは歴史的風致維持向上計画を策定済みの市町村、又は世界文化遺産一覧表記載案件もしくは世界文化遺産暫定(ざんてい)一覧表記載・候補案件 の構成資産を有する市町村であることが条件となります。

審査

審査は以下の基準で行われている。

①ストーリーの内容が、当該地域の際だった歴史的特徴・特色を示すものであるとともに我が国の魅力を十分に伝えるものになっていること。

※具体的には、以下の観点から総合的に判断します。

(1)興味深さ:人々が関心を持ったり惹きつけられたりする内容となっている。

(2)斬新さ :あまり知られていなかった点や隠れた魅力を打ち出している。

(3)訴求力 :専門的な知識がなくても理解しやすい内容となっている。

(4)希少性 :他の地域ではあまり見られない希有な点がある。

(5)地域性 :地域特有の文化が現れている。

②日本遺産という資源を活かした地域づくりについての将来像(ビジョン)と、実現に向けた具体的な方策が適切に示されていること。

③ストーリーの国内外への戦略的・効果的な発信など、日本遺産を通じた地域活性化の推進が可能となる体制が整備されていること。

(文化庁2020『文化庁ホームページ』「日本遺産(Japan Heritage)」パンフレット)

認定ストーリー(14-1・2)

タイトル:近世日本の教育遺産群 —学ぶ心・礼節の本源—

分類:シリアル

所在自治体: 水戸市(茨城県)・足利市(栃木県)・備前市(岡山県)・日田市(大分県)

ストーリーの概要:我が国では、近代教育制度の導入前から、支配者層である武士のみならず、多くの庶民も読み書き・算術ができ、礼儀正しさを身に付けるなど、高い教育水準を示した。これは、藩校や郷学、私塾など、様々な階層を対象とした学校の普及による影響が大きく、明治維新以降のいち早い近代化の原動力となり、現代においても、学問・教育に力を入れ、礼節を重んじる日本人の国民性として受け継がれている。

主な構成文化財: 旧弘道館・常磐公園(偕楽園)(水戸市)-足利学校跡・国宝漢籍「礼記正義」「尚書正義」「文選」「周易注疏」(足利市)-旧閑谷学校・釈菜(備前市)-咸宜園跡・日田市豆田町重要伝統的建造物群保存地区(日田市)問い合わせ先:水戸市教育委員会事務局教育部歴史文化財課世界遺産推進室世界遺産係 茨城県水戸市笠原町978-5

(文化庁2020『文化庁ホームページ』「日本遺産(Japan Heritage)」パンフレット)

14-1弘道館(重要文化財・特別史跡・日本遺産)

14-2閑谷学校(国宝・特別史跡・日本遺産)

14-3斎宮跡(史跡・日本遺産)

14-4津和野城跡(史跡・日本遺産)

認定ストーリー(14-3)

タイトル:祈る皇女斎王のみやこ 斎宮

分類:地域

所在自治体:明和町

ストーリーの概要:古代から中世にわたり、天皇に代わって伊勢神宮の天照大神に仕えた「斎王」は、皇女として生まれながら、都から離れた伊勢の地で、人と神との架け橋として、国の平安と繁栄を願い、神への祈りを捧げる日々を送った。斎王の宮殿である斎宮は、伊勢神宮領の入口に位置し、都さながらの雅な暮らしが営まれていたと言われている。地元の人々によって神聖な土地として守り続けられてきた斎宮跡一帯は、日本で斎宮が存在した唯一の場所として、皇女の祈りの精神を今日に伝えている。

主な構成文化財:-斎宮跡-斎王の森-祓川-竹神社-斎王尾野湊御禊場跡

問い合わせ先:明和町斎宮跡・文化観光課文化財係 三重県多気郡明和町大字馬之上945番地

(文化庁2020『文化庁ホームページ』「日本遺産(Japan Heritage)」パンフレット)

認定ストーリー(14-4)

タイトル:津和野今昔～百景図を歩く～

分類:地域

所在自治体:津和野町

ストーリーの概要:幕末の津和野藩の風景などを記録した「津和野百景図」には、藩内の名所、自然、伝統芸能、風俗、人情などの絵画と解説が100枚描かれている。明治以降、不断の努力によって町民は多くの開発から街を守るとともに、新しい時代の風潮に流されることなく古き良き伝統を継承してきた。百景図に描かれた当時の様子と現在の様子を対比させつつ往時の息吹が体験できる稀有な城下町である。

主な構成文化財: -津和野城跡-弥栄神社の鷺舞-殿町

問い合わせ先:津和野町日本遺産センター 島根県鹿足郡津和野町後田ロ253

(文化庁2020『文化庁ホームページ』「日本遺産(Japan Heritage)」パンフレット)

近代化産業遺産

経済産業省が認定する近代化産業遺産は、地域の活性化のために日本の産業近代化に貢献した幕末・明治維新から戦前にかけての工場跡や炭鉱跡等の建造物、画期的製造品やその製造に用いられた機器や教育マニュアル等の産業遺産を有効活用するためのもので、2007年度に33の近代化産業遺産ストーリーを作成し、「近代化産業遺産群33」を公表した。翌2008年度にも「近代化産業遺産群続33」を公表している。

『近代技術導入事始め』海防を目的とした近代黎明期の技術導入の歩みを物語る近代化産業遺産群

19世紀初頭になると、それまで外交関係を結んでいなかったイギリス・アメリカ・ロシア等の船が我が国の近海に来航するようになり、さらには阿片戦争で東アジアの大国・清国が欧米列強に敗退したことが伝わると、外国船の来航に対する脅威が高まり、幕府及び地方政権によって海防軍備を目的とした 鉄製大砲及び洋式船の建造が始まった。特に、我が国の南西部に位置し外国船来航に直面することが多かった西国雄藩では、高い危機感のもとで先進的な取組みが行われた。まず、従来から長崎防衛の役割を担い青銅砲の鋳造技術を持っていた佐賀藩の藩主・鍋島直正は、1850年に反射炉の建設に着手し、鋳鉄製大砲を完成させ、これを長崎の砲台に設置した。また、1852年には、藩営の技術研究機関である「精煉方(せいれん)」を創設し、後にはオランダから工作機械も購入して蒸気機関や蒸気船、火薬、ガラス等の研究を行った。次いで薩摩藩でも、島津斉彬が藩主になると即座に本格的な西洋技術の導入に着手した。洋式船舶の建造を主目的とした各種産業育成のため、磯に洋式工場群である「集成館」を建設し、造船・製鉄・ガラス・紡績・製薬・通信などの多様な産業を育成した。これらの成果として、1854年には洋式木造帆船である「昇平丸」を建造し、また、1855年には蒸気機関を完成させ、これを搭載した「雲行丸」の試運転に成功し、さらに、1857年には佐賀藩に続き鋳鉄製大砲を製造した。集成館事業は斉彬の死後一時的に途絶えたが、薩英戦争の敗退を契機としてその意義が見直され、1864年には長崎製鉄所経由でオランダ製の工作機械を導入し、イギリスから紡績技士と機械を導入して鹿児島紡績所を建設するなど、欧米諸国の技術を積極的に導入しつつ復興を果たした。また、船舶の点検補修のため、1867年に長崎で小菅修船場に着工した(1868年に竣工し、翌年、新政府に売却)。 同じ頃、長州藩でも、郡司鋳造所での青銅製大砲の製造や、鉄製大砲を製造するための反射炉の建造等が行われた。また、恵美須ケ鼻造船所では、後述する戸田村の技術を導入し、藩として初めて「君沢型スクーナー」を建造した。しかし、1863年、64年の二度にわたる欧米諸国との戦争(下関戦争)に 敗れたことで欧米諸国との技術の格差を痛感し、以降はイギリスからの技術導入を図ることとなった。

これらの他にも、水戸藩による那珂湊反射炉の建設と石川島造船所での「旭日丸」の建造、韮山代官所による反射炉建造など、全国各地の地方政権により海防軍備を中心とする洋式技術の導入が行われた。

一方の幕府は、江戸に砲台を整備し、また1854年には洋式木造帆船である「鳳凰丸」を完成させた。開国以降は、実際の外国技術に触れながら技術を習得することを目指し、1855年には長崎に「海軍伝習所」を設立し、オランダ人教師の指導により、観光丸などのオランダ製軍艦を練習船として海軍人材を育成した。また、これらの軍艦の修理を行うため、1857年には同じくオランダから各種工作機械、スチームハンマー、それらを駆動する蒸気機関等を購入して、同国人の指導のもと、1861年に我が国初の本格的洋式工場である「長崎鎔鉄所」(後に長崎製鉄所に改称)を建設した。ここで工作機械の取り扱いを学んだ職人達は、その後全国各地に渡り技術を伝えた。また、これらと並行して、1854年に伊豆沖でロシアの木造軍艦ディアナ号が難破したことに対して、 韮山代官を建造取締役に任命し、戸田港に船大工十数名を派遣し、ロシア人士官の指導のもとで代船「ヘダ号」を製造させた。ヘダ号の完成以降も、幕府の命によって同様のスクーナー船(君沢型スクーナー) 6隻が戸田で建造され、洋式船の船体建造技術を蓄積した。これらの技術導入の成果として、幕府は 1861年に洋式蒸気軍艦「千代田形」の建造に着手した。この事業は、船体設計は長崎の海軍伝習所出身の技術者が担当し、機関は長崎製鉄所で製作し、船体工事は戸田村等で洋式船の建造に従事した人材を配置するという、当時の洋式造船技術の粋を集めたものであり、ボイラー製作の遅れ等により完成まで時間を要したが、1863年にようやく進水することができた。また、これと並行して、より本格的な洋式船を建造するための施設として、1865年には横須賀製鉄所に着工した(新政府が引き継いで完成)。地方政権と幕府による鉄製大砲や洋式船への挑戦は、当初は鎖国体制のもとで情報が著しく制限され実際の技術に全く触れることができない中で、オランダ人ヒューゲニンの著作『リエージュ国立鋳砲所における鋳造法』に代表される数少ない蘭学書等を頼りに、多大な労力と試行錯誤のもとで進められた。しかし、開国後には、実際に欧米諸国と交流を持つ中で、苦心して導入した技術が実は欧米では一世代前のものであったことを知るに至り、独自の技術開発から欧米の人材・機械の導入による技術習得へと転換した。

このように、幕末に導入された洋式技術の多くは必ずしも明治以降の技術と直結するものではなかった。しかし、先人達の多大な熱意と努力、そして旺盛な創造力が近代化に向けた動機を加速させ、明治以降に活躍する人材を生み出したという点において、我が国の近代化の大きな礎となった。また、造船関連設備の建設が進められた長崎、横須賀等は、明治以降の造船近代化の拠点として大きな役割を果たすこととなった。

江川代官所による事業の関連遺産(韮山反射炉等)(14-5)

(経済産業省2008平成19年度「近代化産業遺産群33」)

14-5韮山反射炉(史跡・近代化産業遺産)

14-6舞鶴赤レンガ倉庫群(重要文化財・近代化産業遺産)

建造物の近代化に貢献した赤煉瓦生産などの歩みを物語る近代化産業遺産群

我が国における近代建造物の普及は、幕末の開港に伴う長崎、横浜、神戸などの貿易港における外国人向け施設や、長崎や横須賀などにおける洋式工場の建設が契機となった。そして明治維新を迎え、本格的に欧米の文物の導入が始まると、欧米の建造物が有する頑健な構造に加え、文明開化の象徴としての側面からも近代建造物の需要が拡大し、これらの普及につれて煉瓦、セメント、板ガラスといった素材製造が産業として成長していった。これらの中で、最初に広く普及したのは赤煉瓦であった。幕末には建設の都度に現場で陶器職人を雇い、登り窯やだるま窯を用いて赤煉瓦を製造していたが、明治に入って洋風建造物が急速に増加するにつれ、素材産業として需要が急速に高まった。特に、初期の煉瓦製造業の発展においては、明治政府による計画的な煉瓦街の建設が大きな役割を果たした。まず、銀座煉瓦街の建設のため、東京近郊の小菅で1872年に我が国で初めて「ホフマン窯」(連続焼成が可能な輪形の窯)が導入された。続いて政府は、日比谷を中心とする官庁街の建設に着手し、これに必要な煉瓦を大量生産するための工場を計画した。この工場は、財政的事情から民間経営とすることとなり、渋沢栄一らによって日本煉瓦製造会社が設立され、1887年には埼玉県榛沢郡(現:深谷市)において我が国初の機械式煉瓦工場が操業を開始した。ここでは、ホフマン窯により高品質の煉瓦が大量に生産され、東京駅、碓氷峠鉄道施設、東宮御所(赤坂離宮)などの建造物にも採用された。小菅ホフマン窯や日本煉瓦製造会社工場が建設された利根川・荒川の中下流域は、窯業に適した良質な粘土が堆積し、古くから瓦製造が盛んであった。また、首都・東京に近いうえに、度々の水害で煉瓦による河川施設の近代化が急務とされるなど、煉瓦の需要が旺盛な地域でもあった。このため、明治中期以降には、瓦製造から転じた在来技術(だるま窯等)による中小煉瓦製造会社が多数設立された。松戸の柳原水閘など、埼玉県南部・千葉県北西部・東京都北東部に今日も残されている煉瓦水門群の建設では、明治中期には中小煉瓦製造会社の製品が使われていたが、明治後期になると品質の良い日本煉瓦製造会社の製品に徐々に取って代わられており、当地域における煉瓦製造業の成立と変遷の過程を物語っている。また、関東地方以外でも、明治中期には煉瓦製造は一般的な技術として広く普及し、全国各地で多様な煉瓦造建造物が建設された。技術面では、福島県の喜多方のように登り窯による製造も依然として続けられていたが、徐々にホフマン窯が優勢となった。舞鶴の旧神崎煉瓦ホフマン式輪窯は、当初は登り窯であったものを、明治末期から大正期の煉瓦需要拡大に対応するため、両端を延長して楕円形に改良したものと考えられており、需要に応じた技術変遷の過程を表している。近代に建設されたホフマン窯のなかで、窯本体の部分が現存するものは、前述の埼玉県深谷市の旧日本煉瓦製造会社と京都府舞鶴市の旧神崎煉瓦のものに加え、栃木県下都賀郡野木町の旧下野煉化製造会社のもの、滋賀県近江八幡市の旧中川煉瓦製造所のものの4つを数えるだけとなっている。一方、赤煉瓦以外の建設素材の製造は、明治初期に工部省による官営事業として本格的に着手され、深川工作分局で耐火煉瓦とセメントの製造が、赤羽製作寮で耐火煉瓦の製造が、民間の興業社硝子製造所を買い上げた品川硝子製造所でガラスの製造が開始された。これらの中でセメント製造は順調に軌道に乗り、1880年代には早くも民間企業が創設された。旧長州藩士の笠井順八は、旧士族の授産事業としてセメント製造に着目し、山口県産の大理石と泥土を工部省深川工作分局に持ち込んで素材としての適性があることを確認すると、1881年にセメント製造会社(後に小野田セメント㈱、現:太平洋セメント㈱)を設立した。続いて1884年には、官営工場の払下げを受けた浅野総一郎が浅野工場(後に浅野セメント㈱、現:太平洋セメント㈱)を設立した。これらの企業は着実に生産を拡大し、赤煉瓦製造と並ぶ建造物の素材産業として発展した。また、技術面では徳利窯から回転窯(ロータリーキルン)への転換が進み、生産効率が飛躍的に高まった。明治期から大正期にかけて、セメントは煉瓦の目地やセメントモルタル塗り建築物、港湾施設等の土木構造物などに広く用いられたが、1923年の関東大震災で煉瓦造の建造物が多数倒壊すると、「煉瓦からセメントへ」という合い言葉のもとでコンクリート造への転換が進み、セメント製造業は建設素材産業の主役へと発展した。このように、赤煉瓦やセメントの生産は、新しい技術の導入や経営者・技術者の努力により産業としての形を整え、建築・土木界のニーズの変化に対応しつつ近代建造物の素材を供給し、全国各地の近代的なインフラの整備に大きく貢献した。舞鶴市の赤煉瓦製造関連遺産(旧神崎煉瓦)と建造物(舞鶴赤レンガ倉庫群)(14-6)(経済産業省2008平成19年度「近代化産業遺産群33」)

外貨獲得と近代日本の国際化に貢献した観光産業草創期の歩みを物語る近代化産業遺産群

我が国における国際観光は、神奈川(横浜)、長崎、箱館(現:函館)の開港により修好通商条約締結国の外国人が開港場に居留し、10里(40km)の範囲内の地域を旅行することができるようになったことから始まった。我が国に居留する外国人は1874年には約2,000人と言われたが、我が国の近代化とともに公務や貿易で来日する外国人が増加してきたため、東京、横浜、神戸等の外国人居留地に洋式ホテルが建設されるようになった。その後、全国各地への鉄道延伸が外国人居留地から周辺のリゾート地への近代的ホテル建設の動きを促進していき、1890年の宇都宮～日光間の鉄道開通が日光へ、1893年の横川～軽井沢間のアプト式鉄道の開通が軽井沢へ、1888年の国府津～湯本間の馬車鉄道の開通から1919年の湯本～強羅間の箱根登山鉄道の開通に至る一連の垂直方向への鉄道延伸が箱根へ、それぞれ日本人観光客はもとより多くの外国人観光客を誘致するきっかけを与えることとなった。一方、我が国に来訪又は居住する外国人によって新しいレクリエーションやスポーツが紹介され、1887年以降、我が国においても海水浴、ゴルフ、スキー、スケート、近代登山などが始められるようになり、 国内旅行も従来の物見遊山的なものから、避暑やレクリエーション目的の旅行が普及し、これらの地域を国立公園や史跡・名勝として指定しようとする運動も起こった。このような動きは、滞在外国人の娯楽施設を有する本格的リゾートホテルの出現にもつながっており、1903年に六甲山に我が国初のゴルフコースである「神戸ゴルフ倶楽部」が誕生し、1913年には雲仙において我が国初のパブリックコースである 「雲仙ゴルフ場」が建設され、1916年には日光の「金谷ホテル」にスケートリンクが完成した。我が国を訪れる外国人は明治末期には1万5千人前後に、そして大正期には3万人を超え、その後も国内外の社会情勢による増減はあるものの、昭和初期には4万人前後にまで増加した。大正期から昭和初期にかけての訪日外客が消費する外貨(国際観光収入)は、当時の我が国経常収支の大幅な赤字の中にあって輸出額の3～4%(綿布、生糸、人絹に次ぐ第4位)を占め、経常収支の改善に大きく貢献するに至り、外客誘致による外貨獲得と我が国の国情の海外への紹介が国策として取り上げられるようになった。このような状況から、我が国でも初めて観光立国政策が推進されることとなり、政府による低利融資を受けて多くの近代ホテル群が全国各地に出現することとなった。その一方で、これらのホテル群や関連観光施設の経営を成り立たせる上では、国民による安定的な利用を基盤とする必要があった。また、外国人と接する国民に対して、観光への認識や資源保護思想の普及、モラル向上に向けた啓発が必要となってきた。このため、次第に国民への観光旅行の普及にも力が注がれるようになっていった。このような近代日本の観光産業の発展を象徴する代表的遺産は、現在でも創業時の建物が現存している近代ホテル群であり、日光の「金谷ホテル」や箱根の「富士屋ホテル」、六甲の「六甲山ホテル」など、その多くは外国人居留地やその近郊リゾート地に建設されたものである。また、中には、国営(鉄道省直営)として迎賓館的役割を担った「奈良ホテル」や北海道開拓事業の成果の象徴として建てられた札幌の「豊平館」、軍港から貿易港への変革を目指した大規模な都市計画に基づいて建設された「大湊ホテル」、アメリカ人建築家のフランク・ロイド・ライトからその弟子である遠藤新への建築技術の継承と昇華の軌跡を写す「東の帝国ホテル、西の甲子園ホテル」など、個々に興味深い背景を持つものもあり、各建築物の設計思想やデザインの中に創業時の時代背景や我が国の近代建築の変遷等を読みとることができる。また、ホテルは単に宿泊施設というだけでなく、人や文化の出会いの場としての機能を有していたことが、この時代の多くのホテルでのエピソードから伺い知ることができるが、特に洋式ホテルにレストランの運営が許されていたことが、出会いの場を大きく広げるきっかけとなった。各ホテルでは競うように豪華な大食堂をつくり、当時では珍しい本格的な西洋料理を提供することで海外から多くの賓客を集め、彼らとの情報交流や交渉

14-7万平ホテル

の場を求めて国内政財界の大物がホテルのレストランに集まるようになった。ホテルという舞台がこの時代を動かした多くの人を結びつけ、ホテルを介して築かれたネットワークにより様々な歴史の物語が生み出されていった。

万平ホテル(14-7)と軽井沢観光関連遺産(旧三笠ホテル等)

(経済産業省2008平成19年度「近代化産業遺産群33」)

地域における歴史的風致の維持及び向上に関する法律

平成20年に施行された文部科学省(文化庁)、農林水産省、国土交通省共管の法律である。通称は「歴史まちづくり法」。歴史的建造物や伝統的祭礼行事など、地域の歴史や伝統を残しながら形成された環境、すなわち歴史的風致の維持・向上を図るために制定された法律で、市町村が作成する「歴史的風致維持向上計画」に基づき、歴史的風致を後世に継承するまちづくりを国が支援するもの。

地域における歴史的風致の維持及び向上に関する法律

(平成二十年法律第四十号)

施行日: 平成三十一年四月一日

最終更新: 平成三十年六月八日公布(平成三十年法律第四十二号)改正

第一章　総則

(目的)

第一条　この法律は、地域におけるその固有の歴史及び伝統を反映した人々の活動とその活動が行われる歴史上価値の高い建造物及びその周辺の市街地とが一体となって形成してきた良好な市街地の環境(以下「歴史的風致」という。)の維持及び向上を図るため、文部科学大臣、農林水産大臣及び国土交通大臣による歴史的風致維持向上基本方針の策定及び市町村が作成する歴史的風致維持向上計画の認定、その認定を受けた歴史的風致維持向上計画に基づく特別の措置、歴史的風致維持向上地区計画に関する都市計画の決定その他の措置を講ずることにより、個性豊かな地域社会の実現を図り、もって都市の健全な発展及び文化の向上に寄与することを目的とする。
(定義)
第二条　この法律において「公共施設」とは、道路、駐車場、公園、水路その他政令で定める公共の用に供する施設をいう。
2　この法律において「重点区域」とは、次に掲げる要件に該当する土地の区域をいう。
一　次のイ又はロのいずれかに該当する土地の区域及びその周辺の土地の区域であること。
イ　文化財保護法(昭和二十五年法律第二百十四号)第二十七条第一項、第七十八条第一項又は第百九条第一項の規定により重要文化財、重要有形民俗文化財又は史跡名勝天然記念物として指定された建造物(以下「重要文化財建造物等」という。)の用に供される土地
ロ　文化財保護法第百四十四条第一項の規定により選定された重要伝統的建造物群保存地区(以下単に「重要伝統的建造物群保存地区」という。)内の土地
二　当該区域において歴史的風致の維持及び向上を図るための施策を重点的かつ一体的に推進することが特に必要であると認められる土地の区域であること。
(国及び地方公共団体の努力義務)
第三条　国及び地方公共団体は、地域における歴史的風致の維持及び向上を図るため、第三十一条第一項に規定する歴史的風致維持向上地区計画その他の都市計画の決定、景観法(平成十六年法律第百十号)第八条第一項に規定する景観計画の策定、地域における歴史的風致の維持及び向上に寄与する公共施設その他の施設(以下「歴史的風致維持向上施設」という。)の整備に関する事業の実施その他の必要な措置を講ずるよう努めなければならない。
(地域における歴史的風致の維持及び向上に関する法律)

2017年現在、金沢市や川越市、三島市など62都市が認定されている。

歴史の道百選　(1978年度から1996年度)(14-8)

「歴史の道」の調査・整備・活用事業の実績と蓄積を踏まえて、より一層、「歴史の道」及び地域の文化財への国民の関心と理解を深めることを目的に、都道府県教育委員会の協力により、全国各地の最もすぐれた「歴史の道」を選定委員会で厳選したもの。

(文化庁文化財保護部記念物課長通知　庁保記第二四号　平成八年一一月一日「文化庁選定「歴史の道百選」について」)(文化庁2020「文化庁選定「歴史の道百選」)

29. 鎌倉街道－七口切通(14-8)
選定箇所:大仏切通・仮粧坂・巨福呂坂・亀ヶ谷坂(鎌倉市)、朝夷奈切通(鎌倉市～横浜市)、名越切通(鎌倉市～逗子市)
概要:三方を丘陵に囲まれ一方に遠浅の海が開ける鎌倉は、海上交通路の拠点として由比浦、和賀江嶋、御霊前浜が発達する。陸上交通は低いが険阻な丘陵を横

14-8鎌倉街道－七口切通(仮粧坂)

断する必要があるため、鎌倉の出入り口にあたる丘陵には切通が作られ、後に朝夷奈切通・名越切通・亀ヶ谷坂・仮粧坂・大仏切通・巨福呂坂・極楽寺切通の7つの切通をもって「鎌倉七口」と称されるようになった。また、切通は鎌倉と外部との往来口であったため、鎌倉の防御上きわめて要衝の地域であり、戦略的に重要な意味を持っていた。

（文化庁2020『文化庁選定「歴史の道百選」』29鎌倉街道-七口切通（神奈川県鎌倉市・横浜市・逗子市））

古都における歴史的風土の保存に関する特別措置法

昭和41(1966)年に施行された、いわゆる古都保存法である。鎌倉市の住環境保全運動を契機に、市町村の歴史的風土を保存し、次の世代へと繋げていく事を目的とした法律。

昭和四十一年法律第一号

古都における歴史的風土の保存に関する特別措置法

（目的）

第一条　この法律は、わが国固有の文化的資産として国民がひとしくその恵沢を享受し、後代の国民に継承されるべき古都における歴史的風土を保存するために国等において講ずべき特別の措置を定め、もつて国土愛の高揚に資するとともに、ひろく文化の向上発展に寄与することを目的とする。

（定義）

第二条　この法律において「古都」とは、わが国往時の政治、文化の中心等として歴史上重要な地位を有する京都市、奈良市、鎌倉市及び政令で定めるその他の市町村をいう。

2　この法律において「歴史的風土」とは、わが国の歴史上意義を有する建造物、遺跡等が周囲の自然的環境と一体をなして古都における伝統と文化を具現し、及び形成している土地の状況をいう。

（国及び地方公共団体の任務等）

第三条　国及び地方公共団体は、古都における歴史的風土が適切に保存されるように、この法律の趣旨の徹底を図り、かつ、この法律の適正な執行に努めなければならない。

2　一般国民は、この法律の趣旨を理解し、いやしくもこの法律の目的に反することのないように努めるとともに、国及び地方公共団体がこの法律の目的を達成するために行なう措置に協力しなければならない。

（「古都における歴史的風土の保存に関する特別措置法」）

14-9渡月橋（嵐山歴史的風土特別保存地区）

1．京都市(14-9)

■京都の歴史的風土

京都市は、東に比叡山を始めとした東山三十六峰が優美な姿をみせ、北には愛宕山、北山が連なり、西の諸峰は保津川をはさんで小倉山、嵐山が山渓をつくりだしているなど、風光明媚な自然環境に恵まれています。こうした地勢のもと、8世紀の末に桓武天皇が遷都して以来、千有余年の間、政治・文化の中心として繁栄し、数多くの歴史上重要な文化的資産を現代に伝えています。東山、北山、西山の山並みは、市街地の背景となっているばかりでなく、そこには史跡や歴史的建造物が集積し、恵まれた自然環境と見事にとけあっています。

■歴史的風土保存の経緯

高度経済成長期の昭和40年当時、京都市西部の双ヶ岡(ならびがおか)開発問題を契機として歴史的風土保存の機運が市民や文化人の間で高まり、当時、奈良市、鎌倉市とともに、古都保存法制定のきっかけをつくりました。

■歴史的風土保存区域等の指定状況

昭和41年に7地区、昭和44年に1地区を歴史的風土保存区域に指定するなど順次区域を拡大し、現在では14区域8,513haが歴史的風土として保存されています。そのうち枢要な地区として昭和42年2月に10地区、昭和44年に1地区などを加え、現在、24地区2,861haが特別保存地区に指定されています。

■歴史的風土保存の取組

清水寺、金閣寺、銀閣寺などの歴史的建造物とその背景となる山々は、古都保存法による指定により、社寺などの努力とあいまって、現在も四季おりおりの美しい景観を提供しています。また、買入れ地の一部は市民の散策の場としても利用されています。このように京都市では、市民や地域と行政が一体となって特色ある歴史的風土の保存を進めています。

(国土交通省2020『国土交通省ホームページ』「古都指定都市の概要」)

公共建築百選(14-10)

建設省(当時。現:国土交通省)が設立50周年を記念して、1998年に選定した100件の優れた公共建築物。(公共建築百選『フリー百科事典　ウィキペディア日本語版』2020.10.09)

美しい日本のむら景観百選(14-11)

農林水産省が1991年度(平成3年度)に農村地域の活性化を目的として選定した、美しい農村としての景観の百選。農村景観百選とも呼ばれる。1992年度(平成4年度)以降、美しい日本のむら景観コンテストが開催されている。

(出典:農林水産省2020『農林水産省ホームページ』「美しい日本のむら景観百選」)

(美しい日本のむら景観百選『フリー百科事典　ウィキペディア日本語版』2020.10.09)

14-10公共建築百選(蕗谷虹児記念館)

14-11美しい日本のむら景観百選(有田川町)

14-12都市景観100選(札幌大通り)

14-13日本の棚田百選(蕨野)

14-14島の宝100景(田代島の猫神社)

14-15むらの伝統文化顕彰(三島町・サイノカミ)

都市景観100選(14-12)

良好な都市景観を育むため、互いに協力しあい、工夫をこらした意欲的な実践に、ともに取り組むことを広く呼びかけるために、都市景観の日実行委員会が編成され、国土交通省が、1991年～2000年にかけて高いデザイン水準を持つ100の街を選定したものである。札幌大通り地区や姫路城周辺地区、松本城周辺市街地地区などが選定されている。

(都市景観100選『フリー百科事典　ウィキペディア日本語版』2020.10.09)

日本の棚田百選(14-13)

農林水産省によって1999年に発表された。維持が困難になってきた棚田を観光地化し、日本の風景として残すために選ばれた。

(棚田『フリー百科事典　ウィキペディア日本語版』2020.10.09)

島の宝100景(14-14)

2009年、国土交通省都市・地域整備局により選ばれた、「島の宝」として引継ぎ、活かしたい日本の離島の100の景観。

(国土交通省2018「島の宝100景」)(国土交通省2020「島の宝100景」)(島の宝100景『フリー百科事典 ウィキペディア日本語版』2020.10.09)

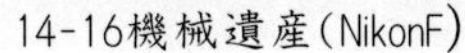
14-16機械遺産(NikonF)

14-17帝都を飾るツイン・ゲイト(清洲橋)

むらの伝統文化顕彰(14-15)

農山漁村の伝統文化の価値を理解し、その維持継承活用において積極的に取組んでいる人々や団体、また農山漁村の営みや暮らしに係わる貴重な技術を今に伝えている人々や団体の顕彰を行うとともに、あわせてこれらの優良事例を普及することにより、農山漁村伝統文化の維持継承並びに農山漁村の活性化に寄与することを目的として実施したもの。2001年度から2007年度まで行われた。

(農林水産省2018「むらの伝統文化顕彰」)(農林水産省2020「平成13年度第1回むらの伝統文化顕彰受賞地域」)

民間や学会の文化財保護

民間や学会も文化財の保護に通じる取り組みがある。

機械遺産(14-16)

2007年に日本機械学会の設立110周年を記念して設けられた制度。国内の機械の中でも特に我々の生活に大きな影響を与えた機械・機器、関連システム、工場、設計仕様書、教科書などを認定する。

> 日本機械学会は2007年6月に創立110周年を迎えました。その記念事業の一環として、歴史に残る機械技術関連遺産を大切に保存し、文化的遺産として次世代に伝えることを目的に、日本国内の機械技術面で歴史的意義のある「機械遺産」(Mechanical Engineering Heritage)を認定することにいたしました。
>
> (一般社団法人日本機械学会2020「機械遺産」https://www.jsme.or.jp/kikaiisan/)

土木学会選奨土木遺産(14-17)

平成12年に、土木遺産の顕彰を通じて歴史的土木構造物の保存に資することを目的として設立された。

(土木学会2020「土木学会選奨土木遺産」http://www.jsce.or.jp/contents/isan/)

日本の近代遺産50選(14-18)

日本経済新聞が掲載したジャーナリストの独自の視点で明治以降の歴史ある遺産から選んだもの。その背景にあるストーリーを重視している。

(出典:NIKKEI2020「日本の近代遺産50選」　http://www.adnet.jp/nikkei/kindai/index.html)

14-18日本の近代遺産50選（ホテルニューグランド）

14-19日本の100名城（彦根城）

日本100名城（14-19）

財団法人日本城郭協会が2006年に定めた名城の一覧である。2007年に財団法人日本城郭協会が設立40周年を迎える記念事業の一環として、日本国内の名城と呼ばれる城郭を公募し、2006年に発表した。

（公益財団法人日本城郭協会2020「日本100名城」 http://jokaku.jp/japan-top-100-castles/）

参考引用文献

小口和美　2017　「文化遺産と文化財～文化遺産を学ぶための基礎知識～」

文化庁2020『文化庁ホームページ』「日本遺産（Japan Heritage）」について　https://www.bunka.go.jp/seisaku/bunkazai/nihon_isan/index.html

文化庁2020『文化庁ホームページ』「日本遺産（Japan Heritage）」パンフレット　https://www.bunka.go.jp/seisaku/bunkazai/nihon_isan/pdf/nihon_isan_pamphlet.pdf

経済産業省2008平成19年度「近代化産業遺産群33」http://www.meti.go.jp/policy/local_economy/nipponsaikoh/pdf/isangun.pdf

地域における歴史的風致の維持及び向上に関する法律https://elaws.e-gov.go.jp/search/elawsSearch/elaws_search/lsg0500/detail?lawId=420AC0000000040&openerCode=1

文化庁文化財保護部記念物課長通知　庁保記第二四号　平成八年一一月一日「文化庁選定「歴史の道百選」について」https://warp.ndl.go.jp/info:ndljp/pid/11402417/www.mext.go.jp/b_menu/hakusho/nc/t19961101001/t19961101001.html

文化庁2020「文化庁選定「歴史の道百選」https://www.bunka.go.jp/seisaku/bunkazai/shokai/kinenbutsu/rekishinomichi/index.html

文化庁2020『文化庁選定「歴史の道百選」』29鎌倉街道—七口切通（神奈川県鎌倉市・横浜市・逗子市）https://www.bunka.go.jp/seisaku/bunkazai/shokai/kinenbutsu/rekishinomichi/pdf/92088301_g029.pdf

「古都における歴史的風土の保存に関する特別措置法」 https://elaws.e-gov.go.jp/search/elawsSearch/elaws_search/lsg0500/detail?lawId=341AC1000000001&openerCode=1

国土交通省2020『国土交通省ホームページ』「古都指定都市の概要」https://www.mlit.go.jp/toshi/rekimachi/toshi_history_tk_000008.html

公共建築百選『フリー百科事典　ウィキペディア日本語版』2020. 10. 09https://ja.wikipedia.org/wiki/公共建築百選

農林水産省2020『農林水産省ホームページ』「美しい日本のむら景観百選」http://www.maff.go.jp/j/nousin/noukei/binosato/b_hyakusen/hyakusen.html

美しい日本のむら景観百選『フリー百科事典　ウィキペディア日本語版』2020. 10. 09https://ja.wikipedia.org/wiki/美しい日本のむら景観百選

都市景観100選『フリー百科事典　ウィキペディア日本語版』2020. 10. 09https://ja.wikipedia.org/wiki/都市景観100選

棚田『フリー百科事典　ウィキペディア日本語版』2020. 10. 09https://ja.wikipedia.org/wiki/棚田#日本の棚田百選

国土交通省2018「島の宝100景」http://www.mlit.go.jp/crd/chirit/shimanotakara100kei.html

国土交通省2020「島の宝100景」https://www.mlit.go.jp/crd/chirit/shimanotakara100kei.htm

島の宝100景『フリー百科事典　ウィキペディア日本語版』2020. 10. 09https://ja.wikipedia.org/wiki/%E5%B3%B6%E3%81%AE%E5%AE%9D100%E6%99%AF

農林水産省2018「むらの伝統文化顕彰」　http://www.maff.go.jp/j/nousin/noukei/binosato/muraden.html

農林水産省2020「平成13年度第1回むらの伝統文化顕彰受賞地域」https://www.maff.go.jp/j/nousin/noukei/binosato/pdf/muraden_h13_e.

pdf#search='%E3%82%80%E3%82%89%E4%BC%9D%E7%B5%B1%E6%96%87%E5%8C%96%E9%A1%95%E5%BD%B0'
一般社団法人日本機械学会2020「機械遺産」https://www.jsme.or.jp/kikaiisan/
土木学会2020「土木学会選奨土木遺産」http://www.jsce.or.jp/contents/isan/
NIKKEI2020「日本の近代遺産50選」 http://www.adnet.jp/nikkei/kindai/index.html
公益財団法人日本城郭協会2020「日本100名城」 http://jokaku.jp/japan-top-100-castles/

図版の出典

14-1弘道館(重要文化財・特別史跡・日本遺産)『フリー百科事典 ウィキペディア日本語版』2020. 10. 09https://upload.wikimedia.org/wikipedia/commons/6/6a/Kodokan%2C_Mito%2C_2020.jpg

14-2閑谷学校(国宝・特別史跡・日本遺産)『フリー百科事典 ウィキペディア日本語版』2020. 10. 09https://ja.wikipedia.org/wiki/閑谷学校#/media/File:Shizutani_school_the_hall_and_shosai.JPG

14-3斎宮跡(史跡・日本遺産)『フリー百科事典 ウィキペディア日本語版』2020. 10. 09https://ja.wikipedia.org/wiki/斎宮跡#/media/File:Site_of_Saiokyu.jpg

14-4津和野城跡(史跡・日本遺産)『フリー百科事典 ウィキペディア日本語版』2020. 10. 09https://ja.wikipedia.org/wiki/津和野城#/media/File:TsuwanoJo.JPG

14-5韮山反射炉(史跡・近代化産業遺産)『フリー百科事典 ウィキペディア日本語版』2020. 10. 09https://upload.wikimedia.org/wikipedia/commons/7/7c/Reverberatory_furnace_of_Nirayama.jpg

14-6舞鶴赤レンガ倉庫群(重要文化財・近代化産業遺産)『フリー百科事典 ウィキペディア日本語版』2020. 10. 09https://upload.wikimedia.org/wikipedia/commons/d/dc/Maizuru_red_brick_warehouses05s3200.jpg

14-7万平ホテル(近代化産業遺産)『フリー百科事典 ウィキペディア日本語版』2020. 10. 09https://upload.wikimedia.org/wikipedia/commons/5/52/Manpei_hotel01s1600.jpg

14-8鎌倉街道ー七ロ切通(仮粧坂)『フリー百科事典 ウィキペディア日本語版』2020. 10. 09https://upload.wikimedia.org/wikipedia/commons/f/f0/Kewaizaka-Pass.-Kamakura-side.jpg

14-9渡月橋(嵐山歴史的風土特別保存地区)『フリー百科事典 ウィキペディア日本語版』2020. 10. 09https://upload.wikimedia.org/wikipedia/commons/c/c1/Arashiyama_%288741759830%29.jpg?uselang=ja

14-10公共建築百選(蕗谷虹児記念館)新潟県新発田市『フリー百科事典 ウィキペディア日本語版』2020. 10. 09https://upload.wikimedia.org/wikipedia/commons/0/0b/160717_Koji_Fukiya_Memorial_Museum_of_Art_Shibata_Niigata_pref_Japan02s3.jpg

14-11美しい日本のむら景観百選(有田川町・和歌山県)『フリー百科事典 ウィキペディア日本語版』2020. 10. 09https://upload.wikimedia.org/wikipedia/commons/7/77/Aragijima003.JPG

14-12都市景観100選(札幌大通り・北海道)『フリー百科事典 ウィキペディア日本語版』2020. 10. 09https://upload.wikimedia.org/wikipedia/commons/6/6e/Odori_Park_%2815982613668%29.jpg

14-13日本の棚田百選(蕨野・佐賀県)『フリー百科事典 ウィキペディア日本語版』2020. 10. 09https://upload.wikimedia.org/wikipedia/commons/2/26/Warabino_rice_terrace_7.jpg

14-14島の宝100景(田代島の猫神社)『フリー百科事典 ウィキペディア日本語版』2020. 10. 09https://upload.wikimedia.org/wikipedia/commons/f/fe/%E7%94%B0%E4%BB%A3%E5%B3%B6%E3%81%AE%E7%8C%AB%E7%A5%9E%E7%A4%BE.jpg

14-15むらの伝統文化顕彰(三島町・サイノカミ)『フリー百科事典 ウィキペディア日本語版』2020. 10. 09https://upload.wikimedia.org/wikipedia/commons/f/fc/Onobori%2C_Mishima%2C_Onuma_District%2C_Fukushima_Prefecture_969-7516%2C_Japan_-_panoramio.jpg?uselang=ja

14-16機械遺産(NikonF)『フリー百科事典 ウィキペディア日本語版』2020. 10. 09 https://upload.wikimedia.org/wikipedia/commons/6/67/Nikon_F_DSC_6498_%282%29.jpg

14-17帝都を飾るツイン・ゲイト(清洲橋)「清洲橋」『フリー百科事典 ウィキペディア日本語版』2020. 10. 09 https://upload.wikimedia.org/wikipedia/commons/0/09/Kiyosu_bashi_old.jpg

14-18日本の近代遺産50選(ホテルニューグランド)『フリー百科事典 ウィキペディア日本語版』2020. 10. 09https://upload.wikimedia.org/wikipedia/commons/2/26/Hotel_New_Grand_2019.jpg?uselang=ja

14-19日本の100名城(彦根城)筆者撮影

(付)文化財保護法

(文化財保護法 - 法令データ - 電子政府の総合窓口e-Gov イーガブ https://elaws.e-gov.go.jp/search/elawsSearch/elaws_search/lsg0500/detail?lawId=325AC1000000214)

文化財保護法
(昭和二十五年法律第二百十四号)
施行日: 令和二年六月十日
最終更新: 令和二年六月十日公布(令和二年法律第四十一号)改正
第一章　総則
(この法律の目的)
第一条　この法律は、文化財を保存し、且つ、その活用を図り、もつて国民の文化的向上に資するとともに、世界文化の進歩に貢献することを目的とする。
(文化財の定義)
第二条　この法律で「文化財」とは、次に掲げるものをいう。
一　建造物、絵画、彫刻、工芸品、書跡、典籍、古文書その他の有形の文化的所産で我が国にとつて歴史上又は芸術上価値の高いもの(これらのものと一体をなしてその価値を形成している土地その他の物件を含む。)並びに考古資料及びその他の学術上価値の高い歴史資料(以下「有形文化財」という。)
二　演劇、音楽、工芸技術その他の無形の文化的所産で我が国にとつて歴史上又は芸術上価値の高いもの(以下「無形文化財」という。)
三　衣食住、生業、信仰、年中行事等に関する風俗慣習、民俗芸能、民俗技術及びこれらに用いられる衣服、器具、家屋その他の物件で我が国民の生活の推移の理解のため欠くことのできないもの(以下「民俗文化財」という。)
四　貝づか、古墳、都城跡、城跡、旧宅その他の遺跡で我が国にとつて歴史上又は学術上価値の高いもの、庭園、橋梁りよう、峡谷、海浜、山岳その他の名勝地で我が国にとつて芸術上又は観賞上価値の高いもの並びに動物(生息地、繁殖地及び渡来地を含む。)、植物(自生地を含む。)及び地質鉱物(特異な自然の現象の生じている土地を含む。)で我が国にとつて学術上価値の高いもの(以下「記念物」という。)
五　地域における人々の生活又は生業及び当該地域の風土により形成された景観地で我が国民の生活又は生業の理解のため欠くことのできないもの(以下「文化的景観」という。)
六　周囲の環境と一体をなして歴史的風致を形成している伝統的な建造物群で価値の高いもの(以下「伝統的建造物群」という。)
2　この法律の規定(第二十七条から第二十九条まで、第三十七条、第五十五条第一項第四号、第百五十三条第一項第一号、第百六十五条、第百七十一条及び附則第三条の規定を除く。)中「重要文化財」には、国宝を含むものとする。
3　この法律の規定(第百九条、第百十条、第百十二条、第百二十二条、第百三十一条第一項第四号、第百五十三条第一項第七号及び第八号、第百六十五条並びに第百七十一条の規定を除く。)中「史跡名勝天然記念物」には、特別史跡名勝天然記念物を含むものとする。
(政府及び地方公共団体の任務)
第三条　政府及び地方公共団体は、文化財がわが国の歴史、文化等の正しい理解のため欠くことのできないものであり、且つ、将来の文化の向上発展の基礎をなすものであることを認識し、その保存が適切に行われるように、周到の注意をもつてこの法律の趣旨の徹底に努めなければならない。
(国民、所有者等の心構)

第四条　一般国民は、政府及び地方公共団体がこの法律の目的を達成するために行う措置に誠実に協力しなければならない。

2　文化財の所有者その他の関係者は、文化財が貴重な国民的財産であることを自覚し、これを公共のために大切に保存するとともに、できるだけこれを公開する等その文化的活用に努めなければならない。

3　政府及び地方公共団体は、この法律の執行に当つて関係者の所有権その他の財産権を尊重しなければならない。

第二章　削除

第五条から第二十六条まで　削除

第三章　有形文化財

第一節　重要文化財

第一款　指定

（指定）

第二十七条　文部科学大臣は、有形文化財のうち重要なものを重要文化財に指定することができる。

2　文部科学大臣は、重要文化財のうち世界文化の見地から価値の高いもので、たぐいない国民の宝たるものを国宝に指定することができる。

（告示、通知及び指定書の交付）

第二十八条　前条の規定による指定は、その旨を官報で告示するとともに、当該国宝又は重要文化財の所有者に通知してする。

2　前条の規定による指定は、前項の規定による官報の告示があつた日からその効力を生ずる。但し、当該国宝又は重要文化財の所有者に対しては、同項の規定による通知が当該所有者に到達した時からその効力を生ずる。

3　前条の規定による指定をしたときは、文部科学大臣は、当該国宝又は重要文化財の所有者に指定書を交付しなければならない。

4　指定書に記載すべき事項その他指定書に関し必要な事項は、文部科学省令で定める。

5　第三項の規定により国宝の指定書の交付を受けたときは、所有者は、三十日以内に国宝に指定された重要文化財の指定書を文部科学大臣に返付しなければならない。

（解除）

第二十九条　国宝又は重要文化財が国宝又は重要文化財としての価値を失つた場合その他特殊の事由があるときは、文部科学大臣は、国宝又は重要文化財の指定を解除することができる。

2　前項の規定による指定の解除は、その旨を官報で告示するとともに、当該国宝又は重要文化財の所有者に通知してする。

3　第一項の規定による指定の解除には、前条第二項の規定を準用する。

4　第二項の通知を受けたときは、所有者は、三十日以内に指定書を文部科学大臣に返付しなければならない。

5　第一項の規定により国宝の指定を解除した場合において当該有形文化財につき重要文化財の指定を解除しないときは、文部科学大臣は、直ちに重要文化財の指定書を所有者に交付しなければならない。

第二款　管理

（管理方法の指示）

第三十条　文化庁長官は、重要文化財の所有者に対し、重要文化財の管理に関し必要な指示をすることができる。

（所有者の管理義務及び管理責任者）
第三十一条　重要文化財の所有者は、この法律並びにこれに基いて発する文部科学省令及び文化庁長官の指示に従い、重要文化財を管理しなければならない。
2　重要文化財の所有者は、当該重要文化財の適切な管理のため必要があるときは、第百九十二条の二第一項に規定する文化財保存活用支援団体その他の適当な者を専ら自己に代わり当該重要文化財の管理の責めに任ずべき者（以下この節及び第百八十七条第一項第一号において「管理責任者」という。）に選任することができる。
3　前項の規定により管理責任者を選任したときは、重要文化財の所有者は、文部科学省令の定める事項を記載した書面をもつて、当該管理責任者と連署の上二十日以内に文化庁長官に届け出なければならない。管理責任者を解任した場合も同様とする。
4　管理責任者には、前条及び第一項の規定を準用する。
（所有者又は管理責任者の変更）
第三十二条　重要文化財の所有者が変更したときは、新所有者は、文部科学省令の定める事項を記載した書面をもつて、且つ、旧所有者に対し交付された指定書を添えて、二十日以内に文化庁長官に届け出なければならない。
2　重要文化財の所有者は、管理責任者を変更したときは、文部科学省令の定める事項を記載した書面をもつて、新管理責任者と連署の上二十日以内に文化庁長官に届け出なければならない。この場合には、前条第三項の規定は、適用しない。
3　重要文化財の所有者又は管理責任者は、その氏名若しくは名称又は住所を変更したときは、文部科学省令の定める事項を記載した書面をもつて、二十日以内に文化庁長官に届け出なければならない。氏名若しくは名称又は住所の変更が重要文化財の所有者に係るときは、届出の際指定書を添えなければならない。
（管理団体による管理）
第三十二条の二　重要文化財につき、所有者が判明しない場合又は所有者若しくは管理責任者による管理が著しく困難若しくは不適当であると明らかに認められる場合には、文化庁長官は、適当な地方公共団体その他の法人を指定して、当該重要文化財の保存のため必要な管理（当該重要文化財の保存のため必要な施設、設備その他の物件で当該重要文化財の所有者の所有又は管理に属するものの管理を含む。）を行わせることができる。
2　前項の規定による指定をするには、文化庁長官は、あらかじめ、当該重要文化財の所有者（所有者が判明しない場合を除く。）及び権原に基く占有者並びに指定しようとする地方公共団体その他の法人の同意を得なければならない。
3　第一項の規定による指定は、その旨を官報で告示するとともに、前項に規定する所有者、占有者及び地方公共団体その他の法人に通知してする。
4　第一項の規定による指定には、第二十八条第二項の規定を準用する。
5　重要文化財の所有者又は占有者は、正当な理由がなくて、第一項の規定による指定を受けた地方公共団体その他の法人（以下この節及び第百八十七条第一項第一号において「管理団体」という。）が行う管理又はその管理のため必要な措置を拒み、妨げ、又は忌避してはならない。
6　管理団体には、第三十条及び第三十一条第一項の規定を準用する。
第三十二条の三　前条第一項に規定する事由が消滅した場合その他特殊の事由があるときは、文化庁長官は、管理団体の指定を解除することができる。
2　前項の規定による解除には、前条第三項及び第二十八条第二項の規定を準用する。
第三十二条の四　管理団体が行う管理に要する費用は、この法律に特別の定のある場合を除いて、管理団体の負担とする。

2　前項の規定は、管理団体と所有者との協議により、管理団体が行う管理により所有者の受ける利益の限度において、管理に要する費用の一部を所有者の負担とすることを妨げるものではない。

（滅失、き損等）

第三十三条　重要文化財の全部又は一部が滅失し、若しくはき損し、又はこれを亡失し、若しくは盗み取られたときは、所有者（管理責任者又は管理団体がある場合は、その者）は、文部科学省令の定める事項を記載した書面をもつて、その事実を知つた日から十日以内に文化庁長官に届け出なければならない。

（所在の変更）

第三十四条　重要文化財の所在の場所を変更しようとするときは、重要文化財の所有者（管理責任者又は管理団体がある場合は、その者）は、文部科学省令の定める事項を記載した書面をもつて、且つ、指定書を添えて、所在の場所を変更しようとする日の二十日前までに文化庁長官に届け出なければならない。但し、文部科学省令の定める場合には、届出を要せず、若しくは届出の際指定書の添附を要せず、又は文部科学省令の定めるところにより所在の場所を変更した後届け出ることをもつて足りる。

第三款　保護

（修理）

第三十四条の二　重要文化財の修理は、所有者が行うものとする。但し、管理団体がある場合は、管理団体が行うものとする。

（管理団体による修理）

第三十四条の三　管理団体が修理を行う場合は、管理団体は、あらかじめ、その修理の方法及び時期について当該重要文化財の所有者（所有者が判明しない場合を除く。）及び権原に基く占有者の意見を聞かなければならない。

2　管理団体が修理を行う場合には、第三十二条の二第五項及び第三十二条の四の規定を準用する。

（管理又は修理の補助）

第三十五条　重要文化財の管理又は修理につき多額の経費を要し、重要文化財の所有者又は管理団体がその負担に堪えない場合その他特別の事情がある場合には、政府は、その経費の一部に充てさせるため、重要文化財の所有者又は管理団体に対し補助金を交付することができる。

2　前項の補助金を交付する場合には、文化庁長官は、その補助の条件として管理又は修理に関し必要な事項を指示することができる。

3　文化庁長官は、必要があると認めるときは、第一項の補助金を交付する重要文化財の管理又は修理について指揮監督することができる。

（管理に関する命令又は勧告）

第三十六条　重要文化財を管理する者が不適任なため又は管理が適当でないため重要文化財が滅失し、き損し、又は盗み取られる虞があると認めるときは、文化庁長官は、所有者、管理責任者又は管理団体に対し、重要文化財の管理をする者の選任又は変更、管理方法の改善、防火施設その他の保存施設の設置その他管理に関し必要な措置を命じ、又は勧告することができる。

2　前項の規定による命令又は勧告に基いてする措置のために要する費用は、文部科学省令の定めるところにより、その全部又は一部を国庫の負担とすることができる。

3　前項の規定により国庫が費用の全部又は一部を負担する場合には、前条第三項の規定を準用する。

（修理に関する命令又は勧告）
第三十七条　文化庁長官は、国宝がき損している場合において、その保存のため必要があると認めるときは、所有者又は管理団体に対し、その修理について必要な命令又は勧告をすることができる。
2　文化庁長官は、国宝以外の重要文化財がき損している場合において、その保存のため必要があると認めるときは、所有者又は管理団体に対し、その修理について必要な勧告をすることができる。
3　前二項の規定による命令又は勧告に基いてする修理のために要する費用は、文部科学省令の定めるところにより、その全部又は一部を国庫の負担とすることができる。
4　前項の規定により国庫が費用の全部又は一部を負担する場合には、第三十五条第三項の規定を準用する。
（文化庁長官による国宝の修理等の施行）
第三十八条　文化庁長官は、左の各号の一に該当する場合においては、国宝につき自ら修理を行い、又は滅失、き損若しくは盗難の防止の措置をすることができる。
一　所有者、管理責任者又は管理団体が前二条の規定による命令に従わないとき。
二　国宝がき損している場合又は滅失し、き損し、若しくは盗み取られる虞がある場合において、所有者、管理責任者又は管理団体に修理又は滅失、き損若しくは盗難の防止の措置をさせることが適当でないと認められるとき。
2　前項の規定による修理又は措置をしようとするときは、文化庁長官は、あらかじめ、所有者、管理責任者又は管理団体に対し、当該国宝の名称、修理又は措置の内容、着手の時期その他必要と認める事項を記載した令書を交付するとともに、権原に基く占有者にこれらの事項を通知しなければならない。
第三十九条　文化庁長官は、前条第一項の規定による修理又は措置をするときは、文化庁の職員のうちから、当該修理又は措置の施行及び当該国宝の管理の責に任ずべき者を定めなければならない。
2　前項の規定により責に任ずべき者と定められた者は、当該修理又は措置の施行に当るときは、その身分を証明する証票を携帯し、関係者の請求があつたときは、これを示し、且つ、その正当な意見を十分に尊重しなければならない。
3　前条第一項の規定による修理又は措置の施行には、第三十二条の二第五項の規定を準用する。
第四十条　第三十八条第一項の規定による修理又は措置のために要する費用は、国庫の負担とする。
2　文化庁長官は、文部科学省令の定めるところにより、第三十八条第一項の規定による修理又は措置のために要した費用の一部を所有者（管理団体がある場合は、その者）から徴収することができる。但し、同条第一項第二号の場合には、修理又は措置を要するに至つた事由が所有者、管理責任者若しくは管理団体の責に帰すべきとき、又は所有者若しくは管理団体がその費用の一部を負担する能力があるときに限る。
3　前項の規定による徴収については、行政代執行法（昭和二十三年法律第四十三号）第五条及び第六条の規定を準用する。
第四十一条　第三十八条第一項の規定による修理又は措置によつて損失を受けた者に対しては、国は、その通常生ずべき損失を補償する。
2　前項の補償の額は、文化庁長官が決定する。
3　前項の規定による補償額に不服のある者は、訴えをもつてその増額を請求することができる。ただし、前項の補償の決定の通知を受けた日から六箇月を経過したときは、この限りでない。

4　前項の訴えにおいては、国を被告とする。

（補助等に係る重要文化財譲渡の場合の納付金）

第四十二条　国が修理又は滅失、き損若しくは盗難の防止の措置（以下この条において、「修理等」という。）につき第三十五条第一項の規定により補助金を交付し、又は第三十六条第二項、第三十七条第三項若しくは第四十条第一項の規定により費用を負担した重要文化財のその当時における所有者又はその相続人、受遺者若しくは受贈者（第二次以下の相続人、受遺者又は受贈者を含む。以下この条において同じ。）（以下この条において、「所有者等」という。）は、補助又は費用負担に係る修理等が行われた後当該重要文化財を有償で譲り渡した場合においては、当該補助金又は負担金の額（第四十条第一項の規定による負担金については、同条第二項の規定により所有者から徴収した部分を控除した額をいう。以下この条において同じ。）の合計額から当該修理等が行われた後重要文化財の修理等のため自己の費した金額を控除して得た金額（以下この条において、「納付金額」という。）を、文部科学省令の定めるところにより国庫に納付しなければならない。

2　前項に規定する「補助金又は負担金の額」とは、補助金又は負担金の額を、補助又は費用負担に係る修理等を施した重要文化財又はその部分につき文化庁長官が個別的に定める耐用年数で除して得た金額に、更に当該耐用年数から修理等を行つた時以後重要文化財の譲渡の時までの年数を控除した残余の年数（一年に満たない部分があるときは、これを切り捨てる。）を乗じて得た金額に相当する金額とする。

3　補助又は費用負担に係る修理等が行われた後、当該重要文化財が所有者等の責に帰することのできない事由により著しくその価値を減じた場合又は当該重要文化財を国に譲り渡した場合には、文化庁長官は、納付金額の全部又は一部の納付を免除することができる。

4　文化庁長官の指定する期限までに納付金額を完納しないときは、国税滞納処分の例により、これを徴収することができる。この場合における徴収金の先取特権の順位は、国税及び地方税に次ぐものとする。

5　納付金額を納付する者が相続人、受遺者又は受贈者であるときは、第一号に定める相続税額又は贈与税額と第二号に定める額との差額に相当する金額を第三号に定める年数で除して得た金額に第四号に定める年数を乗じて得た金額をその者が納付すべき納付金額から控除するものとする。

一　当該重要文化財の取得につきその者が納付した、又は納付すべき相続税額又は贈与税額

二　前号の相続税額又は贈与税額の計算の基礎となつた課税価格に算入された当該重要文化財又はその部分につき当該相続、遺贈又は贈与の時までに行つた修理等に係る第一項の補助金又は負担金の額の合計額を当該課税価格から控除して得た金額を課税価格として計算した場合に当該重要文化財又はその部分につき納付すべきこととなる相続税額又は贈与税額に相当する額

三　第二項の規定により当該重要文化財又はその部分につき文化庁長官が定めた耐用年数から当該重要文化財又はその部分の修理等を行つた時以後当該重要文化財の相続、遺贈又は贈与の時までの年数を控除した残余の年数（一年に満たない部分があるときは、これを切り捨てる。）

四　第二項に規定する当該重要文化財又はその部分についての残余の耐用年数

6　前項第二号に掲げる第一項の補助金又は負担金の額については、第二項の規定を準用する。この場合において、同項中「譲渡の時」とあるのは、「相続、遺贈又は贈与の時」と読み替えるものとする。

7　第一項の規定により納付金額を納付する者の同項に規定する譲渡に係る所得税法（昭和

四十年法律第三十三号)第三十三条第一項に規定する譲渡所得の金額の計算については、第一項の規定により納付する金額は、同条第三項に規定する資産の譲渡に要した費用とする。
(現状変更等の制限)
第四十三条　重要文化財に関しその現状を変更し、又はその保存に影響を及ぼす行為をしようとするときは、文化庁長官の許可を受けなければならない。ただし、現状変更については維持の措置又は非常災害のために必要な応急措置を執る場合、保存に影響を及ぼす行為については影響の軽微である場合は、この限りでない。
2　前項但書に規定する維持の措置の範囲は、文部科学省令で定める。
3　文化庁長官は、第一項の許可を与える場合において、その許可の条件として同項の現状変更又は保存に影響を及ぼす行為に関し必要な指示をすることができる。
4　第一項の許可を受けた者が前項の許可の条件に従わなかつたときは、文化庁長官は、許可に係る現状変更若しくは保存に影響を及ぼす行為の停止を命じ、又は許可を取り消すことができる。
5　第一項の許可を受けることができなかつたことにより、又は第三項の許可の条件を付せられたことによつて損失を受けた者に対しては、国は、その通常生ずべき損失を補償する。
6　前項の場合には、第四十一条第二項から第四項までの規定を準用する。
(修理の届出等)
第四十三条の二　重要文化財を修理しようとするときは、所有者又は管理団体は、修理に着手しようとする日の三十日前までに、文部科学省令の定めるところにより、文化庁長官にその旨を届け出なければならない。但し、前条第一項の規定により許可を受けなければならない場合その他文部科学省令の定める場合は、この限りでない。
2　重要文化財の保護上必要があると認めるときは、文化庁長官は、前項の届出に係る重要文化財の修理に関し技術的な指導と助言を与えることができる。
(輸出の禁止)
第四十四条　重要文化財は、輸出してはならない。但し、文化庁長官が文化の国際的交流その他の事由により特に必要と認めて許可した場合は、この限りでない。
(環境保全)
第四十五条　文化庁長官は、重要文化財の保存のため必要があると認めるときは、地域を定めて一定の行為を制限し、若しくは禁止し、又は必要な施設をすることを命ずることができる。
2　前項の規定による処分によつて損失を受けた者に対しては、国は、その通常生ずべき損失を補償する。
3　前項の場合には、第四十一条第二項から第四項までの規定を準用する。
(国に対する売渡しの申出)
第四十六条　重要文化財を有償で譲り渡そうとする者は、譲渡の相手方、予定対価の額(予定対価が金銭以外のものであるときは、これを時価を基準として金銭に見積つた額。以下同じ。)その他文部科学省令で定める事項を記載した書面をもつて、まず文化庁長官に国に対する売渡しの申出をしなければならない。
2　前項の書面においては、当該相手方に対して譲り渡したい事情を記載することができる。
3　文化庁長官は、前項の規定により記載された事情を相当と認めるときは、当該申出のあつた後三十日以内に当該重要文化財を買い取らない旨の通知をするものとする。
4　第一項の規定による売渡しの申出のあつた後三十日以内に文化庁長官が当該重要文化財を国において買い取るべき旨の通知をしたときは、第一項の規定による申出書に記載された予定対価の額に相当する代金で、売買が成立したものとみなす。
5　第一項に規定する者は、前項の期間(その期間内に文化庁長官が当該重要文化財を買い取らない旨の通知をしたときは、その時までの期間）内は、当該重要文化財を譲り渡してはならない。
（管理団体による買取りの補助）
第四十六条の二　国は、管理団体である地方公共団体その他の法人が、その管理に係る重要文化財（建造物その他の土地の定着物及びこれと一体のものとして当該重要文化財に指定された土地に限る。）で、その保存のため特に買い取る必要があると認められるものを買い取る場合には、その買取りに要する経費の一部を補助することができる。
2　前項の場合には、第三十五条第二項及び第三項並びに第四十二条の規定を準用する。
（管理又は修理の受託又は技術的指導）
第四十七条　重要文化財の所有者（管理団体がある場合は、その者）は、文化庁長官の定める条件により、文化庁長官に重要文化財の管理（管理団体がある場合を除く。）又は修理を委託することができる。
2　文化庁長官は、重要文化財の保存上必要があると認めるときは、所有者（管理団体がある場合は、その者）に対し、条件を示して、文化庁長官にその管理（管理団体がある場合を除く。）又は修理を委託するように勧告することができる。
3　前二項の規定により文化庁長官が管理又は修理の委託を受けた場合には、第三十九条第一項及び第二項の規定を準用する。
4　重要文化財の所有者、管理責任者又は管理団体は、文部科学省令の定めるところにより、文化庁長官に重要文化財の管理又は修理に関し技術的指導を求めることができる。
第四款　公開
（公開）
第四十七条の二　重要文化財の公開は、所有者が行うものとする。但し、管理団体がある場合は、管理団体が行うものとする。
2　前項の規定は、所有者又は管理団体の出品に係る重要文化財を、所有者及び管理団体以外の者が、この法律の規定により行う公開の用に供することを妨げるものではない。
3　管理団体は、その管理する重要文化財を公開する場合には、当該重要文化財につき観覧料を徴収することができる。
（文化庁長官による公開）
第四十八条　文化庁長官は、重要文化財の所有者（管理団体がある場合は、その者）に対し、一年以内の期間を限つて、国立博物館（独立行政法人国立文化財機構が設置する博物館をいう。以下この条において同じ。）その他の施設において文化庁長官の行う公開の用に供するため重要文化財を出品することを勧告することができる。
2　文化庁長官は、国庫が管理又は修理につき、その費用の全部若しくは一部を負担し、又は補助金を交付した重要文化財の所有者（管理団体がある場合は、その者）に対し、一年以内の期間を限つて、国立博物館その他の施設において文化庁長官の行う公開の用に供するため当該重要文化財を出品することを命ずることができる。
3　文化庁長官は、前項の場合において必要があると認めるときは、一年以内の期間を限つて、出品の期間を更新することができる。但し、引き続き五年をこえてはならない。
4　第二項の命令又は前項の更新があつたときは、重要文化財の所有者又は管理団体は、その重要文化財を出品しなければならない。
5　前四項に規定する場合の外、文化庁長官は、重要文化財の所有者（管理団体がある場合は、その者）から国立博物館その他の施設において文化庁長官の行う公開の用に供するため重要文化財を出品したい旨の申出があつた場合において適当と認めるときは、その出品を承認することができる。

第四十九条　文化庁長官は、前条の規定により重要文化財が出品されたときは、第百八十五条に規定する場合を除いて、文化庁の職員のうちから、その重要文化財の管理の責に任ずべき者を定めなければならない。
第五十条　第四十八条の規定による出品のために要する費用は、文部科学省令の定める基準により、国庫の負担とする。
2　政府は、第四十八条の規定により出品した所有者又は管理団体に対し、文部科学省令の定める基準により、給与金を支給する。
（所有者等による公開）
第五十一条　文化庁長官は、重要文化財の所有者又は管理団体に対し、三箇月以内の期間を限つて、重要文化財の公開を勧告することができる。
2　文化庁長官は、国庫が管理、修理又は買取りにつき、その費用の全部若しくは一部を負担し、又は補助金を交付した重要文化財の所有者又は管理団体に対し、三箇月以内の期間を限つて、その公開を命ずることができる。
3　前項の場合には、第四十八条第四項の規定を準用する。
4　文化庁長官は、重要文化財の所有者又は管理団体に対し、前三項の規定による公開及び当該公開に係る重要文化財の管理に関し必要な指示をすることができる。
5　重要文化財の所有者、管理責任者又は管理団体が前項の指示に従わない場合には、文化庁長官は、公開の停止又は中止を命ずることができる。
6　第二項及び第三項の規定による公開のために要する費用は、文部科学省令の定めるところにより、その全部又は一部を国庫の負担とすることができる。
7　前項に規定する場合のほか、重要文化財の所有者又は管理団体がその所有又は管理に係る重要文化財を公開するために要する費用は、文部科学省令で定めるところにより、その全部又は一部を国庫の負担とすることができる。
第五十一条の二　前条の規定による公開の場合を除き、重要文化財の所在の場所を変更してこれを公衆の観覧に供するため第三十四条の規定による届出があつた場合には、前条第四項及び第五項の規定を準用する。
（損失の補償）
第五十二条　第四十八条又は第五十一条第一項、第二項若しくは第三項の規定により出品し、又は公開したことに起因して当該重要文化財が滅失し、又はき損したときは、国は、その重要文化財の所有者に対し、その通常生ずべき損失を補償する。ただし、重要文化財が所有者、管理責任者又は管理団体の責に帰すべき事由によつて滅失し、又はき損した場合は、この限りでない。
2　前項の場合には、第四十一条第二項から第四項までの規定を準用する。
（所有者等以外の者による公開）
第五十三条　重要文化財の所有者及び管理団体以外の者がその主催する展覧会その他の催しにおいて重要文化財を公衆の観覧に供しようとするときは、文化庁長官の許可を受けなければならない。ただし、文化庁長官以外の国の機関若しくは地方公共団体があらかじめ文化庁長官の承認を受けた博物館その他の施設（以下この項において「公開承認施設」という。）において展覧会その他の催しを主催する場合又は公開承認施設の設置者が当該公開承認施設においてこれらを主催する場合は、この限りでない。
2　前項ただし書の場合においては、同項に規定する催しを主催した者（文化庁長官を除く。）は、重要文化財を公衆の観覧に供した期間の最終日の翌日から起算して二十日以内に、文部科学省令で定める事項を記載した書面をもつて、文化庁長官に届け出るものとする。
3　文化庁長官は、第一項の許可を与える場合において、その許可の条件として、許可に係る公開及び当該公開に係る重要文化財の管理に関し必要な指示をすることができる。
4　第一項の許可を受けた者が前項の許可の条件に従わなかつたときは、文化庁長官は、許可に係る公開の停止を命じ、又は許可を取り消すことができる。
第五款　重要文化財保存活用計画
（重要文化財保存活用計画の認定）
第五十三条の二　重要文化財の所有者（管理団体がある場合は、その者）は、文部科学省令で定めるところにより、重要文化財の保存及び活用に関する計画（以下「重要文化財保存活用計画」という。）を作成し、文化庁長官の認定を申請することができる。
2　重要文化財保存活用計画には、次に掲げる事項を記載するものとする。
一　当該重要文化財の名称及び所在の場所
二　当該重要文化財の保存及び活用のために行う具体的な措置の内容
三　計画期間
四　その他文部科学省令で定める事項
3　前項第二号に掲げる事項には、次に掲げる事項を記載することができる。
一　当該重要文化財の現状変更又は保存に影響を及ぼす行為に関する事項
二　当該重要文化財の修理に関する事項
三　当該重要文化財（建造物であるものを除く。次項第六号において同じ。）の公開を目的とする寄託契約に関する事項
4　文化庁長官は、第一項の規定による認定の申請があつた場合において、その重要文化財保存活用計画が次の各号のいずれにも適合するものであると認めるときは、その認定をするものとする。
一　当該重要文化財保存活用計画の実施が当該重要文化財の保存及び活用に寄与するものであると認められること。
二　円滑かつ確実に実施されると見込まれるものであること。
三　第百八十三条の二第一項に規定する文化財保存活用大綱又は第百八十三条の五第一項に規定する認定文化財保存活用地域計画が定められているときは、これらに照らし適切なものであること。
四　当該重要文化財保存活用計画に前項第一号に掲げる事項が記載されている場合には、その内容が重要文化財の現状変更又は保存に影響を及ぼす行為を適切に行うために必要なものとして文部科学省令で定める基準に適合するものであること。
五　当該重要文化財保存活用計画に前項第二号に掲げる事項が記載されている場合には、その内容が重要文化財の修理を適切に行うために必要なものとして文部科学省令で定める基準に適合するものであること。
六　当該重要文化財保存活用計画に前項第三号に掲げる事項が記載されている場合には、当該寄託契約の内容が重要文化財の公開を適切かつ確実に行うために必要なものとして文部科学省令で定める基準に適合するものであること。
5　文化庁長官は、前項の認定をしたときは、遅滞なく、その旨を当該認定を申請した者に通知しなければならない。
（認定を受けた重要文化財保存活用計画の変更）
第五十三条の三　前条第四項の認定を受けた重要文化財の所有者又は管理団体は、当該認定を受けた重要文化財保存活用計画の変更（文部科学省令で定める軽微な変更を除く。）をしようとするときは、文化庁長官の認定を受けなければならない。
2　前条第四項及び第五項の規定は、前項の認定について準用する。
（現状変更等の許可の特例）

第五十三条の四　第五十三条の二第三項第一号に掲げる事項が記載された重要文化財保存活用計画が同条第四項の認定（前条第一項の変更の認定を含む。以下この款及び第百五十三条第二項第六号において同じ。）を受けた場合において、当該重要文化財の現状変更又は保存に影響を及ぼす行為をその記載された事項の内容に即して行うに当たり、第四十三条第一項の許可を受けなければならないときは、同項の規定にかかわらず、当該現状変更又は保存に影響を及ぼす行為が終了した後遅滞なく、文部科学省令で定めるところにより、その旨を文化庁長官に届け出ることをもつて足りる。

（修理の届出の特例）

第五十三条の五　第五十三条の二第三項第二号に掲げる事項が記載された重要文化財保存活用計画が同条第四項の認定を受けた場合において、当該重要文化財の修理をその記載された事項の内容に即して行うに当たり、第四十三条の二第一項の規定による届出を行わなければならないときは、同項の規定にかかわらず、当該修理が終了した後遅滞なく、文部科学省令で定めるところにより、その旨を文化庁長官に届け出ることをもつて足りる。

（認定重要文化財保存活用計画の実施状況に関する報告の徴収）

第五十三条の六　文化庁長官は、第五十三条の二第四項の認定を受けた重要文化財の所有者又は管理団体に対し、当該認定を受けた重要文化財保存活用計画（変更があつたときは、その変更後のもの。次条第一項及び第五十三条の八において「認定重要文化財保存活用計画」という。）の実施の状況について報告を求めることができる。

（認定の取消し）

第五十三条の七　文化庁長官は、認定重要文化財保存活用計画が第五十三条の二第四項各号のいずれかに適合しなくなつたと認めるときは、その認定を取り消すことができる。

2　文化庁長官は、前項の規定により認定を取り消したときは、遅滞なく、その旨を当該認定を受けていた者に通知しなければならない。

（所有者等への指導又は助言）

第五十三条の八　都道府県及び市（特別区を含む。以下同じ。）町村の教育委員会（地方教育行政の組織及び運営に関する法律（昭和三十一年法律第百六十二号）第二十三条第一項の条例の定めるところによりその長が文化財の保護に関する事務を管理し、及び執行することとされた地方公共団体（以下「特定地方公共団体」という。）にあつては、その長。第百八十三条の八第四項、第百九十条第一項及び第百九十一条第一項を除き、以下同じ。）は、重要文化財の所有者又は管理団体の求めに応じ、重要文化財保存活用計画の作成及び認定重要文化財保存活用計画の円滑かつ確実な実施に関し必要な指導又は助言をすることができる。

2　文化庁長官は、重要文化財の所有者又は管理団体の求めに応じ、重要文化財保存活用計画の作成及び認定重要文化財保存活用計画の円滑かつ確実な実施に関し必要な指導又は助言をするように努めなければならない。

第六款　調査

（保存のための調査）

第五十四条　文化庁長官は、必要があると認めるときは、重要文化財の所有者、管理責任者又は管理団体に対し、重要文化財の現状又は管理、修理若しくは環境保全の状況につき報告を求めることができる。

第五十五条　文化庁長官は、次の各号のいずれかに該当する場合において、前条の報告によつてもなお重要文化財に関する状況を確認することができず、かつ、その確認のため他に方法がないと認めるときは、調査に当たる者を定め、その所在する場所に立ち入つてその現状又は管理、修理若しくは環境保全の状況につき実地調査をさせることができる。

一　重要文化財に関し現状変更又は保存に影響を及ぼす行為につき許可の申請があつたと

き。
二　重要文化財が毀損しているとき又はその現状若しくは所在の場所につき変更があつたとき。
三　重要文化財が滅失し、毀損し、又は盗み取られるおそれのあるとき。
四　特別の事情により改めて国宝又は重要文化財としての価値を鑑査する必要があるとき。
2　前項の規定により立ち入り、調査する場合においては、当該調査に当る者は、その身分を証明する証票を携帯し、関係者の請求があつたときは、これを示し、且つ、その正当な意見を十分に尊重しなければならない。
3　第一項の規定による調査によつて損失を受けた者に対しては、国は、その通常生ずべき損失を補償する。
4　前項の場合には、第四十一条第二項から第四項までの規定を準用する。
第七款　雑則
(所有者変更等に伴う権利義務の承継)
第五十六条　重要文化財の所有者が変更したときは、新所有者は、当該重要文化財に関しこの法律に基いてする文化庁長官の命令、勧告、指示その他の処分による旧所有者の権利義務を承継する。
2　前項の場合には、旧所有者は、当該重要文化財の引渡と同時にその指定書を新所有者に引き渡さなければならない。
3　管理団体が指定され、又はその指定が解除された場合には、第一項の規定を準用する。但し、管理団体が指定された場合には、もつぱら所有者に属すべき権利義務については、この限りでない。
第二節　登録有形文化財
(有形文化財の登録)
第五十七条　文部科学大臣は、重要文化財以外の有形文化財(第百八十二条第二項に規定する指定を地方公共団体が行つているものを除く。)のうち、その文化財としての価値にかんがみ保存及び活用のための措置が特に必要とされるものを文化財登録原簿に登録することができる。
2　文部科学大臣は、前項の規定による登録をしようとするときは、あらかじめ、関係地方公共団体の意見を聴くものとする。ただし、当該登録をしようとする有形文化財が第百八十三条の五第一項の規定又は文化観光拠点施設を中核とした地域における文化観光の推進に関する法律(令和二年法律第十八号)第十六条第一項の規定による登録の提案に係るものであるときは、この限りでない。
3　文化財登録原簿に記載すべき事項その他文化財登録原簿に関し必要な事項は、文部科学省令で定める。
(告示、通知及び登録証の交付)
第五十八条　前条第一項の規定による登録をしたときは、速やかに、その旨を官報で告示するとともに、当該登録をされた有形文化財(以下「登録有形文化財」という。)の所有者に通知する。
2　前条第一項の規定による登録は、前項の規定による官報の告示があつた日からその効力を生ずる。ただし、当該登録有形文化財の所有者に対しては、同項の規定による通知が当該所有者に到達した時からその効力を生ずる。
3　前条第一項の規定による登録をしたときは、文部科学大臣は、当該登録有形文化財の所有者に登録証を交付しなければならない。
4　登録証に記載すべき事項その他登録証に関し必要な事項は、文部科学省令で定める。
(登録有形文化財の登録の抹消)

第五十九条　文部科学大臣は、登録有形文化財について、第二十七条第一項の規定により重要文化財に指定したときは、その登録を抹消するものとする。
2　文部科学大臣は、登録有形文化財について、第百八十二条第二項に規定する指定を地方公共団体が行つたときは、その登録を抹消するものとする。ただし、当該登録有形文化財について、その保存及び活用のための措置を講ずる必要があり、かつ、その所有者の同意がある場合は、この限りでない。
3　文部科学大臣は、登録有形文化財についてその保存及び活用のための措置を講ずる必要がなくなつた場合その他特殊の事由があるときは、その登録を抹消することができる。
4　前三項の規定により登録の抹消をしたときは、速やかに、その旨を官報で告示するとともに、当該登録有形文化財の所有者に通知する。
5　第一項から第三項までの規定による登録の抹消には、前条第二項の規定を準用する。
6　第四項の通知を受けたときは、所有者は、三十日以内に登録証を文部科学大臣に返付しなければならない。
（登録有形文化財の管理）
第六十条　登録有形文化財の所有者は、この法律及びこれに基づく文部科学省令に従い、登録有形文化財を管理しなければならない。
2　登録有形文化財の所有者は、当該登録有形文化財の適切な管理のため必要があるときは、第百九十二条の二第一項に規定する文化財保存活用支援団体その他の適当な者を専ら自己に代わり当該登録有形文化財の管理の責めに任ずべき者（以下この節において「管理責任者」という。）に選任することができる。
3　文化庁長官は、登録有形文化財について、所有者が判明せず、又は所有者若しくは管理責任者による管理が著しく困難若しくは不適当であることが明らかである旨の関係地方公共団体の申出があつた場合には、関係地方公共団体の意見を聴いて、適当な地方公共団体その他の法人を、当該登録有形文化財の保存のため必要な管理（当該登録有形文化財の保存のため必要な施設、設備その他の物件で当該登録有形文化財の所有者の所有又は管理に属するものの管理を含む。）を行う団体（以下この節において「管理団体」という。）に指定することができる。
4　登録有形文化財の管理には、第三十一条第三項、第三十二条、第三十二条の二第二項から第五項まで、第三十二条の三及び第三十二条の四の規定を準用する。
5　登録有形文化財の管理責任者及び管理団体には、第一項の規定を準用する。
（登録有形文化財の滅失、き損等）
第六十一条　登録有形文化財の全部又は一部が滅失し、若しくはき損し、又はこれを亡失し、若しくは盗み取られたときは、所有者（管理責任者又は管理団体がある場合は、その者）は、文部科学省令で定める事項を記載した書面をもつて、その事実を知つた日から十日以内に文化庁長官に届け出なければならない。
（登録有形文化財の所在の変更）
第六十二条　登録有形文化財の所在の場所を変更しようとするときは、登録有形文化財の所有者（管理責任者又は管理団体がある場合は、その者）は、文部科学省令の定める事項を記載した書面をもつて、所在の場所を変更しようとする日の二十日前までに、登録証を添えて、文化庁長官に届け出なければならない。ただし、文部科学省令で定める場合には、届出を要せず、若しくは届出の際登録証の添付を要せず、又は文部科学省令で定めるところにより所在の場所を変更した後届け出ることをもつて足りる。
（登録有形文化財の修理）
第六十三条　登録有形文化財の修理は、所有者が行うものとする。ただし、管理団体がある場合は、管理団体が行うものとする。

2　管理団体が修理を行う場合には、第三十二条の二第五項、第三十二条の四及び第三十四条の三第一項の規定を準用する。

（登録有形文化財の現状変更の届出等）

第六十四条　登録有形文化財に関しその現状を変更しようとする者は、現状を変更しようとする日の三十日前までに、文部科学省令で定めるところにより、文化庁長官にその旨を届け出なければならない。ただし、維持の措置若しくは非常災害のために必要な応急措置又は他の法令の規定による現状変更を内容とする命令に基づく措置を執る場合は、この限りでない。

2　前項ただし書に規定する維持の措置の範囲は、文部科学省令で定める。

3　登録有形文化財の保護上必要があると認めるときは、文化庁長官は、第一項の届出に係る登録有形文化財の現状変更に関し必要な指導、助言又は勧告をすることができる。

（登録有形文化財の輸出の届出）

第六十五条　登録有形文化財を輸出しようとする者は、輸出しようとする日の三十日前までに、文部科学省令で定めるところにより、文化庁長官にその旨を届け出なければならない。

2　登録有形文化財の保護上必要があると認めるときは、文化庁長官は、前項の届出に係る登録有形文化財の輸出に関し必要な指導、助言又は勧告をすることができる。

（登録有形文化財の管理又は修理に関する技術的指導）

第六十六条　登録有形文化財の所有者、管理責任者又は管理団体は、文部科学省令で定めるところにより、文化庁長官に登録有形文化財の管理又は修理に関し技術的指導を求めることができる。

（登録有形文化財の公開）

第六十七条　登録有形文化財の公開は、所有者が行うものとする。ただし、管理団体がある場合は、管理団体が行うものとする。

2　前項の規定は、登録有形文化財の所有者及び管理団体以外の者が、所有者（管理団体がある場合は、その者）の同意を得て、登録有形文化財を公開の用に供することを妨げるものではない。

3　管理団体が行う登録有形文化財の公開には、第四十七条の二第三項の規定を準用する。

4　登録有形文化財の活用上必要があると認めるときは、文化庁長官は、登録有形文化財の所有者又は管理団体に対し、登録有形文化財の公開及び当該公開に係る登録有形文化財の管理に関し、必要な指導又は助言をすることができる。

（登録有形文化財保存活用計画の認定）

第六十七条の二　登録有形文化財の所有者（管理団体がある場合は、その者）は、文部科学省令で定めるところにより、登録有形文化財の保存及び活用に関する計画（以下「登録有形文化財保存活用計画」という。）を作成し、文化庁長官の認定を申請することができる。

2　登録有形文化財保存活用計画には、次に掲げる事項を記載するものとする。

一　当該登録有形文化財の名称及び所在の場所

二　当該登録有形文化財の保存及び活用のために行う具体的な措置の内容

三　計画期間

四　その他文部科学省令で定める事項

3　前項第二号に掲げる事項には、次に掲げる事項を記載することができる。

一　当該登録有形文化財の現状変更に関する事項

二　当該登録有形文化財（建造物であるものを除く。次項第五号において同じ。）のうち世界文化の見地から歴史上、芸術上又は学術上特に優れた価値を有するものの公開を目的とする寄

託契約に関する事項
4　文化庁長官は、第一項の規定による認定の申請があつた場合において、その登録有形文化財保存活用計画が次の各号のいずれにも適合するものであると認めるときは、その認定をするものとする。
一　当該登録有形文化財保存活用計画の実施が当該登録有形文化財の保存及び活用に寄与するものであると認められること。
二　円滑かつ確実に実施されると見込まれるものであること。
三　第百八十三条の二第一項に規定する文化財保存活用大綱又は第百八十三条の五第一項に規定する認定文化財保存活用地域計画が定められているときは、これらに照らし適切なものであること。
四　当該登録有形文化財保存活用計画に前項第一号に掲げる事項が記載されている場合には、その内容が登録有形文化財の現状変更を適切に行うために必要なものとして文部科学省令で定める基準に適合するものであること。
五　当該登録有形文化財保存活用計画に前項第二号に掲げる事項が記載されている場合には、当該寄託契約の内容が登録有形文化財の公開を適切かつ確実に行うために必要なものとして文部科学省令で定める基準に適合するものであること。
5　文化庁長官は、前項の認定をしたときは、遅滞なく、その旨を当該認定を申請した者に通知しなければならない。
（認定を受けた登録有形文化財保存活用計画の変更）
第六十七条の三　前条第四項の認定を受けた登録有形文化財の所有者又は管理団体は、当該認定を受けた登録有形文化財保存活用計画の変更（文部科学省令で定める軽微な変更を除く。）をしようとするときは、文化庁長官の認定を受けなければならない。
2　前条第四項及び第五項の規定は、前項の認定について準用する。
（現状変更の届出の特例）
第六十七条の四　第六十七条の二第三項第一号に掲げる事項が記載された登録有形文化財保存活用計画が同条第四項の認定（前条第一項の変更の認定を含む。以下この節及び第百五十三条第二項第七号において同じ。）を受けた場合において、当該登録有形文化財の現状変更をその記載された事項の内容に即して行うに当たり、第六十四条第一項の規定による届出を行わなければならないときは、同項の規定にかかわらず、当該現状変更が終了した後遅滞なく、文部科学省令で定めるところにより、その旨を文化庁長官に届け出ることをもつて足りる。
（認定登録有形文化財保存活用計画の実施状況に関する報告の徴収）
第六十七条の五　文化庁長官は、第六十七条の二第四項の認定を受けた登録有形文化財の所有者又は管理団体に対し、当該認定を受けた登録有形文化財保存活用計画（変更があつたときは、その変更後のもの。次条第一項及び第六十七条の七において「認定登録有形文化財保存活用計画」という。）の実施の状況について報告を求めることができる。
（認定の取消し）
第六十七条の六　文化庁長官は、認定登録有形文化財保存活用計画が第六十七条の二第四項各号のいずれかに適合しなくなつたと認めるときは、その認定を取り消すことができる。
2　文化庁長官は、前項の規定により認定を取り消したときは、遅滞なく、その旨を当該認定を受けていた者に通知しなければならない。
（所有者等への指導又は助言）
第六十七条の七　都道府県及び市町村の教育委員会は、登録有形文化財の所有者又は管理団体の求めに応じ、登録有形文化財保存活用計画の作成及び認定登録有形文化財保存活用計画の円滑かつ確実な実施に関し必要な指導又は助言をすることができる。

2　文化庁長官は、登録有形文化財の所有者又は管理団体の求めに応じ、登録有形文化財保存活用計画の作成及び認定登録有形文化財保存活用計画の円滑かつ確実な実施に関し必要な指導又は助言をするように努めなければならない。
（登録有形文化財の現状等の報告）
第六十八条　文化庁長官は、必要があると認めるときは、登録有形文化財の所有者、管理責任者又は管理団体に対し、登録有形文化財の現状又は管理若しくは修理の状況につき報告を求めることができる。
（所有者変更に伴う登録証の引渡し）
第六十九条　登録有形文化財の所有者が変更したときは、旧所有者は、当該登録有形文化財の引渡しと同時にその登録証を新所有者に引き渡さなければならない。
第三節　重要文化財及び登録有形文化財以外の有形文化財
（技術的指導）
第七十条　重要文化財及び登録有形文化財以外の有形文化財の所有者は、文部科学省令の定めるところにより、文化庁長官に有形文化財の管理又は修理に関し技術的指導を求めることができる。
第四章　無形文化財
（重要無形文化財の指定等）
第七十一条　文部科学大臣は、無形文化財のうち重要なものを重要無形文化財に指定することができる。
2　文部科学大臣は、前項の規定による指定をするに当たつては、当該重要無形文化財の保持者又は保持団体（無形文化財を保持する者が主たる構成員となつている団体で代表者の定めのあるものをいう。以下同じ。）を認定しなければならない。
3　第一項の規定による指定は、その旨を官報で告示するとともに、当該重要無形文化財の保持者又は保持団体として認定しようとするもの（保持団体にあつては、その代表者）に通知してする。
4　文部科学大臣は、第一項の規定による指定をした後においても、当該重要無形文化財の保持者又は保持団体として認定するに足りるものがあると認めるときは、そのものを保持者又は保持団体として追加認定することができる。
5　前項の規定による追加認定には、第三項の規定を準用する。
（重要無形文化財の指定等の解除）
第七十二条　重要無形文化財が重要無形文化財としての価値を失つた場合その他特殊の事由があるときは、文部科学大臣は、重要無形文化財の指定を解除することができる。
2　保持者が心身の故障のため保持者として適当でなくなつたと認められる場合、保持団体がその構成員の異動のため保持団体として適当でなくなつたと認められる場合その他特殊の事由があるときは、文部科学大臣は、保持者又は保持団体の認定を解除することができる。
3　第一項の規定による指定の解除又は前項の規定による認定の解除は、その旨を官報で告示するとともに、当該重要無形文化財の保持者又は保持団体の代表者に通知してする。
4　保持者が死亡したとき、又は保持団体が解散したとき（消滅したときを含む。以下この条及び次条において同じ。）は、当該保持者又は保持団体の認定は解除されたものとし、保持者のすべてが死亡したとき、又は保持団体のすべてが解散したときは、重要無形文化財の指定は解除されたものとする。この場合には、文部科学大臣は、その旨を官報で告示しなければならない。
（保持者の氏名変更等）
第七十三条　保持者が氏名若しくは住所を変更し、又は死亡したとき、その他文部科学省令の定める事由があるときは、保持者又はその相続人は、文部科学省令の定める事項を記載した書面をもつて、その事由の生じた日（保持者の死亡に係る場合は、相続人がその事実を知つた日）から二十日以内に文化庁長官に届け出なければならない。保持団体が名称、事務所の所在地若しくは代表者を変更し、構成員に異動を生じ、又は解散したときも、代表者（保持団体が解散した場合にあつては、代表者であつた者）について、同様とする。

（重要無形文化財の保存）

第七十四条　文化庁長官は、重要無形文化財の保存のため必要があると認めるときは、重要無形文化財について自ら記録の作成、伝承者の養成その他その保存のため適当な措置を執ることができるものとし、国は、保持者、保持団体又は地方公共団体その他その保存に当たることが適当と認められる者（以下この章において「保持者等」という。）に対し、その保存に要する経費の一部を補助することができる。

2　前項の規定により補助金を交付する場合には、第三十五条第二項及び第三項の規定を準用する。

（重要無形文化財の公開）

第七十五条　文化庁長官は、重要無形文化財の保持者又は保持団体に対し重要無形文化財の公開を、重要無形文化財の記録の所有者に対しその記録の公開を勧告することができる。

2　重要無形文化財の保持者又は保持団体が重要無形文化財を公開する場合には、第五十一条第七項の規定を準用する。

3　重要無形文化財の記録の所有者がその記録を公開する場合には、国は、その公開に要する経費の一部を補助することができる。

（重要無形文化財の保存に関する助言又は勧告）

第七十六条　文化庁長官は、重要無形文化財の保持者等に対し、重要無形文化財の保存のため必要な助言又は勧告をすることができる。

（重要無形文化財保存活用計画の認定）

第七十六条の二　重要無形文化財の保持者等は、文部科学省令で定めるところにより、重要無形文化財の保存及び活用に関する計画（以下この章及び第百五十三条第二項第八号において「重要無形文化財保存活用計画」という。）を作成し、文化庁長官の認定を申請することができる。

2　重要無形文化財保存活用計画には、次に掲げる事項を記載するものとする。

一　当該重要無形文化財の名称及び保持者又は保持団体

二　当該重要無形文化財の保存及び活用のために行う具体的な措置の内容

三　計画期間

四　その他文部科学省令で定める事項

3　文化庁長官は、第一項の規定による認定の申請があつた場合において、その重要無形文化財保存活用計画が次の各号のいずれにも適合するものであると認めるときは、その認定をするものとする。

一　当該重要無形文化財保存活用計画の実施が当該重要無形文化財の保存及び活用に寄与するものであると認められること。

二　円滑かつ確実に実施されると見込まれるものであること。

三　第百八十三条の二第一項に規定する文化財保存活用大綱又は第百八十三条の五第一項に規定する認定文化財保存活用地域計画が定められているときは、これらに照らし適切なものであること。

4　文化庁長官は、前項の認定をしたときは、遅滞なく、その旨を当該認定を申請した者に通知しなければならない。

（認定を受けた重要無形文化財保存活用計画の変更）

第七十六条の三　前条第三項の認定を受けた重要無形文化財の保持者等は、当該認定を受けた重要無形文化財保存活用計画の変更（文部科学省令で定める軽微な変更を除く。）をしようとするときは、文化庁長官の認定を受けなければならない。

2　前条第三項及び第四項の規定は、前項の認定について準用する。

（認定重要無形文化財保存活用計画の実施状況に関する報告の徴収）

第七十六条の四　文化庁長官は、第七十六条の二第三項の認定を受けた重要無形文化財の保持者等に対し、当該認定（前条第一項の変更の認定を含む。次条及び第百五十三条第二項第八号において同じ。）を受けた重要無形文化財保存活用計画（変更があつたときは、その変更後のもの。次条第一項及び第七十六条の六において「認定重要無形文化財保存活用計画」という。）の実施の状況について報告を求めることができる。

（認定の取消し）

第七十六条の五　文化庁長官は、認定重要無形文化財保存活用計画が第七十六条の二第三項各号のいずれかに適合しなくなつたと認めるときは、その認定を取り消すことができる。

2　文化庁長官は、前項の規定により認定を取り消したときは、遅滞なく、その旨を当該認定を受けていた者に通知しなければならない。

（保持者等への指導又は助言）

第七十六条の六　都道府県及び市町村の教育委員会は、重要無形文化財の保持者等の求めに応じ、重要無形文化財保存活用計画の作成及び認定重要無形文化財保存活用計画の円滑かつ確実な実施に関し必要な指導又は助言をすることができる。

2　文化庁長官は、重要無形文化財の保持者等の求めに応じ、重要無形文化財保存活用計画の作成及び認定重要無形文化財保存活用計画の円滑かつ確実な実施に関し必要な指導又は助言をするように努めなければならない。

（重要無形文化財以外の無形文化財の記録の作成等）

第七十七条　文化庁長官は、重要無形文化財以外の無形文化財のうち特に必要のあるものを選択して、自らその記録を作成し、保存し、又は公開することができるものとし、国は、適当な者に対し、当該無形文化財の公開又はその記録の作成、保存若しくは公開に要する経費の一部を補助することができる。

2　前項の規定により補助金を交付する場合には、第三十五条第二項及び第三項の規定を準用する。

第五章　民俗文化財

（重要有形民俗文化財及び重要無形民俗文化財の指定）

第七十八条　文部科学大臣は、有形の民俗文化財のうち特に重要なものを重要有形民俗文化財に、無形の民俗文化財のうち特に重要なものを重要無形民俗文化財に指定することができる。

2　前項の規定による重要有形民俗文化財の指定には、第二十八条第一項から第四項までの規定を準用する。

3　第一項の規定による重要無形民俗文化財の指定は、その旨を官報に告示してする。

（重要有形民俗文化財及び重要無形民俗文化財の指定の解除）

第七十九条　重要有形民俗文化財又は重要無形民俗文化財が重要有形民俗文化財又は重要無形民俗文化財としての価値を失つた場合その他特殊の事由があるときは、文部科学大臣は、重要有形民俗文化財又は重要無形民俗文化財の指定を解除することができる。

2　前項の規定による重要有形民俗文化財の指定の解除には、第二十九条第二項から第四項までの規定を準用する。

3　第一項の規定による重要無形民俗文化財の指定の解除は、その旨を官報に告示してする。

（重要有形民俗文化財の管理）
第八十条　重要有形民俗文化財の管理には、第三十条から第三十四条までの規定を準用する。
（重要有形民俗文化財の保護）
第八十一条　重要有形民俗文化財に関しその現状を変更し、又はその保存に影響を及ぼす行為をしようとする者は、現状を変更し、又は保存に影響を及ぼす行為をしようとする日の二十日前までに、文部科学省令の定めるところにより、文化庁長官にその旨を届け出なければならない。ただし、文部科学省令の定める場合は、この限りでない。
2　重要有形民俗文化財の保護上必要があると認めるときは、文化庁長官は、前項の届出に係る重要有形民俗文化財の現状変更又は保存に影響を及ぼす行為に関し必要な事項を指示することができる。
第八十二条　重要有形民俗文化財を輸出しようとする者は、文化庁長官の許可を受けなければならない。
第八十三条　重要有形民俗文化財の保護には、第三十四条の二から第三十六条まで、第三十七条第二項から第四項まで、第四十二条、第四十六条及び第四十七条の規定を準用する。
（重要有形民俗文化財の公開）
第八十四条　重要有形民俗文化財の所有者及び管理団体（第八十条において準用する第三十二条の二第一項の規定による指定を受けた地方公共団体その他の法人をいう。以下この章（第九十条の二第一項を除く。）及び第百八十七条第一項第二号において同じ。）以外の者がその主催する展覧会その他の催しにおいて重要有形民俗文化財を公衆の観覧に供しようとするときは、文部科学省令の定める事項を記載した書面をもつて、観覧に供しようとする最初の日の三十日前までに、文化庁長官に届け出なければならない。ただし、文化庁長官以外の国の機関若しくは地方公共団体があらかじめ文化庁長官から事前の届出の免除を受けた博物館その他の施設（以下この項において「公開事前届出免除施設」という。）において展覧会その他の催しを主催する場合又は公開事前届出免除施設の設置者が当該公開事前届出免除施設においてこれらを主催する場合には、重要有形民俗文化財を公衆の観覧に供した期間の最終日の翌日から起算して二十日以内に、文化庁長官に届け出ることをもつて足りる。
2　前項本文の届出に係る公開には、第五十一条第四項及び第五項の規定を準用する。
第八十五条　重要有形民俗文化財の公開には、第四十七条の二から第五十二条までの規定を準用する。
（重要有形民俗文化財保存活用計画の認定）
第八十五条の二　重要有形民俗文化財の所有者（管理団体がある場合は、その者）は、文部科学省令で定めるところにより、重要有形民俗文化財の保存及び活用に関する計画（以下「重要有形民俗文化財保存活用計画」という。）を作成し、文化庁長官の認定を申請することができる。
2　重要有形民俗文化財保存活用計画には、次に掲げる事項を記載するものとする。
一　当該重要有形民俗文化財の名称及び所在の場所
二　当該重要有形民俗文化財の保存及び活用のために行う具体的な措置の内容
三　計画期間
四　その他文部科学省令で定める事項
3　前項第二号に掲げる事項には、当該重要有形民俗文化財の現状変更又は保存に影響を及ぼす行為に関する事項を記載することができる。
4　文化庁長官は、第一項の規定による認定の申請があつた場合において、その重要有形民俗文化財保存活用計画が次の各号のいずれにも適合するものであると認めるときは、その認定をするものとする。

一　当該重要有形民俗文化財保存活用計画の実施が当該重要有形民俗文化財の保存及び活用に寄与するものであると認められること。

二　円滑かつ確実に実施されると見込まれるものであること。

三　第百八十三条の二第一項に規定する文化財保存活用大綱又は第百八十三条の五第一項に規定する認定文化財保存活用地域計画が定められているときは、これらに照らし適切なものであること。

四　当該重要有形民俗文化財保存活用計画に前項に規定する事項が記載されている場合には、その内容が重要有形民俗文化財の現状変更又は保存に影響を及ぼす行為を適切に行うために必要なものとして文部科学省令で定める基準に適合するものであること。

5　文化庁長官は、前項の認定をしたときは、遅滞なく、その旨を当該認定を申請した者に通知しなければならない。

（現状変更等の届出の特例）

第八十五条の三　前条第三項に規定する事項が記載された重要有形民俗文化財保存活用計画が同条第四項の認定（次条において準用する第五十三条の三第一項の変更の認定を含む。第百五十三条第二項第十二号において同じ。）を受けた場合において、当該重要有形民俗文化財の現状変更又は保存に影響を及ぼす行為をその記載された事項の内容に即して行うに当たり、第八十一条第一項の規定による届出を行わなければならないときは、同項の規定にかかわらず、当該現状変更又は保存に影響を及ぼす行為が終了した後遅滞なく、文部科学省令で定めるところにより、その旨を文化庁長官に届け出ることをもつて足りる。

（準用）

第八十五条の四　重要有形民俗文化財保存活用計画については、第五十三条の三及び第五十三条の六から第五十三条の八までの規定を準用する。この場合において、第五十三条の三第一項中「前条第四項」とあるのは「第八十五条の二第四項」と、同条第二項中「前条第四項及び第五項」とあるのは「第八十五条の二第四項及び第五項」と、第五十三条の六中「第五十三条の二第四項」とあるのは「第八十五条の二第四項」と、第五十三条の七第一項中「第五十三条の二第四項各号」とあるのは「第八十五条の二第四項各号」と読み替えるものとする。

（重要有形民俗文化財の保存のための調査及び所有者変更等に伴う権利義務の承継）

第八十六条　重要有形民俗文化財の保存のための調査には、第五十四条の規定を、重要有形民俗文化財の所有者が変更し、又は重要有形民俗文化財の管理団体が指定され、若しくはその指定が解除された場合には、第五十六条の規定を準用する。

（重要無形民俗文化財の保存）

第八十七条　文化庁長官は、重要無形民俗文化財の保存のため必要があると認めるときは、重要無形民俗文化財について自ら記録の作成その他その保存のため適当な措置を執ることができるものとし、国は、地方公共団体その他その保存に当たることが適当と認められる者（第八十九条及び第八十九条の二第一項において「保存地方公共団体等」という。）に対し、その保存に要する経費の一部を補助することができる。

2　前項の規定により補助金を交付する場合には、第三十五条第二項及び第三項の規定を準用する。

（重要無形民俗文化財の記録の公開）

第八十八条　文化庁長官は、重要無形民俗文化財の記録の所有者に対し、その記録の公開を勧告することができる。

2　重要無形民俗文化財の記録の所有者がその記録を公開する場合には、第七十五条第三項の規定を準用する。
（重要無形民俗文化財の保存に関する助言又は勧告）
第八十九条　文化庁長官は、保存地方公共団体等に対し、その保存のため必要な助言又は勧告をすることができる。
（重要無形民俗文化財保存活用計画の認定）
第八十九条の二　保存地方公共団体等は、文部科学省令で定めるところにより、重要無形民俗文化財の保存及び活用に関する計画（以下この章及び第百五十三条第二項第十三号において「重要無形民俗文化財保存活用計画」という。）を作成し、文化庁長官の認定を申請することができる。
2　重要無形民俗文化財保存活用計画には、次に掲げる事項を記載するものとする。
一　当該重要無形民俗文化財の名称
二　当該重要無形民俗文化財の保存及び活用のために行う具体的な措置の内容
三　計画期間
四　その他文部科学省令で定める事項
3　文化庁長官は、第一項の規定による認定の申請があつた場合において、その重要無形民俗文化財保存活用計画が次の各号のいずれにも適合するものであると認めるときは、その認定をするものとする。
一　当該重要無形民俗文化財保存活用計画の実施が当該重要無形民俗文化財の保存及び活用に寄与するものであると認められること。
二　円滑かつ確実に実施されると見込まれるものであること。
三　第百八十三条の二第一項に規定する文化財保存活用大綱又は第百八十三条の五第一項に規定する認定文化財保存活用地域計画が定められているときは、これらに照らし適切なものであること。
4　文化庁長官は、前項の認定をしたときは、遅滞なく、その旨を当該認定を申請した者に通知しなければならない。
（準用）
第八十九条の三　重要無形民俗文化財保存活用計画については、第七十六条の三から第七十六条の六までの規定を準用する。この場合において、第七十六条の三第一項中「前条第三項」とあるのは「第八十九条の二第三項」と、同条第二項中「前条第三項及び第四項」とあるのは「第八十九条の二第三項及び第四項」と、第七十六条の四中「第七十六条の二第三項」とあるのは「第八十九条の二第三項」と、「次条及び第百五十三条第二項第八号」とあるのは「次条」と、第七十六条の五第一項中「第七十六条の二第三項各号」とあるのは「第八十九条の二第三項各号」と読み替えるものとする。
（登録有形民俗文化財）
第九十条　文部科学大臣は、重要有形民俗文化財以外の有形の民俗文化財（第百八十二条第二項に規定する指定を地方公共団体が行つているものを除く。）のうち、その文化財としての価値にかんがみ保存及び活用のための措置が特に必要とされるものを文化財登録原簿に登録することができる。
2　前項の規定による登録には、第五十七条第二項及び第三項の規定を準用する。
3　前二項の規定により登録された有形の民俗文化財（以下「登録有形民俗文化財」という。）については、第三章第二節（第五十七条及び第六十七条の二から第六十七条の七までの規定を除く。）の規定を準用する。この場合において、第六十四条第一項及び第六十五条第一項中「三十日前」とあるのは「二十日前」と、第六十四条第一項ただし書中「維持の措置若しくは非常災害のために必要な応急措置又は他の法令の規定による現状変更を内容とする命令に基づく措置を執る場合」とあるのは「文部科学省令で定める場合」と読み替えるものとする。
（登録有形民俗文化財保存活用計画の認定）
第九十条の二　登録有形民俗文化財の所有者（管理団体（前条第三項において準用する第六十条第三項の規定による指定を受けた地方公共団体その他の法人をいう。）がある場合は、その者）は、文部科学省令で定めるところにより、登録有形民俗文化財の保存及び活用に関する計画（以下「登録有形民俗文化財保存活用計画」という。）を作成し、文化庁長官の認定を申請することができる。
2　登録有形民俗文化財保存活用計画には、次に掲げる事項を記載するものとする。
一　当該登録有形民俗文化財の名称及び所在の場所
二　当該登録有形民俗文化財の保存及び活用のために行う具体的な措置の内容
三　計画期間
四　その他文部科学省令で定める事項
3　前項第二号に掲げる事項には、当該登録有形民俗文化財の現状変更に関する事項を記載することができる。
4　文化庁長官は、第一項の規定による認定の申請があつた場合において、その登録有形民俗文化財保存活用計画が次の各号のいずれにも適合するものであると認めるときは、その認定をするものとする。
一　当該登録有形民俗文化財保存活用計画の実施が当該登録有形民俗文化財の保存及び活用に寄与するものであると認められること。
二　円滑かつ確実に実施されると見込まれるものであること。
三　第百八十三条の二第一項に規定する文化財保存活用大綱又は第百八十三条の五第一項に規定する認定文化財保存活用地域計画が定められているときは、これらに照らし適切なものであること。
四　当該登録有形民俗文化財保存活用計画に前項に規定する事項が記載されている場合には、登録有形民俗文化財の現状変更を適切に行うために必要なものとして文部科学省令で定める基準に適合するものであること。
5　文化庁長官は、前項の認定をしたときは、遅滞なく、その旨を当該認定を申請した者に通知しなければならない。
（現状変更の届出の特例）
第九十条の三　前条第三項に規定する事項が記載された登録有形民俗文化財保存活用計画が同条第四項の認定（次条において準用する第六十七条の三第一項の変更の認定を含む。第百五十三条第二項第十四号において同じ。）を受けた場合において、当該登録有形民俗文化財の現状変更をその記載された事項の内容に即して行うに当たり、第九十条第三項において準用する第六十四条第一項の規定による届出を行わなければならないときは、同項の規定にかかわらず、当該現状変更が終了した後遅滞なく、文部科学省令で定めるところにより、その旨を文化庁長官に届け出ることをもつて足りる。
（準用）
第九十条の四　登録有形民俗文化財保存活用計画については、第六十七条の三及び第六十七条の五から第六十七条の七までの規定を準用する。この場合において、第六十七条の三第一項中「前条第四項」とあるのは「第九十条の二第四項」と、同条第二項中「前条第四項及び第五項」とあるのは「第九十条の二第四項及び第五項」と、第六十七条の五中「第六十七条の二第四項」とあるのは「第九十条の二第四項」と、第六十七条の六第一項中「第六十七条の二第四項各号」とあるのは「第九十条の二第四項各号」と読み替えるものとする。
（重要無形民俗文化財以外の無形の民俗文化財の記録の作成等）

第九十一条　重要無形民俗文化財以外の無形の民俗文化財には、第七十七条の規定を準用する。

第六章　埋蔵文化財

（調査のための発掘に関する届出、指示及び命令）

第九十二条　土地に埋蔵されている文化財（以下「埋蔵文化財」という。）について、その調査のため土地を発掘しようとする者は、文部科学省令の定める事項を記載した書面をもつて、発掘に着手しようとする日の三十日前までに文化庁長官に届け出なければならない。ただし、文部科学省令の定める場合は、この限りでない。

2　埋蔵文化財の保護上特に必要があると認めるときは、文化庁長官は、前項の届出に係る発掘に関し必要な事項及び報告書の提出を指示し、又はその発掘の禁止、停止若しくは中止を命ずることができる。

（土木工事等のための発掘に関する届出及び指示）

第九十三条　土木工事その他埋蔵文化財の調査以外の目的で、貝づか、古墳その他埋蔵文化財を包蔵する土地として周知されている土地（以下「周知の埋蔵文化財包蔵地」という。）を発掘しようとする場合には、前条第一項の規定を準用する。この場合において、同項中「三十日前」とあるのは、「六十日前」と読み替えるものとする。

2　埋蔵文化財の保護上特に必要があると認めるときは、文化庁長官は、前項で準用する前条第一項の届出に係る発掘に関し、当該発掘前における埋蔵文化財の記録の作成のための発掘調査の実施その他の必要な事項を指示することができる。

（国の機関等が行う発掘に関する特例）

第九十四条　国の機関、地方公共団体又は国若しくは地方公共団体の設立に係る法人で政令の定めるもの（以下この条及び第九十七条において「国の機関等」と総称する。）が、前条第一項に規定する目的で周知の埋蔵文化財包蔵地を発掘しようとする場合においては、同条の規定を適用しないものとし、当該国の機関等は、当該発掘に係る事業計画の策定に当たつて、あらかじめ、文化庁長官にその旨を通知しなければならない。

2　文化庁長官は、前項の通知を受けた場合において、埋蔵文化財の保護上特に必要があると認めるときは、当該国の機関等に対し、当該事業計画の策定及びその実施について協議を求めるべき旨の通知をすることができる。

3　前項の通知を受けた国の機関等は、当該事業計画の策定及びその実施について、文化庁長官に協議しなければならない。

4　文化庁長官は、前二項の場合を除き、第一項の通知があつた場合において、当該通知に係る事業計画の実施に関し、埋蔵文化財の保護上必要な勧告をすることができる。

5　前各項の場合において、当該国の機関等が各省各庁の長（国有財産法（昭和二十三年法律第七十三号）第四条第二項に規定する各省各庁の長をいう。以下同じ。）であるときは、これらの規定に規定する通知、協議又は勧告は、文部科学大臣を通じて行うものとする。

（埋蔵文化財包蔵地の周知）

第九十五条　国及び地方公共団体は、周知の埋蔵文化財包蔵地について、資料の整備その他その周知の徹底を図るために必要な措置の実施に努めなければならない。

2　国は、地方公共団体が行う前項の措置に関し、指導、助言その他の必要と認められる援助をすることができる。

（遺跡の発見に関する届出、停止命令等）

第九十六条　土地の所有者又は占有者が出土品の出土等により貝づか、住居跡、古墳その他遺跡と認められるものを発見したときは、第九十二条第一項の規定による調査に当たつて発見した場合を除き、その現状を変更することなく、遅滞なく、文部科学省令の定める事項を記載した書面をもつて、その旨を文化庁長官に届け出なければならない。ただし、非常災害のために必要な応急措置を執る場合は、その限度において、その現状を変更することを妨げない。

2　文化庁長官は、前項の届出があつた場合において、当該届出に係る遺跡が重要なものであり、かつ、その保護のため調査を行う必要があると認めるときは、その土地の所有者又は占有者に対し、期間及び区域を定めて、その現状を変更することとなるような行為の停止又は禁止を命ずることができる。ただし、その期間は、三月を超えることができない。

3　文化庁長官は、前項の命令をしようとするときは、あらかじめ、関係地方公共団体の意見を聴かなければならない。

4　第二項の命令は、第一項の届出があつた日から起算して一月以内にしなければならない。

5　第二項の場合において、同項の期間内に調査が完了せず、引き続き調査を行う必要があるときは、文化庁長官は、一回に限り、当該命令に係る区域の全部又は一部について、その期間を延長することができる。ただし、当該命令の期間が、同項の期間と通算して六月を超えることとなつてはならない。

6　第二項及び前項の期間を計算する場合においては、第一項の届出があつた日から起算して第二項の命令を発した日までの期間が含まれるものとする。

7　文化庁長官は、第一項の届出がなされなかつた場合においても、第二項及び第五項に規定する措置を執ることができる。

8　文化庁長官は、第二項の措置を執つた場合を除き、第一項の届出がなされた場合には、当該遺跡の保護上必要な指示をすることができる。前項の規定により第二項の措置を執つた場合を除き、第一項の届出がなされなかつたときも、同様とする。

9　第二項の命令によつて損失を受けた者に対しては、国は、その通常生ずべき損失を補償する。

10　前項の場合には、第四十一条第二項から第四項までの規定を準用する。

（国の機関等の遺跡の発見に関する特例）

第九十七条　国の機関等が前条第一項に規定する発見をしたときは、同条の規定を適用しないものとし、第九十二条第一項又は第九十九条第一項の規定による調査に当たつて発見した場合を除き、その現状を変更することなく、遅滞なく、その旨を文化庁長官に通知しなければならない。ただし、非常災害のために必要な応急措置を執る場合は、その限度において、その現状を変更することを妨げない。

2　文化庁長官は、前項の通知を受けた場合において、当該通知に係る遺跡が重要なものであり、かつ、その保護のため調査を行う必要があると認めるときは、当該国の機関等に対し、その調査、保存等について協議を求めるべき旨の通知をすることができる。

3　前項の通知を受けた国の機関等は、文化庁長官に協議しなければならない。

4　文化庁長官は、前二項の場合を除き、第一項の通知があつた場合において、当該遺跡の保護上必要な勧告をすることができる。

5　前各項の場合には、第九十四条第五項の規定を準用する。

（文化庁長官による発掘の施行）

第九十八条　文化庁長官は、歴史上又は学術上の価値が特に高く、かつ、その調査が技術的に困難なため国において調査する必要があると認められる埋蔵文化財については、その調査のため土地の発掘を施行することができる。

2　前項の規定により発掘を施行しようとするときは、文化庁長官は、あらかじめ、当該土地の所有者及び権原に基づく占有者に対し、発掘の目的、方法、着手の時期その他必要と認める事項を記載した令書を交付しなければならない。

3　第一項の場合には、第三十九条（同条第三項において準用する第三十二条の二第五項の規定を含む。）及び第四十一条の規定を準用する。
（地方公共団体による発掘の施行）
第九十九条　地方公共団体は、文化庁長官が前条第一項の規定により発掘を施行するものを除き、埋蔵文化財について調査する必要があると認めるときは、埋蔵文化財を包蔵すると認められる土地の発掘を施行することができる。
2　地方公共団体は、前項の発掘に関し、事業者に対し協力を求めることができる。
3　文化庁長官は、地方公共団体に対し、第一項の発掘に関し必要な指導及び助言をすることができる。
4　国は、地方公共団体に対し、第一項の発掘に要する経費の一部を補助することができる。
（返還又は通知等）
第百条　第九十八条第一項の規定による発掘により文化財を発見した場合において、文化庁長官は、当該文化財の所有者が判明しているときはこれを所有者に返還し、所有者が判明しないときは、遺失物法（平成十八年法律第七十三号）第四条第一項の規定にかかわらず、警察署長にその旨を通知することをもつて足りる。
2　前項の規定は、前条第一項の規定による発掘により都道府県又は地方自治法（昭和二十二年法律第六十七号）第二百五十二条の十九第一項の指定都市（以下「指定都市」という。）若しくは同法第二百五十二条の二十二第一項の中核市（以下「指定都市等」という。）の教育委員会が文化財を発見した場合における当該教育委員会について準用する。
3　第一項（前項において準用する場合を含む。）の通知を受けたときは、警察署長は、直ちに当該文化財につき遺失物法第七条第一項の規定による公告をしなければならない。
（提出）
第百一条　遺失物法第四条第一項の規定により、埋蔵物として提出された物件が文化財と認められるときは、警察署長は、直ちに当該物件を当該物件の発見された土地を管轄する都道府県の教育委員会（当該土地が指定都市等の区域内に存する場合にあつては、当該指定都市等の教育委員会。次条において同じ。）に提出しなければならない。ただし、所有者の判明している場合は、この限りでない。
（鑑査）
第百二条　前条の規定により物件が提出されたときは、都道府県の教育委員会は、当該物件が文化財であるかどうかを鑑査しなければならない。
2　都道府県の教育委員会は、前項の鑑査の結果当該物件を文化財と認めたときは、その旨を警察署長に通知し、文化財でないと認めたときは、当該物件を警察署長に差し戻さなければならない。
（引渡し）
第百三条　第百条第一項に規定する文化財又は同条第二項若しくは前条第二項に規定する文化財の所有者から、警察署長に対し、その文化財の返還の請求があつたときは、文化庁長官又は都道府県若しくは指定都市等の教育委員会は、当該警察署長にこれを引き渡さなければならない。
（国庫帰属及び報償金）
第百四条　第百条第一項に規定する文化財又は第百二条第二項に規定する文化財（国の機関又は独立行政法人国立文化財機構が埋蔵文化財の調査のための土地の発掘により発見したものに限る。）で、その所有者が判明しないものの所有権は、国庫に帰属する。この場合においては、文化庁長官は、当該文化財の発見された土地の所有者にその旨を通知し、かつ、その価格の二分の一に相当する額の報償金を支給する。
2　前項の場合には、第四十一条第二項から第四項までの規定を準用する。

（都道府県帰属及び報償金）
第百五条　第百条第二項に規定する文化財又は第百二条第二項に規定する文化財（前条第一項に規定するものを除く。）で、その所有者が判明しないものの所有権は、当該文化財の発見された土地を管轄する都道府県に帰属する。この場合においては、当該都道府県の教育委員会は、当該文化財の発見者及びその発見された土地の所有者にその旨を通知し、かつ、その価格に相当する額の報償金を支給する。
2　前項に規定する発見者と土地所有者とが異なるときは、前項の報償金は、折半して支給する。
3　第一項の報償金の額は、当該都道府県の教育委員会が決定する。
4　前項の規定による報償金の額については、第四十一条第三項の規定を準用する。
5　前項において準用する第四十一条第三項の規定による訴えにおいては、都道府県を被告とする。
（譲与等）
第百六条　政府は、第百四条第一項の規定により国庫に帰属した文化財の保存のため又はその効用から見て国が保有する必要がある場合を除いて、当該文化財の発見された土地の所有者に、その者が同条の規定により受けるべき報償金の額に相当するものの範囲内でこれを譲与することができる。
2　前項の場合には、その譲与した文化財の価格に相当する金額は、第百四条に規定する報償金の額から控除するものとする。
3　政府は、第百四条第一項の規定により国庫に帰属した文化財の保存のため又はその効用から見て国が保有する必要がある場合を除いて、独立行政法人国立文化財機構又は当該文化財の発見された土地を管轄する地方公共団体に対し、その申請に基づき、当該文化財を譲与し、又は時価よりも低い対価で譲渡することができる。
第百七条　都道府県の教育委員会は、第百五条第一項の規定により当該都道府県に帰属した文化財の保存のため又はその効用から見て当該都道府県が保有する必要がある場合を除いて、当該文化財の発見者又はその発見された土地の所有者に、その者が同条の規定により受けるべき報償金の額に相当するものの範囲内でこれを譲与することができる。
2　前項の場合には、その譲与した文化財の価格に相当する金額は、第百五条に規定する報償金の額から控除するものとする。
（遺失物法の適用）
第百八条　埋蔵文化財に関しては、この法律に特別の定めのある場合のほか、遺失物法の適用があるものとする。
第七章　史跡名勝天然記念物
（指定）
第百九条　文部科学大臣は、記念物のうち重要なものを史跡、名勝又は天然記念物（以下「史跡名勝天然記念物」と総称する。）に指定することができる。
2　文部科学大臣は、前項の規定により指定された史跡名勝天然記念物のうち特に重要なものを特別史跡、特別名勝又は特別天然記念物（以下「特別史跡名勝天然記念物」と総称する。）に指定することができる。
3　前二項の規定による指定は、その旨を官報で告示するとともに、当該特別史跡名勝天然記念物又は史跡名勝天然記念物の所有者及び権原に基づく占有者に通知してする。
4　前項の規定により通知すべき相手方が著しく多数で個別に通知し難い事情がある場合には、文部科学大臣は、同項の規定による通知に代えて、その通知すべき事項を当該特別史跡名勝天然記念物又は史跡名勝天然記念物の所在地の市町村の事務所又はこれに準ずる施設の掲示場に掲示することができる。この場合においては、その掲示を始めた日から二週間を経過した時に同項の規定による通知が相手方に到達したものとみなす。
5　第一項又は第二項の規定による指定は、第三項の規定による官報の告示があつた日からその効力を生ずる。ただし、当該特別史跡名勝天然記念物又は史跡名勝天然記念物の所有者又は権原に基づく占有者に対しては、第三項の規定による通知が到達した時又は前項の規定によりその通知が到達したものとみなされる時からその効力を生ずる。
6　文部科学大臣は、第一項の規定により名勝又は天然記念物の指定をしようとする場合において、その指定に係る記念物が自然環境の保護の見地から価値の高いものであるときは、環境大臣と協議しなければならない。
（仮指定）
第百十条　前条第一項の規定による指定前において緊急の必要があると認めるときは、都道府県の教育委員会（当該記念物が指定都市の区域内に存する場合にあつては、当該指定都市の教育委員会。第百三十三条を除き、以下この章において同じ。）は、史跡名勝天然記念物の仮指定を行うことができる。
2　前項の規定により仮指定を行つたときは、都道府県の教育委員会は、直ちにその旨を文部科学大臣に報告しなければならない。
3　第一項の規定による仮指定には、前条第三項から第五項までの規定を準用する。
（所有権等の尊重及び他の公益との調整）
第百十一条　文部科学大臣又は都道府県の教育委員会は、第百九条第一項若しくは第二項の規定による指定又は前条第一項の規定による仮指定を行うに当たつては、特に、関係者の所有権、鉱業権その他の財産権を尊重するとともに、国土の開発その他の公益との調整に留意しなければならない。
2　文部科学大臣又は文化庁長官は、名勝又は天然記念物に係る自然環境の保護及び整備に関し必要があると認めるときは、環境大臣に対し、意見を述べることができる。この場合において、文化庁長官が意見を述べるときは、文部科学大臣を通じて行うものとする。
3　環境大臣は、自然環境の保護の見地から価値の高い名勝又は天然記念物の保存及び活用に関し必要があると認めるときは、文部科学大臣に対し、又は文部科学大臣を通じ文化庁長官に対して意見を述べることができる。
（解除）
第百十二条　特別史跡名勝天然記念物又は史跡名勝天然記念物がその価値を失つた場合その他特殊の事由のあるときは、文部科学大臣又は都道府県の教育委員会は、その指定又は仮指定を解除することができる。
2　第百十条第一項の規定により仮指定された史跡名勝天然記念物につき第百九条第一項の規定による指定があつたとき、又は仮指定があつた日から二年以内に同項の規定による指定がなかつたときは、仮指定は、その効力を失う。
3　第百十条第一項の規定による仮指定が適当でないと認めるときは、文部科学大臣は、これを解除することができる。
4　第一項又は前項の規定による指定又は仮指定の解除には、第百九条第三項から第五項までの規定を準用する。
（管理団体による管理及び復旧）
第百十三条　史跡名勝天然記念物につき、所有者がないか若しくは判明しない場合又は所有者若しくは第百十九条第二項の規定により選任された管理の責めに任ずべき者による管理が著しく困難若しくは不適当であると明らかに認められる場合には、文化庁長官は、適当な地方公共団体その他の法人を指定して、当該史跡名勝天然記念物の保存のため必要な管理及び復旧

(当該史跡名勝天然記念物の保存のため必要な施設、設備その他の物件で当該史跡名勝天然記念物の所有者の所有又は管理に属するものの管理及び復旧を含む。)を行わせることができる。
2　前項の規定による指定をするには、文化庁長官は、あらかじめ、指定しようとする地方公共団体その他の法人の同意を得なければならない。
3　第一項の規定による指定は、その旨を官報で告示するとともに、当該史跡名勝天然記念物の所有者及び権原に基づく占有者並びに指定しようとする地方公共団体その他の法人に通知してする。
4　第一項の規定による指定には、第百九条第四項及び第五項の規定を準用する。
第百十四条　前条第一項に規定する事由が消滅した場合その他特殊の事由があるときは、文化庁長官は、管理団体の指定を解除することができる。
2　前項の規定による解除には、前条第三項並びに第百九条第四項及び第五項の規定を準用する。
第百十五条　第百十三条第一項の規定による指定を受けた地方公共団体その他の法人(以下この章(第百三十三条の二第一項を除く。)及び第百八十七条第一項第三号において「管理団体」という。)は、文部科学省令の定める基準により、史跡名勝天然記念物の管理に必要な標識、説明板、境界標、囲いその他の施設を設置しなければならない。
2　史跡名勝天然記念物の指定地域内の土地について、その土地の所在、地番、地目又は地積に異動があつたときは、管理団体は、文部科学省令の定めるところにより、文化庁長官にその旨を届け出なければならない。
3　管理団体が復旧を行う場合は、管理団体は、あらかじめ、その復旧の方法及び時期について当該史跡名勝天然記念物の所有者(所有者が判明しない場合を除く。)及び権原に基づく占有者の意見を聞かなければならない。
4　史跡名勝天然記念物の所有者又は占有者は、正当な理由がなくて、管理団体が行う管理若しくは復旧又はその管理若しくは復旧のため必要な措置を拒み、妨げ、又は忌避してはならない。
第百十六条　管理団体が行う管理及び復旧に要する費用は、この法律に特別の定めのある場合を除いて、管理団体の負担とする。
2　前項の規定は、管理団体と所有者との協議により、管理団体が行う管理又は復旧により所有者の受ける利益の限度において、管理又は復旧に要する費用の一部を所有者の負担とすることを妨げるものではない。
3　管理団体は、その管理する史跡名勝天然記念物につき観覧料を徴収することができる。
第百十七条　管理団体が行う管理又は復旧によつて損失を受けた者に対しては、当該管理団体は、その通常生ずべき損失を補償しなければならない。
2　前項の補償の額は、管理団体(管理団体が地方公共団体であるときは、当該地方公共団体の教育委員会)が決定する。
3　前項の規定による補償額については、第四十一条第三項の規定を準用する。
4　前項で準用する第四十一条第三項の規定による訴えにおいては、管理団体を被告とする。
第百十八条　管理団体が行う管理には、第三十条、第三十一条第一項及び第三十三条の規定を、管理団体が行う管理及び復旧には、第三十五条及び第四十七条の規定を、管理団体が指定され、又はその指定が解除された場合には、第五十六条第三項の規定を準用する。
(所有者による管理及び復旧)
第百十九条　管理団体がある場合を除いて、史跡名勝天然記念物の所有者は、当該史跡名勝天然記念物の管理及び復旧に当たるものとする。

2　前項の規定により史跡名勝天然記念物の管理に当たる所有者は、当該史跡名勝天然記念物の適切な管理のため必要があるときは、第百九十二条の二第一項に規定する文化財保存活用支援団体その他の適当な者を専ら自己に代わり当該史跡名勝天然記念物の管理の責めに任ずべき者（以下この章及び第百八十七条第一項第三号において「管理責任者」という。）に選任することができる。この場合には、第三十一条第三項の規定を準用する。
第百二十条　所有者が行う管理には、第三十条、第三十一条第一項、第三十二条、第三十三条並びに第百十五条第一項及び第二項（同条第二項については、管理責任者がある場合を除く。）の規定を、所有者が行う管理及び復旧には、第三十五条及び第四十七条の規定を、所有者が変更した場合の権利義務の承継には、第五十六条第一項の規定を、管理責任者が行う管理には、第三十条、第三十一条第一項、第三十二条第三項、第三十三条、第四十七条第四項及び第百十五条第二項の規定を準用する。
（管理に関する命令又は勧告）
第百二十一条　管理が適当でないため史跡名勝天然記念物が滅失し、き損し、衰亡し、又は盗み取られるおそれがあると認めるときは、文化庁長官は、管理団体、所有者又は管理責任者に対し、管理方法の改善、保存施設の設置その他管理に関し必要な措置を命じ、又は勧告することができる。
2　前項の場合には、第三十六条第二項及び第三項の規定を準用する。
（復旧に関する命令又は勧告）
第百二十二条　文化庁長官は、特別史跡名勝天然記念物がき損し、又は衰亡している場合において、その保存のため必要があると認めるときは、管理団体又は所有者に対し、その復旧について必要な命令又は勧告をすることができる。
2　文化庁長官は、特別史跡名勝天然記念物以外の史跡名勝天然記念物が、き損し、又は衰亡している場合において、その保存のため必要があると認めるときは、管理団体又は所有者に対し、その復旧について必要な勧告をすることができる。
3　前二項の場合には、第三十七条第三項及び第四項の規定を準用する。
（文化庁長官による特別史跡名勝天然記念物の復旧等の施行）
第百二十三条　文化庁長官は、次の各号のいずれかに該当する場合においては、特別史跡名勝天然記念物につき自ら復旧を行い、又は滅失、き損、衰亡若しくは盗難の防止の措置をすることができる。
一　管理団体、所有者又は管理責任者が前二条の規定による命令に従わないとき。
二　特別史跡名勝天然記念物がき損し、若しくは衰亡している場合又は滅失し、き損し、衰亡し、若しくは盗み取られるおそれのある場合において、管理団体、所有者又は管理責任者に復旧又は滅失、き損、衰亡若しくは盗難の防止の措置をさせることが適当でないと認められるとき。
2　前項の場合には、第三十八条第二項及び第三十九条から第四十一条までの規定を準用する。
（補助等に係る史跡名勝天然記念物譲渡の場合の納付金）
第百二十四条　国が復旧又は滅失、き損、衰亡若しくは盗難の防止の措置につき第百十八条及び第百二十条で準用する第三十五条第一項の規定により補助金を交付し、又は第百二十一条第二項で準用する第三十六条第二項、第百二十二条第三項で準用する第三十七条第三項若しくは前条第二項で準用する第四十条第一項の規定により費用を負担した史跡名勝天然記念物については、第四十二条の規定を準用する。
（現状変更等の制限及び原状回復の命令）
第百二十五条　史跡名勝天然記念物に関しその現状を変更し、又はその保存に影響を及ぼす行為をしようとするときは、文化庁長官の許可を受けなければならない。ただし、現状変更については維持の措置又は非常災害のために必要な応急措置を執る場合、保存に影響を及ぼす行為については影響の軽微である場合は、この限りでない。
2　前項ただし書に規定する維持の措置の範囲は、文部科学省令で定める。
3　第一項の規定による許可を与える場合には、第四十三条第三項の規定を、第一項の規定による許可を受けた者には、同条第四項の規定を準用する。
4　第一項の規定による処分には、第百十一条第一項の規定を準用する。
5　第一項の許可を受けることができなかつたことにより、又は第三項で準用する第四十三条第三項の許可の条件を付せられたことによつて損失を受けた者に対しては、国は、その通常生ずべき損失を補償する。
6　前項の場合には、第四十一条第二項から第四項までの規定を準用する。
7　第一項の規定による許可を受けず、又は第三項で準用する第四十三条第三項の規定による許可の条件に従わないで、史跡名勝天然記念物の現状を変更し、又はその保存に影響を及ぼす行為をした者に対しては、文化庁長官は、原状回復を命ずることができる。この場合には、文化庁長官は、原状回復に関し必要な指示をすることができる。
（関係行政庁による通知）
第百二十六条　前条第一項の規定により許可を受けなければならないこととされている行為であつてその行為をするについて、他の法令の規定により許可、認可その他の処分で政令に定めるものを受けなければならないこととされている場合において、当該他の法令において当該処分の権限を有する行政庁又はその委任を受けた者は、当該処分をするときは、政令の定めるところにより、文化庁長官（第百八十四条第一項又は第百八十四条の二第一項の規定により前条第一項の規定による許可を都道府県又は市町村の教育委員会が行う場合には、当該都道府県又は市町村の教育委員会）に対し、その旨を通知するものとする。
（復旧の届出等）
第百二十七条　史跡名勝天然記念物を復旧しようとするときは、管理団体又は所有者は、復旧に着手しようとする日の三十日前までに、文部科学省令の定めるところにより、文化庁長官にその旨を届け出なければならない。ただし、第百二十五条第一項の規定により許可を受けなければならない場合その他文部科学省令の定める場合は、この限りでない。
2　史跡名勝天然記念物の保護上必要があると認めるときは、文化庁長官は、前項の届出に係る史跡名勝天然記念物の復旧に関し技術的な指導と助言を与えることができる。
（環境保全）
第百二十八条　文化庁長官は、史跡名勝天然記念物の保存のため必要があると認めるときは、地域を定めて一定の行為を制限し、若しくは禁止し、又は必要な施設をすることを命ずることができる。
2　前項の規定による処分によつて損失を受けた者に対しては、国は、その通常生ずべき損失を補償する。
3　第一項の規定による制限又は禁止に違反した者には、第百二十五条第七項の規定を、前項の場合には、第四十一条第二項から第四項までの規定を準用する。
（管理団体による買取りの補助）
第百二十九条　管理団体である地方公共団体その他の法人が、史跡名勝天然記念物の指定に係る土地又は建造物その他の土地の定着物で、その管理に係る史跡名勝天然記念物の保存のため特に買い取る必要があると認められるものを買い取る場合には、国は、その買取りに要する経費の一部を補助することができる。
2　前項の場合には、第三十五条第二項及び第三項並びに第四十二条の規定を準用する。
（史跡名勝天然記念物保存活用計画の認定）

第百二十九条の二　史跡名勝天然記念物の管理団体又は所有者は、文部科学省令で定めるところにより、史跡名勝天然記念物の保存及び活用に関する計画（以下「史跡名勝天然記念物保存活用計画」という。）を作成し、文化庁長官の認定を申請することができる。
2　史跡名勝天然記念物保存活用計画には、次に掲げる事項を記載するものとする。
一　当該史跡名勝天然記念物の名称及び所在地
二　当該史跡名勝天然記念物の保存及び活用のために行う具体的な措置の内容
三　計画期間
四　その他文部科学省令で定める事項
3　前項第二号に掲げる事項には、当該史跡名勝天然記念物の現状変更又は保存に影響を及ぼす行為に関する事項を記載することができる。
4　文化庁長官は、第一項の規定による認定の申請があつた場合において、その史跡名勝天然記念物保存活用計画が次の各号のいずれにも適合するものであると認めるときは、その認定をするものとする。
一　当該史跡名勝天然記念物保存活用計画の実施が当該史跡名勝天然記念物の保存及び活用に寄与するものであると認められること。
二　円滑かつ確実に実施されると見込まれるものであること。
三　第百八十三条の二第一項に規定する文化財保存活用大綱又は第百八十三条の五第一項に規定する認定文化財保存活用地域計画が定められているときは、これらに照らし適切なものであること。
四　当該史跡名勝天然記念物保存活用計画に前項に規定する事項が記載されている場合には、その内容が史跡名勝天然記念物の現状変更又は保存に影響を及ぼす行為を適切に行うために必要なものとして文部科学省令で定める基準に適合するものであること。
5　文化庁長官は、前項の認定をしたときは、遅滞なく、その旨を当該認定を申請した者に通知しなければならない。
（認定を受けた史跡名勝天然記念物保存活用計画の変更）
第百二十九条の三　前条第四項の認定を受けた史跡名勝天然記念物の管理団体又は所有者は、当該認定を受けた史跡名勝天然記念物保存活用計画の変更（文部科学省令で定める軽微な変更を除く。）をしようとするときは、文化庁長官の認定を受けなければならない。
2　前条第四項及び第五項の規定は、前項の認定について準用する。
（現状変更等の許可の特例）
第百二十九条の四　第百二十九条の二第三項に規定する事項が記載された史跡名勝天然記念物保存活用計画が同条第四項の認定（前条第一項の変更の認定を含む。以下この章及び第百五十三条第二項第二十三号において同じ。）を受けた場合において、当該史跡名勝天然記念物の現状変更又は保存に影響を及ぼす行為をその記載された事項の内容に即して行うに当たり、第百二十五条第一項の許可を受けなければならないときは、同項の規定にかかわらず、当該現状変更又は保存に影響を及ぼす行為が終了した後遅滞なく、文部科学省令で定めるところにより、その旨を文化庁長官に届け出ることをもつて足りる。
（認定史跡名勝天然記念物保存活用計画の実施状況に関する報告の徴収）
第百二十九条の五　文化庁長官は、第百二十九条の二第四項の認定を受けた史跡名勝天然記念物の管理団体又は所有者に対し、当該認定を受けた史跡名勝天然記念物保存活用計画（変更があつたときは、その変更後のもの。次条第一項及び第百二十九条の七において「認定史跡名勝天然記念物保存活用計画」という。）の実施の状況について報告を求めることができる。
（認定の取消し）

第百二十九条の六　文化庁長官は、認定史跡名勝天然記念物保存活用計画が第百二十九条の二第四項各号のいずれかに適合しなくなつたと認めるときは、その認定を取り消すことができる。
2　文化庁長官は、前項の規定により認定を取り消したときは、遅滞なく、その旨を当該認定を受けていた者に通知しなければならない。
（管理団体等への指導又は助言）
第百二十九条の七　都道府県及び市町村の教育委員会は、史跡名勝天然記念物の管理団体又は所有者の求めに応じ、史跡名勝天然記念物保存活用計画の作成及び認定史跡名勝天然記念物保存活用計画の円滑かつ確実な実施に関し必要な指導又は助言をすることができる。
2　文化庁長官は、史跡名勝天然記念物の管理団体又は所有者の求めに応じ、史跡名勝天然記念物保存活用計画の作成及び認定史跡名勝天然記念物保存活用計画の円滑かつ確実な実施に関し必要な指導又は助言をするように努めなければならない。
（保存のための調査）
第百三十条　文化庁長官は、必要があると認めるときは、管理団体、所有者又は管理責任者に対し、史跡名勝天然記念物の現状又は管理、復旧若しくは環境保全の状況につき報告を求めることができる。
第百三十一条　文化庁長官は、次の各号のいずれかに該当する場合において、前条の報告によつてもなお史跡名勝天然記念物に関する状況を確認することができず、かつ、その確認のため他に方法がないと認めるときは、調査に当たる者を定め、その所在する土地又はその隣接地に立ち入つてその現状又は管理、復旧若しくは環境保全の状況につき実地調査及び土地の発掘、障害物の除却その他調査のため必要な措置をさせることができる。ただし、当該土地の所有者、占有者その他の関係者に対し、著しい損害を及ぼすおそれのある措置は、させてはならない。
一　史跡名勝天然記念物に関する現状変更又は保存に影響を及ぼす行為の許可の申請があつたとき。
二　史跡名勝天然記念物がき損し、又は衰亡しているとき。
三　史跡名勝天然記念物が滅失し、き損し、衰亡し、又は盗み取られるおそれのあるとき。
四　特別の事情によりあらためて特別史跡名勝天然記念物又は史跡名勝天然記念物としての価値を調査する必要があるとき。
2　前項の規定による調査又は措置によつて損失を受けた者に対しては、国は、その通常生ずべき損失を補償する。
3　第一項の規定により立ち入り、調査する場合には、第五十五条第二項の規定を、前項の場合には、第四十一条第二項から第四項までの規定を準用する。
（登録記念物）
第百三十二条　文部科学大臣は、史跡名勝天然記念物（第百十条第一項に規定する仮指定を都道府県の教育委員会が行つたものを含む。）以外の記念物（第百八十二条第二項に規定する指定を地方公共団体が行つているものを除く。）のうち、その文化財としての価値にかんがみ保存及び活用のための措置が特に必要とされるものを文化財登録原簿に登録することができる。
2　前項の規定による登録には、第五十七条第二項及び第三項、第百九条第三項から第五項まで並びに第百十一条第一項の規定を準用する。
第百三十三条　前条の規定により登録された記念物（以下「登録記念物」という。）については、第五十九条第一項から第五項まで、第六十四条、第六十八条、第百十一条第二項及び第三項並びに第百十三条から第百二十条までの規定を準用する。この場合において、第五十九条第一項中「第二十七条第一項の規定により重要文化財に指定したとき」とあるのは「第百九条第一項の規定により史跡名勝天然記念物に指定したとき（第百十条第一項に規定する仮指定を都道府県の教育委員会（当該記念物が指定都市の区域内に存する場合にあつては、当該指定都市の教育委員会）が行つたときを含む。）」と、同条第四項中「所有者に通知する」とあるのは「所有者及び権原に基づく占有者に通知する。ただし、通知すべき相手方が著しく多数で個別に通知し難い事情がある場合には、文部科学大臣は、当該通知に代えて、その通知すべき事項を当該登録記念物の所在地の市町村の事務所又はこれに準ずる施設の掲示場に掲示することができる。この場合においては、その掲示を始めた日から二週間を経過した時に当該通知が相手方に到達したものとみなす」と、同条第五項中「抹消には、前条第二項の規定を準用する」とあるのは「抹消は、前項の規定による官報の告示があつた日からその効力を生ずる。ただし、当該登録記念物の所有者又は権原に基づく占有者に対しては、前項の規定による通知が到達した時又は同項の規定によりその通知が到達したものとみなされる時からその効力を生ずる」と、第百十三条第一項中「不適当であると明らかに認められる場合には」とあるのは「不適当であることが明らかである旨の関係地方公共団体の申出があつた場合には、関係地方公共団体の意見を聴いて」と、第百十八条及び第百二十条中「第三十条、第三十一条第一項」とあるのは「第三十一条第一項」と、「準用する」とあるのは「準用する。この場合において、第三十一条第一項中「並びにこれに基いて発する文部科学省令及び文化庁長官の指示に従い」とあるのは「及びこれに基づく文部科学省令に従い」と読み替えるものとする」と、第百十八条中「第三十五条及び第四十七条の規定を、管理団体が指定され、又はその指定が解除された場合には、第五十六条第三項」とあるのは「第四十七条第四項」と、第百二十条中「第三十五条及び第四十七条の規定を、所有者が変更した場合の権利義務の承継には、第五十六条第一項」とあるのは「第四十七条第四項」と読み替えるものとする。

（登録記念物保存活用計画の認定）

第百三十三条の二　登録記念物の管理団体（前条において準用する第百十三条第一項の規定による指定を受けた地方公共団体その他の法人をいう。）又は所有者は、文部科学省令で定めるところにより、登録記念物の保存及び活用に関する計画（以下「登録記念物保存活用計画」という。）を作成し、文化庁長官の認定を申請することができる。

2　登録記念物保存活用計画には、次に掲げる事項を記載するものとする。

一　当該登録記念物の名称及び所在地

二　当該登録記念物の保存及び活用のために行う具体的な措置の内容

三　計画期間

四　その他文部科学省令で定める事項

3　前項第二号に掲げる事項には、当該登録記念物の現状変更に関する事項を記載することができる。

4　文化庁長官は、第一項の規定による認定の申請があつた場合において、その登録記念物保存活用計画が次の各号のいずれにも適合するものであると認めるときは、その認定をするものとする。

一　当該登録記念物保存活用計画の実施が当該登録記念物の保存及び活用に寄与するものであると認められること。

二　円滑かつ確実に実施されると見込まれるものであること。

三　第百八十三条の二第一項に規定する文化財保存活用大綱又は第百八十三条の五第一項に規定する認定文化財保存活用地域計画が定められているときは、これらに照らし適切なものであること。

四　当該登録記念物保存活用計画に前項に規定する事項が記載されている場合には、その内容が登録記念物の現状変更を適切に行うために必要なものとして文部科学省令で定める基準に適合するものであること。
5　文化庁長官は、前項の認定をしたときは、遅滞なく、その旨を当該認定を申請した者に通知しなければならない。
（現状変更の届出の特例）
第百三十三条の三　前条第三項に規定する事項が記載された登録記念物保存活用計画が同条第四項の認定（次条において準用する第六十七条の三第一項の変更の認定を含む。第百五十三条第二項第二十四号において同じ。）を受けた場合において、当該登録記念物の現状変更をその記載された事項の内容に即して行うに当たり、第百三十三条において準用する第六十四条第一項の規定による届出を行わなければならないときは、同項の規定にかかわらず、当該現状変更が終了した後遅滞なく、文部科学省令で定めるところにより、その旨を文化庁長官に届け出ることをもつて足りる。
（準用）
第百三十三条の四　登録記念物保存活用計画については、第六十七条の三及び第六十七条の五から第六十七条の七までの規定を準用する。この場合において、第六十七条の三第一項中「前条第四項」とあるのは「第百三十三条の二第四項」と、同条第二項中「前条第四項及び第五項」とあるのは「第百三十三条の二第四項及び第五項」と、第六十七条の五中「第六十七条の二第四項」とあるのは「第百三十三条の二第四項」と、第六十七条の六第一項中「第六十七条の二第四項各号」とあるのは「第百三十三条の二第四項各号」と読み替えるものとする。
第八章　重要文化的景観
（重要文化的景観の選定）
第百三十四条　文部科学大臣は、都道府県又は市町村の申出に基づき、当該都道府県又は市町村が定める景観法（平成十六年法律第百十号）第八条第二項第一号に規定する景観計画区域又は同法第六十一条第一項に規定する景観地区内にある文化的景観であつて、文部科学省令で定める基準に照らして当該都道府県又は市町村がその保存のため必要な措置を講じているもののうち特に重要なものを重要文化的景観として選定することができる。
2　前項の規定による選定には、第百九条第三項から第五項までの規定を準用する。この場合において、同条第三項中「権原に基づく占有者」とあるのは、「権原に基づく占有者並びに第百三十四条第一項に規定する申出を行つた都道府県又は市町村」と読み替えるものとする。
（重要文化的景観の選定の解除）
第百三十五条　重要文化的景観がその価値を失つた場合その他特殊の事由があるときは、文部科学大臣は、その選定を解除することができる。
2　前項の場合には、前条第二項の規定を準用する。
（滅失又はき損）
第百三十六条　重要文化的景観の全部又は一部が滅失し、又はき損したときは、所有者又は権原に基づく占有者（以下この章において「所有者等」という。）は、文部科学省令の定める事項を記載した書面をもつて、その事実を知つた日から十日以内に文化庁長官に届け出なければならない。ただし、重要文化的景観の保存に著しい支障を及ぼすおそれがない場合として文部科学省令で定める場合は、この限りでない。
（管理に関する勧告又は命令）
第百三十七条　管理が適当でないため重要文化的景観が滅失し、又はき損するおそれがあると認めるときは、文化庁長官は、所有者等に対し、管理方法の改善その他管理に関し必要な措置を勧告することができる。

2　文化庁長官は、前項に規定する勧告を受けた所有者等が、正当な理由がなくてその勧告に係る措置を執らなかつた場合において、特に必要があると認めるときは、当該所有者等に対し、その勧告に係る措置を執るべきことを命ずることができる。
3　文化庁長官は、第一項の規定による勧告又は前項の規定による命令をしようとするときは、あらかじめ、当該重要文化的景観について第百三十四条第一項に規定する申出を行つた都道府県又は市町村の意見を聴くものとする。
4　第一項及び第二項の場合には、第三十六条第二項及び第三項の規定を準用する。
（費用負担に係る重要文化的景観譲渡の場合の納付金）
第百三十八条　国が滅失又はき損の防止の措置につき前条第四項で準用する第三十六条第二項の規定により費用を負担した重要文化的景観については、第四十二条の規定を準用する。
（現状変更等の届出等）
第百三十九条　重要文化的景観に関しその現状を変更し、又はその保存に影響を及ぼす行為をしようとする者は、現状を変更し、又は保存に影響を及ぼす行為をしようとする日の三十日前までに、文部科学省令で定めるところにより、文化庁長官にその旨を届け出なければならない。ただし、現状変更については維持の措置若しくは非常災害のために必要な応急措置又は他の法令の規定による現状変更を内容とする命令に基づく措置を執る場合、保存に影響を及ぼす行為については影響の軽微である場合は、この限りでない。
2　前項ただし書に規定する維持の措置の範囲は、文部科学省令で定める。
3　重要文化的景観の保護上必要があると認めるときは、文化庁長官は、第一項の届出に係る重要文化的景観の現状変更又は保存に影響を及ぼす行為に関し必要な指導、助言又は勧告をすることができる。
（現状等の報告）
第百四十条　文化庁長官は、必要があると認めるときは、所有者等に対し、重要文化的景観の現状又は管理若しくは復旧の状況につき報告を求めることができる。
（他の公益との調整等）
第百四十一条　文部科学大臣は、第百三十四条第一項の規定による選定を行うに当たつては、特に、関係者の所有権、鉱業権その他の財産権を尊重するとともに、国土の開発その他の公益との調整及び農林水産業その他の地域における産業との調和に留意しなければならない。
2　文化庁長官は、第百三十七条第一項の規定による勧告若しくは同条第二項の規定による命令又は第百三十九条第三項の規定による勧告をしようとするときは、重要文化的景観の特性にかんがみ、国土の開発その他の公益との調整及び農林水産業その他の地域における産業との調和を図る観点から、政令で定めるところにより、あらかじめ、関係各省各庁の長と協議しなければならない。
3　国は、重要文化的景観の保存のため特に必要と認められる物件の管理、修理、修景又は復旧について都道府県又は市町村が行う措置について、その経費の一部を補助することができる。
第九章　伝統的建造物群保存地区
（伝統的建造物群保存地区）
第百四十二条　この章において「伝統的建造物群保存地区」とは、伝統的建造物群及びこれと一体をなしてその価値を形成している環境を保存するため、次条第一項又は第二項の定めるところにより市町村が定める地区をいう。
（伝統的建造物群保存地区の決定及びその保護）
第百四十三条　市町村は、都市計画法（昭和四十三年法律第百号）第五条又は第五条の

二の規定により指定された都市計画区域又は準都市計画区域内においては、都市計画に伝統的建造物群保存地区を定めることができる。この場合においては、市町村は、条例で、当該地区の保存のため、政令の定める基準に従い必要な現状変更の規制について定めるほか、その保存のため必要な措置を定めるものとする。
2　市町村は、前項の都市計画区域又は準都市計画区域以外の区域においては、条例の定めるところにより、伝統的建造物群保存地区を定めることができる。この場合においては、前項後段の規定を準用する。
3　市町村は、伝統的建造物群保存地区に関し、地区の決定若しくはその取消し又は条例の制定若しくはその改廃を行つた場合は、文化庁長官に対し、その旨を報告しなければならない。
4　文化庁長官又は都道府県の教育委員会は、市町村に対し、伝統的建造物群保存地区の保存に関し、必要な指導又は助言をすることができる。
（重要伝統的建造物群保存地区の選定）
第百四十四条　文部科学大臣は、市町村の申出に基づき、伝統的建造物群保存地区の区域の全部又は一部で我が国にとつてその価値が特に高いものを、重要伝統的建造物群保存地区として選定することができる。
2　前項の規定による選定は、その旨を官報で告示するとともに、当該申出に係る市町村に通知してする。
（選定の解除）
第百四十五条　文部科学大臣は、重要伝統的建造物群保存地区がその価値を失つた場合その他特殊の事由があるときは、その選定を解除することができる。
2　前項の場合には、前条第二項の規定を準用する。
（管理等に関する補助）
第百四十六条　国は、重要伝統的建造物群保存地区の保存のための当該地区内における建造物及び伝統的建造物群と一体をなす環境を保存するため特に必要と認められる物件の管理、修理、修景又は復旧について市町村が行う措置について、その経費の一部を補助することができる。
第十章　文化財の保存技術の保護
（選定保存技術の選定等）
第百四十七条　文部科学大臣は、文化財の保存のために欠くことのできない伝統的な技術又は技能で保存の措置を講ずる必要があるものを選定保存技術として選定することができる。
2　文部科学大臣は、前項の規定による選定をするに当たつては、選定保存技術の保持者又は保存団体（選定保存技術を保存することを主たる目的とする団体（財団を含む。）で代表者又は管理人の定めのあるものをいう。以下同じ。）を認定しなければならない。
3　一の選定保存技術についての前項の認定は、保持者と保存団体とを併せてすることができる。
4　第一項の規定による選定及び前二項の規定による認定には、第七十一条第三項から第五項までの規定を準用する。
（選定等の解除）
第百四十八条　文部科学大臣は、選定保存技術について保存の措置を講ずる必要がなくなつた場合その他特殊の事由があるときは、その選定を解除することができる。
2　文部科学大臣は、保持者が心身の故障のため保持者として適当でなくなつたと認められる場合、保存団体が保存団体として適当でなくなつたと認められる場合その他特殊の事由があるときは、保持者又は保存団体の認定を解除することができる。
3　前二項の場合には、第七十二条第三項の規定を準用する。

4　前条第二項の認定が保持者のみについてなされた場合にあつてはそのすべてが死亡したとき、同項の認定が保存団体のみについてなされた場合にあつてはそのすべてが解散したとき（消滅したときを含む。以下この項において同じ。）、同項の認定が保持者と保存団体とを併せてなされた場合にあつては保持者のすべてが死亡しかつ保存団体のすべてが解散したときは、選定保存技術の選定は、解除されたものとする。この場合には、文部科学大臣は、その旨を官報で告示しなければならない。
（保持者の氏名変更等）
第百四十九条　保持者及び保存団体には、第七十三条の規定を準用する。この場合において、同条後段中「代表者」とあるのは、「代表者又は管理人」と読み替えるものとする。
（選定保存技術の保存）
第百五十条　文化庁長官は、選定保存技術の保存のため必要があると認めるときは、選定保存技術について自ら記録を作成し、又は伝承者の養成その他選定保存技術の保存のために必要と認められるものについて適当な措置を執ることができる。
（選定保存技術の記録の公開）
第百五十一条　選定保存技術の記録の所有者には、第八十八条の規定を準用する。
（選定保存技術の保存に関する援助）
第百五十二条　国は、選定保存技術の保持者若しくは保存団体又は地方公共団体その他その保存に当たることを適当と認める者に対し、指導、助言その他の必要と認められる援助をすることができる。
第十一章　文化審議会への諮問
第百五十三条　文部科学大臣は、次に掲げる事項については、あらかじめ、文化審議会に諮問しなければならない。
一　国宝又は重要文化財の指定及びその指定の解除
二　登録有形文化財の登録及びその登録の抹消（第五十九条第一項又は第二項の規定による登録の抹消を除く。）
三　重要無形文化財の指定及びその指定の解除
四　重要無形文化財の保持者又は保持団体の認定及びその認定の解除
五　重要有形民俗文化財又は重要無形民俗文化財の指定及びその指定の解除
六　登録有形民俗文化財の登録及びその登録の抹消（第九十条第三項で準用する第五十九条第一項又は第二項の規定による登録の抹消を除く。）
七　特別史跡名勝天然記念物又は史跡名勝天然記念物の指定及びその指定の解除
八　史跡名勝天然記念物の仮指定の解除
九　登録記念物の登録及びその登録の抹消（第百三十三条で準用する第五十九条第一項又は第二項の規定による登録の抹消を除く。）
十　重要文化的景観の選定及びその選定の解除
十一　重要伝統的建造物群保存地区の選定及びその選定の解除
十二　選定保存技術の選定及びその選定の解除
十三　選定保存技術の保持者又は保存団体の認定及びその認定の解除
2　文化庁長官は、次に掲げる事項については、あらかじめ、文化審議会に諮問しなければならない。
一　重要文化財の管理又は国宝の修理に関する命令
二　文化庁長官による国宝の修理又は滅失、毀損若しくは盗難の防止の措置の施行
三　重要文化財の現状変更又は保存に影響を及ぼす行為の許可
四　重要文化財の環境保全のための制限若しくは禁止又は必要な施設の命令

五　国による重要文化財の買取り
六　重要文化財保存活用計画の第五十三条の二第四項の認定
七　登録有形文化財保存活用計画の第六十七条の二第四項の認定
八　重要無形文化財保存活用計画の第七十六条の二第三項の認定
九　重要無形文化財以外の無形文化財のうち文化庁長官が記録を作成すべきもの又は記録の作成等につき補助すべきものの選択
十　重要有形民俗文化財の管理に関する命令
十一　重要有形民俗文化財の買取り
十二　重要有形民俗文化財保存活用計画の第八十五条の二第四項の認定
十三　重要無形民俗文化財保存活用計画の第八十九条の二第三項の認定（第八十九条の三において準用する第七十六条の三第一項の変更の認定を含む。）
十四　登録有形民俗文化財保存活用計画の第九十条の二第四項の認定
十五　重要無形民俗文化財以外の無形の民俗文化財のうち文化庁長官が記録を作成すべきもの又は記録の作成等につき補助すべきものの選択
十六　遺跡の現状変更となる行為についての停止命令又は禁止命令の期間の延長
十七　文化庁長官による埋蔵文化財の調査のための発掘の施行
十八　史跡名勝天然記念物の管理又は特別史跡名勝天然記念物の復旧に関する命令
十九　文化庁長官による特別史跡名勝天然記念物の復旧又は滅失、毀損、衰亡若しくは盗難の防止の措置の施行
二十　史跡名勝天然記念物の現状変更又は保存に影響を及ぼす行為の許可
二十一　史跡名勝天然記念物の環境保全のための制限若しくは禁止又は必要な施設の命令
二十二　史跡名勝天然記念物の現状変更若しくは保存に影響を及ぼす行為の許可を受けず、若しくはその許可の条件に従わない場合又は史跡名勝天然記念物の環境保全のための制限若しくは禁止に違反した場合の原状回復の命令
二十三　史跡名勝天然記念物保存活用計画の第百二十九条の二第四項の認定
二十四　登録記念物保存活用計画の第百三十三条の二第四項の認定
二十五　重要文化的景観の管理に関する命令
二十六　第百八十三条の三第一項に規定する文化財保存活用地域計画の同条第五項の認定（第百八十三条の四第一項の変更の認定を含む。）
二十七　第百八十四条第一項の政令（同項第二号に掲げる事務に係るものに限る。）又は第百八十四条の二第一項の政令（第百八十四条第一項第二号に掲げる事務に係るものに限る。）の制定又は改廃の立案
第十二章　補則
第一節　聴聞、意見の聴取及び審査請求
（聴聞の特例）
第百五十四条　文化庁長官（第百八十四条第一項の規定により文化庁長官の権限に属する事務を都道府県又は市の教育委員会が行う場合には、当該都道府県又は市の教育委員会）は、次に掲げる処分を行おうとするときは、行政手続法（平成五年法律第八十八号）第十三条第一項の規定による意見陳述のための手続の区分にかかわらず、聴聞を行わなければならない。
一　第四十五条第一項又は第百二十八条第一項の規定による制限、禁止又は命令で特定の者に対して行われるもの
二　第五十一条第五項（第五十一条の二（第八十五条において準用する場合を含む。）、第八十四条第二項及び第八十五条において準用する場合を含む。）の規定による公開の中止命

令
三　第九十二条第二項の規定による発掘の禁止又は中止命令
四　第九十六条第二項の規定による同項の調査のための停止命令若しくは禁止命令又は同条第五項の規定によるこれらの命令の期間の延長
五　第百二十五条第七項（第百二十八条第三項において準用する場合を含む。）の規定による原状回復の命令
2　文化庁長官（第百八十四条第一項又は第百八十四条の二第一項の規定により文化庁長官の権限に属する事務を都道府県又は市町村の教育委員会が行う場合には、当該都道府県又は市町村の教育委員会。次条において同じ。）は、前項の聴聞又は第四十三条第四項（第百二十五条第三項において準用する場合を含む。）若しくは第五十三条第四項の規定による許可の取消しに係る聴聞をしようとするときは、当該聴聞の期日の十日前までに、行政手続法第十五条第一項の規定による通知をし、かつ、当該処分の内容並びに当該聴聞の期日及び場所を公示しなければならない。
3　前項の聴聞の期日における審理は、公開により行わなければならない。
（意見の聴取）
第百五十五条　文化庁長官は、次に掲げる措置を行おうとするときは、関係者又はその代理人の出頭を求めて、公開による意見の聴取を行わなければならない。
一　第三十八条第一項又は第百二十三条第一項の規定による修理若しくは復旧又は措置の施行
二　第五十五条第一項又は第百三十一条第一項の規定による立入調査又は調査のため必要な措置の施行
三　第九十八条第一項の規定による発掘の施行
2　文化庁長官は、前項の意見の聴取を行おうとするときは、その期日の十日前までに、同項各号に掲げる措置を行おうとする理由、その措置の内容並びに当該意見の聴取の期日及び場所を当該関係者に通告し、かつ、その措置の内容並びに当該意見の聴取の期日及び場所を公示しなければならない。
3　第一項の意見の聴取においては、当該関係者又はその代理人は、自己又は本人のために意見を述べ、又は釈明し、かつ、証拠を提出することができる。
4　当該関係者又はその代理人が正当な理由がなくて第一項の意見の聴取に応じなかつたときは、文化庁長官は、当該意見の聴取を行わないで同項各号に掲げる措置をすることができる。
（審査請求の手続における意見の聴取）
第百五十六条　第一号に掲げる処分若しくはその不作為又は第二号に掲げる処分についての審査請求に対する裁決は、行政不服審査法（平成二十六年法律第六十八号）第二十四条の規定により当該審査請求を却下する場合を除き、当該審査請求がされた日（同法第二十三条の規定により不備を補正すべきことを命じた場合にあつては、当該不備が補正された日）から三十日以内に、審査請求人及び参加人（同法第十三条第四項に規定する参加人をいう。以下同じ。）又はこれらの者の代理人の出頭を求めて、審理員（同法第十一条第二項に規定する審理員をいい、審査庁（同法第九条第一項に規定する審査庁をいう。以下この条において同じ。）が都道府県又は市町村の教育委員会である場合にあつては、審査庁とする。次項及び次条において同じ。）が公開による意見の聴取をした後でなければ、してはならない。
一　第四十三条第一項又は第百二十五条第一項の規定による現状変更又は保存に影響を及ぼす行為の許可又は不許可
二　第百十三条第一項（第百三十三条において準用する場合を含む。）の規定による地方公共団体その他の法人の指定

2　審理員は、前項の意見の聴取の期日及び場所をその期日の十日前までに全ての審理関係人（行政不服審査法第二十八条に規定する審理関係人をいい、審査庁が都道府県又は市町村の教育委員会である場合にあつては、審査請求人及び参加人とする。）に通告し、かつ、事案の要旨並びに当該意見の聴取の期日及び場所を公示しなければならない。
3　第一項に規定する審査請求については、行政不服審査法第三十一条の規定は適用せず、同項の意見の聴取については、同条第二項から第五項まで（同法第九条第三項の規定により読み替えて適用する場合を含む。）の規定を準用する。
（参加）
第百五十七条　審査請求人、参加人及び代理人のほか、当該処分について利害関係を有する者で前条第一項の意見の聴取に参加して意見を述べようとするものは、文部科学省令の定める事項を記載した書面をもつて、審理員にその旨を申し出て、その許可を受けなければならない。
（証拠の提示等）
第百五十八条　第百五十六条第一項の意見の聴取においては、審査請求人、参加人及び前条の規定により意見の聴取に参加した者又はこれらの者の代理人に対して、当該事案について、証拠を提示し、かつ、意見を述べる機会を与えなければならない。
（裁決前の協議等）
第百五十九条　鉱業又は採石業との調整に関する事案に係る審査請求に対する裁決（却下の裁決を除く。）は、あらかじめ公害等調整委員会に協議した後にしなければならない。
2　関係各行政機関の長は、審査請求に係る事案について意見を述べることができる。
（手続）
第百六十条　第百五十六条から前条まで及び行政不服審査法に定めるもののほか、審査請求に関する手続は、文部科学省令で定める。
第百六十一条　削除
第二節　国に関する特例
（国に関する特例）
第百六十二条　国又は国の機関に対しこの法律の規定を適用する場合において、この節に特別の規定のあるときは、その規定による。
（重要文化財等についての国に関する特例）
第百六十三条　重要文化財、重要有形民俗文化財、史跡名勝天然記念物又は重要文化的景観が国有財産法に規定する国有財産であるときは、そのものは、文部科学大臣が管理する。ただし、そのものが文部科学大臣以外の者が管理している同法第三条第二項に規定する行政財産であるときその他文部科学大臣以外の者が管理すべき特別の必要のあるものであるときは、そのものを関係各省各庁の長が管理するか、又は文部科学大臣が管理するかは、文部科学大臣、関係各省各庁の長及び財務大臣が協議して定める。
第百六十四条　前条の規定により重要文化財、重要有形民俗文化財、史跡名勝天然記念物又は重要文化的景観を文部科学大臣が管理するため、所属を異にする会計の間において所管換え又は所属替えをするときは、国有財産法第十五条の規定にかかわらず、無償として整理することができる。
第百六十五条　国の所有に属する有形文化財又は有形の民俗文化財を国宝若しくは重要文化財又は重要有形民俗文化財に指定したときは、第二十八条第一項又は第三項（第七十八条第二項で準用する場合を含む。）の規定により所有者に対し行うべき通知又は指定書の交付は、当該有形文化財又は有形の民俗文化財を管理する各省各庁の長に対し行うものとする。この場合においては、国宝の指定書を受けた各省各庁の長は、直ちに国宝に指定された重要文化財の指定書を文部科学大臣に返付しなければならない。
2　国の所有に属する国宝若しくは重要文化財又は重要有形民俗文化財の指定を解除したときは、第二十九条第二項（第七十九条第二項で準用する場合を含む。）又は第五項の規定により所有者に対し行うべき通知又は指定書の交付は、当該国宝若しくは重要文化財又は重要有形民俗文化財を管理する各省各庁の長に対し行うものとする。この場合においては、当該各省各庁の長は、直ちに指定書を文部科学大臣に返付しなければならない。
3　国の所有又は占有に属するものを特別史跡名勝天然記念物若しくは史跡名勝天然記念物に指定し、若しくは仮指定し、又はその指定若しくは仮指定を解除したときは、第百九条第三項（第百十条第三項及び第百十二条第四項で準用する場合を含む。）の規定により所有者又は占有者に対し行うべき通知は、その指定若しくは仮指定又は指定若しくは仮指定の解除に係るものを管理する各省各庁の長に対し行うものとする。
4　国の所有又は占有に属するものを重要文化的景観に選定し、又はその選定を解除したときは、第百三十四条第二項（第百三十五条第二項で準用する場合を含む。）で準用する第百九条第三項の規定により所有者又は占有者に対し行うべき通知は、当該重要文化的景観を管理する各省各庁の長に対し行うものとする。
第百六十六条　重要文化財、重要有形民俗文化財、史跡名勝天然記念物又は重要文化的景観を管理する各省各庁の長は、この法律並びにこれに基づいて発する文部科学省令及び文化庁長官の勧告に従い、重要文化財、重要有形民俗文化財、史跡名勝天然記念物又は重要文化的景観を管理しなければならない。
第百六十七条　次に掲げる場合には、関係各省各庁の長は、文部科学大臣を通じ文化庁長官に通知しなければならない。
一　重要文化財、重要有形民俗文化財又は史跡名勝天然記念物を取得したとき。
二　重要文化財、重要有形民俗文化財又は史跡名勝天然記念物の所管換えを受け、又は所属替えをしたとき。
三　所管に属する重要文化財、重要有形民俗文化財、史跡名勝天然記念物又は重要文化的景観の全部又は一部が滅失し、き損し、若しくは衰亡し、又はこれを亡失し、若しくは盗み取られたとき。
四　所管に属する重要文化財又は重要有形民俗文化財の所在の場所を変更しようとするとき。
五　所管に属する重要文化財又は史跡名勝天然記念物を修理し、又は復旧しようとするとき（次条第一項第一号の規定により文化庁長官の同意を求めなければならない場合その他文部科学省令の定める場合を除く。）。
六　所管に属する重要有形民俗文化財又は重要文化的景観の現状を変更し、又はその保存に影響を及ぼす行為をしようとするとき。
七　所管に属する史跡名勝天然記念物の指定地域内の土地について、その土地の所在、地番、地目又は地積に異動があつたとき。
2　前項第一号及び第二号の場合に係る通知には、第三十二条第一項（第八十条及び第百二十条で準用する場合を含む。）の規定を、前項第三号の場合に係る通知には、第三十三条（第八十条及び第百二十条で準用する場合を含む。）及び第百三十六条の規定を、前項第四号の場合に係る通知には、第三十四条（第八十条で準用する場合を含む。）の規定を、前項第五号の場合に係る通知には、第四十三条の二第一項及び第百二十七条第一項の規定を、前項第六号の場合に係る通知には、第八十一条第一項及び第百三十九条第一項の規定を、前項第七号の場合に係る通知には、第百十五条第二項の規定を準用する。
3　文化庁長官は、第一項第五号又は第六号の通知に係る事項に関し必要な勧告をすることができる。

第百六十八条　次に掲げる場合には、関係各省各庁の長は、あらかじめ、文部科学大臣を通じ文化庁長官の同意を求めなければならない。

一　重要文化財又は史跡名勝天然記念物の現状を変更し、又はその保存に影響を及ぼす行為をしようとするとき。

二　所管に属する重要文化財又は重要有形民俗文化財を輸出しようとするとき。

三　所管に属する重要文化財、重要有形民俗文化財又は史跡名勝天然記念物の貸付、交換、売払、譲与その他の処分をしようとするとき。

2　各省各庁の長以外の国の機関が、重要文化財又は史跡名勝天然記念物の現状を変更し、又はその保存に影響を及ぼす行為をしようとするときは、あらかじめ、文化庁長官の同意を求めなければならない。

3　第一項第一号及び前項の場合には、第四十三条第一項ただし書及び同条第二項並びに第百二十五条第一項ただし書及び同条第二項の規定を準用する。

4　文化庁長官は、第一項第一号又は第二項に規定する措置につき同意を与える場合においては、その条件としてその措置に関し必要な勧告をすることができる。

5　関係各省各庁の長その他の国の機関は、前項の規定による文化庁長官の勧告を十分に尊重しなければならない。

第百六十九条　文化庁長官は、必要があると認めるときは、文部科学大臣を通じ各省各庁の長に対し、次に掲げる事項につき必要な勧告をすることができる。

一　所管に属する重要文化財、重要有形民俗文化財又は史跡名勝天然記念物の管理方法

二　所管に属する重要文化財、重要有形民俗文化財、史跡名勝天然記念物又は重要文化的景観の修理若しくは復旧又は滅失、き損、衰亡若しくは盗難の防止の措置

三　重要文化財又は史跡名勝天然記念物の環境保全のため必要な施設

四　所管に属する重要文化財又は重要有形民俗文化財の出品又は公開

2　前項の勧告については、前条第五項の規定を準用する。

3　第一項の規定による文化庁長官の勧告に基づいて施行する同項第二号に規定する修理、復旧若しくは措置又は同項第三号に規定する施設に要する経費の分担については、文部科学大臣と各省各庁の長が協議して定める。

第百七十条　文化庁長官は、次の各号のいずれかに該当する場合においては、国の所有に属する国宝又は特別史跡名勝天然記念物につき、自ら修理若しくは復旧を行い、又は滅失、き損、衰亡若しくは盗難の防止の措置をすることができる。この場合においては、文化庁長官は、当該文化財が文部科学大臣以外の各省各庁の長の所管に属するものであるときは、あらかじめ、修理若しくは復旧又は措置の内容、着手の時期その他必要な事項につき、文部科学大臣を通じ当該文化財を管理する各省各庁の長と協議し、当該文化財が文部科学大臣の所管に属するものであるときは、文部科学大臣の定める場合を除いて、その承認を受けなければならない。

一　関係各省各庁の長が前条第一項第二号に規定する修理若しくは復旧又は措置についての文化庁長官の勧告に応じないとき。

二　国宝又は特別史跡名勝天然記念物がき損し、若しくは衰亡している場合又は滅失し、き損し、衰亡し、若しくは盗み取られるおそれのある場合において、関係各省各庁の長に当該修理若しくは復旧又は措置をさせることが適当でないと認められるとき。

第百七十条の二　国の所有に属する重要文化財、重要有形民俗文化財又は史跡名勝天然記念物を管理する各省各庁の長は、文部科学省令で定めるところにより、重要文化財保存活用計画、重要有形民俗文化財保存活用計画又は史跡名勝天然記念物保存活用計画を作成し、文部科学大臣を通じ文化庁長官の同意を求めることができる。

2　文化庁長官は、前項の規定による同意の求めがあつた場合において、その重要文化財保存活用計画、重要有形民俗文化財保存活用計画又は史跡名勝天然記念物保存活用計画がそれぞれ第五十三条の二第四項各号、第八十五条の二第四項各号又は第百二十九条の二第四項各号のいずれにも適合するものであると認めるときは、その同意をするものとする。

第百七十条の三　前条第二項の同意を得た各省各庁の長は、当該同意を得た重要文化財保存活用計画、重要有形民俗文化財保存活用計画又は史跡名勝天然記念物保存活用計画の変更(文部科学省令で定める軽微な変更を除く。)をしようとするときは、文部科学大臣を通じ文化庁長官の同意を求めなければならない。

2　前条第二項の規定は、前項の同意について準用する。

第百七十条の四　第五十三条の二第三項第一号に掲げる事項が記載された重要文化財保存活用計画、第八十五条の二第三項に規定する事項が記載された重要有形民俗文化財保存活用計画又は第百二十九条の二第三項に規定する事項が記載された史跡名勝天然記念物保存活用計画について第百七十条の二第二項の同意(前条第一項の変更の同意を含む。次条及び第百七十条の六において同じ。)を得た場合において、当該重要文化財、重要有形民俗文化財又は史跡名勝天然記念物の現状変更又は保存に影響を及ぼす行為をその記載された事項の内容に即して行うに当たり、第百六十七条第一項(第六号に係る部分に限る。)の規定による通知をし、又は第百六十八条第一項(第一号に係る部分に限る。)の規定による同意を求めなければならないときは、これらの規定にかかわらず、当該現状変更又は保存に影響を及ぼす行為が終了した後遅滞なく、文部科学省令で定めるところにより、その旨を文部科学大臣を通じ文化庁長官に通知することをもつて足りる。

第百七十条の五　第五十三条の二第三項第二号に掲げる事項が記載された重要文化財保存活用計画について第百七十条の二第二項の同意を得た場合において、当該重要文化財の修理をその記載された事項の内容に即して行うに当たり、第百六十七条第一項(第五号に係る部分に限る。)の規定による通知をしなければならないときは、同項の規定にかかわらず、当該修理が終了した後遅滞なく、文部科学省令で定めるところにより、その旨を文部科学大臣を通じ文化庁長官に通知することをもつて足りる。

第百七十条の六　文部科学大臣は、第百七十条の二第二項の同意を得た各省各庁の長に対し、当該同意を得た重要文化財保存活用計画、重要有形民俗文化財保存活用計画又は史跡名勝天然記念物保存活用計画(いずれも変更があつたときは、その変更後のもの)の実施の状況について報告を求めることができる。

第百七十一条　文部科学大臣は、国の所有に属するものを国宝、重要文化財、重要有形民俗文化財、特別史跡名勝天然記念物若しくは史跡名勝天然記念物に指定し、若しくは重要文化的景観に選定するに当たり、又は国の所有に属する国宝、重要文化財、重要有形民俗文化財、特別史跡名勝天然記念物、史跡名勝天然記念物若しくは重要文化的景観に関する状況を確認するため必要があると認めるときは、関係各省各庁の長に対し調査のため必要な報告を求め、又は、重要有形民俗文化財及び重要文化的景観に係る場合を除き、調査に当たる者を定めて実地調査をさせることができる。

第百七十二条　文化庁長官は、国の所有に属する重要文化財、重要有形民俗文化財又は史跡名勝天然記念物の保存のため特に必要があると認めるときは、適当な地方公共団体その他の法人を指定して当該文化財の保存のため必要な管理(当該文化財の保存のため必要な施設、設備その他の物件で国の所有又は管理に属するものの管理を含む。)を行わせることができる。

2　前項の規定による指定をするには、文化庁長官は、あらかじめ、文部科学大臣を通じ当該文化財を管理する各省各庁の長の同意を求めるとともに、指定しようとする地方公共団体その他の法人の同意を得なければならない。
3　第一項の規定による指定には、第三十二条の二第三項及び第四項の規定を準用する。
4　第一項の規定による管理によつて生ずる収益は、当該地方公共団体その他の法人の収入とする。
5　地方公共団体その他の法人が第一項の規定による管理を行う場合には、重要文化財又は重要有形民俗文化財の管理に係るときは、第三十条、第三十一条第一項、第三十二条の四第一項、第三十三条、第三十四条、第三十五条、第三十六条、第四十七条の二第三項及び第五十四条の規定を、史跡名勝天然記念物に係るときは、第三十条、第三十一条第一項、第三十三条、第三十五条、第百十五条第一項及び第二項、第百十六条第一項及び第三項、第百二十一条並びに第百三十条の規定を準用する。
第百七十三条　前条第一項の規定による指定の解除については、第三十二条の三の規定を準用する。
第百七十四条　文化庁長官は、重要文化財、重要有形民俗文化財又は史跡名勝天然記念物の保護のため特に必要があると認めるときは、第百七十二条第一項の規定による指定を受けた地方公共団体その他の法人に当該文化財の修理又は復旧を行わせることができる。
2　前項の規定による修理又は復旧を行わせる場合には、第百七十二条第二項の規定を準用する。
3　地方公共団体その他の法人が第一項の規定による修理又は復旧を行う場合には、重要文化財又は重要有形民俗文化財に係るときは、第三十二条の四第一項及び第三十五条の規定を、史跡名勝天然記念物に係るときは、第三十五条、第百十六条第一項及び第百十七条の規定を準用する。
第百七十四条の二　第百七十二条第一項の規定による指定を受けた地方公共団体その他の法人が作成する重要文化財保存活用計画、重要有形民俗文化財保存活用計画又は史跡名勝天然記念物保存活用計画については、それぞれ第五十三条の二から第五十三条の八までの規定、第八十五条の二から第八十五条の四までの規定又は第百二十九条の二から第百二十九条の七までの規定を準用する。
2　文化庁長官は、前項において準用する第五十三条の二第四項、第八十五条の二第四項又は第百二十九条の二第四項の認定（前項において準用する第五十三条の三第一項（前項において準用する第八十五条の四において準用する場合を含む。）又は第百二十九条の三第一項の変更の認定を含む。）をしようとするときは、あらかじめ、文部科学大臣を通じ当該重要文化財、重要有形民俗文化財又は史跡名勝天然記念物を管理する各省各庁の長と協議しなければならない。ただし、当該各省各庁の長が文部科学大臣であるときは、その承認を受けるべきものとする。
第百七十五条　第百七十二条第一項の規定による指定を受けた地方公共団体は、その管理する国の所有に属する重要文化財、重要有形民俗文化財又は史跡名勝天然記念物でその指定に係る土地及び建造物を、その管理のため必要な限度において、無償で使用することができる。
2　国有財産法第二十二条第二項及び第三項の規定は、前項の規定により土地及び建造物を使用させる場合について準用する。
第百七十六条　文化庁長官は、第九十八条第一項の規定により発掘を施行しようとする場合において、その発掘を施行しようとする土地が国の所有に属し、又は国の機関の占有するものであるときは、あらかじめ、発掘の目的、方法、着手の時期その他必要と認める事項につき、文部科学大臣を通じ関係各省各庁の長と協議しなければならない。ただし、当該各省各庁の長が文部科学大臣であるときは、その承認を受けるべきものとする。

第百七十七条　第百四条第一項の規定により国庫に帰属した文化財は、文化庁長官が管理する。ただし、その保存のため又はその効用から見て他の機関に管理させることが適当であるときは、これを当該機関の管理に移さなければならない。

（登録有形文化財等についての国に関する特例）

第百七十八条　国の所有に属する有形文化財又は有形の民俗文化財について第五十七条第一項又は第九十条第一項の規定による登録をしたときは、第五十八条第一項又は第三項（これらの規定を第九十条第三項で準用する場合を含む。）の規定により所有者に対して行うべき通知又は登録証の交付は、当該登録有形文化財又は登録有形民俗文化財を管理する各省各庁の長に対して行うものとする。

2　国の所有に属する登録有形文化財又は登録有形民俗文化財について、第五十九条第一項から第三項まで（これらの規定を第九十条第三項で準用する場合を含む。）の規定による登録の抹消をしたときは、第五十九条第四項（第九十条第三項で準用する場合を含む。）の規定により所有者に対して行うべき通知は、当該登録有形文化財又は登録有形民俗文化財を管理する各省各庁の長に対して行うものとする。この場合においては、当該各省各庁の長は、直ちに登録証を文部科学大臣に返付しなければならない。

3　国の所有又は占有に属する記念物について第百三十二条第一項の規定による登録をし、又は第百三十三条で準用する第五十九条第一項から第三項までの規定による登録の抹消をしたときは、第百三十二条第二項で準用する第百九条第三項又は第百三十三条で読み替えて準用する第五十九条第四項の規定により所有者又は占有者に対して行うべき通知は、当該登録記念物を管理する各省各庁の長に対して行うものとする。

第百七十九条　次に掲げる場合には、関係各省各庁の長は、文部科学大臣を通じ文化庁長官に通知しなければならない。

一　登録有形文化財、登録有形民俗文化財又は登録記念物を取得したとき。

二　登録有形文化財、登録有形民俗文化財又は登録記念物の所管換えを受け、又は所属替えをしたとき。

三　所管に属する登録有形文化財、登録有形民俗文化財又は登録記念物の全部又は一部が滅失し、き損し、若しくは衰亡し、又はこれを亡失し、若しくは盗み取られたとき。

四　所管に属する登録有形文化財又は登録有形民俗文化財の所在の場所を変更しようとするとき。

五　登録有形文化財、登録有形民俗文化財又は登録記念物の現状を変更しようとするとき。

六　所管に属する登録有形文化財又は登録有形民俗文化財を輸出しようとするとき。

七　所管に属する登録記念物の所在する土地について、その土地の所在、地番、地目又は地積に異動があつたとき。

2　各省各庁の長以外の国の機関が登録有形文化財、登録有形民俗文化財又は登録記念物の現状を変更しようとするときは、文化庁長官に通知しなければならない。

3　第一項第一号及び第二号に掲げる場合に係る通知には第三十二条第一項の規定を、第一項第三号に掲げる場合に係る通知には第三十三条又は第六十一条（第九十条第三項で準用する場合を含む。）の規定を、第一項第四号に掲げる場合に係る通知には第六十二条（第九十条第三項で準用する場合を含む。）の規定を、第一項第五号及び前項に規定する場合に係る通知には第六十四条第一項（第九十条第三項及び第百三十三条で準用する場合を含む。）の規定を、第一項第六号に掲げる場合に係る通知には第六十五条第一項（第九十条第三項で準用する場合を含む。）の規定を、第一項第七号に掲げる場合に係る通知には第百十五条第二項の規定を準用する。

4　第一項第五号及び第二項に規定する現状変更については、第六十四条第一項ただし書及び第二項の規定を準用する。

5　登録有形文化財、登録有形民俗文化財又は登録記念物の保護上必要があると認めるときは、文化庁長官は、第一項第五号又は第二項に規定する現状変更に関し、文部科学大臣を通じ関係各省各庁の長に対し、又は各省各庁の長以外の国の機関に対して意見を述べることができる。

第百七十九条の二　国の所有に属する登録有形文化財、登録有形民俗文化財又は登録記念物を管理する各省各庁の長は、文部科学省令で定めるところにより、登録有形文化財保存活用計画、登録有形民俗文化財保存活用計画又は登録記念物保存活用計画を作成し、文部科学大臣を通じ文化庁長官の同意を求めることができる。

2　文化庁長官は、前項の規定による同意の求めがあつた場合において、その登録有形文化財保存活用計画、登録有形民俗文化財保存活用計画又は登録記念物保存活用計画がそれぞれ第六十七条の二第四項各号、第九十条の二第四項各号又は第百三十三条の二第四項各号のいずれにも適合するものであると認めるときは、その同意をするものとする。

第百七十九条の三　前条第二項の同意を得た各省各庁の長は、当該同意を得た登録有形文化財保存活用計画、登録有形民俗文化財保存活用計画又は登録記念物保存活用計画の変更（文部科学省令で定める軽微な変更を除く。）をしようとするときは、文部科学大臣を通じ文化庁長官の同意を求めなければならない。

2　前条第二項の規定は、前項の同意について準用する。

第百七十九条の四　第六十七条の二第三項第一号に掲げる事項が記載された登録有形文化財保存活用計画、第九十条の二第三項に規定する事項が記載された登録有形民俗文化財保存活用計画又は第百三十三条の二第三項に規定する事項が記載された登録記念物保存活用計画について第百七十九条の二第二項の同意（前条第一項の変更の同意を含む。次条において同じ。）を得た場合において、当該登録有形文化財、登録有形民俗文化財又は登録記念物の現状変更をその記載された事項の内容に即して行うに当たり、第百七十九条第一項（第五号に係る部分に限る。）の規定による通知をしなければならないときは、同項の規定にかかわらず、当該現状変更が終了した後遅滞なく、文部科学省令で定めるところにより、その旨を文部科学大臣を通じ文化庁長官に通知することをもつて足りる。

第百七十九条の五　文部科学大臣は、第百七十九条の二第二項の同意を得た各省各庁の長に対し、当該同意を得た登録有形文化財保存活用計画、登録有形民俗文化財保存活用計画又は登録記念物保存活用計画（いずれも変更があつたときは、その変更後のもの）の実施の状況について報告を求めることができる。

第百八十条　文部科学大臣は、国の所有に属する登録有形文化財、登録有形民俗文化財又は登録記念物に関する状況を確認するため必要があると認めるときは、関係各省各庁の長に対し調査のため必要な報告を求めることができる。

第百八十一条　国の所有に属する登録有形文化財又は登録有形民俗文化財については、第六十条第三項から第五項まで、第六十三条第二項及び第六十七条第三項（これらの規定を第九十条第三項で準用する場合を含む。）の規定は、適用しない。

2　国の所有に属する登録記念物については、第百三十三条で準用する第百十三条から第百十八条までの規定は、適用しない。

第三節　地方公共団体及び教育委員会

（地方公共団体の事務）

第百八十二条　地方公共団体は、文化財の管理、修理、復旧、公開その他その保存及び活用に要する経費につき補助することができる。

2　地方公共団体は、条例の定めるところにより、重要文化財、重要無形文化財、重要有形民俗文化財、重要無形民俗文化財及び史跡名勝天然記念物以外の文化財で当該地方公共団体の区域内に存するもののうち重要なものを指定して、その保存及び活用のため必要な措置を講ずることができる。
3　前項に規定する条例の制定若しくはその改廃又は同項に規定する文化財の指定若しくはその解除を行つた場合には、教育委員会は、文部科学省令の定めるところにより、文化庁長官にその旨を報告しなければならない。
（地方債についての配慮）
第百八十三条　地方公共団体が文化財の保存及び活用を図るために行う事業に要する経費に充てるために起こす地方債については、法令の範囲内において、資金事情及び当該地方公共団体の財政状況が許す限り、適切な配慮をするものとする。
（文化財保存活用大綱）
第百八十三条の二　都道府県の教育委員会は、当該都道府県の区域における文化財の保存及び活用に関する総合的な施策の大綱（次項及び次条において「文化財保存活用大綱」という。）を定めることができる。
2　都道府県の教育委員会は、文化財保存活用大綱を定め、又は変更したときは、遅滞なく、これを公表するよう努めるとともに、文化庁長官及び関係市町村に送付しなければならない。
（文化財保存活用地域計画の認定）
第百八十三条の三　市町村の教育委員会（地方文化財保護審議会を置くものに限る。）は、文部科学省令で定めるところにより、単独で又は共同して、文化財保存活用大綱が定められているときは当該文化財保存活用大綱を勘案して、当該市町村の区域における文化財の保存及び活用に関する総合的な計画（以下この節及び第百九十二条の六第一項において「文化財保存活用地域計画」という。）を作成し、文化庁長官の認定を申請することができる。
2　文化財保存活用地域計画には、次に掲げる事項を記載するものとする。
一　当該市町村の区域における文化財の保存及び活用に関する基本的な方針
二　当該市町村の区域における文化財の保存及び活用を図るために当該市町村が講ずる措置の内容
三　当該市町村の区域における文化財を把握するための調査に関する事項
四　計画期間
五　その他文部科学省令で定める事項
3　市町村の教育委員会は、文化財保存活用地域計画を作成しようとするときは、あらかじめ、公聴会の開催その他の住民の意見を反映させるために必要な措置を講ずるよう努めるとともに、地方文化財保護審議会（第百八十三条の九第一項に規定する協議会が組織されている場合にあつては、地方文化財保護審議会及び当該協議会。第百八十三条の五第二項において同じ。）の意見を聴かなければならない。
4　文化財保存活用地域計画は、地域における歴史的風致の維持及び向上に関する法律（平成二十年法律第四十号）第五条第一項に規定する歴史的風致維持向上計画が定められているときは、当該歴史的風致維持向上計画との調和が保たれたものでなければならない。
5　文化庁長官は、第一項の規定による認定の申請があつた場合において、その文化財保存活用地域計画が次の各号のいずれにも適合するものであると認めるときは、その認定をするものとする。
一　当該文化財保存活用地域計画の実施が当該市町村の区域における文化財の保存及び活用に寄与するものであると認められること。
二　円滑かつ確実に実施されると見込まれるものであること。
三　文化財保存活用大綱が定められているときは、当該文化財保存活用大綱に照らし適切なものであること。

6　文化庁長官は、前項の認定をしようとするときは、あらかじめ、文部科学大臣を通じ関係行政機関の長に協議しなければならない。

7　文化庁長官は、第五項の認定をしたときは、遅滞なく、その旨を当該認定を申請した市町村の教育委員会に通知しなければならない。

8　市町村の教育委員会は、前項の通知を受けたときは、遅滞なく、当該通知に係る文化財保存活用地域計画を公表するよう努めなければならない。

（認定を受けた文化財保存活用地域計画の変更）

第百八十三条の四　前条第五項の認定を受けた市町村（以下この節及び第百九十二条の六第二項において「認定市町村」という。）の教育委員会は、当該認定を受けた文化財保存活用地域計画の変更（文部科学省令で定める軽微な変更を除く。）をしようとするときは、文化庁長官の認定を受けなければならない。

2　前条第三項から第八項までの規定は、前項の認定について準用する。

（文化財の登録の提案）

第百八十三条の五　認定市町村の教育委員会は、第百八十三条の三第五項の認定（前条第一項の変更の認定を含む。第百八十三条の七第一項及び第二項において同じ。）を受けた文化財保存活用地域計画（変更があつたときは、その変更後のもの。以下この節及び第百九十二条の六において「認定文化財保存活用地域計画」という。）の計画期間内に限り、当該認定市町村の区域内に存する文化財であつて第五十七条第一項、第九十条第一項又は第百三十二条第一項の規定により登録されることが適当であると思料するものがあるときは、文部科学省令で定めるところにより、文部科学大臣に対し、当該文化財を文化財登録原簿に登録することを提案することができる。

2　認定市町村の教育委員会は、前項の規定による提案をしようとするときは、あらかじめ、地方文化財保護審議会の意見を聴かなければならない。

3　文部科学大臣は、第一項の規定による提案が行われた場合において、当該提案に係る文化財について第五十七条第一項、第九十条第一項又は第百三十二条第一項の規定による登録をしないこととしたときは、遅滞なく、その旨及びその理由を当該提案をした認定市町村の教育委員会に通知しなければならない。

（認定文化財保存活用地域計画の実施状況に関する報告の徴収）

第百八十三条の六　文化庁長官は、認定市町村の教育委員会に対し、認定文化財保存活用地域計画の実施の状況について報告を求めることができる。

（認定の取消し）

第百八十三条の七　文化庁長官は、認定文化財保存活用地域計画が第百八十三条の三第五項各号のいずれかに適合しなくなつたと認めるときは、その認定を取り消すことができる。

2　文化庁長官は、前項の規定により認定を取り消したときは、遅滞なく、その旨を当該認定を受けていた市町村の教育委員会に通知しなければならない。

3　市町村の教育委員会は、前項の通知を受けたときは、遅滞なく、その旨を公表するよう努めなければならない。

（市町村への助言等）

第百八十三条の八　都道府県の教育委員会は、市町村に対し、文化財保存活用地域計画の作成及び認定文化財保存活用地域計画の円滑かつ確実な実施に関し必要な助言をすることができる。

2　国は、市町村に対し、文化財保存活用地域計画の作成及び認定文化財保存活用地域計画の円滑かつ確実な実施に関し必要な情報の提供又は指導若しくは助言をするように努めなければならない。

3　前二項に定めるもののほか、国、都道府県及び市町村は、文化財保存活用地域計画の作成及び認定文化財保存活用地域計画の円滑かつ確実な実施が促進されるよう、相互に連携を図りながら協力しなければならない。

4　市町村の長及び教育委員会は、文化財保存活用地域計画の作成及び認定文化財保存活用地域計画の円滑かつ確実な実施が促進されるよう、相互に緊密な連携を図りながら協力しなければならない。

（協議会）

第百八十三条の九　市町村の教育委員会は、単独で又は共同して、文化財保存活用地域計画の作成及び変更に関する協議並びに認定文化財保存活用地域計画の実施に係る連絡調整を行うための協議会（以下この条において「協議会」という。）を組織することができる。

2　協議会は、次に掲げる者をもつて構成する。

一　当該市町村

二　当該市町村の区域をその区域に含む都道府県

三　第百九十二条の二第一項の規定により当該市町村の教育委員会が指定した文化財保存活用支援団体

四　文化財の所有者、学識経験者、商工関係団体、観光関係団体その他の市町村の教育委員会が必要と認める者

3　協議会は、必要があると認めるときは、関係行政機関に対して、資料の提供、意見の表明、説明その他必要な協力を求めることができる。

4　協議会において協議が調つた事項については、協議会の構成員は、その協議の結果を尊重しなければならない。

5　前各項に定めるもののほか、協議会の運営に関し必要な事項は、協議会が定める。

（都道府県又は市の教育委員会が処理する事務）

第百八十四条　次に掲げる文化庁長官の権限に属する事務の全部又は一部は、政令で定めるところにより、都道府県又は市の教育委員会が行うこととすることができる。

一　第三十五条第三項（第三十六条第三項（第八十三条、第百二十一条第二項（第百七十二条第五項で準用する場合を含む。）及び第百七十二条第五項で準用する場合を含む。）、第三十七条第四項（第八十三条及び第百二十二条第三項で準用する場合を含む。）、第四十六条の二第二項、第七十四条第二項、第七十七条第二項（第九十一条で準用する場合を含む。）、第八十三条、第八十七条第二項、第百十八条、第百二十条、第百二十九条第二項、第百七十二条第五項及び第百七十四条第三項で準用する場合を含む。）の規定による指揮監督

二　第四十三条又は第百二十五条の規定による現状変更又は保存に影響を及ぼす行為の許可及びその取消し並びにその停止命令（重大な現状変更又は保存に重大な影響を及ぼす行為の許可及びその取消しを除く。）

三　第五十一条第五項（第五十一条の二（第八十五条で準用する場合を含む。）、第八十四条第二項及び第八十五条で準用する場合を含む。）の規定による公開の停止命令

四　第五十三条第一項、第三項及び第四項の規定による公開の許可及びその取消し並びに公開の停止命令

五　第五十四条（第八十六条及び第百七十二条第五項で準用する場合を含む。）、第五十五条、第百三十条（第百七十二条第五項で準用する場合を含む。）又は第百三十一条の規定による調査又は調査のため必要な措置の施行

六　第九十二条第一項（第九十三条第一項において準用する場合を含む。）の規定による届

出の受理、第九十二条第二項の規定による指示及び命令、第九十三条第二項の規定による指示、第九十四条第一項の規定による通知の受理、同条第二項の規定による通知、同条第三項の規定による協議、同条第四項の規定による勧告、第九十六条第一項の規定による届出の受理、同条第二項又は第七項の規定による命令、同条第三項の規定による意見の聴取、同条第五項又は第七項の規定による期間の延長、同条第八項の規定による指示、第九十七条第一項の規定による通知の受理、同条第二項の規定による通知、同条第三項の規定による協議並びに同条第四項の規定による勧告

2　都道府県又は市の教育委員会が前項の規定によつてした同項第五号に掲げる第五十五条又は第百三十一条の規定による立入調査又は調査のための必要な措置の施行については、審査請求をすることができない。

3　都道府県又は市の教育委員会が、第一項の規定により、同項第六号に掲げる事務のうち第九十四条第一項から第四項まで又は第九十七条第一項から第四項までの規定によるものを行う場合には、第九十四条第五項又は第九十七条第五項の規定は適用しない。

4　都道府県又は市の教育委員会が第一項の規定によつてした次の各号に掲げる事務（当該事務が地方自治法第二条第八項に規定する自治事務である場合に限る。）により損失を受けた者に対しては、当該各号に定める規定にかかわらず、当該都道府県又は市が、その通常生ずべき損失を補償する。

一　第一項第二号に掲げる第四十三条又は第百二十五条の規定による現状変更又は保存に影響を及ぼす行為の許可　第四十三条第五項又は第百二十五条第五項

二　第一項第五号に掲げる第五十五条又は第百三十一条の規定による調査又は調査のため必要な措置の施行　第五十五条第三項又は第百三十一条第二項

三　第一項第六号に掲げる第九十六条第二項の規定による命令　同条第九項

5　前項の補償の額は、当該都道府県又は市の教育委員会が決定する。

6　前項の規定による補償額については、第四十一条第三項の規定を準用する。

7　前項において準用する第四十一条第三項の規定による訴えにおいては、都道府県又は市を被告とする。

8　都道府県又は市の教育委員会が第一項の規定によつてした処分その他公権力の行使に当たる行為のうち地方自治法第二条第九項第一号に規定する第一号法定受託事務に係るものについての審査請求は、文化庁長官に対してするものとする。

（認定市町村の教育委員会が処理する事務）

第百八十四条の二　前条第一項第二号、第四号又は第五号に掲げる文化庁長官の権限に属する事務であつて認定市町村の区域内に係るものの全部又は一部は、認定文化財保存活用地域計画の計画期間内に限り、政令で定めるところにより、当該認定文化財保存活用地域計画の実施に必要な範囲内において、当該認定市町村の教育委員会が行うこととすることができる。

2　前項の規定により認定市町村の教育委員会が同項に規定する事務を行う場合には、前条第二項、第四項（第三号に係る部分を除く。）及び第五項から第八項までの規定を準用する。

3　第一項の規定により認定市町村の教育委員会が同項に規定する事務を開始する日前になされた当該事務に係る許可等の処分その他の行為（以下この条において「処分等の行為」という。）又は許可の申請その他の行為（以下この条において「申請等の行為」という。）は、同日以後においては、当該認定市町村の教育委員会のした処分等の行為又は当該認定市町村の教育委員会に対して行つた申請等の行為とみなす。

4　認定文化財保存活用地域計画の計画期間の終了その他の事情により認定市町村の教育委員会が第一項に規定する事務を終了する日以前になされた当該事務に係る処分等の行為

又は申請等の行為は、同日の翌日以後においては、その終了後に当該事務を行うこととなる者のした処分等の行為又は当該者に対して行つた申請等の行為とみなす。
（出品された重要文化財等の管理）
第百八十五条　文化庁長官は、政令で定めるところにより、第四十八条（第八十五条で準用する場合を含む。）の規定により出品された重要文化財又は重要有形民俗文化財の管理の事務の全部又は一部を、都道府県又は指定都市等の教育委員会が行うこととすることができる。
2　前項の規定により、都道府県又は指定都市等の教育委員会が同項の管理の事務を行う場合には、都道府県又は指定都市等の教育委員会は、その職員のうちから、当該重要文化財又は重要有形民俗文化財の管理の責めに任ずべき者を定めなければならない。
（修理等の施行の委託）
第百八十六条　文化庁長官は、必要があると認めるときは、第三十八条第一項又は第百七十条の規定による国宝の修理又は滅失、き損若しくは盗難の防止の措置の施行、第九十八条第一項の規定による発掘の施行及び第百二十三条第一項又は第百七十条の規定による特別史跡名勝天然記念物の復旧又は滅失、き損、衰亡若しくは盗難の防止の措置の施行につき、都道府県の教育委員会に対し、その全部又は一部を委託することができる。
2　都道府県の教育委員会が前項の規定による委託に基づき、第三十八条第一項の規定による修理又は措置の施行の全部又は一部を行う場合には、第三十九条の規定を、第九十八条第一項の規定による発掘の施行の全部又は一部を行う場合には、同条第三項で準用する第三十九条の規定を、第百二十三条第一項の規定による復旧又は措置の施行の全部又は一部を行う場合には、同条第二項で準用する第三十九条の規定を準用する。
（重要文化財等の管理等の受託又は技術的指導）
第百八十七条　都道府県又は指定都市の教育委員会は、次の各号に掲げる者の求めに応じ、当該各号に定める管理、修理又は復旧につき委託を受け、又は技術的指導をすることができる。
一　重要文化財の所有者（管理団体がある場合は、その者）又は管理責任者　当該重要文化財の管理（管理団体がある場合を除く。）又は修理
二　重要有形民俗文化財の所有者（管理団体がある場合は、その者）又は管理責任者（第八十条において準用する第三十一条第二項の規定により選任された管理の責めに任ずべき者をいう。）　当該重要有形民俗文化財の管理（管理団体がある場合を除く。）又は修理
三　史跡名勝天然記念物の所有者（管理団体がある場合は、その者）又は管理責任者　当該史跡名勝天然記念物の管理（管理団体がある場合を除く。）又は復旧
2　都道府県又は指定都市の教育委員会が前項の規定により管理、修理又は復旧の委託を受ける場合には、第三十九条第一項及び第二項の規定を準用する。
（書類等の経由）
第百八十八条　この法律の規定により文化財に関し文部科学大臣又は文化庁長官に提出すべき届書その他の書類及び物件の提出は、都道府県の教育委員会（当該文化財が指定都市の区域内に存する場合にあつては、当該指定都市の教育委員会。以下この条において同じ。）を経由すべきものとする。
2　都道府県の教育委員会は、前項に規定する書類及び物件を受理したときは、意見を具してこれを文部科学大臣又は文化庁長官に送付しなければならない。
3　この法律の規定により文化財に関し文部科学大臣又は文化庁長官が発する命令、勧告、指示その他の処分の告知は、都道府県の教育委員会を経由すべきものとする。ただし、特に緊急な場合は、この限りでない。
（文部科学大臣又は文化庁長官に対する意見具申）

第百八十九条　都道府県及び市町村の教育委員会は、当該都道府県又は市町村の区域内に存する文化財の保存及び活用に関し、文部科学大臣又は文化庁長官に対して意見を具申することができる。
（地方文化財保護審議会）
第百九十条　都道府県及び市町村（いずれも特定地方公共団体であるものを除く。）の教育委員会に、条例の定めるところにより、文化財に関して優れた識見を有する者により構成される地方文化財保護審議会を置くことができる。
2　特定地方公共団体に、条例の定めるところにより、地方文化財保護審議会を置くものとする。
3　地方文化財保護審議会は、都道府県又は市町村の教育委員会の諮問に応じて、文化財の保存及び活用に関する重要事項について調査審議し、並びにこれらの事項に関して当該都道府県又は市町村の教育委員会に建議する。
4　地方文化財保護審議会の組織及び運営に関し必要な事項は、条例で定める。
（文化財保護指導委員）
第百九十一条　都道府県及び市町村の教育委員会（当該都道府県及び市町村が特定地方公共団体である場合には、当該特定地方公共団体）に、文化財保護指導委員を置くことができる。
2　文化財保護指導委員は、文化財について、随時、巡視を行い、並びに所有者その他の関係者に対し、文化財の保護に関する指導及び助言をするとともに、地域住民に対し、文化財保護思想について普及活動を行うものとする。
3　文化財保護指導委員は、非常勤とする。
（事務の区分）
第百九十二条　第百十条第一項及び第二項、第百十二条第一項並びに第百十条第三項及び第百十二条第四項において準用する第百九条第三項及び第四項の規定により都道府県又は指定都市が処理することとされている事務は、地方自治法第二条第九項第一号に規定する第一号法定受託事務とする。
第四節　文化財保存活用支援団体
（文化財保存活用支援団体の指定）
第百九十二条の二　市町村の教育委員会は、法人その他これに準ずるものとして文部科学省令で定める団体であつて、次条に規定する業務を適正かつ確実に行うことができると認められるものを、その申請により、文化財保存活用支援団体（以下この節において「支援団体」という。）として指定することができる。
2　市町村の教育委員会は、前項の規定による指定をしたときは、当該支援団体の名称、住所及び事務所の所在地を公示しなければならない。
3　支援団体は、その名称、住所又は事務所の所在地を変更しようとするときは、あらかじめ、その旨を市町村の教育委員会に届け出なければならない。
4　市町村の教育委員会は、前項の規定による届出があつたときは、当該届出に係る事項を公示しなければならない。
（支援団体の業務）
第百九十二条の三　支援団体は、次に掲げる業務を行うものとする。
一　当該市町村の区域内に存する文化財の保存及び活用を行うこと。
二　当該市町村の区域内に存する文化財の保存及び活用を図るための事業を行う者に対し、情報の提供、相談その他の援助を行うこと。
三　文化財の所有者の求めに応じ、当該文化財の管理、修理又は復旧その他その保存及び活用のため必要な措置につき委託を受けること。
四　文化財の保存及び活用に関する調査研究を行うこと。
五　前各号に掲げるもののほか、当該市町村の区域における文化財の保存及び活用を図るために必要な業務を行うこと。
（監督等）
第百九十二条の四　市町村の教育委員会は、前条各号に掲げる業務の適正かつ確実な実施を確保するため必要があると認めるときは、支援団体に対し、その業務に関し報告をさせることができる。
2　市町村の教育委員会は、支援団体が前条各号に掲げる業務を適正かつ確実に実施していないと認めるときは、支援団体に対し、その業務の運営の改善に関し必要な措置を講ずべきことを命ずることができる。
3　市町村の教育委員会は、支援団体が前項の規定による命令に違反したときは、第百九十二条の二第一項の規定による指定を取り消すことができる。
4　市町村の教育委員会は、前項の規定により指定を取り消したときは、その旨を公示しなければならない。
（情報の提供等）
第百九十二条の五　国及び関係地方公共団体は、支援団体に対し、その業務の実施に関し必要な情報の提供又は指導若しくは助言をするものとする。
（文化財保存活用地域計画の作成の提案等）
第百九十二条の六　支援団体は、市町村の教育委員会に対し、文化財保存活用地域計画の作成又は認定文化財保存活用地域計画の変更をすることを提案することができる。
2　支援団体は、認定市町村の教育委員会に対し、認定文化財保存活用地域計画の計画期間内に限り、当該認定市町村の区域内に存する文化財であつて第五十七条第一項、第九十条第一項又は第百三十二条第一項の規定により登録されることが適当であると思料するものがあるときは、文部科学省令で定めるところにより、当該文化財について第百八十三条の五第一項の規定による提案をするよう要請することができる。
第十三章　罰則
第百九十三条　第四十四条の規定に違反し、文化庁長官の許可を受けないで重要文化財を輸出した者は、五年以下の懲役若しくは禁錮こ又は百万円以下の罰金に処する。
第百九十四条　第八十二条の規定に違反し、文化庁長官の許可を受けないで重要有形民俗文化財を輸出した者は、三年以下の懲役若しくは禁錮こ又は五十万円以下の罰金に処する。
第百九十五条　重要文化財を損壊し、毀棄し、又は隠匿した者は、五年以下の懲役若しくは禁錮又は百万円以下の罰金に処する。
2　前項に規定する者が当該重要文化財の所有者であるときは、二年以下の懲役若しくは禁錮又は五十万円以下の罰金若しくは科料に処する。
第百九十六条　史跡名勝天然記念物の現状を変更し、又はその保存に影響を及ぼす行為をして、これを滅失し、毀損し、又は衰亡するに至らしめた者は、五年以下の懲役若しくは禁錮又は百万円以下の罰金に処する。
2　前項に規定する者が当該史跡名勝天然記念物の所有者であるときは、二年以下の懲役若しくは禁錮又は五十万円以下の罰金若しくは科料に処する。
第百九十七条　次の各号のいずれかに該当する者は、五十万円以下の罰金に処する。
一　第四十三条又は第百二十五条の規定に違反して、許可を受けず、若しくはその許可の条件に従わないで、重要文化財若しくは史跡名勝天然記念物の現状を変更し、若しくはその保存に影響を及ぼす行為をし、又は現状変更若しくは保存に影響を及ぼす行為の停止の命令に従わ

なかつた者
二　第九十六条第二項の規定に違反して、現状を変更することとなるような行為の停止又は禁止の命令に従わなかつた者
第百九十八条　次の各号のいずれかに該当する者は、三十万円以下の罰金に処する。
一　第三十九条第三項(第百八十六条第二項において準用する場合を含む。)において準用する第三十二条の二第五項の規定に違反して、国宝の修理又は滅失、毀損若しくは盗難の防止の措置の施行を拒み、又は妨げた者
二　第九十八条第三項(第百八十六条第二項において準用する場合を含む。)において準用する第三十九条第三項において準用する第三十二条の二第五項の規定に違反して、発掘の施行を拒み、又は妨げた者
三　第百二十三条第二項(第百八十六条第二項において準用する場合を含む。)において準用する第三十九条第三項において準用する第三十二条の二第五項の規定に違反して、特別史跡名勝天然記念物の復旧又は滅失、毀損、衰亡若しくは盗難の防止の措置の施行を拒み、又は妨げた者
第百九十九条　法人の代表者又は法人若しくは人の代理人、使用人その他の従業者がその法人又は人の業務又は財産の管理に関して第百九十三条から前条までの違反行為をしたときは、その行為者を罰するほか、その法人又は人に対し、各本条の罰金刑を科する。
第二百条　第三十九条第一項(第四十七条第三項(第八十三条で準用する場合を含む。)、第百二十三条第二項、第百八十六条第二項又は第百八十七条第二項で準用する場合を含む。)、第四十九条(第八十五条で準用する場合を含む。)又は第百八十五条第二項に規定する重要文化財、重要有形民俗文化財又は史跡名勝天然記念物の管理、修理又は復旧の施行の責めに任ずべき者が怠慢又は重大な過失によりその管理、修理又は復旧に係る重要文化財、重要有形民俗文化財又は史跡名勝天然記念物を滅失し、き損し、衰亡し、又は盗み取られるに至らしめたときは、三十万円以下の過料に処する。
第二百一条　次の各号のいずれかに該当する者は、三十万円以下の過料に処する。
一　正当な理由がなくて、第三十六条第一項(第八十三条及び第百七十二条第五項で準用する場合を含む。)又は第三十七条第一項の規定による重要文化財若しくは重要有形民俗文化財の管理又は国宝の修理に関する文化庁長官の命令に従わなかつた者
二　正当な理由がなくて、第百二十一条第一項(第百七十二条第五項で準用する場合を含む。)又は第百二十二条第一項の規定による史跡名勝天然記念物の管理又は特別史跡名勝天然記念物の復旧に関する文化庁長官の命令に従わなかつた者
三　正当な理由がなくて、第百三十七条第二項の規定による重要文化的景観の管理に関する勧告に係る措置を執るべき旨の文化庁長官の命令に従わなかつた者
第二百二条　次の各号のいずれかに該当する者は、十万円以下の過料に処する。
一　正当な理由がなくて、第四十五条第一項の規定による制限若しくは禁止又は施設の命令に違反した者
二　第四十六条(第八十三条において準用する場合を含む。)の規定に違反して、文化庁長官に国に対する売渡しの申出をせず、若しくは申出をした後第四十六条第五項(第八十三条において準用する場合を含む。)に規定する期間内に、国以外の者に重要文化財又は重要有形民俗文化財を譲り渡し、又は第四十六条第一項(第八十三条において準用する場合を含む。)の規定による売渡しの申出につき、虚偽の事実を申し立てた者
三　第四十八条第四項(第五十一条第三項(第八十五条において準用する場合を含む。)及び第八十五条において準用する場合を含む。)の規定に違反して、出品若しくは公開をせず、又は第五十一条第五項(第五十一条の二(第八十五条において準用する場合を含む。)、第八

十四条第二項及び第八十五条において準用する場合を含む。)の規定に違反して、公開の停止若しくは中止の命令に従わなかつた者

四　第五十三条第一項、第三項又は第四項の規定に違反して、許可を受けず、若しくはその許可の条件に従わないで重要文化財を公開し、又は公開の停止の命令に従わなかつた者

五　第五十三条の六(第八十五条の四(第百七十四条の二第一項において準用する場合を含む。)及び第百七十四条の二第一項において準用する場合を含む。)、第五十四条(第八十六条及び第百七十二条第五項において準用する場合を含む。)、第五十五条、第六十七条の五(第九十条の四及び第百三十三条の四において準用する場合を含む。)、第六十八条(第九十条第三項及び第百三十三条において準用する場合を含む。)、第七十六条の四(第八十九条の三において準用する場合を含む。)、第百二十九条の五(第百七十四条の二第一項において準用する場合を含む。)、第百三十条(第百七十二条第五項において準用する場合を含む。)、第百三十一条又は第百四十条の規定に違反して、報告をせず、若しくは虚偽の報告をし、又は当該公務員の立入調査若しくは調査のための必要な措置の施行を拒み、妨げ、若しくは忌避した者

六　第九十二条第二項の規定に違反して、発掘の禁止、停止又は中止の命令に従わなかつた者

七　正当な理由がなくて、第百二十八条第一項の規定による制限若しくは禁止又は施設の命令に違反した者

第二百三条　次の各号のいずれかに該当する者は、五万円以下の過料に処する。

一　第二十八条第五項、第二十九条第四項(第七十九条第二項において準用する場合を含む。)、第五十六条第二項(第八十六条において準用する場合を含む。)又は第五十九条第六項若しくは第六十九条(これらの規定を第九十条第三項において準用する場合を含む。)の規定に違反して、重要文化財若しくは重要有形民俗文化財の指定書又は登録有形文化財若しくは登録有形民俗文化財の登録証を文部科学大臣に返付せず、又は新所有者に引き渡さなかつた者

二　第三十一条第三項(第六十条第四項(第九十条第三項において準用する場合を含む。)、第八十条及び第百十九条第二項(第百三十三条において準用する場合を含む。)において準用する場合を含む。)、第三十二条(第六十条第四項(第九十条第三項において準用する場合を含む。)、第八十条及び第百二十条(第百三十三条において準用する場合を含む。)において準用する場合を含む。)、第三十三条(第八十条、第百十八条及び第百二十条(これらの規定を第百三十三条において準用する場合を含む。)並びに第百七十二条第五項において準用する場合を含む。)、第三十四条(第八十条及び第百七十二条第五項において準用する場合を含む。)、第四十三条の二第一項、第五十三条の四若しくは第五十三条の五(これらの規定を第百七十四条の二第一項において準用する場合を含む。)、第六十一条若しくは第六十二条(これらの規定を第九十条第三項において準用する場合を含む。)、第六十四条第一項(第九十条第三項及び第百三十三条において準用する場合を含む。)、第六十五条第一項(第九十条第三項において準用する場合を含む。)、第六十七条の四、第七十三条、第八十一条第一項、第八十四条第一項本文、第八十五条の三(第百七十四条の二第一項において準用する場合を含む。)、第九十条の三、第九十二条第一項、第九十六条第一項、第百十五条第二項(第百二十条、第百三十三条及び第百七十二条第五項において準用する場合を含む。)、第百二十七条第一項、第百二十九条の四(第百七十四条の二第一項において準用する場合を含む。)、第百三十三条の三、第百三十六条又は第百三十九条第一項の規定に違反して、届出をせず、又は虚偽の届出をした者

三　第三十二条の二第五項(第三十四条の三第二項(第八十三条において準用する場合を

含む。)、第六十条第四項及び第六十三条第二項(これらの規定を第九十条第三項において準用する場合を含む。)並びに第八十条において準用する場合を含む。)又は第百十五条第四項(第百三十三条において準用する場合を含む。)の規定に違反して、管理、修理若しくは復旧又は管理、修理若しくは復旧のため必要な措置を拒み、妨げ、又は忌避した者

附　則

(施行期日)

第一条　この法律施行の期日は、公布の日から起算して三月を超えない期間内において、政令で定める。

(関係法令の廃止)

第二条　左に掲げる法律、勅令及び政令は、廃止する。

国宝保存法(昭和四年法律第十七号)

重要美術品等の保存に関する法律(昭和八年法律第四十三号)

史跡名勝天然紀念物保存法(大正八年法律第四十四号)

国宝保存法施行令(昭和四年勅令第二百十号)

史跡名勝天然紀念物保存法施行令(大正八年勅令第四百九十九号)

国宝保存会官制(昭和四年勅令第二百十一号)

重要美術品等調査審議会令(昭和二十四年政令第二百五十一号)

史跡名勝天然記念物調査会令(昭和二十四年政令第二百五十二号)

(法令廃止に伴う経過規定)

第三条　この法律施行前に行つた国宝保存法第一条の規定による国宝の指定(同法第十一条第一項の規定により解除された場合を除く。)は、第二十七条第一項の規定による重要文化財の指定とみなし、同法第三条又は第四条の規定による許可は、第四十三条又は第四十四条の規定による許可とみなす。

2　この法律施行前の国宝の滅失又はき損並びにこの法律施行前に行つた国宝保存法第七条第一項の規定による命令及び同法第十五条前段の規定により交付した補助金については、同法第七条から第十条まで、第十五条後段及び第二十四条の規定は、なおその効力を有する。この場合において同法第九条第二項中「主務大臣」とあるのは、「文化財保護委員会」と読み替えるものとする。

3　この法律施行前にした行為の処罰については、国宝保存法は、第六条及び第二十三条の規定を除くほか、なおその効力を有する。

4　この法律施行の際現に国宝保存法第一条の規定による国宝を所有している者は、委員会規則の定める事項を記載した書面をもつて、この法律施行後三箇月以内に委員会に届け出なければならない。

5　前項の規定による届出があつたときは、委員会は、当該所有者に第二十八条に規定する重要文化財の指定書を交付しなければならない。

6　第四項の規定に違反して、届出をせず、又は虚偽の届出をした者は、五千円以下の過料に処する。

7　この法律施行の際現に国宝保存法第一条の規定による国宝で国の所有に属するものを管理する各省各庁の長は、委員会規則の定める事項を記載した書面をもつて、この法律施行後三箇月以内に委員会に通知しなければならない。ただし、委員会規則で定める場合は、この限りでない。

8　前項の規定による通知があつたときは、委員会は、当該各省各庁の長に第二十八条に規定する重要文化財の指定書を交付するものとする。

第四条　この法律施行の際現に重要美術品等の保存に関する法律第二条第一項の規定に

より認定されている物件については、同法は当分の間、なおその効力を有する。この場合において、同法の施行に関する事務は、文化庁長官が行うものとし、同法中「国宝」とあるのは、「文化財保護法ノ規定ニ依ル重要文化財」と、「主務大臣」とあるのは、「文化庁長官」と、「当該物件ヲ国宝保存法第一条ノ規定ニ依リテ国宝トシテ指定シ又ハ前条」とあるのは、「前条」と読み替えるものとする。

2　文化審議会は、当分の間、文化庁長官の諮問に応じて重要美術品等の保存に関する法律第二条第一項の規定による認定の取消しに関する事項を調査審議し、及びこれに関し必要と認める事項を文化庁長官に建議する。

3　重要美術品等の保存に関する法律の施行に関しては、当分の間、第百八十八条の規定を準用する。

第五条　この法律施行前に行つた史跡名勝天然紀念物保存法第一条第一項の規定による指定（解除された場合を除く。）は、第百九条第一項の規定による指定、同法第一条第二項の規定による仮指定（解除された場合を除く。）は、第百十条第一項の規定による仮指定とみなし、同法第三条の規定による許可は、第百二十五条第一項の規定による許可とみなす。

2　この法律施行前に行つた史跡名勝天然紀念物保存法第四条第一項の規定による命令又は処分については、同法第四条及び史跡名勝天然紀念物保存法施行令第四条の規定は、なおその効力を有する。この場合において同令第四条中「文部大臣」とあるのは、「文化財保護委員会」と読み替えるものとする。

3　この法律施行前にした行為の処罰については、史跡名勝天然紀念物保存法は、なおその効力を有する。

（従前の国立博物館）

第六条　法律（これに基づく命令を含む。）に特別の定めのある場合を除くほか、従前の国立博物館及びその職員（美術研究所及びこれに所属する職員を除く。）は、この法律に基づく国立博物館及びその職員となり、従前の国立博物館附置の美術研究所及びこれに所属する職員は、この法律に基づく研究所及びその職員となり、同一性をもつて存続するものとする。

2　この法律に基づく東京国立文化財研究所は、従前の国立博物館附置の美術研究所の所掌した調査研究と同一のものについては、「美術研究所」の名称を用いることができる。

（国の無利子貸付け等）

第七条　国は、当分の間、重要文化財の所有者又は管理団体に対し、第三十五条第一項の規定により国がその経費について補助することができる重要文化財の管理で日本電信電話株式会社の株式の売払収入の活用による社会資本の整備の促進に関する特別措置法（昭和六十二年法律第八十六号）第二条第一項第二号に該当するものに要する費用に充てる資金の一部を、予算の範囲内において、無利子で貸し付けることができる。

2　前項の国の貸付金の償還期間は、五年（二年以内の据置期間を含む。）以内で政令で定める期間とする。

3　前項に定めるもののほか、第一項の規定による貸付金の償還方法、償還期限の繰上げその他償還に関し必要な事項は、政令で定める。

4　国は、第一項の規定により重要文化財の所有者又は管理団体に対し貸付けを行つた場合には、当該貸付けの対象である重要文化財の管理について、当該貸付金に相当する金額の補助を行うものとし、当該補助については、当該貸付金の償還時において、当該貸付金の償還金に相当する金額を交付することにより行うものとする。

5　重要文化財の所有者又は管理団体が、第一項の規定による貸付けを受けた無利子貸付金について、第二項及び第三項の規定に基づき定められる償還期限を繰り上げて償還を行つた場合（政令で定める場合を除く。）における前項の規定の適用については、当該償還は、当該償還期限の到来時に行われたものとみなす。
6　国が第一項の規定により無利子貸付金の貸付けを行う場合においては、第三十五条第二項中「交付する」とあるのは「貸し付ける」と、「補助の」とあるのは「貸付けの」と、「管理又は修理」とあるのは「管理」と、同条第三項中「交付する」とあるのは「貸し付ける」と、「管理又は修理」とあるのは「管理」として、これらの規定を適用する。
附　則　（昭和二六年一二月二四日法律第三一八号）　抄
1　この法律は、公布の日から施行する。但し、第二十条、第二十二条、第二十三条及び第百二十四条第二項の改正規定並びに附則第三項の規定は、昭和二十七年四月一日から施行する。
2　この法律施行前にした行為に対する罰則の適用については、改正前の文化財保護法第三十四条の規定は、なおその効力を有する。
附　則　（昭和二七年七月三一日法律第二七二号）　抄
（施行期日）
1　この法律は、昭和二十七年八月一日から施行する。但し、附則第三項の規定は、公布の日から施行する。
（東京国立博物館の分館の職員に関する経過規定）
2　この法律施行の際現に東京国立博物館の分館の職員である者は、別に辞令を発せられない限り、同一の勤務条件をもつて、奈良国立博物館の職員となるものとする。
附　則　（昭和二八年八月一〇日法律第一九四号）　抄
1　この法律は、公布の日から施行する。
附　則　（昭和二八年八月一五日法律第二一三号）　抄
1　この法律は、昭和二十八年九月一日から施行する。
2　この法律施行前従前の法令の規定によりなされた許可、認可その他の処分又は申請、届出その他の手続は、それぞれ改正後の相当規定に基いてなされた処分又は手続とみなす。
附　則　（昭和二九年五月二九日法律第一三一号）　抄
1　この法律は、昭和二十九年七月一日から施行する。
2　この法律の施行前にした史跡名勝天然記念物の仮指定は、この法律による改正後の文化財保護法（以下「新法」という。）第七十一条第二項の規定にかかわらず、新法第六十九条第一項の規定による指定があつた場合の外、この法律の施行の日から三年以内に同条同項の規定による指定がなかつたときは、その効力を失う。
3　この法律の施行前六月以内にこの法律による改正前の文化財保護法第四十三条第一項若しくは第八十条第一項の規定によつてした現状変更等の許可若しくは不許可の処分又は同法第四十五条第一項若しくは第八十一条第一項の規定によつてした制限、禁止又は命令で特定の者に対して行われたものに不服のある者は、この法律の施行の日から三十日以内に委員会に対して異議の申立をすることができる。この場合には、第八十五条の二第二項及び第三項並びに第八十五条の三から第八十五条の九までの規定を準用する。
4　この法律の施行前にした行為に対する罰則の適用については、なお従前の例による。
5　史跡名勝天然記念物を管理すべき団体の指定等に関する政令（昭和二十八年政令第二百八十九号）は、廃止する。
6　旧史跡名勝天然記念物を管理すべき団体の指定等に関する政令第一条第一項の規定により指定を受けた地方公共団体その他の団体及び同令附則第二項の規定により同令第一条第一項の規定により指定を受けた地方公共団体その他の団体とみなされたもので法人であるものは、新法第七十一条の二第一項又は第九十五条第一項の規定により指定を受けた地方公共団体その他の法人とみなす。

7　前項に規定する団体で法人でないものには、新法第七十一条の二、第九十五条又は第九十五条の三の規定にかかわらず、この法律の施行の日から一年間は、新法第七十一条の二第一項、第九十五条第一項又は第九十五条の三第一項に規定する管理及び復旧を行わせることができる。この場合には、新法中第七十一条の二第一項又は第九十五条第一項の規定による指定を受けた法人に関する規定を準用する。

附　則　（昭和三一年六月一二日法律第一四八号）　抄

1　この法律は、地方自治法の一部を改正する法律（昭和三十一年法律第百四十七号）の施行の日から施行する。

附　則　（昭和三一年六月三〇日法律第一六三号）　抄

（施行期日）

1　この法律は、昭和三十一年十月一日から施行する。

附　則　（昭和三三年四月二五日法律第八六号）　抄

1　この法律は、公布の日から施行し、特別職の職員の給与に関する法律第四条、第九条及び第十四条第一項の改正規定、文化財保護法第十三条の次に一条を加える改正規定、自治庁設置法第十六条の次に一条を加える改正規定並びに附則第二項の規定を除くほか、昭和三十三年四月一日から適用する。

附　則　（昭和三四年四月二〇日法律第一四八号）　抄

（施行期日）

1　この法律は、国税徴収法（昭和三十四年法律第百四十七号）の施行の日から施行する。

（公課の先取特権の順位の改正に関する経過措置）

7　第二章の規定による改正後の各法令（徴収金の先取特権の順位に係る部分に限る。）の規定は、この法律の施行後に国税徴収法第二条第十二号に規定する強制換価手続による配当手続が開始される場合について適用し、この法律の施行前に当該配当手続が開始されている場合における当該法令の規定に規定する徴収金の先取特権の順位については、なお従前の例による。

附　則　（昭和三六年六月二日法律第一一一号）　抄

（施行期日）

1　この法律は、公布の日から施行し、昭和三十六年四月一日から適用する。

（行政機関職員定員法の廃止）

2　行政機関職員定員法（昭和二十四年法律第百二十六号）は、廃止する。

（常勤の職員に対する暫定措置）

3　昭和三十六年四月一日において、現に二月以内の期間を定めて雇用されている職員のうち常勤の職員は、当分の間、国家行政組織法第十九条第一項若しくは第二項又は第二十一条第二項の規定に基づいて定められる定員の外に置くことができる。

附　則　（昭和三七年五月一六日法律第一四〇号）　抄

1　この法律は、昭和三十七年十月一日から施行する。

2　この法律による改正後の規定は、この附則に特別の定めがある場合を除き、この法律の施行前に生じた事項にも適用する。ただし、この法律による改正前の規定によつて生じた効力を妨げない。

3　この法律の施行の際現に係属している訴訟については、当該訴訟を提起することができない旨を定めるこの法律による改正後の規定にかかわらず、なお従前の例による。

4　この法律の施行の際現に係属している訴訟の管轄については、当該管轄を専属管轄とする旨のこの法律による改正後の規定にかかわらず、なお従前の例による。

5　この法律の施行の際現にこの法律による改正前の規定による出訴期間が進行している処分

又は裁決に関する訴訟の出訴期間については、なお従前の例による。ただし、この法律による改正後の規定による出訴期間がこの法律による改正前の規定による出訴期間より短い場合に限る。

6　この法律の施行前にされた処分又は裁決に関する当事者訴訟で、この法律による改正により出訴期間が定められることとなつたものについての出訴期間は、この法律の施行の日から起算する。

7　この法律の施行の際現に係属している処分又は裁決の取消しの訴えについては、当該法律関係の当事者の一方を被告とする旨のこの法律による改正後の規定にかかわらず、なお従前の例による。ただし、裁判所は、原告の申立てにより、決定をもつて、当該訴訟を当事者訴訟に変更することを許すことができる。

8　前項ただし書の場合には、行政事件訴訟法第十八条後段及び第二十一条第二項から第五項までの規定を準用する。

附　則　（昭和三七年九月一五日法律第一六一号）　抄

1　この法律は、昭和三十七年十月一日から施行する。

2　この法律による改正後の規定は、この附則に特別の定めがある場合を除き、この法律の施行前にされた行政庁の処分、この法律の施行前にされた申請に係る行政庁の不作為その他この法律の施行前に生じた事項についても適用する。ただし、この法律による改正前の規定によつて生じた効力を妨げない。

3　この法律の施行前に提起された訴願、審査の請求、異議の申立てその他の不服申立て（以下「訴願等」という。）については、この法律の施行後も、なお従前の例による。この法律の施行前にされた訴願等の裁決、決定その他の処分（以下「裁決等」という。）又はこの法律の施行前に提起された訴願等につきこの法律の施行後にされる裁決等にさらに不服がある場合の訴願等についても、同様とする。

4　前項に規定する訴願等で、この法律の施行後は行政不服審査法による不服申立てをすることができることとなる処分に係るものは、同法以外の法律の適用については、行政不服審査法による不服申立てとみなす。

5　第三項の規定によりこの法律の施行後にされる審査の請求、異議の申立てその他の不服申立ての裁決等については、行政不服審査法による不服申立てをすることができない。

6　この法律の施行前にされた行政庁の処分で、この法律による改正前の規定により訴願等をすることができるものとされ、かつ、その提起期間が定められていなかつたものについて、行政不服審査法による不服申立てをすることができる期間は、この法律の施行の日から起算する。

8　この法律の施行前にした行為に対する罰則の適用については、なお従前の例による。

9　前八項に定めるもののほか、この法律の施行に関して必要な経過措置は、政令で定める。

10　この法律及び行政事件訴訟法の施行に伴う関係法律の整理等に関する法律（昭和三十七年法律第百四十号）に同一の法律についての改正規定がある場合においては、当該法律は、この法律によつてまず改正され、次いで行政事件訴訟法の施行に伴う関係法律の整理等に関する法律によつて改正されるものとする。

附　則　（昭和四〇年三月三一日法律第三六号）　抄

（施行期日）

第一条　この法律は、昭和四十年四月一日から施行する。

（その他の法令の一部改正に伴う経過規定の原則）

第五条　第二章の規定による改正後の法令の規定は、別段の定めがあるものを除き、昭和四十年分以後の所得税又はこれらの法令の規定に規定する法人の施行日以後に終了する事業年度分の法人税について適用し、昭和三十九年分以前の所得税又は当該法人の同日前に終了した事業年度分の法人税については、なお従前の例による。
附　則　(昭和四三年六月一五日法律第九九号)　抄
(施行期日)
1　この法律は、公布の日から施行する。
(経過規定)
2　この法律の施行の際現に文部省文化局、文化財保護委員会事務局、文部省の附属機関(この法律の規定により文化庁の相当の附属機関となるものに限る。)又は文化財保護委員会の附属機関(文化財専門審議会を除く。)の職員である者は、別に辞令の発せられない限り、同一の勤務条件をもつて文化庁の相当の職員となるものとする。
3　この法律の施行の際現にこの法律による改正前の文化財保護法、著作権法、著作権に関する仲介業務に関する法律、万国著作権条約の実施に伴う著作権法の特例に関する法律、銃砲刀剣類所持等取締法又は国立劇場法の規定により文化財保護委員会又は文部大臣がした許可、認可、指定その他の処分又は通知その他の手続は、この法律による改正後のこれらの法律の相当規定に基づいて、文部大臣又は文化庁長官がした処分又は手続とみなす。
4　この法律の施行の際現にこの法律による改正前の文化財保護法、著作権法、著作権に関する仲介業務に関する法律、万国著作権条約の実施に伴う著作権法の特例に関する法律、銃砲刀剣類所持等取締法又は国立劇場法の規定により文化財保護委員会又は文部大臣に対してされている申請、届出その他の手続は、この法律による改正後のこれらの法律の相当規定に基づいて、文部大臣又は文化庁長官に対してされた手続とみなす。
5　この法律の施行の際現に効力を有する文化財保護委員会規則は、文部省令としての効力を有するものとする。
附　則　(昭和四六年五月三一日法律第八八号)　抄
(施行期日)
第一条　この法律は、昭和四十六年七月一日から施行する。
附　則　(昭和四六年六月一日法律第九六号)　抄
(施行期日等)
1　この法律は、公布の日から施行する。
附　則　(昭和四七年六月三日法律第五二号)　抄
(施行期日等)
第一条　この法律は、公布の日から起算して三十日をこえない範囲内において政令で定める日から施行する。
(土地調整委員会又は中央公害審査委員会がした処分等に関する経過措置)
第十六条　この法律の施行前にこの法律による改正前の法律の規定により土地調整委員会又は中央公害審査委員会がした処分その他の行為は、政令で別段の定めをするものを除き、この法律又はこの法律による改正後の法律の相当規定により、公害等調整委員会がした処分その他の行為とみなす。
附　則　(昭和五〇年七月一日法律第四九号)　抄
(施行期日)
1　この法律は、公布の日から起算して三箇月を経過した日から施行する。
(遺跡発見の場合の停止命令等の特例)
2　この法律の施行の日から起算して五年間は、この法律による改正後の文化財保護法(以下「新法」という。)第五十七条の五の規定の適用については、同条第二項ただし書中「三箇月」とあるのは「六箇月」と、同条第五項ただし書中「六箇月」とあるのは「九箇月」とする。この場合において、この法律の施行の日から起算して五年を経過する日前に執つた同条第二項に規定する措置については、同日以後も、なお、同日前の同条の例によるものとする。
（経過措置）
3　文部大臣は、この法律の施行の際現にこの法律による改正前の文化財保護法（以下「旧法」という。）第五十六条の三第一項の規定により指定されている重要無形文化財のうち、旧法第五十六条の三第二項の規定による保持者の認定に代えて新法第五十六条の三第二項の保持団体の認定をする必要があると認められるものについては、この法律の施行後一年以内に、旧法第五十六条の三第二項の規定によつてしたすべての保持者の認定を解除するとともに、新法第五十六条の三第二項の規定により保持団体の認定をしなければならない。この場合においては、新法第五十六条の三第三項及び第五十六条の四第三項の規定を準用する。
4　この法律の施行の際現に旧法第五十六条の十第一項の規定により指定されている重要民俗資料は、新法の規定の適用については、新法第五十六条の十第一項の規定により指定された重要有形民俗文化財とみなす。この場合において、旧法第五十六条の十第二項において準用する旧法第二十八条第三項の規定により交付された重要民俗資料の指定書は、新法第五十六条の十第二項において準用する新法第二十八条第三項の規定により交付された重要有形民俗文化財の指定書とみなす。
5　この法律の施行前に旧法第五十七条の二第一項の規定によりした届出に係る発掘については、新法第五十七条の二及び第五十七条の三の規定にかかわらず、旧法第五十七条の二の規定の例による。
6　この法律の施行前に新法第五十七条の三第一項に規定する事業計画を策定した同項に規定する国の機関等（当該事業計画の実施につき旧法第五十七条の二第一項の規定による届出をしたものを除く。）に対する新法第五十七条の三の規定の適用については、同条第一項中「当該発掘に係る事業計画の策定に当たつて、あらかじめ」とあるのは、「この法律の施行後遅滞なく」とする。
7　この法律の施行前に旧法第八十四条第一項の規定によりした届出に係る遺跡と認められるものについては、新法第五十七条の五（旧法第八十七条に規定する各省各庁の長に該当しない新法第五十七条の三第一項に規定する国の機関等にあつては、新法第五十七条の六）の規定にかかわらず、旧法第八十四条の規定は、なお、その効力を有する。
8　この法律の施行前に旧法第八十七条に規定する各省各庁の長が旧法第九十条第一項第八号の規定によりした通知に係る遺跡と認められるものについては、新法第五十七条の六の規定にかかわらず、旧法第九十条第一項第八号の通知に係る旧法第九十条第三項の規定は、なお、その効力を有する。
9　この法律の施行前にした行為に対する罰則の適用については、なお、従前の例による。
10　前七項に規定するもののほか、この法律の施行に関し必要な経過措置は、政令で定める。
附　則　（昭和五八年一二月二日法律第七八号）
1　この法律（第一条を除く。）は、昭和五十九年七月一日から施行する。
2　この法律の施行の日の前日において法律の規定により置かれている機関等で、この法律の施行の日以後は国家行政組織法又はこの法律による改正後の関係法律の規定に基づく政令（以下「関係政令」という。）の規定により置かれることとなるものに関し必要となる経過措置その他この法律の施行に伴う関係政令の制定又は改廃に関し必要となる経過措置は、政令で定めることができる。
附　則　（平成五年一一月一二日法律第八九号）　抄
（施行期日）
第一条　この法律は、行政手続法（平成五年法律第八十八号）の施行の日から施行する。
（諮問等がされた不利益処分に関する経過措置）

第二条　この法律の施行前に法令に基づき審議会その他の合議制の機関に対し行政手続法第十三条に規定する聴聞又は弁明の機会の付与の手続その他の意見陳述のための手続に相当する手続を執るべきことの諮問その他の求めがされた場合においては、当該諮問その他の求めに係る不利益処分の手続に関しては、この法律による改正後の関係法律の規定にかかわらず、なお従前の例による。

（罰則に関する経過措置）

第十三条　この法律の施行前にした行為に対する罰則の適用については、なお従前の例による。

（聴聞に関する規定の整理に伴う経過措置）

第十四条　この法律の施行前に法律の規定により行われた聴聞、聴問若しくは聴聞会（不利益処分に係るものを除く。）又はこれらのための手続は、この法律による改正後の関係法律の相当規定により行われたものとみなす。

（政令への委任）

第十五条　附則第二条から前条までに定めるもののほか、この法律の施行に関して必要な経過措置は、政令で定める。

附　則　（平成六年六月二九日法律第四九号）　抄

（施行期日）

1　この法律中、第一章の規定及び次項の規定は地方自治法の一部を改正する法律（平成六年法律第四十八号）中地方自治法（昭和二十二年法律第六十七号）第二編第十二章の改正規定の施行の日から、第二章の規定は地方自治法の一部を改正する法律中地方自治法第三編第三章の改正規定の施行の日から施行する。

附　則　（平成六年一一月一一日法律第九七号）　抄

（施行期日）

第一条　この法律は、公布の日から施行する。

（文化財保護法の一部改正に伴う経過措置）

第四条　第四条の規定の施行前にされた同条の規定による改正前の文化財保護法第四十六条第一項（同法第五十六条の十四において準用する場合を含む。）の規定による売渡しの申出又は第四条の規定による改正前の文化財保護法第四十六条第一項ただし書（同法第五十六条の十四において準用する場合を含む。）の規定による承認の申請については、第四条の規定による改正後の文化財保護法の規定にかかわらず、なお従前の例による。

（罰則に関する経過措置）

第二十条　この法律（附則第一条各号に掲げる規定については、当該各規定）の施行前にした行為並びに附則第二条、第四条、第七条第二項、第八条、第十一条、第十二条第二項、第十三条及び第十五条第四項の規定によりなお従前の例によることとされる場合における第一条、第四条、第八条、第九条、第十三条、第二十七条、第二十八条及び第三十条の規定の施行後にした行為に対する罰則の適用については、なお従前の例による。

（政令への委任）

第二十一条　附則第二条から前条までに定めるもののほか、この法律の施行に関して必要となる経過措置（罰則に関する経過措置を含む。）は、政令で定める。

附　則　（平成八年六月一二日法律第六六号）

（施行期日）

1　この法律は、公布の日から起算して九月を超えない範囲内において政令で定める日から施行する。

（重要文化財等の公開の届出に関する経過措置）

2　この法律の施行の際現に改正前の文化財保護法（以下「旧法」という。）第五十三条第一項の規定による許可を受け、又はその申請を行っている改正後の文化財保護法（以下「新法」という。）第五十三条第一項ただし書に規定する公開承認施設の設置者であって当該公開承認施設において展覧会その他の催しを主催するものは、同条第二項の規定による届出を行ったものとみなす。
3　この法律の施行前に旧法第五十三条第一項ただし書の規定による届出を行った文化庁長官以外の国の機関又は地方公共団体であって、新法第五十三条第一項ただし書に規定する公開承認施設において展覧会その他の催しを主催するものは、同条第二項の規定による届出を行ったものとみなす。
4　文化庁長官以外の国の機関若しくは地方公共団体であって新法第五十六条の十五第一項ただし書に規定する公開事前届出免除施設において展覧会その他の催しを主催するもの又は公開事前届出免除施設の設置者であって当該公開事前届出免除施設においてこれらを主催するもののうち、この法律の施行前に旧法第五十六条の十五第一項の規定による届出を行ったものは、新法第五十六条の十五第一項ただし書の規定による届出を行ったものとみなす。
（罰則に関する経過措置）
5　この法律の施行前にした行為に対する罰則の適用については、なお従前の例による。
（検討）
6　政府は、この法律の施行後十年を経過した場合において、この法律の実施状況、保護すべき文化財の状況等を勘案し、有形文化財の登録に係る制度について検討を加え、その結果に基づいて所要の措置を講ずるものとする。
附　則　（平成一一年七月一六日法律第八七号）　抄
（施行期日）
第一条　この法律は、平成十二年四月一日から施行する。ただし、次の各号に掲げる規定は、当該各号に定める日から施行する。
一　第一条中地方自治法第二百五十条の次に五条、節名並びに二款及び款名を加える改正規定（同法第二百五十条の九第一項に係る部分（両議院の同意を得ることに係る部分に限る。）に限る。）、第四十条中自然公園法附則第九項及び第十項の改正規定（同法附則第十項に係る部分に限る。）、第二百四十四条の規定（農業改良助長法第十四条の三の改正規定に係る部分を除く。）並びに第四百七十二条の規定（市町村の合併の特例に関する法律第六条、第八条及び第十七条の改正規定に係る部分を除く。）並びに附則第七条、第十条、第十二条、第五十九条ただし書、第六十条第四項及び第五項、第七十三条、第七十七条、第百五十七条第四項から第六項まで、第百六十条、第百六十三条、第百六十四条並びに第二百二条の規定　公布の日
（文化財保護法の一部改正に伴う経過措置）
第五十八条　施行日前に発見された文化財でこの法律の施行の際現にその所有者が判明しないものの所有権の帰属及び報償金については、第百三十五条の規定による改正前の文化財保護法（以下この条及び次条において「旧文化財保護法」という。）第五十九条第一項に規定する文化財及び旧文化財保護法第六十一条第二項に規定する文化財のうち国の機関が埋蔵文化財の調査のための土地の発掘により発見したものについては第百三十五条の規定による改正後の文化財保護法（以下この条において「新文化財保護法」という。）第六十三条の規定を適用し、その他のものについては新文化財保護法第六十三条の二の規定を適用する。
第五十九条　旧文化財保護法第六十三条第一項の規定により国庫に帰属した文化財のうち、この法律の施行の際現に地方公共団体において保管しているもの（物品管理法第八条第三項又は第六項に規定する物品管理官又は分任物品管理官の管理に係るものを除く。）の所

有権は、施行日において、当該文化財を保管している地方公共団体に帰属するものとする。ただし、施行日の前日までに、文部省令で定めるところにより、当該地方公共団体から別段の申出があった場合は、この限りでない。

（国等の事務）

第百五十九条　この法律による改正前のそれぞれの法律に規定するもののほか、この法律の施行前において、地方公共団体の機関が法律又はこれに基づく政令により管理し又は執行する国、他の地方公共団体その他公共団体の事務（附則第百六十一条において「国等の事務」という。）は、この法律の施行後は、地方公共団体が法律又はこれに基づく政令により当該地方公共団体の事務として処理するものとする。

（処分、申請等に関する経過措置）

第百六十条　この法律（附則第一条各号に掲げる規定については、当該各規定。以下この条及び附則第百六十三条において同じ。）の施行前に改正前のそれぞれの法律の規定によりされた許可等の処分その他の行為（以下この条において「処分等の行為」という。）又はこの法律の施行の際現に改正前のそれぞれの法律の規定によりされている許可等の申請その他の行為（以下この条において「申請等の行為」という。）で、この法律の施行の日においてこれらの行為に係る行政事務を行うべき者が異なることとなるものは、附則第二条から前条までの規定又は改正後のそれぞれの法律（これに基づく命令を含む。）の経過措置に関する規定に定めるものを除き、この法律の施行の日以後における改正後のそれぞれの法律の適用については、改正後のそれぞれの法律の相当規定によりされた処分等の行為又は申請等の行為とみなす。

2　この法律の施行前に改正前のそれぞれの法律の規定により国又は地方公共団体の機関に対し報告、届出、提出その他の手続をしなければならない事項で、この法律の施行の日前にその手続がされていないものについては、この法律及びこれに基づく政令に別段の定めがあるもののほか、これを、改正後のそれぞれの法律の相当規定により国又は地方公共団体の相当の機関に対して報告、届出、提出その他の手続をしなければならない事項についてその手続がされていないものとみなして、この法律による改正後のそれぞれの法律の規定を適用する。

（不服申立てに関する経過措置）

第百六十一条　施行日前にされた国等の事務に係る処分であって、当該処分をした行政庁（以下この条において「処分庁」という。）に施行日前に行政不服審査法に規定する上級行政庁（以下この条において「上級行政庁」という。）があったものについての同法による不服申立てについては、施行日以後においても、当該処分庁に引き続き上級行政庁があるものとみなして、行政不服審査法の規定を適用する。この場合において、当該処分庁の上級行政庁とみなされる行政庁は、施行日前に当該処分庁の上級行政庁であった行政庁とする。

2　前項の場合において、上級行政庁とみなされる行政庁が地方公共団体の機関であるときは、当該機関が行政不服審査法の規定により処理することとされる事務は、新地方自治法第二条第九項第一号に規定する第一号法定受託事務とする。

（手数料に関する経過措置）

第百六十二条　施行日前においてこの法律による改正前のそれぞれの法律（これに基づく命令を含む。）の規定により納付すべきであった手数料については、この法律及びこれに基づく政令に別段の定めがあるもののほか、なお従前の例による。

（罰則に関する経過措置）

第百六十三条　この法律の施行前にした行為に対する罰則の適用については、なお従前の例による。

（その他の経過措置の政令への委任）

第百六十四条　この附則に規定するもののほか、この法律の施行に伴い必要な経過措置（罰則に関する経過措置を含む。)は、政令で定める。
(検討)
第二百五十条　新地方自治法第二条第九項第一号に規定する第一号法定受託事務については、できる限り新たに設けることのないようにするとともに、新地方自治法別表第一に掲げるもの及び新地方自治法に基づく政令に示すものについては、地方分権を推進する観点から検討を加え、適宜、適切な見直しを行うものとする。
第二百五十一条　政府は、地方公共団体が事務及び事業を自主的かつ自立的に執行できるよう、国と地方公共団体との役割分担に応じた地方税財源の充実確保の方途について、経済情勢の推移等を勘案しつつ検討し、その結果に基づいて必要な措置を講ずるものとする。
附　則　(平成一一年七月一六日法律第一〇二号)　抄
(施行期日)
第一条　この法律は、内閣法の一部を改正する法律(平成十一年法律第八十八号)の施行の日から施行する。ただし、次の各号に掲げる規定は、当該各号に定める日から施行する。
二　附則第十条第一項及び第五項、第十四条第三項、第二十三条、第二十八条並びに第三十条の規定　公布の日
(別に定める経過措置)
第三十条　第二条から前条までに規定するもののほか、この法律の施行に伴い必要となる経過措置は、別に法律で定める。
附　則　(平成一一年一二月二二日法律第一六〇号)　抄
(施行期日)
第一条　この法律(第二条及び第三条を除く。)は、平成十三年一月六日から施行する。ただし、次の各号に掲げる規定は、当該各号に定める日から施行する。
一　第九百九十五条(核原料物質、核燃料物質及び原子炉の規制に関する法律の一部を改正する法律附則の改正規定に係る部分に限る。)、第千三百五条、第千三百六条、第千三百二十四条第二項、第千三百二十六条第二項及び第千三百四十四条の規定　公布の日
附　則　(平成一一年一二月二二日法律第一七八号)　抄
(施行期日)
第一条　この法律は、平成十三年一月六日から施行する。ただし、附則第九条の規定は、同日から起算して六月を超えない範囲内において政令で定める日から施行する。
附　則　(平成一一年一二月二二日法律第一七九号)　抄
(施行期日)
第一条　この法律は、平成十三年一月六日から施行する。ただし、附則第八条の規定は、同日から起算して六月を超えない範囲内において政令で定める日から施行する。
附　則　(平成一二年五月一九日法律第七三号)　抄
(施行期日)
第一条　この法律は、公布の日から起算して一年を超えない範囲内において政令で定める日から施行する。
附　則　(平成一四年二月八日法律第一号)　抄
(施行期日)
第一条　この法律は、公布の日から施行する。
附　則　(平成一四年七月三日法律第八二号)
この法律は、文化財の不法な輸入、輸出及び所有権移転を禁止し及び防止する手段に関する条約が日本国について効力を生ずる日から施行する。
附　則　(平成一六年五月二八日法律第六一号)　抄

(施行期日)
第一条　この法律は、平成十七年四月一日から施行する。
附　則　(平成一六年六月九日法律第八四号)　抄
(施行期日)
第一条　この法律は、公布の日から起算して一年を超えない範囲内において政令で定める日から施行する。
附　則　(平成一八年五月三一日法律第四六号)　抄
(施行期日)
第一条　この法律は、公布の日から起算して一年六月を超えない範囲内において政令で定める日から施行する。ただし、次の各号に掲げる規定は、当該各号に定める日から施行する。
三　第一条中都市計画法第五条の二第一項及び第二項、第六条、第八条第二項及び第三項、第十三条第三項、第十五条第一項並びに第十九条第三項及び第五項の改正規定、同条第六項を削る改正規定並びに同法第二十一条、第二十二条第一項及び第八十七条の二の改正規定、第二条中建築基準法第六条第一項の改正規定、第三条、第六条、第七条中都市再生特別措置法第五十一条第四項の改正規定並びに附則第三条、第四条第一項、第五条、第八条及び第十三条の規定　公布の日から起算して六月を超えない範囲内において政令で定める日
附　則　(平成一八年六月一五日法律第七三号)　抄
(施行期日)
第一条　この法律は、公布の日から起算して一年六月を超えない範囲内において政令で定める日から施行する。
附　則　(平成一九年三月三〇日法律第七号)　抄
(施行期日)
第一条　この法律は、平成十九年四月一日から施行する。
(文化財保護法の一部改正に伴う経過措置)
第十一条　前条の規定による改正後の文化財保護法第百四条第一項の規定の適用については、施行日前に研究所が埋蔵文化財(同法第九十二条第一項に規定する埋蔵文化財をいう。)の調査のための土地の発掘により発見した同法第百二条第二項に規定する文化財は、機構が発見したものとみなす。
附　則　(平成二三年五月二日法律第三七号)　抄
(施行期日)
第一条　この法律は、公布の日から施行する。
(罰則に関する経過措置)
第二十三条　この法律(附則第一条各号に掲げる規定にあっては、当該規定)の施行前にした行為に対する罰則の適用については、なお従前の例による。
(政令への委任)
第二十四条　附則第二条から前条まで及び附則第三十六条に規定するもののほか、この法律の施行に関し必要な経過措置は、政令で定める。
附　則　(平成二六年六月四日法律第五一号)　抄
(施行期日)
第一条　この法律は、平成二十七年四月一日から施行する。
(処分、申請等に関する経過措置)
第七条　この法律(附則第一条各号に掲げる規定については、当該各規定。以下この条及び次条において同じ。)の施行前にこの法律による改正前のそれぞれの法律の規定によりされた許

可等の処分その他の行為(以下この項において「処分等の行為」という。)又はこの法律の施行の際現にこの法律による改正前のそれぞれの法律の規定によりされている許可等の申請その他の行為(以下この項において「申請等の行為」という。)で、この法律の施行の日においてこれらの行為に係る行政事務を行うべき者が異なることとなるものは、附則第二条から前条までの規定又はこの法律による改正後のそれぞれの法律(これに基づく命令を含む。)の経過措置に関する規定に定めるものを除き、この法律の施行の日以後におけるこの法律による改正後のそれぞれの法律の適用については、この法律による改正後のそれぞれの法律の相当規定によりされた処分等の行為又は申請等の行為とみなす。
2　この法律の施行前にこの法律による改正前のそれぞれの法律の規定により国又は地方公共団体の機関に対し報告、届出、提出その他の手続をしなければならない事項で、この法律の施行の日前にその手続がされていないものについては、この法律及びこれに基づく政令に別段の定めがあるもののほか、これを、この法律による改正後のそれぞれの法律の相当規定により国又は地方公共団体の相当の機関に対して報告、届出、提出その他の手続をしなければならない事項についてその手続がされていないものとみなして、この法律による改正後のそれぞれの法律の規定を適用する。
(罰則に関する経過措置)
第八条　この法律の施行前にした行為に対する罰則の適用については、なお従前の例による。
(政令への委任)
第九条　附則第二条から前条までに規定するもののほか、この法律の施行に関し必要な経過措置(罰則に関する経過措置を含む。)は、政令で定める。
附　則　(平成二六年六月一三日法律第六九号)　抄
(施行期日)
第一条　この法律は、行政不服審査法(平成二十六年法律第六十八号)の施行の日から施行する。
附　則　(平成三〇年六月八日法律第四二号)　抄
(施行期日)
第一条　この法律は、平成三十一年四月一日から施行する。
(罰則に関する経過措置)
第二条　この法律の施行前にした行為に対する罰則の適用については、なお従前の例による。
(政令への委任)
第三条　前条に定めるもののほか、この法律の施行に関し必要な経過措置は、政令で定める。
附　則　(令和二年四月一七日法律第一八号)　抄
(施行期日)
1　この法律は、公布の日から起算して一月を超えない範囲内において政令で定める日から施行する。
附　則　(令和二年六月一〇日法律第四一号)　抄
(施行期日)
第一条　この法律は、公布の日から起算して三月を経過した日から施行する。ただし、次の各号に掲げる規定は、当該各号に定める日から施行する。
一　第三条、第七条及び第十条の規定並びに附則第四条、第六条、第八条、第十一条、第十三条、第十五条及び第十六条の規定　公布の日

熊本城 飯田丸五階櫓 2016年8月1日熊本市役所から撮影

修復中の熊本城(竹田宏司氏提供)

おわりに

2016年（平成28年）の熊本地震で、私の実家は半壊しました。幸いにも母は怪我もなく、無事でした。しかし、私が育った家は取り壊しになってしまいました。東京に住んでいた私は、飛行機が飛ぶと直ぐに母を連れに行ったのですが、熊本は大変な状況でした。熊本城も、石垣があちらこちらで崩れ落ち、天守閣や櫓も今にも崩れそうで、痛々しいかぎりでした。それを見たときは大変つらい思いをしました。実家が半壊してしまったこともあります。しかしそれだけではなく、私の思い出が詰まった熊本が、それを代表する熊本城が、無残な状態になってしまったことに愕然としたのです。

その後も、罹災の申請や、家の取り壊しの申請・その後の確認などで何度か熊本を訪れました。市役所の展望所から見る天守閣や、アームで吊られた飯田丸五階櫓を見ると、「この先どんなになってしまうのだろう」と不安な気持ちでいっぱいでした。

あれから、約2年がたち、母も落ち着きを取り戻し、少しずつ復旧の兆しが見えてくると、私にとって熊本城は復興のシンボルとなりました。この先、何十年もかかる熊本城の復旧事業ですが、少しずつ進んでいく作業を、テレビなどで見ては「お城もここまでになったか、自分も元気だそう。」と思えるようになったのです。この地震が起こるまでは、特に郷土愛などは感じたこともなかったのですが・・・。

「はじめに」に引き続き、ウズベキスタン共和国でのワークショップの先生で、もうひとかた、東京芸術大学客員教授の青木繁夫先生の授業をご紹介したいと思います。青木先生は文化財の保存がご専門で、アフガニスタンにも行かれておりました。内戦やその後のタリバーン政権によって、見る影もなく破壊されたカーブルのアフガニスタン国立博物館からは、収蔵品が破壊・略奪され、国外へと流失してしまいました。しかし、一部の貴重な資料は、職員の命がけの努力によって、難を免れました。

タリバーン政権崩壊後、市民の要望で、いち早く開館したのがアフガニスタン国立博物館だったそうです。窓にはガラスも無く、天井も落ちてしまった博物館の入り口に掲げられた垂れ幕には、「A NATION STAYS ALIVE WHEN ITS CULTURE STAYS ALIVE（文化が生き続ける限り、国は生き続ける）」と書かれていたそうです。すべてを無くしてしまった国民にとって、心のよりどころとなったのが、アフガニスタン国立博物館だったわけです。

熊本地震やアフガニスタンのような大きな災いではなくとも、みなさんにも落ち込んだ時や、辛いこと・苦しい時期を一緒に乗り切った「思い出の宝物」があることでしょう。この本の「はじめに」で文化財が私たちの「歴史」と「文化」をそして「自我の原点」を伝えてくれる大切な役割をしていることを書きました。文化財にはもう一つ、困ったときや苦境に立ったとき、私たちを励ます力になるという役割があります。「歴史」と歩む「文化」と歩む「自我の原点」を見つめるということは、私たちのアイデンティティーと向き合い、私たち自身と、そして同じ経験をしたみんなと「未来に向けて歩む」ということなのではないでしょうか。文化財とは歴史と文化を伝え、私たちのアイデンティティーを伝えてくれる箱船であり、ときには私たちの未来への応援団のようなものなのかもしれません。

2018年3月15日
2020年10月17日改訂

青木繁夫先生

改訂版 文化財学の基礎 －文化財とは何か－

2018年3月31日　初版発行
2021年1月31日　第一回改訂版発行

著 者　古庄 浩明

発行所　株式会社　三恵社
〒462-0056 愛知県名古屋市北区中丸町2-24-1
TEL:052(915)5211
FAX:052(915)5019
URL:http://www.sankeisha.com

乱丁・落丁の場合はお取替えいたします。
ISBN978-4-86693-332-0